na mira do serial killer

KIM HARRISON

na mira do serial killer

Tradução de

Cláudia Mello Belhassof

Publicado mediante acordo com HarperCollins Publishers.
Publicado originalmente sob o título *The Good, the Bad, and the Undead.*

O texto deste livro foi fixado conforme o acordo ortográfico vigente no Brasil desde 1º de janeiro de 2009.

EDIÇÃO UTILIZADA NESTA TRADUÇÃO Kim Harrison, *The Good, the Bad, and the Undead*
Nova York, HarperCollins Publishers, 2005
PREPARAÇÃO Marina Bernard
REVISÃO Erika Nakahata e Ana Luiza Cândido
CAPA Edições Pavana
ILUSTRAÇÃO DE CAPA Larry Rostant/Bernstein & Andriulli
IMPRESSÃO E ACABAMENTO EGB – Editora Gráfica Bernardi Ltda.

1ª edição, 2015

CIP-Brasil. Catalogação na publicação
Sindicato Nacional dos Editores de Livros, RJ

H261n
Harrison, Kim
Na mira do serial killer / Kim Harrison; tradução Cláudia Mello Belhassof. – 1. ed. – São Paulo: Pavana, 2014.

Tradução de: The good, the bad and the undead
ISBN 978-85-8419-011-9

1. Ficção americana. I. Belhassof, Cláudia Mello, 1965-. II. Título.

14-13943 CDD-813
CDU: 821.111(73)-3

2015
Pavana é um selo da Alaúde Editorial Ltda.
Rua Hildebrando Thomaz de Carvalho, 60
04012-120 – São Paulo – SP
www.edicoespavana.com.br

Para o homem que sabe que a cafeína vem em primeiro lugar;
o chocolate, em segundo; e o romance, em terceiro – e também
sabe quando a ordem deve ser invertida.

Um

Ajeitei mais alto no meu ombro a tira de lona que segurava a lata de água e me estiquei para colocar o bocal na planta pendurada. A luz do sol entrava, quente sobre o meu macacão institucional azul. Do outro lado da janela estreita de vidro laminado havia um pequeno pátio cercado de escritórios VIP. Estreitando os olhos para evitar o sol, apertei o cabo da mangueira de água; um jato fraco saiu assobiando.

Havia um barulho de teclado de computador, e fui até a próxima planta. Uma conversa telefônica escapava do escritório atrás da mesa da recepção, acompanhada de uma risada que parecia o latido de um cachorro. Lóbis. Quanto mais alto o nível na matilha, mais eles conseguiam parecer humanos, mas sempre dava para perceber quando eles riam.

Olhei pela fileira de plantas penduradas nas janelas para o aquário atrás da mesa da recepcionista. É. Barbatanas bege. Mancha preta no lado direito. Era esse. O senhor Ray criava carpas, apresentando-as na feira anual de peixes de Cincinnati. O vencedor do ano anterior sempre ficava em exibição na parte externa de seu escritório, mas agora havia dois peixes, e o mascote dos Uivadores tinha sumido. O senhor Ray era um torcedor do Den, rival do time de beisebol só de impercebidos de Cincinnati. Não era difícil somar dois mais dois e ter um peixe roubado.

– Então – disse a mulher alegre atrás da mesa enquanto se levantava para colocar uma resma de papel no alimentador da impressora. – Mark está de férias? Ele não me falou nada.

Fiz que sim com a cabeça, sem olhar para a secretária, vestida com um terninho bege esnobe, enquanto eu arrastava a mangueira por mais um metro. Mark estava tirando férias curtas na escadaria do prédio onde prestava serviços antes deste. Derrubado por uma poção de sono de curta duração.

– Sim, senhora – assenti, levantando a voz e acrescentando um certo sibilar. – Mas ele me disse para molhar as plantas. – Escondi minhas unhas pintadas de vermelho embaixo das palmas antes que ela visse. Não combinavam com a imagem de menina trabalhadora. Eu deveria ter pensado nisso mais cedo. – Todas as deste andar, depois o arboreto no telhado.

A mulher sorriu para me mostrar seus dentes ligeiramente maiores. Ela era uma lóbis, e bem alta na matilha do escritório, pela quantidade de esmalte. E o senhor Ray não teria um macho qualquer como secretário, já que podia pagar um salário alto o suficiente para uma fêmea alfa. Um leve aroma de almíscar exalava dela, e não era desagradável.

– Mark te falou do elevador de serviço na parte de trás do prédio? – ela perguntou, querendo ser prestativa. – É mais fácil do que arrastar esse carrinho escada acima.

– Não, senhora – respondi, puxando o boné horroroso com um logotipo de homem-planta para ficar mais firme na minha cabeça. – Acho que ele está dificultando as coisas para eu não tentar pegar o território dele. – Com o pulso acelerado, empurrei o carrinho de Mark com suas tesouras de poda, bolinhas de fertilizante e o sistema regador para mais adiante na fileira. Eu sabia do elevador, junto com a localização das seis saídas de emergência, dos botões de alarme de incêndio e do local onde eles guardavam as rosquinhas.

– Homens – ela disse, revirando os olhos enquanto se sentava na frente da tela novamente. – Eles não percebem que, se quiséssemos governar o mundo, nós conseguiríamos?

Dei a ela um aceno de cabeça descompromissado e esguichei uma quantidade mínima de água na planta seguinte. Eu meio que achava que a gente já governava.

Um zumbido curto se sobrepôs à rotação da impressora e à conversa fraca que vinha do escritório. Era Jenks, meu parceiro, e ele claramente estava de mau humor ao sair voando do escritório do chefe até mim. Suas asas de libélula estavam vermelhas com a agitação, e um pó de pixie saía dele para formar raios de sol temporários.

– Já acabei com as plantas aqui – ele disse alto quando pousou na borda do vaso pendurado à minha frente. Colocou as mãos nos quadris para ficar parecido com um Peter Pan de meia-idade que cresceu para ser lixeiro em seu pequeno macacão azul. A esposa dele tinha feito um boné combinando. – Elas só precisam de água. Posso ajudar em outras coisas ou posso voltar e dormir no caminhão? – acrescentou, azedo.

Tirei a lata de água que estava pendurada em mim e a coloquei no chão para desenroscar a tampa.

– Seria bom usar uma bolinha de fertilizante – falei, me perguntando qual era o problema dele.

Resmungando, ele voou até o carrinho e começou a vasculhar. Prendedores verdes, estacas e tiras de teste de pH usadas voaram para todo lado.

– Peguei uma – ele disse, mostrando uma bolinha branca tão grande quanto a cabeça dele. Soltou na lata de água, e a bolinha efervesceu. Não era uma bolinha de fertilizante, mas sim um oxigenador e criador de camada de limo. De que adianta roubar um peixe se ele morrer no caminho?

– Meu Deus, Rachel – Jenks sussurrou quando pousou no meu ombro. – É poliéster. Estou usando poliéster!

Minha tensão relaxou quando eu percebi de onde vinha o mau humor dele.

– Vai dar tudo certo.

– Já chega! – ele disse, coçando-se vigorosamente sob o colarinho. – Não posso usar poliéster. Pixies são alérgicos a poliéster. Olha. Viu? – Ele inclinou a cabeça de modo que o cabelo louro se afastou do pescoço, mas ele estava perto demais para eu conseguir focalizar. – Feridas. E fedorentas. Sinto o cheiro do óleo. Estou vestindo um dinossauro morto. Não posso vestir um animal morto. É barbárie, Rachel – ele alegou.

– Jenks? – Enrosquei a tampa de leve na lata de água e pendurei no ombro, afastando Jenks nesse processo. – Estou vestindo a mesma coisa. Segura a onda.

– Mas fede!

Olhei para ele flutuando na minha frente.

– Vá podar algo – eu disse entre dentes cerrados.

Ele me mostrou os dois dedos do meio, flutuando para trás conforme se afastava. Tanto faz. Dando um tapinha no bolso de trás do meu macacão azul nojento, encontrei o alicate. Enquanto a Senhorita Profissional de Escritório digitava uma carta, abri um banquinho e comecei a cortar as folhas da planta pendurada atrás da mesa dela. Jenks passou a ajudar e, depois de alguns instantes, murmurei:

– Está tudo certo lá dentro?

Ele fez que sim com a cabeça, mantendo os olhos na porta aberta do escritório do senhor Ray.

– Na próxima vez que ele olhar o e-mail, todo o sistema de segurança da internet vai cair. Ela vai levar cinco minutos para consertar, se souber o que está fazendo, e quatro horas se não souber.

– Só preciso de cinco minutos – eu disse, começando a suar debaixo do sol que entrava pela janela. O lugar tinha cheiro de jardim, um jardim com um cachorro molhado arquejando nos azulejos frios.

Minha pulsação acelerou, e eu caminhei até outra planta. Eu estava atrás da mesa, e a mulher se enrijeceu. Eu tinha invadido seu território, mas ela precisava aguentar. Eu era a garota da água. Esperei que ela atribuísse minha crescente tensão ao fato de estar perto dela e continuei trabalhando. Minha outra mão estava pousada sobre a tampa da lata de água; um giro e ela sairia.

– Vanessa! – veio um grito irado do escritório de trás.

– Lá vamos nós – Jenks disse, voando até o teto e as câmeras de segurança.

Eu me virei e vi um homem irado, claramente um lóbis pelo tamanho e pela constituição física frágil, quase saindo pela porta do escritório de trás.

– Eu fiz aquilo de novo – ele disse, com o rosto vermelho e as mãos grossas segurando o portal. – Eu odeio essas coisas. O que há de errado com o papel? Eu gosto de papel.

Um sorriso profissional enfeitou o rosto da secretária.

– Senhor Ray, o senhor gritou com ele de novo, não foi? Eu já disse: computadores são como mulheres. Se gritar com eles ou pedir para fazer muitas coisas ao mesmo tempo, eles desligam sem a gente perceber.

Ele rosnou uma resposta e desapareceu no escritório, sem se dar conta do fato – ou ignorando-o – de que ela tinha acabado de ameaçá-lo. Minha pulsação pulou, e eu movi o banquinho para bem ao lado do aquário.

Vanessa suspirou.

– Que Deus o proteja – murmurou ao se levantar. – Esse homem poderia esmagar as bolas dele com o dedo mindinho. – Me olhando com um ar desesperado, ela entrou no escritório, com os saltos batendo no chão. – Não toque em nada – disse alto. – Estou chegando.

Respirei rápido.

– Câmeras? – sussurrei.

Jenks veio até mim.

– Dez minutos. Caminho livre para você.

Ele voou até a porta principal, se empoleirando na moldura em cima da verga para observar o corredor externo. Suas asas ficaram borradas, e ele me deu um sinal de positivo com seu dedinho minúsculo.

Minha pele se contraiu de expectativa. Tirei a tampa do aquário, depois peguei a rede verde de peixes num bolso interno do macacão. De pé no banquinho, puxei a manga até o cotovelo e enfiei a rede na água. Os dois peixes imediatamente correram para a parte de trás.

– Rachel! – Jenks sibilou de repente no meu ouvido. – Ela é boa. Já está na metade do caminho.

– Olhe a porta, Jenks – eu disse, mordendo os lábios. "Quanto tempo se pode demorar para pegar um peixe?" Empurrei uma pedra para chegar ao peixe escondido atrás dela. Eles foram depressa para a parte da frente.

O telefone começou a tocar, um zumbido suave.

– Jenks, você pode atender? – perguntei calmamente, enquanto inclinava a rede, prendendo os dois no canto. – Peguei vocês...

Jenks voltou correndo da porta, caindo em pé sobre o botão que piscava.

– Escritório do senhor Ray. Um minuto, por favor – ele disse num tom de falsete.

– Droga – xinguei quando o peixe se agitou e escapou da rede verde. – Vem cá, só estou tentando te levar para casa, sua coisa magrela de barbatanas – eu chamei entre dentes cerrados. – Quase... quase... – Ele estava entre a rede e o vidro. Se ele ficasse parado...

– Ei! – uma voz grossa veio do corredor.

A adrenalina virou minha cabeça de repente. Um homem baixinho com barba densa e uma pilha de papéis estava no corredor que levava aos outros escritórios.

– O que você está fazendo? – ele perguntou de um jeito hostil.

Dei uma olhada para o aquário com o meu braço dentro. A rede estava vazia. O peixe tinha escapado.

– Hum, eu deixei escapar a tesoura? – eu disse.

Do escritório do senhor Ray, do outro lado, veio um barulho de passos e a arfada de Vanessa.

– Senhor Ray!

"Droga. O jeito fácil já era."

– Plano B, Jenks – eu disse, rosnando enquanto pegava a parte de cima do aquário e puxava.

Na outra sala, Vanessa gritou quando o aquário se inclinou e noventa e cinco litros de água nojenta de peixe caíam sobre sua mesa. O senhor Ray apareceu ao lado dela. Eu desci do banquinho, ensopada da cintura para baixo. Ninguém se mexia, em choque, e eu vasculhei o chão.

– Te peguei! – gritei, lutando para agarrar o peixe certo.

– Ela está atrás do peixe! – o homem baixinho gritou enquanto mais pessoas vinham pelo corredor. – Peguem ela!

– Vai! – Jenks berrou. – Eu mantenho eles longe de você.

Ofegando, segui o peixe encurvada e tropeçando, tentando pegar o bicho sem machucá-lo. Ele se sacudia e se contorcia, e minha respiração explodiu quando eu finalmente consegui colocar os dedos em volta dele. Olhei para cima enquanto o jogava na lata de água e fechei a tampa com força.

Jenks parecia uma libélula do inferno enquanto voava de lóbis em lóbis, brandindo vários lápis e os jogando em partes sensíveis. Um pixie de dez centímetros estava segurando três lóbis. Isso não me surpreendia. O senhor Ray se mostrava contente em observar, até perceber que eu estava com um dos peixes dele.

– Que diabos você vai fazer com o meu peixe? – exigiu saber, com o rosto vermelho de raiva.

– Vou embora – eu disse. Ele veio na minha direção, com as mãos grossas estendidas. Peguei uma delas gentilmente e o puxei para a frente na direção do meu pé. Ele recuou, segurando a barriga.

– Para de brincar com esses cachorros! – eu gritei para Jenks, procurando uma saída. – Precisamos ir embora.

Peguei o monitor de Vanessa e o joguei na janela de vidro laminado. Eu queria fazer isso com o de Ivy há muito tempo. Ele se espatifou num impacto gratificante, a tela com aparência esquisita na grama. Os lóbis entraram na sala, com raiva e exalando almíscar. Agarrei a lata de água e mergulhei pela janela.

– Atrás dela! – alguém gritou.

Meus ombros atingiram a grama bem cuidada, e eu rolei até ficar de pé.

– Levante-se! – Jenks disse no meu ouvido. – Ali.

Ele disparou pelo pequeno pátio fechado. Eu o segui, pendurando a pesada lata de água de forma atravessada nas costas. Com as mãos livres, subi pela treliça. Espinhos furaram a minha pele, mas os ignorei.

Minha respiração ficou ofegante quando cheguei ao topo. Os galhos se quebrando diziam que eles estavam me seguindo. Puxei meu corpo para cima do telhado reto de asfalto com cascalho e saí correndo. O vento estava quente naquela altura, e o céu de Cincinnati se estendia à minha frente.

– Pule! – Jenks gritou quando cheguei à borda.

Eu confiava em Jenks. Sacudindo os braços e com os pés ainda em movimento, me joguei do telhado.

A adrenalina subiu e o meu estômago gelou. Era um estacionamento! Ele me mandou pular do telhado para o chão de um estacionamento!

– Não tenho asas, Jenks! – gritei. Com os dentes cerrados, flexionei os joelhos.

A dor explodiu quando atingi o piso. Caí para a frente, ralando a palma das mãos. A lata com o peixe ressoou e caiu quando a tira arrebentou. Rolei para absorver o impacto.

A lata de metal girou para longe e, ainda ofegando com a dor, saí tropeçando atrás dela. Meus dedos mal a tocaram e ela rolou para baixo de um carro. Xingando, eu me deitei no chão, me esticando para pegá-la.

– Lá está ela! – Ouvi um grito.

Escutei um zumbido vindo do carro acima de mim, depois outro. O piso ao lado do meu braço de repente tinha um buraco, e afiados estilhaços de bomba me pinicaram. Estavam atirando em mim?

Rosnando, me sacudi debaixo do carro e puxei a lata de água para fora. Inclinada sobre o peixe, recuei.

– Ei! – gritei, afastando o cabelo dos olhos. – Que diabos vocês estão fazendo? É só um peixe! E nem é de vocês!

O trio de lóbis me encarou do telhado. Um deles levantou uma arma até os olhos.

Eu me virei e comecei a correr. Isso já não valia quinhentos dólares. Cinco mil, talvez. "Da próxima vez", jurei enquanto corria atrás de Jenks, "vou descobrir os detalhes antes de cobrar minha tarifa-padrão."

– Por aqui! – Jenks berrou. Pedaços de piso estavam ricocheteando para me atingir, ecoando os sibilos. O estacionamento não tinha portão e, enquanto meus músculos tremiam com a adrenalina, atravessei a rua correndo e cheguei ao tráfego de pedestres. Com o coração martelando, diminuí o ritmo, olhei para trás e vi as silhuetas deles contra o horizonte. Eles não tinham pulado. Não precisavam. Eu tinha deixado sangue por toda a treliça. Ainda assim, achei que eles não me rastreariam. O peixe não era deles; era dos Uivadores. E assim o time de beisebol só de impercebidos de Cincinnati pagaria o meu aluguel.

Meus pulmões oscilavam enquanto eu tentava acompanhar o passo das pessoas ao redor. O sol estava quente, e eu suava dentro do macacão de poliéster. Jenks provavelmente estava me dando cobertura, então entrei num beco para trocar de roupa. Coloquei o peixe no chão e deixei minha cabeça bater com força na parede fria do prédio. Consegui! O aluguel estava garantido por mais um mês.

Levantei os braços e tirei o amuleto de disfarce do pescoço. Eu me senti melhor imediatamente, quando a ilusão de uma mulher de pele escura, cabelo castanho e nariz grande desapareceu, revelando meu cabelo ruivo encaracolado, que ia até o ombro, e minha pele clara. Olhei para as palmas raladas e as esfreguei com cuidado. Eu poderia ter levado um amuleto de dor, mas queria o mínimo possível de talismãs em mim, caso eu fosse pega e a minha "intenção de roubar" se transformasse em "intenção de roubar e machucar". De um eu conseguiria escapar, pelo outro eu teria que responder. Eu era uma caça-recompensas; eu conhecia a lei.

Enquanto as pessoas passavam pela entrada do beco, tirei o macacão úmido e o coloquei na caçamba de lixo. Era uma grande melhoria, e eu me inclinei para desenrolar a bainha das minhas calças de couro sobre as botas pretas. Ao me endireitar, vi uma marca nova de arranhão nas calças, e me retorci para analisar todos os danos. O amaciante de couro de Ivy ajudaria, mas, ainda assim, asfalto e couro não combinam. Bem, antes arranhar as calças do que eu, e era por isso que eu as usava.

Soprava um agradável ar de setembro na sombra, enquanto eu vestia a minha blusa preta amarrada no pescoço e pegava a lata de água. Sentindo-me mais como eu mesma, saí para o sol e coloquei meu boné na cabeça de um garotinho que estava passando. Ele olhou para o boné e depois sorriu, me dando um aceno tímido enquanto a mãe se inclinava para perguntar onde ele tinha conseguido aquilo. Em paz com o mundo, caminhei pela calçada, o salto das botas fazendo um barulho metálico e eu afofando o cabelo e seguindo para a Praça da Fonte e em direção à minha carona. Eu tinha deixado meus óculos de sol lá na mesma manhã e, com sorte, eles ainda estariam ali. Deus me ajude, mas eu gostava de ser independente.

Passaram-se quase três meses desde que eu tinha surtado com as tarefas horríveis que o meu antigo chefe na Segurança dos Impercebidos me dava. Me sentindo usada e excessivamente desprezada, eu quebrei a regra tácita e pedi demissão da SI para dar início à minha própria agência. Tinha parecido uma boa ideia na época, e sobreviver à subsequente ameaça de morte quando eu não pude pagar o suborno para desfazer o contrato fora um alerta. Eu não teria conseguido se não fossem Ivy e Jenks.

Estranhamente, quando eu enfim estava construindo o meu nome, tudo ficou mais difícil, não mais fácil. Era verdade que eu estava fazendo valer o meu diploma, preparando feitiços que eu costumava comprar e alguns pelos quais eu nunca pude pagar. Mas dinheiro era um problema sério. Não é que eu não conseguisse trabalhos; é que o dinheiro não parecia ficar no pote de biscoitos sobre a geladeira por muito tempo.

O que eu ganhei por provar que um raposomem tinha se livrado da maldição de um covil rival usei para renovar minha licença de bruxa; a SI costumava pagar por isso. Recuperei um familiar roubado para um feiticeiro e gastei no complemento do meu plano de saúde. Eu não sabia que os caça-recompensas não podiam ter plano de saúde; a SI tinha me dado um cartão, e eu usava. Depois tive que pagar a um cara para tirar os feitiços letais das minhas coisas que ainda estavam guardadas, comprar um roupão de seda para Ivy para substituir o que eu estraguei, e comprar algumas roupas para mim, já que eu tinha uma reputação a zelar, enfim.

Mas o escoadouro constante das minhas finanças eram as corridas de táxi. A maioria dos motoristas de ônibus de Cincinnati me conhecia de vista e não me deixava subir, e era por isso que Ivy tinha que me levar para casa. Simplesmente não era justo. Já tinha se passado quase um ano desde que eu tinha acidentalmente removido o cabelo dos passageiros de um ônibus lotado enquanto tentava identificar um lóbis.

Eu me sentia cansada de estar quase falida, mas o dinheiro para recuperar o mascote dos Uivadores me deixaria no saldo positivo por mais um mês. E os lóbis não me seguiriam. O peixe não era deles. E, se eles abrissem uma queixa na SI, teriam que explicar onde tinham conseguido o animalzinho.

– Ei, Rachel – Jenks disse, descendo de quem sabe onde. – Sua retaguarda está livre. Qual é o plano B?

Minhas sobrancelhas se levantaram, e eu olhei para ele sem acreditar, enquanto o pixie voava ao meu lado, acompanhando o meu passo com precisão.

– Pegar o peixe e correr adoidada.

Jenks riu e pousou no meu ombro. Tinha descartado o uniforme minúsculo, e parecia ele mesmo, usando uma camisa de manga comprida e calças de seda, ambas de cor verde-caçador. Trazia uma bandana vermelha na testa para dizer a qualquer pixie ou fada que ele não estava cruzando fronteiras ilegalmente. Centelhas brilhavam nas suas asas, nas quais permanecia o restinho do pó de pixie agitado pela empolgação.

Meu ritmo diminuiu quando chegamos à Praça da Fonte. Procurei por Ivy, mas não a vi. Sem me preocupar, fui sentar na parte seca da fonte, passando os dedos pela borda da parede de retenção em busca dos óculos de sol. Ela viria. Pontualidade era tudo para aquela vampira.

Enquanto Jenks voava pelo spray para se livrar do resto do "fedor de dinossauro morto", eu abri os óculos e os coloquei. Minha testa relaxou quando o brilho da tarde de setembro foi aliviado. Estiquei as pernas e casualmente peguei o amuleto de aroma que estava no meu pescoço e o larguei na fonte. Os lóbis rastreavam pelo cheiro e, se eles de fato me seguissem, o rastro terminaria aqui assim que eu entrasse no carro de Ivy e fosse embora.

Esperando que ninguém tivesse notado, dei uma olhada nas pessoas ao redor: um nervoso e anêmico lacaio de vampiro fazendo o trabalho diurno de seu amante; dois humanos que sussurravam, dando risinhos enquanto observavam o pescoço dele, cheio de cicatrizes; uma bruxa cansada – não, feiticeira, concluí, pela ausência de aroma de sequoia – sentada num banco próximo comendo um bolinho; e eu. Inspirei devagar enquanto me acalmava. Ter que esperar a carona era meio que um anticlímax.

– Queria ter um carro – eu disse a Jenks enquanto colocava a lata de água com o peixe entre os pés. O tráfego a nove metros de distância estava pesado Imaginei que deviam ser mais de duas da tarde, período em que os humanos e os impercebidos começavam a luta diária para coexistir no mesmo espaço limitado. As coisas ficavam muito mais fáceis quando o sol se punha e a maioria dos humanos se recolhia em suas casas.

– O que você quer com um carro? – Jenks perguntou enquanto se empoleirava no meu joelho e começava a limpar as asas de libélula com várias pancadas. – Não tenho carro. Nunca tive um carro. Eu me viro bem. Carros são problemas – ele disse, mas eu não estava mais ouvindo. – Você tem que abastecer, levar para manutenção, gastar tempo limpando, além de precisar ter um lugar para guardá-lo e dinheiro para desperdiçar nele. É pior que uma namorada.

– Mesmo assim – respondi, sacudindo os pés para irritá-lo. – Eu queria ter um carro. – Dei uma olhada nas pessoas ao redor. – James Bond nunca teve que esperar pelo ônibus. Eu vi todos os filmes dele, e ele nunca esperou um ônibus. – Estreitei os olhos para Jenks. – Meio que perde o encanto.

– Hum, é – ele disse, com a atenção atrás de mim. – Estou vendo que poderia ser mais seguro também. Onze horas. Lóbis.

Minha respiração acelerou quando olhei, e senti a tensão voltar.

– Droga – sussurrei, pegando a lata de água. Eram os três de antes. Eu os reconhecia pela estatura encurvada e pelo modo como respiravam fundo. Com o maxilar travado, me levantei de maneira que a fonte ficasse entre nós. "Onde estava Ivy?"

– Rachel, por que eles estão te seguindo? – Jenks indagou.

– Não sei. – Meus pensamentos foram até o sangue que eu tinha deixado nas rosas. Se eu não conseguisse interromper a trilha de aroma, eles poderiam me seguir até em casa. Mas por quê? Com a boca seca, eu sentei de costas para eles, sabendo que Jenks observava. – Eles me farejaram? – perguntei.

Ele saiu batendo as asas.

– Não – ele disse quando voltou, quase um segundo depois. – Você tem tipo meio quarteirão até eles, mas precisa sair daqui.

Agitada, analisei o risco de ficar parada e esperar Ivy sem me mexer e ser vista.

– Droga, queria ter um carro – murmurei. Eu me inclinei para a rua, buscando o teto azul de um ônibus, um táxi, qualquer coisa. "Onde diabos estava Ivy?"

Com o coração martelando, me levantei. Puxei o peixe para mais perto e fui em direção à rua, querendo entrar no prédio de escritórios adjacente e no labirinto onde eu poderia me perder enquanto esperava Ivy. Mas um enorme Crown Victoria preto diminuiu a velocidade e parou, ficando no meu caminho.

Encarei furiosa o motorista, e meu rosto rígido relaxou quando a janela gemeu e se abriu, e ele se inclinou sobre o banco do carona.

– Senhorita Morgan? – o homem negro perguntou, com uma voz profunda e beligerante.

Olhei para os lóbis atrás de mim, depois para o carro, depois para ele. Um Crown Victoria preto dirigido por um homem de terno preto só podia significar uma coisa. Ele era da Agência Federal de Investigação, o equivalente humano da SI. "O que o FIB queria?"

– Eu. Quem é você?

Um incômodo passou pelo rosto dele.

– Falei com a senhorita Tamwood mais cedo. Ela disse que eu a encontraria aqui.

"Ivy." Coloquei a mão na janela aberta.

– Ela está bem?

Ele pressionou os lábios. O tráfego estava se acumulando atrás de seu carro.

– Quando falei com ela ao telefone, estava.

Jenks flutuou na minha frente, com o rosto minúsculo assustado.

– Eles te farejaram, Rachel.

Minha respiração entrou sibilando pelo nariz. Dei uma olhada para trás. Meu olhar caiu num dos lóbis. Ao me ver olhando, ele latiu um cumprimento. Os outros dois começaram a se reunir, galopando para a frente com uma graciosidade desapressada. Engoli com força. Eu era comida de cachorro. Era isso. Comida de cachorro. O jogo acabou. Aperte o botão de reiniciar.

Girando, agarrei a maçaneta e a virei. Mergulhei no carro, batendo com força a porta atrás de mim.

– Dirija! – gritei, virando para olhar pela janela traseira.

O rosto longo do homem assumiu um tom de repulsa quando ele olhou para trás pelo espelho retrovisor.

– Eles estão com você?

– Não! Essa coisa se move ou você simplesmente fica sentado aí e brinca sozinho?

Fazendo um ruído baixo de irritação, ele acelerou com suavidade. Eu me virei no assento, observando os lóbis pararem no meio da rua. Buzinas soaram dos carros forçados a parar por causa deles. Virando de volta, agarrei a lata com o peixe e fechei os olhos, aliviada. A Ivy ia me pagar por essa. Eu juro, ia usar os mapas tão preciosos dela como obstáculo para ervas no jardim. Ela deveria ter me buscado, em vez de mandar um lacaio do FIB.

Com a pulsação desacelerando, me virei e olhei para o homem. Era um palmo mais alto que eu, algo considerável, tinha ombros bonitos, cabelos pretos e cacheados, de corte curto, maxilar quadrado e uma atitude rígida que me implorava para bater nele. Confortavelmente musculoso sem ser exagerado, não trazia nem um indício de sentimentos. Em seu terno preto com corte perfeito, camisa branca e gravata preta, ele podia ser o garoto-propaganda do FIB. O bigode e a barba eram aparados na última moda – tão mínimos que quase não estavam ali –, e eu achei que era melhor ele diminuir um pouco a quantidade de loção pós-barba. Observei o porta-algemas no cinto, desejando ainda ter o meu. O acessório pertencia à SI, e eu sentia muita falta dele.

Jenks se ajeitou no seu local de sempre, sobre o espelho retrovisor, onde o vento não rasgava suas asas, e o homem de pescoço duro o observava com uma intensidade que me dizia que ele tinha pouco contato com pixies. Sorte a dele.

Pelo rádio chegou um chamado sobre um ladrão de lojas no *shopping*, e ele o desligou.

– Obrigada pela carona – eu disse. – Ivy que te mandou?

Ele afastou os olhos de Jenks.

– Não. Ela disse que você estaria aqui. O capitão Edden quer falar com você. Alguma coisa relativa ao conselheiro municipal Trent Kalamack – o oficial do FIB acrescentou com indiferença.

– Kalamack! – uivei, depois me amaldiçoei por ter falado isso. O canalha rico queria que eu trabalhasse para ele; do contrário, queria me ver morta. Dependia do seu humor e de suas ações no banco. – Kalamack, é? – corrigi, me ajeitando inquieta no assento de couro. – Por que Edden mandou me buscar? Você está na lista negra dele desta semana?

Ele não disse nada, e suas mãos maciças agarraram o volante com tanta força que as unhas ficaram brancas. O silêncio cresceu. Passamos por um sinal amarelo que estava prestes a ficar vermelho.

– Quem é você? – perguntei finalmente.

Ele fez um barulho de desprezo profundo com a garganta. Eu estava acostumada à desconfiança cautelosa da maioria dos humanos. Esse cara não estava com medo, e isso me incomodava.

– Detetive Glenn, madame – ele respondeu.

– Madame – Jenks disse, rindo. – Ele te chamou de madame.

Olhei com raiva para Jenks. Ele parecia jovem para ser detetive. O FIB devia estar desesperado.

– Bem, obrigada, detetive Glade – eu disse, errando de propósito o nome dele. – Pode me deixar em qualquer lugar. Posso pegar o ônibus aqui. Vejo o capitão Edden amanhã. Estou trabalhando num caso importante neste momento.

Jenks abafou o riso, e o homem corou, só que o vermelho quase ficou escondido sob a pele escura.

– É Glenn, *madame*. E eu vi seu caso importante. Quer que eu te leve de volta para a fonte?

– Não – respondi, afundando no assento, com pensamentos sobre jovens lóbis raivosos passando pela cabeça. – Mas agradeço a carona até o meu escritório. Fica em Hollows. Pegue a próxima à esquerda.

– Não sou seu motorista – ele disse, de um jeito amargo, claramente irritado. – Sou seu garoto de entregas.

Puxei o braço para dentro quando ele fechou a janela pelo seu painel de controle. O interior do carro ficou imediatamente abafado. Jenks voou com rapidez para o teto, preso.

– Que diabos você está fazendo? – o pixie soltou um grito penetrante.

– É! – exclamei, mais irada do que preocupada. – O que está rolando?

– O capitão Edden quer vê-la agora, senhorita Morgan, não amanhã. – Seu olhar disparou da rua para mim. Seu maxilar estava tenso, e eu não gostei do sorriso maldoso que estampava a sua face. – E se você sequer tentar pegar um feitiço, eu arranco sua bunda de bruxa para fora do meu carro, te algemo e te jogo no porta-malas. O capitão Edden me mandou te levar, mas não disse em que estado você deveria ser entregue.

Jenks pousou no meu brinco, xingando. Apertei várias vezes o botão para abrir a janela, mas Glenn a tinha trancado. Eu me recostei bufando. Eu podia enfiar o dedo no olho de Glenn e obrigar o carro a sair da rua, mas por que faria isso? Eu sabia aonde estava indo. E Edden me arrumaria uma carona para casa. Mas fiquei incomodada de andar com um humano mais amargo do que eu. O que nossa cidade estava se tornando?

Um silêncio súbito desceu sobre nós. Tirei os óculos de sol e me inclinei para a frente, percebendo que o homem estava vinte e quatro quilômetros por hora acima do limite permitido. Números.

– Observe isso – Jenks sussurrou. Minhas sobrancelhas se ergueram quando o pixie saiu voando depressa do brinco. O sol de outono que entrava de repente ficou cheio de faíscas quando ele disfarçadamente jogou um pó brilhante sobre o detetive. Eu poderia apostar minhas calcinhas de renda que não era pó de pixie comum. Glenn tinha sido pulverizado.

Escondi um sorriso. Em cerca de vinte minutos, Glenn ia se coçar tanto que não conseguiria ficar sentado.

– Então, como você não tem medo de mim? – perguntei ousadamente, me sentindo bem melhor.

– Uma família de bruxos morava na casa ao lado quando eu era criança – ele respondeu, cauteloso. – Tinha uma garota com a minha idade. Ela fez comigo praticamente tudo que uma bruxa pode fazer com uma pessoa. – Um sorriso fraco atravessou seu rosto quadrado e o fez parecer muito diferente de um membro do FIB. – O dia mais triste da minha vida foi quando ela se mudou de lá.

Fiz um biquinho.

– Pobrezinho – eu disse, e a fisionomia sombria dele voltou. Mas eu não estava contente. Edden o mandou para me pegar porque sabia que eu não conseguiria importuná-lo.

Eu odiava segundas-feiras.

Dois

O granito cinza da torre do FIB recebia o sol do fim de tarde quando estacionamos em uma das vagas reservadas bem na frente do prédio. A rua estava agitada, e Glenn escoltou a mim e ao peixe de um jeito firme pela porta dianteira. Bolhas minúsculas entre o pescoço e o colarinho dele já estavam começando a mostrar na pele escura um cor-de-rosa que parecia doloroso.

Jenks notou meus olhos sobre elas e riu com deboche.

– Parece que o Senhor Detetive do FIB é sensível a pó de pixie – ele sussurrou. – Vai passar pelo sistema linfático. Ele vai se coçar em lugares que nem sabia que existiam.

– Sério? – perguntei, horrorizada. Normalmente, a pessoa só se coçava no lugar atingido pelo pó. Glenn estava destinado a ter vinte e quatro horas de pura tortura.

– É, ele nunca mais vai prender um pixie num carro.

Mas achei que tinha percebido um leve toque de culpa em sua voz, e ele também não estava sussurrando sua música de vitória, que falava de margaridas e aço vermelho brilhando à luz da lua. Meus passos vacilaram antes de passar pelo emblema do FIB incrustado no chão da entrada. Eu não era supersticiosa – exceto quando isso poderia salvar a minha vida –, mas eu estava entrando no que geralmente era um território apenas de humanos. Eu não gostava de ser minoria.

A conversa esporádica e o ruído de teclados me lembraram do meu antigo emprego na SI, e meus ombros relaxaram. As rodas da justiça eram lubrificadas com papel e abastecidas por pés rápidos nas ruas. Se os pés eram humanos ou de um impercebido, era irrelevante. Pelo menos para mim.

O FIB tinha sido criado para assumir as autoridades locais e federais depois da Virada. Na teoria, o FIB foi estabelecido para ajudar a proteger os humanos restantes dos impercebidos... hum... mais agressivos. Geralmente os vamps e os lóbis. Mas, na realidade, dissolver a antiga estrutura de leis tinha sido uma tentativa paranoica de manter os impercebidos longe dos órgãos que as faziam ser cumpridas.

Até parece que ia funcionar. A polícia e os agentes federais desempregados e assumidamente impercebidos criaram sua própria agência, a SI. Depois de quarenta anos, o FIB estava totalmente superado, sofrendo um abuso constante da SI enquanto ambos tentavam rotular os diferentes cidadãos de Cincinnati, com a SI assumindo a parte sobrenatural que o FIB não conseguia.

Conforme eu seguia Glenn até os fundos, mudei a lata de mão para esconder meu pulso esquerdo. Poucas pessoas reconheceriam a pequena cicatriz circular na parte inferior do meu pulso como uma marca do demônio, mas era melhor ser cautelosa. Nem o FIB nem a SI sabiam que eu estava envolvida no incidente induzido por demônios que destruiu o antigo armário de livros da universidade na última primavera, e eu preferia manter as coisas assim. O demônio foi enviado para me matar, mas acabou salvando minha vida. Eu ia ficar com a marca até descobrir um jeito de retribuir o favor.

Glenn andou em zigue-zague pelas mesas da recepção, e minhas sobrancelhas se ergueram quando nenhum oficial fez um comentário obsceno sobre uma ruiva usando couro. Mas, perto da prostituta escandalosa com cabelo roxo e uma corrente que brilha no escuro que ia do nariz até algum lugar debaixo da blusa, nós provavelmente éramos invisíveis.

Olhei de relance para as janelas fechadas do escritório de Edden enquanto passávamos e acenei para Rose, sua assistente. Seu rosto ficou vermelho quando ela fingiu me ignorar, e torci o nariz. Eu estava acostumada com esses gestos de desprezo, mas ainda assim eram irritantes. A rivalidade entre o FIB e a SI vinha de muito tempo. O fato de eu não trabalhar mais para a SI não parecia importar. Por outro lado, talvez ela simplesmente não gostasse de bruxas.

Respirei com mais facilidade quando deixamos a recepção para trás e entramos num corredor estéril com iluminação fluorescente. Glenn também relaxou para um passo mais lento. Eu sentia a política do escritório fluindo atrás de nós como correntes invisíveis, mas estava desanimada demais para me importar. Passamos por uma sala de reuniões vazia, e meus olhos foram até o enorme quadro branco no qual os crimes mais importantes da semana eram registrados. Acima dos crimes normais de humanos-atacados-por-vamps havia uma lista de nomes. Eu me senti enjoada quando meus olhos pararam ali. Estávamos andando rápido demais para ler, mas sabia o que eram. Eu acompanhava os jornais como todo mundo.

– Morgan! – Uma voz conhecida gritou, e eu girei o corpo; minhas botas gemeram no piso cinza.

Era Edden, com a silhueta atarracada se apressando pelo corredor em nossa direção, os braços balançando. Eu imediatamente me senti melhor.

– Caracóis... – Jenks murmurou. – Rachel, vou embora daqui. Te vejo em casa.

– Fique aí – eu disse, rindo com o mau humor do pixie. – E, se disser uma palavra nojenta para Edden, jogo inseticida nas suas pernas.

Glenn abafou o riso, e com certeza foi por isso que eu não consegui ouvir o que Jenks resmungou.

Edden era um ex-fuzileiro naval e tinha exatamente essa aparência, pois mantinha o cabelo bem curto, as calças cáqui amarrotadas e o corpo em forma sob a camisa branca alvejada. Apesar de seu cabelo certinho ser preto, o bigode era totalmente grisalho. Um sorriso acolhedor cobria seu rosto redondo enquanto ele andava a passos largos para a frente, enfiando os óculos de leitura com armação de plástico no bolso da camisa. O capitão da divisão de Cincinnati do FIB parou de repente, jogando o cheiro de café sobre mim. Ele era quase da minha altura – e isso o tornava baixinho, para um homem –, mas compensava com a boa impressão que causava.

Edden arqueou as sobrancelhas ao ver minhas calças de couro e minha camiseta nada profissional.

– Bom te ver, Morgan – ele disse. – Espero não ter te encontrado num momento ruim.

Mudei a lata de água de lugar e estendi a mão. Os dedos grossos e curtos dele envolveram os meus, com um toque familiar e acolhedor.

– Não, de jeito nenhum – comentei com indiferença, e Edden colocou a mão pesada sobre o meu ombro, me conduzindo por um corredor curto.

Normalmente, eu teria reagido a essa demonstração de intimidade com uma delicada cotovelada no estômago. Mas Edden era muito parecido comigo, e odiava a injustiça tanto quanto eu. Apesar de não se parecer fisicamente com ele, Edden lembrava o meu pai, e conquistou o meu respeito me aceitando como uma bruxa e me tratando com igualdade em vez de desconfiança. Eu adorava elogios.

Seguimos lado a lado pelo corredor, com Glenn se arrastando atrás.

– É bom ver que voltou a voar, senhor Jenks – Edden disse, fazendo um sinal com a cabeça para o pixie.

Jenks saiu do meu brinco, com as asas batendo de um jeito hostil. Uma vez Edden arrancou a asa de Jenks enquanto o enfiava num resfriador de água, e o rancor dos pixies era profundo.

– É Jenks – ele disse com frieza. – Apenas Jenks.

– Jenks, então. Podemos pegar alguma coisa para você? Água com açúcar, manteiga de amendoim... – Ele se virou, sorrindo atrás do bigode. – Café, senhorita Morgan? – perguntou lentamente. – Você parece cansada.

Seu sorrisinho acabou com o último resquício do meu mau humor.

– Seria ótimo – respondi, e Edden lançou um olhar diretivo para Glenn. O maxilar do detetive estava trincado, e várias feridas apareceram nele. Edden agarrou seu antebraço assim que, frustrado, Glenn se virou. Puxando-o para baixo, sussurrou:

– É tarde demais para tirar o pó de pixie. Tente usar cortisona.

Glenn me deu um olhar frio ao se empertigar e saiu pelo caminho de onde tínhamos vindo.

– Obrigado por ter vindo – Edden continuou. – Consegui uma trégua hoje de manhã, e você foi a única para quem pude ligar para tirar vantagem da situação.

Jenks deu uma risada debochada.

– O que aconteceu? Um lóbis está com um espinho na pata?

– Cale a boca, Jenks – censurei, mais por hábito do que qualquer outra coisa. Glenn mencionara Trent Kalamack, e isso tinha me deixado incomodada. O capitão do FIB parou diante de uma porta lisa. Outra porta igualmente lisa estava a trinta centímetros de distância. Salas de interrogatório. Ele abriu a boca para explicar, depois deu de ombros e empurrou a porta para mostrar uma sala vazia a meia-luz. Ele me conduziu para dentro, esperando a porta se fechar antes de se virar para o espelho falso e silenciosamente abrir a persiana.

Encarei a outra sala.

– Sara Jane! – sussurrei, com o rosto preocupado.

– Você a conhece? – Edden cruzou os braços curtos e grossos sobre o peito. – Que sorte.

– Não existe sorte – Jenks soltou, e a brisa das suas asas roçou o meu rosto enquanto ele descia ao nível do olhar. Estava com as mãos nos quadris, e as asas tinham saído da translucidez normal para um rosa-claro. – É uma armação.

Eu me aproximei do vidro.

– Ela é secretária de Trent Kalamack. O que está fazendo aqui?

Edden ficou parado ao meu lado, com os pés bem afastados.

– Procurando o namorado.

Eu me virei, surpresa com a expressão rígida no rosto redondo do capitão.

– Um feiticeiro chamado Dan Smather – Edden disse. – Sumiu no domingo. A SI não age antes de seu sumiço completar trinta dias. Ela está convencida de que o desaparecimento está ligado aos assassinatos do caçador de bruxos. Acho que ela está certa.

Meu estômago se contraiu. Cincinnati não era conhecida por seus *serial killers*, mas tínhamos sofrido mais assassinatos inexplicados nas últimas seis semanas do que nos últimos três anos. A recente violência deixou todo mundo preocupado – tanto impercebidos quanto humanos. O espelho falso ficou embaçado sob a minha respiração, e eu recuei.

– Ele se encaixa no perfil? – perguntei, já sabendo que a SI não a teria dispensado se ele se encaixasse.

– Se ele estivesse morto, se encaixaria. Por enquanto, só está desaparecido.

O ruído áspero e seco das asas de Jenks quebrou o silêncio.

– Então, por que envolver a Rachel nisso?

– Dois motivos. O primeiro é que a senhorita Gradenko é uma bruxa. – Ele acenou com a cabeça em direção à mulher bonita do outro lado do espelho, com muita frustração na voz. – Meus oficiais não conseguem interrogá-la adequadamente.

Observei Sara Jane olhar para o relógio e secar as lágrimas.

– Ela não sabe misturar um feitiço – eu disse com suavidade. – Ela só sabe invocá-los. Tecnicamente, é uma feiticeira. Eu queria que vocês entendessem que é o nível de habilidade, e não o sexo, que faz de alguém uma bruxa ou uma feiticeira.

– De qualquer maneira, meus oficiais não sabem interpretar as respostas dela.

Uma centelha de raiva se agitou. Eu me virei para ele, com os lábios pressionados.

– Vocês não sabem dizer se ela está mentindo.

O capitão encolheu os ombros, juntando-os.

– Se quiser colocar assim...

Jenks flutuou entre nós com as mãos nos quadris em sua melhor pose de Peter Pan.

– Tudo bem, então vocês querem que Rachel a interrogue. Qual é o segundo motivo?

Edden encostou um dos ombros na parede.

– Preciso que alguém volte à escola e, como não tenho uma bruxa na minha folha de pagamento, esse alguém é você, Rachel.

Por um instante, só consegui encará-lo.

– Como é?

O sorriso do homem o fez parecer ainda mais um trasgo que planejava alguma coisa.

– Você tem lido os jornais? – ele perguntou com ar de obviedade, e fiz que sim com a cabeça.

– Todas as vítimas eram bruxos – comentei. – Todas eram solteiras, exceto as duas primeiras, e todas tinham experiência em magia de linhas de ley. – Abafei um sorriso. Eu não gostava das linhas de ley e evitava usá-las sempre que podia. Elas eram portais para o todo-sempre e para os demônios. Uma das teorias mais populares era a de que as vítimas tinham se interessado pelas artes negras e simplesmente perdido o controle. Eu não aceitava essa versão. Ninguém era burro o suficiente para se unir a um demônio, exceto Nick, meu namorado. E isso só aconteceu para salvar a minha vida.

Edden fez um aceno positivo com a cabeça, realçando seu cabelo preto e grosso.

– O que não se fala é que todas elas, em um momento ou outro, foram alunas de uma tal doutora Anders.

Esfreguei a palma arranhada de minhas mãos.

– Anders – murmurei, vasculhando a minha memória e encontrando uma mulher de rosto fino com cara de azeda, de cabelo curto demais e uma voz aguda demais. – Tive aula com ela. – Olhei de relance para Edden e me virei para o espelho falso, envergonhada. – Ela era uma professora visitante da universidade, enquanto um dos nossos instrutores estava no período sabático. Ensinava a matéria "Linhas de ley para a bruxa da terra". Ela é um sapo arrogante que me reprovou na terceira aula porque eu não consegui um familiar.

Ele resmungou.

– Tente conseguir um B desta vez, para eu ser reembolsado pela mensalidade.

– Epa! – Jenks gritou, com a voz minúscula bem aguda. – Edden, você pode plantar suas sementes de girassol no jardim de outra pessoa. A Rachel não vai a lugar nenhum perto da Sara Jane. Isso é coisa do Kalamack tentando colocar os dedos bem cuidados nela.

Edden se afastou da parede, com a testa franzida.

– O senhor Kalamack não está envolvido de nenhum jeito nessa história. E, se você aceitar essa missão com o objetivo de pegá-lo, Rachel, eu vou arrastar a sua bunda branca de bruxa pelo rio e te levo até Hollows. A doutora Anders é a nossa suspeita. Se quiser a missão, deixe o senhor Kalamack fora disso.

As asas de Jenks zumbiram de raiva.

– Vocês todos colocaram líquido anticongelante no café de hoje? – ele gritou num tom agudo. – É uma armação! Isso não tem nada a ver com os assassinatos do caçador de bruxos. Rachel, diz para ele que não tem nada a ver com os assassinatos.

– Isso não tem nada a ver com os assassinatos – eu disse, calma. – Eu aceito a missão.

– Rachel! – Jenks protestou.

Respirei devagar, sabendo que eu nunca conseguiria explicar. Sara Jane era mais honesta do que metade dos agentes da SI com quem eu já tinha trabalhado: uma garota crescida na fazenda, lutando para fazer a vida na cidade e ajudar a família escravizada. Embora ela não conseguisse me identificar, eu devia muito a ela. Era a única pessoa que tinha demonstrado alguma delicadeza durante os meus três dias de purgatório presa como uma marta no escritório de Trent Kalamack na última primavera.

Fisicamente, nós éramos tão diferentes quanto duas pessoas podem ser. Enquanto Sara Jane se sentava empertigada à sua mesa com o vestido de aparência profissional engomado, com cada fio de cabelo louro em seu devido lugar e a maquiagem tão bem aplicada que era quase invisível, eu usava calças de couro arranhado com o cabelo vermelho selvagem e indomado. Enquanto ela era pequena e delicada, parecendo uma boneca de porcelana, com a pele clara e feições delicadas, eu era alta, com um corpo atlético que tinha salvado a minha vida mais vezes do que o número de sardas que tenho no nariz. Enquanto ela era cheia de curvas, eu era uma tábua, meus peitos mal apareciam. Mas eu sentia uma ligação com ela. Nós duas fomos presas por Trent Kalamack. E, neste momento, ela provavelmente já sabia disso.

Jenks flutuou ao meu lado.

– Não – ele disse. – Trent está usando Sara para chegar até você.

Irritada, acenei para ele ir embora.

– Trent não pode pôr as mãos em mim. Edden, você ainda tem aquela pasta cor-de-rosa que eu te dei na última primavera?

– Aquela com o disco e a agenda que contêm evidências de que Trent Kalamack é fabricante e distribuidor de produtos genéticos ilegais? – O homem baixinho sorriu. – Tenho. Deixo ao lado da minha cama para as noites em que não consigo dormir.

Meu queixo caiu.

– Você não deveria abrir a menos que eu sumisse!

– Eu também espio os meus presentes de Natal – brincou. – Relaxe. Não vou fazer nada, a menos que Kalamack te mate. Ainda acho que chantagear o sujeito é arriscado...

– É a única coisa que me mantém viva! – interrompi, esquentada, depois estremeci, me perguntando se Sara Jane podia me ouvir através do espelho.

– ... mas provavelmente é mais seguro do que levá-lo à justiça neste momento. Mas isso? – Ele apontou para Sara Jane. – Ele é inteligente demais para isso.

Se tivesse sido qualquer outra pessoa, eu concordaria com Edden. Mas tinha sido Trent. Em tese, Kalamack estava limpo; era charmoso e atraente em público tanto quanto era brutal e frio atrás das portas. Eu o vi matar um homem em seu escritório fazendo parecer um acidente com um conjunto rapidamente executado de preparações. Mas, contanto que Edden não agisse em relação à minha chantagem, aquele homem intocável me deixaria em paz.

Jenks disparou entre mim e o espelho. Acabou flutuando parado, com a preocupação marcando as feições minúsculas.

– Isso fede mais do que peixe. Cai fora. Você precisa cair fora.

Meu olhar se concentrou em Sara Jane, atrás de Jenks. Ela tinha chorado.

– Eu devo muito a ela, Jenks – sussurrei. – Quer ela saiba ou não.

Edden se mexeu e ficou parado ao meu lado, e juntos observamos Sara Jane.

– Morgan?

Jenks estava certo. Não havia sorte, a menos que você a comprasse. E nada acontecia ao redor de Trent sem um motivo. Meus olhos estavam fixados em Sara Jane.

– Sim. Sim, eu topo.

Três

Meu olhar foi atraído pelas unhas de Sara Jane, que estava inquieta na minha frente. Na última vez em que a vi, elas estavam limpas, mas roídas até a carne. Agora estavam longas e bem talhadas, pintadas com um tom elegante de vermelho.

– Então – eu disse, olhando do esmalte de brilho intermitente para os olhos dela. Eram azuis. Eu não tinha certeza. – A última vez em que teve notícias de Dan foi no sábado?

Do outro lado da mesa, Sara Jane fez que sim com a cabeça. Não houve nem um pequeno sinal de reconhecimento quando Edden nos apresentou. Parte de mim ficou aliviada, parte ficou desapontada. Seu aroma de lilás trouxe à tona a lembrança indesejada de impotência que eu sentira quando estivera enjaulada como uma marta no escritório de Trent.

O lenço na mão de Sara Jane estava mais ou menos do tamanho de uma noz, amassado numa bola pelos dedos trêmulos.

– Dan me ligou quando saiu do trabalho – começou, o tremor refletido na voz. Olhou para Edden, de pé ao lado da porta fechada, com os braços cruzados e as mangas brancas enroladas até o cotovelo. – Bem, ele deixou uma mensagem na minha secretária eletrônica. Eram quatro da manhã. Ele disse que queria jantar comigo, conversar. E nunca apareceu. É por isso que eu sei que tem alguma coisa errada, oficial Morgan. – Seus olhos se arregalaram e seu maxilar travou enquanto ela se esforçava para não chorar.

– É senhorita Morgan – eu disse, desconfortável. – Não trabalho para o FIB regularmente.

As asas de Jenks voltaram a se mexer embora ele permanecesse empoleirado no meu copo de isopor.

– Ela não trabalha regularmente de jeito nenhum – ele disse, com malícia.

– A senhorita Morgan é nossa consultora impercebida – Edden comentou, franzindo a testa para Jenks.

Sara Jane tocou levemente os olhos. Com o lenço ainda na mão, ajeitou o cabelo para trás. Ela o havia cortado, e isso a fazia parecer ainda mais profissional, com o cabelo louro e liso perfeitamente arrumado batendo nos ombros.

– Trouxe uma foto dele – ela disse, procurando na bolsa e puxando uma foto para me entregar. Olhei e vi Sara com um homem jovem no deque de um dos barcos a vapor que levam turistas pelo rio Ohio. Os dois estavam sorrindo. O braço dele a envolvia, e ela se recostava nele. Parecia feliz e tranquila, usando calças jeans e uma blusa.

Levei um instante para estudar a imagem de Dan. Era bem-apessoado, com aparência robusta, e usava uma camisa xadrez. O tipo de homem que se podia esperar que uma garota da fazenda levasse para conhecer os pais.

– Posso ficar com isso? – perguntei, e ela fez que sim com a cabeça. – Obrigada. – Coloquei na minha mochila, desconfortável com o jeito como seus olhos se fixaram na imagem, como se ela pudesse trazê-lo de volta apenas com a força de vontade. – Você sabe como podemos entrar em contato com os parentes do Dan? Ele pode ter tido uma emergência familiar e partido sem avisar.

– O Dan é filho único – ela respondeu, secando o nariz com o lenço amassado. – Os pais morreram. Eram servos numa fazenda no norte. A expectativa de vida não é alta para um agricultor.

– Ah. – Eu não sabia o que dizer. – Tecnicamente, não podemos entrar no apartamento dele até ele ser declarado desaparecido. Você por acaso tem uma chave?

– Tenho. Eu... – Ela corou sob a maquiagem. – Eu deixo o gato do Dan entrar quando ele trabalha até tarde.

Dei uma olhada para o amuleto detector de mentiras no meu colo, quando ele mudou brevemente de verde para vermelho. Sara estava mentindo, mas não era preciso um amuleto para perceber isso. Eu não disse nada, pois não queria envergonhá-la mais fazendo-a admitir que tinha a chave por motivos mais românticos.

– Estive lá hoje, por volta das sete horas – ela disse, com os olhos abaixados. – Tudo parecia bem.

– Sete da manhã? – Edden descruzou os braços e se empertigou. – Não é nessa hora que vocês, vocês bruxas, quero dizer, estão debaixo das cobertas, na cama?

Ela levantou o olhar para ele e fez que sim com a cabeça.

– Sou secretária pessoal do senhor Kalamack. Ele trabalha pela manhã e à noite, então o meu horário é dividido. Das oito ao meio-dia de manhã e das quatro às oito da noite. Levei um tempo para me acostumar, mas, com quatro horas para mim mesma à tarde, eu podia passar mais tempo com... Dan – terminou.

– Por favor! – a jovem implorou de repente, com o olhar alternado entre mim e Edden. – Eu sei que alguma coisa está errada. Por que ninguém quer me ajudar?

Eu me ajeitei desconfortavelmente na cadeira enquanto ela lutava para se controlar. Ela se sentia impotente. Eu a entendia melhor do que ela imaginava. Sara Jane era a última na longa linhagem de secretárias de Trent. Como marta, eu tinha ouvido sua entrevista, sem poder alertá-la de que estava sendo seduzida a acreditar nas meias verdades de Trent. Apesar de toda sua inteligência, ela não teve a chance de escapar do charme e das ofertas extravagantes dele. Com esse emprego, Trent deu à família dela um bilhete dourado para sair da servidão.

E Trent Kalamack era mesmo um empregador benevolente, que oferecia salários altos e benefícios excelentes. Ele dava às pessoas o que elas queriam desesperadamente, pedindo em troca nada além de lealdade. Quando percebiam até que ponto ele exigia que essa lealdade chegasse, elas já sabiam demais para se libertar.

Sara Jane tinha fugido da fazenda, mas Trent comprou a propriedade, provavelmente para garantir que ela mantivesse a boca fechada quando descobrisse seu tráfico ilegal de Enxofre, bem como os procuradíssimos medicamentos genéticos que foram declarados ilegais durante a Virada. Eu quase consegui revelar a verdade, mas a outra única testemunha morreu na explosão de um carro.

Publicamente, Trent trabalhava no conselho municipal, intocável por causa de sua ampla riqueza e das generosas doações a instituições de caridade e de crianças pobres. No âmbito privado, ninguém nem sabia se ele era humano ou impercebido. Nem Jenks conseguia avaliar, o que era incomum para um pixie. Trent administrava em silêncio uma boa parte do submundo de Cincinnati, e tanto o FIB quanto a SI entregariam seus chefes pela chance de levá-lo ao tribunal. E agora o namorado de Sara Jane estava desaparecido.

Limpei a garganta, me lembrando da tentadora oferta de Trent. Vendo Sara Jane sob controle outra vez, perguntei:

– Você disse que ele trabalha na pizzaria Piscary's?

Ela fez que sim com a cabeça.

– Ele é entregador. Foi assim que a gente se conheceu. – Ela mordeu o lábio e abaixou os olhos.

O amuleto detector de mentiras mostrava um verde estável. A Piscary's era uma mistura de pizzaria e balada vamp. Servia de tudo, desde sopa de tomate até *cheesecake gourmet*. O próprio Piscary era conhecido como um dos maiores vampiros de Cincinnati. Um cara bem legal, pelo que eu tinha ouvido: não era ganancioso com suas retiradas vamps, tinha um temperamento controlado e os registros diziam que estava morto havia trezentos anos. Claro, ele provavelmente era mais velho do que isso e, quanto mais legal e mais civilizado um vampiro morto-vivo parecia, mais depravado ele costumava ser. Ivy pensava nele como se fosse um tio simpático, o que fazia eu me sentir muito reconfortada e protegida por dentro.

Dei outro lenço a Sara Jane, que respondeu com um sorriso fraco.

– Posso ir ao apartamento dele hoje – eu disse. – Você pode me encontrar lá com a chave? Às vezes um profissional pode perceber coisas que os outros não veem. – Jenks deu um riso debochado, e eu mexi as pernas, chutando a parte de baixo da mesa para fazê-lo ser arremessado pelos ares.

Sara Jane demonstrou alívio.

– Ah, obrigada, senhorita Morgan – ela se entusiasmou. – Posso ir agora mesmo. Só preciso ligar para o meu chefe e avisar que vou me atrasar um pouquinho. – Ela pegou a bolsa, parecendo estar pronta para voar porta afora. – O senhor Kalamack me disse que eu poderia demorar o tempo que precisasse hoje à tarde.

Dei uma olhada de relance para o zumbido de alerta de Jenks. Ele estava com uma expressão preocupada de "eu te disse". Como Trent era legal de deixar a secretária demorar o quanto precisasse para encontrar seu namorado, enquanto ele provavelmente estava rezando para ela manter a boca fechada.

– Ah, vamos combinar hoje à noite – eu disse, pensando no peixe. – Preciso procurar umas coisas. – "E fazer uns feitiços anti-inimigos, verificar a minha arma e pegar o meu pagamento..."

– Claro – ela disse, se recostando enquanto sua expressão ficava enevoada.

– E, se nada aparecer lá, a gente passa à etapa seguinte. – Tentei fazer com que meu sorriso fosse reconfortante. – Te encontro no apartamento do Dan um pouco depois das oito?

Percebendo a dispensa na minha voz, ela fez um sinal de positivo com a cabeça e se levantou. Jenks esvoaçou no ar, e eu também me levantei.

– Tudo bem – ela confirmou. – Fica na Redwood...

Edden remexeu os pés.

– Eu digo à senhorita Morgan onde fica, senhorita Gradenko.

– Ah, sim. Obrigada. – Seu sorriso começava a parecer artificial. – É só que estou muito preocupada...

Fingi que estava vasculhando a bolsa e pegando um cartão de visitas enquanto guardava o amuleto detector de mentiras.

– Por favor, avise a mim ou ao FIB se tiver notícias dele nesse meio-tempo – eu disse ao dar o cartão a ela. Ivy mandou imprimir os cartões profissionalmente, e eles tinham uma aparência excelente.

– Sim, claro – ela murmurou, com os lábios se movendo ao ler ENCANTOS VAMPIRESCOS, nome que Nick dera à agência que criei com Ivy. Ela encontrou os meus olhos ao guardar o cartão na bolsa. Apertei a mão dela, percebendo que seu aperto estava mais firme desta vez. Mas seus dedos ainda estavam frios.

– Eu a levo até a saída, senhorita Gradenko – Edden disse enquanto abria a porta. Com esse gesto sutil, afundei de volta na cadeira para esperar.

Jenks zumbia as asas para chamar a minha atenção.

– Não estou gostando disso – ele disse quando nossos olhos se encontraram.

Um lampejo de ira tomou conta de mim.

– Ela não estava mentindo – eu disse, na defensiva. Jenks colocou as mãos nos quadris, e eu acenei para que saísse da minha xícara para eu poder tomar um gole do café morno. – Você não a conhece. Ela odeia canalhas, tanto é que tentou impedir o Jonathan de me atormentar, apesar de isso quase ter custado seu emprego.

– Ela sentia pena de você – Jenks disse. – Uma pobre marta com uma concussão.

– Ela me deu parte do almoço dela quando viu que eu não ia comer aquelas bolinhas nojentas.

– As cenouras estavam com drogas, Rachel.

– Ela não sabia disso. Sara Jane sofreu tanto quanto eu.

O pixie flutuou quinze centímetros à minha frente, exigindo que eu olhasse para ele.

– É isso que estou dizendo. Trent pode estar usando-a para chegar até você novamente e ela nem sabe.

Meu suspiro o empurrou para trás.

– Ela está presa numa armadilha. Preciso ajudá-la, se puder. – Levantei o olhar quando Edden abriu a porta e colocou a cabeça para dentro. Estava usando um chapéu do FIB, e isso parecia estranho, com sua camisa branca e calças cáqui. Ele fez um gesto para mim.

Jenks esvoaçou até o meu ombro.

– Você e seus "impulsos de salvamento" vão te matar – sussurrou enquanto eu andava em direção ao corredor.

– Obrigado, Morgan – Edden disse. Em seguida, pegou a minha lata de peixe e me conduziu até a entrada.

– Sem problemas – respondi ao entrar no escritório de funcionários do FIB. Fui envolvida pelo tumulto de pessoas, e minha tensão se aliviou na abençoada autonomia que ele oferecia. – Ela não mentiu sobre nada, além do fato de ter uma chave para deixar o gato dele entrar em casa. Mas eu poderia ter falado que era mentira até sem o amuleto. Eu te aviso o que descobrir sobre o apartamento de Dan. Até que horas posso te ligar?

– Ah – Edden disse alto enquanto passávamos pela mesa da recepção e íamos em direção à calçada iluminada pelo sol. – Não precisa, senhorita Morgan. Obrigado pela ajuda. Entraremos em contato.

Parei, surpresa. Um cacho de cabelo fugitivo roçou no meu ombro quando as asas de Jenks se bateram provocando um barulho hostil.

– Que diabos? – resmungou.

Meu rosto ficou quente quando percebi que estava sendo dispensada.

– Não vim até aqui só para invocar uma porcaria de amuleto detector de mentiras – argumentei enquanto me movimentava com uma sacudida. – Eu te disse que deixaria Kalamack em paz. Saia do meu caminho e me deixe fazer aquilo em que sou boa.

Atrás de mim, o volume das conversas foi diminuindo. Edden não hesitou no seu passo lento em direção à porta.

– Esse é um assunto do FIB, senhorita Morgan. Eu a levo até a porta.

Eu o segui, grudada nos seus calcanhares, sem me importar com os olhares sombrios que recebia.

– Essa missão é minha, Edden – quase gritei. – O seu pessoal vai errar tudo. Esse caso é sobre impercebidos, não humanos. Você pode ficar com a glória. Tudo que desejo é ser paga. – "E ver Trent na cadeia", acrescentei mentalmente.

Ele abriu uma das portas de vidro com um empurrão. O concreto aquecido pelo sol lançou uma onda de calor assim que eu saí atrás dele, quase forçando o baixinho a ficar à sombra do prédio enquanto fazia sinal para um táxi.

– Você me deu essa missão, e vou aceitá-la! – exclamei, tirando da minha boca um cacho que o vento tinha jogado. – Não seja esse cara arrogante e orgulhoso que usa um chapéu do FIB e se acha a melhor coisa desde a Virada!

– Ótimo – ele disse com suavidade, me chocando a ponto de eu dar um passo para trás. Ele colocou a minha lata na calçada e guardou o chapéu do FIB no bolso de trás. – Mas, daqui em diante, você está *oficialmente* fora da missão.

Minha boca se abriu quando entendi. Eu *oficialmente* não estava aqui. Respirei e a adrenalina saiu do meu sistema. Edden fez um sinal de positivo com a cabeça enquanto via a minha raiva se diluir.

– Eu agradeceria a sua discrição neste caso – ele disse. – Enviar Glenn sozinho à pizzaria Piscary's não é prudente.

– Glenn! – Jenks guinchou, e sua voz raspou dentro do meu crânio, enchendo meus olhos de água.

– Não – eu disse. – Já tenho a minha equipe. Não precisamos do detetive Glenn.

Jenks se afastou.

– É – ele disse enquanto voava entre o capitão do FIB e eu. Suas asas estavam vermelhas. – Não funcionamos bem com outras pessoas.

Edden franziu a testa.

– Esse é um assunto do FIB. Você vai ter a presença de um agente do FIB sempre que possível, e Glenn é o único qualificado.

– Qualificado? – Jenks debochou. – Por que não admite que ele é o único dos seus oficiais que consegue falar com uma bruxa sem fazer xixi nas calças?

– Não – neguei com firmeza. – Vamos trabalhar sozinhos.

Edden ficou parado ao lado da lata de água, com os braços cruzados fazendo sua forma atarracada parecer tão imóvel quanto uma parede de pedra.

– Glenn é o nosso novo especialista em impercebidos. Sei que não tem experiência...

– Ele é um babaca! – Jenks soltou.

Um sorrisinho iluminou o rosto de Edden.

– Prefiro dizer que é meio bruto.

Meus lábios se cerraram.

– Glenn é um arrogante, cheio de si... – tateei, buscando algo adequadamente depreciativo. – É um lacaio do FIB que vai ser morto na primeira vez que encontrar um impercebido que não seja legal como eu.

Jenks fez que sim com a cabeça.

– Ele precisa aprender uma lição.

Edden sorriu.

– Ele é meu filho, e eu não poderia concordar mais – ele disse.

– Ele é o quê? – exclamei enquanto um carro do FIB à paisana parou no meio-fio ao nosso lado. Edden estendeu a mão para a maçaneta da porta de trás e a abriu. O capitão era claramente de ascendência europeia, e Glenn... Glenn não era. Minha boca se remexeu conforme eu tentava encontrar algo que não pudesse ser remotamente considerado racismo. Como bruxa, eu era sensível a esse tipo de coisa. – Por que ele não tem o seu sobrenome? – consegui dizer.

– Ele usa o sobrenome de solteira da mãe dele desde que entrou para o FIB – respondeu com suavidade. – Ele não devia ficar sob o meu comando, mas ninguém mais aceitava a tarefa.

Estreitei a sobrancelha. Agora eu entendia a recepção fria no FIB. Não era só por minha causa. Glenn era novo, assumindo uma posição que todo mundo, exceto o pai, achava que era perda de tempo.

– Não vou fazer isso – eu disse. – Encontre outra pessoa para tomar conta do seu filho.

Edden colocou a minha lata de água no banco de trás.

– Acabe com ele, mas delicadamente.

– Você não está me ouvindo! – exclamei alto, frustrada. – Você me deu essa missão. Meus sócios e eu agradecemos sua oferta de ajuda, mas você me chamou aqui. Agora se afaste e deixe a gente trabalhar.

– Ótimo – Edden disse enquanto batia com força a porta de trás do carro. – Obrigado por levar o detetive Glenn com você até a Piscary's.

Um grito de aversão escapou de mim.

– Edden! – exclamei, recebendo olhares das pessoas que passavam. – Eu disse "não". Tem um som saindo da minha boca. Um som. Três letras. Um significado: *não!*

Edden abriu a porta da frente do carona e fez sinal para eu entrar.

– Muito obrigado, Morgan. – Ele olhou de relance para o banco de trás. – Por que você estava fugindo daqueles lóbis, afinal?

Minha respiração surgiu num som lento e controlado. "Droga."

Edden deu um risinho, e eu entrei no carro e bati a porta com força, tentando atingir seus dedos gordos. Fiz uma cara feia e olhei para o motorista. Era Glenn. Parecia tão feliz quanto eu. Eu tinha que dizer alguma coisa.

– Você não se parece nem um pouco com o seu pai – comentei, de um jeito depreciativo.

Seu olhar estava fixo como a rigidez de uma vara.

– Ele me adotou quando se casou com a minha mãe – ele disse entre os dentes cerrados.

Jenks entrou, deixando um rastro de pó de pixie na luz do sol.

– Você é filho de Edden?

– Isso é um problema para você? – ele disse, beligerante.

O pixie pousou no painel com as mãos nos quadris.

– Não. Vocês, humanos, são todos iguais para mim.

Edden se inclinou para colocar seu rosto redondo e iluminado na janela.

– Aqui está seu horário de aulas – ele disse, me estendendo uma meia folha de papel amarelo com furos nas laterais. – Segundas, quartas e sextas. Glenn vai comprar os livros de que você precisa.

– Espere! – exclamei, a preocupação tomando conta de mim enquanto o papel amarelo estalava em meus dedos. – Achei que eu só ia ter que andar pela universidade. Não quero ter aulas!

– Era esse o curso que o senhor Smather estava fazendo. Esteja lá ou você não será paga.

Ele sorria, gostando da situação.

– Edden! – gritei enquanto ele se afastava para a calçada.

– Glenn, leve a senhorita Morgan e Jenks até o escritório deles. Me avisem se encontrarem algo no apartamento de Dan Smather.

– Sim, *senhor*! – ele latiu. Os nós de seus dedos agarrando o volante mostravam uma pressão violenta. Curativos decoravam os punhos e o pescoço dele. Eu não me importava que Glenn tivesse ouvido a maior parte da conversa. O sujeito não era bem-vindo e quanto mais cedo entendesse isso, melhor.

Quatro

– À direita na próxima esquina – eu disse, apoiando o braço na janela aberta do carro do FIB à paisana. Glenn passou a ponta dos dedos no cabelo bem curto para coçar o couro cabeludo. O sujeito não tinha falado uma palavra sequer durante todo o caminho, e seu maxilar relaxou aos poucos enquanto ele percebia que eu não ia forçá-lo a conversar comigo. Não havia ninguém atrás de nós, mas ele deu sinal antes de entrar na rua.

Ele estava usando óculos de sol, analisando o bairro residencial com calçadas sombreadas e gramados irregulares. Estávamos bem para dentro de Hollows, o abrigo não oficial para a maioria dos impercebidos residentes em Cincinnati desde a Virada, quando todos os humanos sobreviventes fugiram para a cidade e sua falsa sensação de segurança. Sempre houve certa mistura, mas a maioria dos humanos trabalha e mora em Cincinnati desde a Virada, e os impercebidos trabalham e... hum... brincam em Hollows.

Acho que Glenn ficou surpreso porque o subúrbio tinha a mesma cara que qualquer outro lugar – até você perceber as runas desenhadas no riscado da amarelinha e notar que a cesta de basquete ficava um terço mais alta que o regulamento da NBA. E também era silencioso. Pacífico. Parte disso poderia ser atribuída ao fato de que as escolas de impercebidos não soltavam os alunos até perto da meia-noite, mas era, sobretudo, devido à autopreservação.

Todos os impercebidos com mais de quarenta anos haviam passado parte da vida tentando esconder que não eram humanos, uma tradição que foi se desfazendo com o medo cauteloso dos perseguidos, incluindo os vampiros. Então, a grama passou a ser aparada por adolescentes mal-humorados às sextas-feiras, os carros começaram a ser cuidadosamente lavados aos sábados, e formaram-se pilhas organizadas de lixo no meio-fio às quartas-feiras. Mas os postes de luz das ruas eram destruídos por tiros ou talismãs assim que a cidade os substituía, e ninguém adotava um cachorro solto na rua, porque podia ser o filho do vizinho matando aula.

A realidade perigosa de Hollows permanecia cuidadosamente escondida. Sabíamos que, se ultrapassássemos demais as fronteiras impostas pela humanidade, velhos medos ressurgiriam, e os humanos nos atacariam. Eles perderiam feio, e, em geral, os impercebidos gostavam das coisas equilibradas, exatamente como estavam. Ter menos humanos significaria que os bruxos e os lóbis começariam a enfrentar o impacto das necessidades dos vampiros. E, embora o bruxo ocasional "gostasse" de ter um estilo de vida vampiresco de acordo com seu próprio arbítrio, nós nos uniríamos se eles tentassem nos transformar em alimento. Os vampiros mais velhos sabiam disso, portanto garantiam que todo mundo obedecesse às regras da humanidade.

Felizmente, o lado mais selvagem dos impercebidos gravitava na periferia de Hollows e longe de nossas casas. As fileiras de boates ao longo dos dois lados do rio eram especialmente perigosas, já que humanos animados e em multidões atraíam os mais predadores dentre nós como fogo numa noite fria, prometendo calor e garantia de sobrevivência. Nossas casas eram mantidas com o máximo de aparência humana possível. Aqueles que fugissem muito da aparência de senhor e senhora Cleaver eram estimulados numa intervenção um tanto singular do bairro para se misturarem um pouco mais... ou se mudarem para o interior, onde não poderiam provocar tantos danos.

Meu olhar passou por uma placa irônica que se destacava de um canteiro de dedaleiras. DORMIMOS DE DIA. QUEM BATER À PORTA SERÁ DEVORADO. "Em geral, é assim que acontece."

– Você pode estacionar ali à direita – eu disse, apontando.

A sobrancelha de Glenn se enrugou.

– Achei que íamos ao seu escritório.

Jenks voou do meu brinco até o espelho retrovisor.

– E vamos – ele disse, de um jeito depreciativo.

Glenn coçou o maxilar, a barba curta fazendo um ruído áspero sob suas unhas.

– Você administra uma agência dentro de casa?

Suspirei com o tom arrogante dele.

– Mais ou menos. Qualquer lugar aqui está ótimo.

Ele parou no meio-fio da casa de Keasley, o "velhinho sábio" do bairro que tinha tanto o equipamento médico quanto o conhecimento de um pequeno pronto-socorro para aqueles que conseguiam ficar calados sobre o assunto. Do outro lado da rua havia uma pequena igreja de pedra, com o campanário se erguendo sobre dois carvalhos gigantescos. Ocupava quatro excelentes lotes da cidade e tinha seu próprio cemitério.

Alugar uma igreja desativada não fora ideia minha, e sim de Ivy. Eu tinha levado um tempo para me acostumar a ver lápides pela pequena janela de vitral do meu quarto, mas a cozinha incrível compensava o fato de haver humanos enterrados no quintal dos fundos.

Glenn desligou o motor, e um novo silêncio tomou conta do carro. Vasculhei os quintais ao redor antes de sair do veículo, um hábito que começou durante as minhas ameaças de morte de pouco tempo atrás e que julguei prudente conservar. O velho Keasley estava na sua varanda como sempre, balançando e mantendo um olho afiado na rua. Acenei para ele, que levantou a mão em resposta. Satisfeita porque ele teria me alertado se fosse necessário, saí e abri a porta de trás para pegar a lata de água com o peixe.

– Eu pego, madame – Glenn disse enquanto sua porta batia fazendo barulho.

Lancei um olhar cansado para ele por cima do teto do carro.

– Pare com esse negócio de madame, por favor? Meu nome é Rachel.

Sua atenção passou por cima do meu ombro, e Glenn enrijeceu visivelmente. Esperando o pior, me virei de repente, e relaxei quando uma nuvem de crianças pixies desceu num coro agudo de conversa, rápido demais para eu acompanhar. Estavam com saudade do papai Jenks, como sempre. Meu humor azedo evaporou quando as figuras flutuantes e rápidas que vestiam roupinhas de cor verde-claro com dourado fizeram um redemoinho em volta do pai numa espécie de pesadelo da Disney. Glenn tirou os óculos de sol; tinha os olhos castanhos arregalados e a boca aberta.

Jenks provocou um assobio perfurante com as asas, e a horda se separou o suficiente para ele flutuar na minha frente.

– Ei, Rachel – ele disse. – Estarei lá nos fundos, se precisar de mim.

– Claro. – Olhei de relance para Glenn e murmurei para Jenks: – Ivy está aqui?

O pixie seguiu meu olhar até o humano e sorriu, sem dúvida imaginando o que Ivy faria quando conhecesse o filho do capitão Edden. Jax, o filho mais velho de Jenks, se uniu ao pai.

– Não, senhorita Morgan – ele disse, deixando a voz de pré-adolescente aguda ficar mais grave do que o normal. – Ela foi resolver algumas coisas na rua. Mercado, correios, banco. Disse que estaria de volta antes das cinco.

"O banco", pensei, estremecendo. Era para ela esperar até eu conseguir o resto do aluguel. Jax deu três voltas ao redor da minha cabeça, me deixando tonta.

– Tchau, senhorita Morgan – ele gritou e saiu voando para se juntar aos irmãos, que estavam escoltando o pai até os fundos da igreja e em direção ao tronco de carvalho para onde Jenks tinha mudado sua enorme família.

Minha respiração falhou quando Glenn contornou o carro, se oferecendo para carregar a minha lata de água. Balancei a cabeça e a levantei; não era tão pesada. Estava começando a me sentir culpada por ter deixado Jenks jogar pó de pixie no sujeito. Mas eu não sabia, naquele momento, que eu teria que cuidar dele.

– Entre – eu disse enquanto atravessava a rua em direção aos degraus largos de pedra.

O som de seus sapatos com sola dura andando na rua hesitou.

– Você mora numa igreja?

Meus olhos ficaram semicerrados.

– É. Mas não durmo com bonecos de vodu.

– Hein?

– Esquece.

Glenn murmurou alguma coisa, e a minha culpa aumentou.

– Obrigada por me trazer em casa – eu disse enquanto subia os degraus de pedra e abria o lado direito das portas duplas de madeira para ele. Glenn não disse nada, e eu acrescentei: – Sério. Obrigada.

Hesitando na entrada, me encarou. Não consegui decifrar o que ele estava pensando.

– De nada – ele finalmente disse, e sua voz também não deu nenhuma pista.

Segui na frente pelo vestíbulo vazio até o santuário ainda mais vazio. Antes de alugarmos a igreja, ela fora usada como creche. Os bancos e o altar tinham sido removidos para fazer uma ampla área de recreação. Tudo o que restou foram os vitrais e um palco ligeiramente elevado. A sombra de uma cruz enorme que fora retirada havia muito tempo se espalhava pela parede, num lembrete pungente. Dei uma olhada para o teto alto, vendo o quarto de sempre com outros olhos, enquanto Glenn o observava. Era silencioso. Tinha me esquecido de como era tranquilo.

Ivy espalhara tatames em metade do ambiente, deixando uma passagem estreita do vestíbulo até os quartos nos fundos. Pelo menos uma vez por semana nós lutávamos boxe para nos manter em forma, já que tínhamos nos tornado independentes e não estávamos nas ruas todas as noites. O boxe invariavelmente me fazia parecer uma massa de manchas roxas e suor, ao passo que Ivy não apresentava nem mesmo uma respiração ofegante. Ela era uma vamp viva – tão viva quanto eu – e tinha uma alma infectada com o vírus vamp pela sua mãe, que, na época, ainda estava viva.

Sem precisar esperar pela morte para o vírus começar a moldá-la, Ivy tinha nascido com um pouco dos dois mundos, os vivos e os mortos, presa no meio do caminho até morrer e se tornar uma verdadeira morta-viva. Dos vivos, ela mantinha uma alma, o que lhe permitia andar no sol, venerar sem dor e viver em território sagrado se quisesse, o que realmente fazia para provocar a mãe. Dos mortos, vinham os caninos pequenos mas afiados, a capacidade de lançar uma aura e me apavorar e o poder de manter presos sob seus feitiços todos que assim permitiam. A força e a velocidade sobrenaturais eram decididamente menores que as de um verdadeiro morto-vivo, mas ainda eram muito além das minhas. E, embora não precisasse de sangue para se manter sã, como os vampiros mortos-vivos, ela tinha uma fome perturbadora de sangue, a qual lutava continuamente para suprimir, já que era uma das poucas vamps vivas que tinham jurado não beber sangue. Ivy devia ter tido uma infância interessante, mas eu tinha medo de perguntar.

– Venha até a cozinha – chamei enquanto atravessava o arco dos fundos do santuário. Tirei os óculos de sol quando passei pelo meu banheiro. Antes era o banheiro dos homens, mas os itens tinham sido substituídos por uma lavadora e uma secadora, uma pia pequena e um chuveiro. Esse era o meu. O banheiro das mulheres do outro lado do corredor tinha sido transformado num banheiro mais convencional, com uma banheira. Esse era o de Ivy. Banheiros separados tornavam as coisas muito mais fáceis.

Sem gostar do jeito como Glenn estava julgando silenciosamente, fechei as portas do meu quarto e do quarto de Ivy ao passar. Tinham sido os escritórios dos sacerdotes. Ele se remexeu na cozinha atrás de mim, passando um ou dois instantes absorvendo tudo. A maioria das pessoas fazia isso.

A cozinha era enorme, um dos motivos que me convenceram a morar numa igreja com uma vampira. Tinha dois fogões, uma geladeira industrial e uma grande ilha central com utensílios e potes brilhantes pendurados. O aço inoxidável cintilava, e o espaço no balcão era amplo. Com exceção do meu peixe beta no copo de conhaque no peitoril da janela, e da enorme mesa antiga de madeira em que Ivy ficava no computador, parecia uma cozinha de showroom. Era a última coisa que alguém esperaria ter em uma igreja – e eu adorava.

Coloquei a lata de água com o peixe sobre a mesa.

– Por que você não se senta? – perguntei, querendo ligar para os Uivadores. – Já volto. – Hesitei quando os meus bons modos se esgueiraram até o primeiro plano da minha mente. – Você quer uma bebida... ou alguma coisa? – indaguei.

Os olhos castanhos de Glenn estavam indecifráveis.

– Não, madame. – Sua voz estava áspera, com mais do que um toque de sarcasmo, me fazendo querer socá-lo e dizer para ele relaxar. Lidaria com essa atitude mais tarde, pois naquele momento eu tinha que ligar para os Uivadores.

– Então sente-se – eu disse, demonstrando um pouco do meu próprio incômodo. – Já volto.

A sala de estar ficava bem perto da cozinha, do outro lado do corredor. Enquanto eu procurava o número do treinador na minha mochila, apertei o botão de mensagem da secretária eletrônica.

– Ei, Ray-Ray. Sou eu – veio a voz de Nick, parecendo metálica na gravação. Dei uma olhada para o corredor e abaixei o volume, de modo que Glenn não pudesse ouvir. – Consegui. Terceira fila na ponta direita. Agora você tem de cumprir sua parte e conseguir passes para os bastidores. – Houve uma pausa e, em seguida: – Ainda não acredito que você o conheceu. Falo com você mais tarde.

Minha respiração virou expectativa quando ouvi o clique final. Eu tinha conhecido Takata quatro anos atrás, quando ele me viu no balcão num concerto de solstício. Achei que eu seria expulsa quando um lóbis grandalhão usando camiseta de staff me escoltou até os bastidores enquanto a banda de abertura tocava.

Depois entendi que Takata tinha visto o meu cabelo frisado e queria saber se era natural ou enfeitiçado e, se fosse natural, se eu dispunha de um talismã para fazer algo tão rebelde ficar liso. Fascinada pelo artista e muito envergonhada, admiti que era natural, embora eu o tivesse ajeitado naquela noite; depois, dei a ele um dos talismãs para domar o cabelo que eu e minha mãe passamos todo ensino médio aperfeiçoando. Ele riu, liberando um dos seus *dreadlocks* louros para me mostrar que o cabelo dele era mais selvagem que o meu, pois a estática o fazia voar e grudar em tudo. Eu não alisei o meu cabelo desde então.

Meus amigos e eu vimos o show todo dos bastidores, e, depois, Takata e eu conduzimos os guarda-costas dele por uma perseguição divertida em Cincinnati a noite inteira. Eu estava certa de que o músico ia se lembrar de mim, mas não tinha a menor ideia de como entrar em contato com ele. Não podia simplesmente ligar e dizer:

– Lembra-se de mim? A gente tomou café no solstício quatro anos atrás e discutimos como amansar cabelos frisados.

Um sorriso retorceu o canto da minha boca enquanto eu passava a mão sobre a secretária eletrônica. Ele era legal para um cara velho. Claro, qualquer pessoa com mais de trinta anos parecia velha para mim naquela época.

A mensagem de Nick era a única, e eu me vi andando de um lado para o outro enquanto pegava o telefone e digitava o número dos Uivadores. Mexi na minha blusa enquanto o telefone tocava. Depois de correr daqueles lóbis, eu precisava de um banho.

Ouvi um clique, e uma voz baixa quase rosnou:

– Alouuu. Uivadores.

– Treinador! – exclamei, reconhecendo a voz do lóbis. – Boas notícias.

Houve uma pausa rápida.

– Quem está falando? – perguntou. – Como você conseguiu esse número?

Comecei a falar.

– Aqui é Rachel Morgan – anunciei. – Da Encantos Vampirescos?

Houve um grito entreouvido fora do telefone.

– Qual de vocês cachorros ligou para o serviço de acompanhantes? Vocês são atletas, pelo amor de Deus. Não conseguem suas próprias cadelas sem ter que pagar?

– Espere! – eu disse antes de ele desligar. – Você me contratou para encontrar o seu mascote.

– Ah! – Houve uma pausa, e ouvi vários gritos de guerra ao fundo. – Certo.

Pesei brevemente a complicação de trocar o nosso nome e o rebuliço que Ivy faria: mil cartões de visita pretos e brilhantes, o anúncio de uma página no catálogo telefônico, as canecas gigantescas combinando nas quais ela mandou imprimir o nosso nome em dourado. Melhor deixar quieto.

– Recuperei o seu peixe – eu disse, voltando ao normal. – Quando alguém virá buscá-lo?

– Hum – o treinador murmurou. – Ninguém ligou para você?

Meu queixo caiu.

– Não.

– Um dos caras moveu o peixe enquanto limpava o aquário e não contou para ninguém – ele disse. – Ela nunca saiu daqui.

"Ela?", pensei. "O peixe é fêmea? Como é que eles sabem?" E aí eu fiquei com raiva. Eu tinha invadido o escritório de um lóbis por nada?

– Não – eu disse friamente. – Ninguém me ligou.

– Hum. Me desculpe por isso. Mas obrigado por sua ajuda.

– Ei! Espere aí! – gritei, percebendo a dispensa em sua voz. – Passei três dias planejando isso. Arrisquei minha vida!

– E nós agradecemos por isso... – o treinador respondeu.

Dei meia-volta fazendo um círculo raivoso e encarei o jardim através das janelas da altura dos ombros. O sol cintilava nas lápides do outro lado.

– Acho que não, *treinador*. Estamos falando de tiros!

– Mas ela nunca esteve perdida – o treinador insistiu. – Você não está com o nosso peixe. Sinto muito.

– Sentir muito não vai tirar esses lóbis do meu rabo. – Furiosa, fiquei andando ao redor da mesa de centro.

– Olha... – ele disse. – Eu te mando umas entradas para o próximo jogo.

– Entradas?! – exclamei, atônita. – Por invadir o escritório do senhor Ray?

– Simon Ray? – o treinador perguntou. – Você invadiu o escritório de Simon? Caramba, essa foi difícil. Agora, tchau.

– Não, espere! – gritei. Ele já tinha desligado. Encarei o aparelho, que zumbia. Será que eles não sabiam quem eu era? Não sabiam que eu poderia amaldiçoar seus tacos para quebrarem e suas batidas irem para o chão? Achavam que eu ficaria parada e não faria nada enquanto me deviam o meu aluguel?

Caí na poltrona de camurça de Ivy com uma sensação de impotência.

– Sim, claro... – eu disse baixinho. Um feitiço à distância exigia uma varinha. A anuidade da faculdade comunitária não cobria a confecção de varinhas, apenas poções e amuletos. Eu não tinha o conhecimento, muito menos a receita, para fazer algo tão complicado. Acho que eles sabiam muito bem quem eu era.

O som de um pé se arrastando no linóleo veio da cozinha, e dei uma olhada para o corredor. "Ótimo. Glenn ouviu tudo." Envergonhada, saí da cadeira. Eu ia tirar o dinheiro de algum lugar. Tinha quase uma semana para consegui-lo.

Glenn se virou quando eu entrei na cozinha. Ele estava de pé ao lado da lata de água com o peixe inútil. Talvez eu pudesse vendê-lo. Coloquei o telefone ao lado do computador e fui até a pia.

– Pode se sentar, detetive Edden. Vamos ficar por aqui durante um tempinho.

– É Glenn – ele disse, rígido. – É contra a política do FIB ser subordinado de um membro da sua família, então guarde isso para você. E agora nós vamos até o apartamento do senhor Smather.

Soltei uma risada de escárnio que parecia um latido.

– Seu pai adora driblar as regras, não é?

Ele franziu a testa.

– Sim, madame.

– Nós não vamos ao apartamento de Dan até Sara Jane sair do trabalho. – Em seguida, diminuí o tom. Não era de Glenn que eu estava com raiva. – Olha – eu disse, sem querer que Ivy o encontrasse enquanto eu estava no chuveiro. – Por que você não vai para casa e me encontra aqui lá pelas sete e meia?

– Prefiro ficar. – Ele coçou a ferida que mostrava um rosa-claro por baixo da pulseira do relógio.

– Claro – respondi, amarga. – Tanto faz. Mas preciso de um banho. – Glenn claramente estava preocupado de eu ir para a casa do Dan sem ele. A preocupação tinha fundamento. Inclinei-me sobre a pia, em direção à janela, e gritei para o jardim cuidado pelos pixies: – Jenks!

O pixie zumbiu através do buraco da tela tão rápido que eu podia apostar que ele estava ouvindo escondido.

– Me chamou, princesa fedorenta? – zombou, pousando ao lado do Senhor Peixe no peitoril.

Dirigi um olhar cansado a ele.

– Você pode mostrar o jardim a Glenn enquanto tomo banho?

As asas de Jenks ficaram borradas com o movimento.

– Claro – respondeu, e foi dar várias voltas desconfiadas na cabeça de Glenn. – Eu cuido do bebê. Vem, biscoitinho. Você vai receber o *tour* de cinco dólares. Vamos começar pelo cemitério.

– Jenks – alertei, e ele soltou uma risadinha, jogando astutamente o cabelo louro sobre os olhos.

– Por aqui, Glenn – continuou, disparando para o corredor. Glenn o seguiu, claramente contrariado.

Ouvi a porta de trás se fechar e me inclinei em direção à janela.

– Jenks?

– O quê? – O pixie disparou de volta até a janela, com o rosto enrugado de irritação.

Cruzei os braços de um jeito pensativo.

– Pode me trazer umas folhas de verbasco e umas flores de maria-sem-vergonha quando tiver tempo? E nós temos algum dente-de-leão que ainda não tenha virado semente?

– Dente-de-leão? – Ele caiu um centímetro de surpresa, com as asas batendo. – Está ficando boazinha? Você vai fazer um feitiço anticoceira para ele, não é?

Eu me inclinei e vi Glenn rigidamente parado debaixo do carvalho, coçando o pescoço. Ele parecia lamentável e, como Jenks sempre me dizia, eu era molenga com os azarados.

– Apenas pegue o que pedi.

– Claro – respondeu. – Ele não é muito útil desse jeito, não é?

Engoli uma risada, e Jenks voou pela janela para se juntar a Glenn. O pixie pousou no ombro dele, e Glenn deu um pulo de surpresa.

– Ei, Glenn – Jenks disse bem alto. – Vá até aquelas flores amarelas ali, atrás do anjo de pedra. Quero te mostrar meus outros filhos. Eles nunca conheceram um oficial do FIB.

Um sorriso fraco cruzou o meu rosto. Glenn estaria a salvo com Jenks se Ivy voltasse para casa cedo. Ela resguardava sua privacidade e odiava surpresas, especialmente as que usavam uniformes do FIB. O fato de Glenn ser filho de Edden não ajudaria. Ela estava disposta a deixar rancores adormecidos para lá, mas se sentisse que seu território estava sendo ameaçado não hesitaria em agir, sendo que seu estranho status político de vamp-quase-morta-viva permitia que ela escapasse de coisas que me colocariam na prisão da SI.

Ao me virar, meus olhos recaíram sobre o peixe.

– O que farei com você... Bob? – eu disse com um suspiro. Não ia levar o peixe de volta para o escritório do senhor Ray, mas não podia mantê-lo na lata de água. Abri a tampa e descobri que suas guelras estavam pulsando e ele estava quase de lado. Achei que talvez devesse colocá-lo na banheira.

Com a lata na mão, fui até o banheiro de Ivy.

– Bem-vindo à sua casa, Bob – murmurei, soltando a lata na banheira preta. O peixe se agitou no centímetro de água, e eu me apressei para fechar as saídas, movimentando o fluxo para tentar manter a água na temperatura ambiente. Bob começou a nadar em círculos tranquilos e graciosos. Desliguei a água e esperei até ela parar de pingar e a superfície ficar lisa. Ele realmente era um peixe lindo, contrastando com a porcelana preta: todo prateado, com longas barbatanas bege e aquele círculo preto decorando um dos lados, parecendo uma lua cheia. Agitei os dedos na água, e ele disparou para o outro lado da banheira.

Eu o deixei e atravessei o corredor até o meu banheiro, peguei uma muda de roupa na secadora e entrei no chuveiro. Enquanto soltava os nós do cabelo e esperava a água aquecer, meus olhos recaíram sobre os três tomates apodrecendo no peitoril. Estremeci, feliz por não estarem à vista de Glenn. Uma pixie tinha me dado como pagamento por levá-la secretamente para o outro lado da cidade, enquanto fugia de um casamento indesejado. E, embora os tomates não fossem mais ilegais, era de mau gosto tê-los expostos quando se recebia uma visita humana.

Tinham se passado pouco mais de quarenta anos desde que um quarto da população humana do mundo fora morta por um vírus criado por militares que escapou e espontaneamente fixou-se em um ponto fraco de um tomate biogeneticamente modificado. Ele foi embarcado antes que alguém percebesse – o vírus cruzou oceanos com a facilidade de um viajante internacional –, e a Virada começou.

O vírus teve efeitos variados sobre os impercebidos escondidos. Bruxos, vampiros mortos-vivos e as espécies menores, como pixies e fadas, não foram afetadas. Lóbis, vamps vivos, leprechauns e outros semelhantes contraíram a gripe. Os humanos morreram aos montes, levando consigo os elfos, logo, a prática de aumentar sua população formando híbridos com a humanidade saiu pela culatra.

Os Estados Unidos teriam seguido os países de Terceiro Mundo para o caos se os impercebidos escondidos não tivessem tomado providências para impedir a disseminação do vírus, queimando os mortos e mantendo a civilização em funcionamento até o resto da humanidade sair do luto. Nosso segredo estava prestes a ser descoberto pela pergunta "o que torna essas pessoas imunes?" quando um vamp vivo carismático, chamado Rynn Cormel, comentou que nossa população somada era equivalente à da humanidade. A decisão de tornar nossa presença conhecida e viver abertamente entre os humanos – que imitávamos por segurança – foi quase unânime.

A Virada, como foi chamada, iniciou um pesadelo de três anos. A humanidade descontou o medo de nós nos bioengenheiros que haviam sobrevivido, assassinando-os em julgamentos forjados para legalizar as mortes. Depois foram além, proibindo todos os produtos geneticamente criados junto com a ciência que os criou. Uma segunda onda mais lenta de mortes seguiu a primeira quando doenças antigas voltaram, já que os medicamentos desenvolvidos pela humanidade para combater as doenças, desde Alzheimer até câncer, tinham deixado de existir. Os tomates continuaram sendo tratados como veneno pelos humanos, mesmo muito tempo depois de o vírus ter desaparecido. Se você não os cultivava, precisava ir a uma loja especializada para encontrá-los.

Franzi a testa ao olhar para a fruta vermelha ficando suada com a névoa do chuveiro. Se eu fosse esperta, colocaria o tomate na cozinha para ver como Glenn reagiria na Piscary's. Levar um humano a um restaurante impercebido não era uma ideia brilhante. Se ele fizesse um escândalo, além de não conseguirmos a informação, poderíamos ser expulsos ou coisa pior.

Avaliando que a água estava suficientemente quente, mergulhei com um "ai, ai, ai" baixinho. Vinte minutos depois, eu estava enrolada numa toalha cor-de-rosa grande, de pé diante da minha cômoda horrorosa feita de compensado, com uma dúzia ou mais de frascos de perfume cuidadosamente arrumados em cima. A imagem borrada do peixe dos Uivadores estava encaixada entre o vidro e a moldura. Aos meus olhos, parecia exatamente o mesmo peixe.

Os gritinhos alegres das crianças pixies entraram pela janela aberta, aliviando o meu humor. Poucos pixies conseguiam criar uma família na cidade. Jenks era mais forte em espírito do que a maioria jamais saberia. Ele tinha matado para manter seu jardim, de modo que os filhos não passassem fome. Era bom ouvir suas vozes cheias de felicidade: o som de família e de segurança.

– Qual era o cheiro, afinal? – murmurei, com os dedos flutuando sobre os perfumes enquanto tentava me lembrar com qual deles eu e Ivy estávamos fazendo experiências. De vez em quando, um novo frasco aparecia sem ser anunciado quando ela encontrava alguma coisa nova para eu experimentar.

Estendi a mão para um, deixando-o cair quando Jenks disse, bem ao lado da minha orelha:

– Não é esse.

– Jenks! – Firmei a toalha e me virei. – Saia do meu quarto!

Ele disparou para trás enquanto eu estendia a mão para pegá-lo. Seu sorriso se ampliou quando olhou para baixo e viu a perna que eu mostrei acidentalmente. Rindo, passou rápido por mim e pousou num frasco.

– Este funciona bem – ele disse. – E você vai precisar de toda a ajuda que conseguir quando contar para Ivy que aceitou de novo uma missão que envolve Trent.

Fiz uma cara feia e estendi a mão para o frasco. Com as asas batendo, ele subiu, e o pó de pixie fez breves raios de sol cintilarem através dos frascos reluzentes.

– Obrigada – eu disse, mal-humorada, sabendo que o nariz dele era melhor que o meu. – Agora sai. Não, espera. – Ele hesitou perto da minha pequena janela de vitral, e jurei que ia costurar o buraco de pixie na tela. – Quem está de olho em Glenn?

Jenks literalmente brilhou de orgulho paterno.

– Jax. Eles estão no jardim. Glenn está jogando caroços de cereja com um elástico para os meus filhos pegarem antes que caiam no chão.

Fiquei tão surpresa que quase ignorei o fato de que o meu cabelo estava pingando e eu estava só de toalha.

– Ele está brincando com os seus filhos?

– É. O sujeito não é tão mau, depois que a gente conhece melhor. – Jenks passou pelo buraco de pixie. – Vou mandar ele entrar daqui a uns cinco minutos, está bem? – ele disse através da tela.

– Melhor daqui a dez minutos – respondi suavemente, mas ele tinha ido embora. Franzi a testa, fechei e tranquei a janela, verificando duas vezes se as cortinas estavam bem fechadas. Peguei o frasco sugerido por Jenks e borrifei o líquido em mim. Canela em flor. Nos últimos três meses, Ivy e eu vínhamos trabalhando para encontrar um perfume que cobrisse sua essência natural misturada com a minha. Esta era uma das melhores.

Vivos ou mortos-vivos, os vampiros se movimentavam por instinto, ativados por feromônios e essências, mais à mercê de seus hormônios do que um adolescente. Eles exalavam um cheiro praticamente indetectável que permanecia, um sinal aromático que avisava que aquele era um território ocupado. Muito melhor do que o jeito dos cachorros, mas, por morarmos juntas, o cheiro de Ivy ficava em mim. Uma vez ela me disse que era um atributo de sobrevivência que ajudava a aumentar a expectativa de vida de uma sombra evitando a caça ilegal. Eu não era sua sombra, mas estava ali de qualquer maneira. O problema era que o cheiro das nossas essências naturais misturadas tinha a tendência de agir como um afrodisíaco sanguíneo, dificultando a tentativa de Ivy de controlar seus instintos, com ou sem prática.

Uma das poucas brigas que tive com Nick foi para discutir por que eu aguentava Ivy e sua ameaça constante ao meu livre-arbítrio uma vez que ela poderia abandonar seu voto de abstinência uma noite e eu não conseguiria me defender. A verdade era que ela se considerava minha amiga, mas ainda mais nítido era o fato de que ela tinha enfraquecido o controle mortal que mantinha sobre suas emoções e me permitiu ser sua amiga também. A honra dessa situação era embriagante. Ivy era a melhor caça-recompensas que eu já conhecera, e sempre me sentia orgulhosa por ela ter abandonado uma carreira brilhante na SI para trabalhar comigo/salvar a minha vida.

A vampira era possessiva, dominadora e imprevisível. Ela também tinha uma força de vontade mais forte que qualquer pessoa que eu conhecia, lutando uma batalha interna que, se vencesse, roubaria sua vida após a morte. E ela estava disposta a me proteger porque eu a chamava de amiga. Meu Deus, como alguém consegue se afastar disso?

Exceto quando nós estávamos sozinhas e ela se sentia segura quanto à recriminação, Ivy se controlava com uma rigidez fria ou caía no modo vampiro clássico de dominação sensual que, descobri, era seu jeito de se afastar dos sentimentos com medo de, caso demonstrasse fraqueza, perder o controle. Acho que ela mantinha sua sanidade vivendo indiretamente através de mim enquanto eu tropeçava pela vida, curtindo o entusiasmo com que eu envolvia tudo, desde encontrar um sapato de salto alto vermelho em liquidação até aprender um feitiço para derrubar um feio-grande-mau. E, conforme eu passava os dedos sobre os perfumes que ela havia comprado para mim, me perguntei se talvez Nick estivesse certo e nosso relacionamento pudesse estar escapando para uma área indesejada.

Eu me vesti rapidamente e voltei para a cozinha vazia. O relógio acima da pia dizia que eram quase quatro horas. Eu tinha muito tempo para fazer um feitiço para Glenn antes de sairmos.

Peguei um dos livros de feitiços na prateleira sob o balcão da ilha central e me sentei no lugar de sempre à mesa de madeira antiga de Ivy. Fiquei feliz quando abri o tomo amarelado. O frescor da brisa que entrava pela janela prometia uma noite fria. Eu adorava aquele lugar, trabalhar na minha linda cozinha cercada por território sagrado, protegida de todos os males.

O feitiço anticoceira era fácil de encontrar; a página estava com a ponta virada e tinha velhas manchas de respingos. Deixei o livro aberto e me levantei para pegar a menor panela de cobre e as colheres de cerâmica. Era raro um humano aceitar um amuleto, mas, se me visse fazendo, talvez Glenn o aceitasse. O pai dele tinha aceitado de mim um amuleto de dor uma vez.

Eu media a água da fonte com a proveta quando ouvi um barulho de pés arrastados nos degraus dos fundos.

– Oi? Senhorita Morgan? – Glenn chamou ao bater e abrir a porta. – Jenks disse que eu podia entrar direto.

Não levantei o olhar da minha medição cuidadosa.

– Estou na cozinha – eu disse alto.

Glenn entrou devagar no cômodo e deu uma olhada nas minhas roupas. Observou meu chinelo cor-de-rosa felpudo, subiu pela meia-calça preta até a saia curta combinando, passou pela blusa vermelha e, finalmente, chegou na tiara preta que mantinha meu cabelo úmido para trás. Se fosse ver Sara Jane outra vez, queria estar bonita.

Nas mãos de Glenn havia um maço de folhas de verbasco, botões de dente-de-leão e flores de maria-sem-vergonha. Ele parecia muito constrangido.

– Jenks, o pixie, disse que você queria isso, madame.

Apontei com a cabeça para o balcão da ilha.

– Pode colocar ali. Obrigada. Sente-se.

Com uma pressa artificial, ele atravessou o ambiente e colocou as plantas sobre o balcão. Hesitou por pouco tempo, puxou a cadeira que tradicionalmente era de Ivy e sentou-se. Tinha tirado o paletó, ficando com o coldre e a arma no ombro; parecia agressivo. Em contraste, sua gravata estava frouxa e o botão superior da camisa engomada estava aberto e mostrava um fio de cabelo escuro no peitoral.

– Onde está seu paletó? – perguntei com suavidade, tentando desvendar seu humor.

– As crianças... – Hesitou. – As crianças pixies estão usando como um forte.

– Ah. – Escondi o sorriso e vasculhei a prateleira de temperos para encontrar o frasco de calda de quelidônia. A capacidade de Jenks de ser um chato era inversamente proporcional ao seu tamanho. Sua capacidade de ser um amigo fiel também. Pelo visto, Glenn tinha conquistado a confiança de Jenks. Quem diria...

Satisfeita porque a exposição da arma não tinha a intenção de me intimidar, acrescentei uma grande quantidade de quelidônia, raspando a colher medidora de cerâmica para tirar todo o conteúdo grudento. Um silêncio desconfortável se instalou, acentuado pelo sopro forte do gás se inflamando. Senti seu olhar pesado sobre a minha pulseira de talismã enquanto os amuletos minúsculos de madeira se batiam delicadamente. O crucifixo era autoexplicativo, mas ele teria que perguntar se quisesse saber para que serviam os outros. Eu só carregava três – os antigos tinham queimado e ficado inúteis quando Trent matou a testemunha que os usava numa explosão de carro.

A mistura sobre o fogão começou a soltar vapor, e Glenn ainda não tinha dito uma palavra.

– Entããão... – falei devagar. – Você está há muito tempo no FIB?

– Sim, madame. – Foi uma resposta curta, indiferente e arrogante.

– Pode parar com esse negócio de madame? Me chame apenas de Rachel.

– Sim, madame.

"Aaaai", pensei, "será uma noite divertida." Irritada, peguei as folhas de verbasco. Joguei no cimento manchado de verde e amassei usando mais força do que o necessário. Coloquei a papa para ensopar no creme por um instante. "Por que eu estava me preocupando em fazer um amuleto para ele? O sujeito nem ia usá-lo."

A mistura estava fervendo, e eu abaixei o fogo, colocando o *timer* para três minutos. Ele tinha a forma de uma vaquinha, e eu o adorava. Glenn estava calado, me observando com uma desconfiança cuidadosa enquanto me recostava na borda do balcão.

– Estou fazendo um negócio para parar sua coceira – comentei. – É estranho, mas me sinto culpada por você.

Seu rosto endureceu.

– O capitão Edden está me obrigando a te acompanhar. Não preciso de sua ajuda.

Com raiva, respirei para dizer que ele podia sair voando numa vassoura, mas depois calei a boca. "Não preciso de sua ajuda" já tinha sido o meu mantra. Mas amigos tornam as coisas muito mais fáceis. Minha testa se enrugou com os pensamentos. O que foi que Jenks fez para me persuadir? Ah, sim. Disse alguns palavrões e me falou que eu estava sendo burra.

– Na minha opinião, você pode se Virar – eu disse com prazer. – Mas Jenks jogou pó de pixie em você e disse que você é sensível ao pó. Está se espalhando pelo seu sistema linfático. Quer se coçar por uma semana só porque é durão demais para usar um feitiço insignificante? Isso é tão infantil! – Dei um peteleco com a unha na panela de cobre, fazendo um barulho. – Uma aspirina. Dez centavos por uma dúzia. – Não era, mas Glenn provavelmente não aceitaria se soubesse quanto cada uma dessas coisas custava numa loja de talismãs. Era um feitiço medicinal de classe dois. Eu provavelmente deveria ter entrado num círculo para fazê-lo, mas eu teria de entrar no todo-sempre para fechá-lo. E o fato de Glenn me ver sob influência de uma linha de ley com certeza o assustaria muito.

O detetive não me olhava nos olhos. Seus pés se remexiam como se ele estivesse se esforçando para não coçar a perna. O *timer* tocou – ou mugiu, na verdade – e, deixando-o para poder se decidir, acrescentei as flores de dentes-de-leão e de maria-sem-vergonha, amassando-as na lateral da panela com um movimento em sentido horário – nunca no sentido anti-horário. Afinal, eu era uma bruxa branca.

Glenn desistiu de fingir que não estava se coçando e lentamente esfregou o braço através da manga da camisa.

– Ninguém vai saber que eu fui enfeitiçado?

– Não, a menos que façam uma inspeção de feitiços em você. – Eu estava meio desapontada. Ele tinha medo de mostrar abertamente que estava usando magia. O preconceito não era incomum. Mas, por outro lado, depois de ter tomado uma aspirina, eu preferia sentir dor do que engolir outra. Acho que eu não era um bom parâmetro.

– Tudo bem. – Foi uma aceitação muito relutante.

– Beleza. – Acrescentei a raiz de hidraste ralada e aumentei o fogo para ferver. Quando a espuma ficou amarela e com cheiro de cânfora, desliguei o fogo. Quase pronto.

Esse feitiço rendia sete porções, e eu me perguntei se ele exigiria que eu passasse uma em mim antes de confiar que eu não o transformaria num sapo. Era uma ideia legal. Poderia colocá-lo no jardim para afastar as lesmas das hortas. Edden não sentiria falta dele por pelo menos uma semana.

Os olhos de Glenn estavam em mim enquanto eu pegava sete discos limpos de sequoia mais ou menos do tamanho de uma moeda e os colocava sobre o balcão, à sua vista.

– Quase acabando – comentei com uma alegria forçada.

– É só isso? – questionou, com os olhos castanhos arregalados.

– É só isso.

– Nada de acender velas, fazer círculos ou dizer palavras mágicas?

Balancei a cabeça.

– Você está pensando em magia de linhas de ley. E é latim, não são palavras mágicas. Os bruxos de linhas de ley recebem seu poder diretamente das linhas e precisam dos subterfúgios da cerimônia para controlá-las. Sou uma bruxa da terra. – "Graças a Deus." – Minha magia também vem das linhas de ley, mas é naturalmente filtrada através das plantas. Se eu fosse uma bruxa negra, a maior parte viria através dos animais.

Sentindo como se eu tivesse voltado no tempo e estivesse fazendo uma prova de laboratório na faculdade, vasculhei a gaveta de talheres em busca de um furador de dedo. A picada aguda da lâmina na ponta do meu dedo mal foi notada, e eu o massageei até as três gotas necessárias pingarem na poção. O aroma de sequoia se ergueu denso e bolorento, superando o cheiro de cânfora. Eu tinha feito tudo certo. Sabia que sim.

– Você colocou sangue aí! – ele disse, e eu levantei a cabeça ao perceber o tom de nojo.

– Dã... De que maneira eu poderia acelerar a poção? Colocar no forno e assar? – Franzi a testa e coloquei para trás da orelha um fio do cabelo que tinha escapado da tiara. – Toda magia exige um preço pago pela morte, detetive. A magia branca da terra se paga com o sangue da bruxa e a morte de plantas. Se quisesse fazer um talismã para te derrubar ou transformar o seu sangue em piche ou até mesmo te deixar com soluço, eu teria que usar alguns ingredientes asquerosos que envolvem partes de animais. A magia verdadeiramente negra exige não apenas o meu sangue, mas o sacrifício animal. – "Ou humano ou impercebido."

Minha voz saiu mais áspera do que eu pretendia, e mantive os olhos abaixados enquanto media as doses e as deixava molhar os discos de sequoia. Grande parte da minha curta carreira na SI envolvia contratar fazedores de feitiços cinza – bruxos que pegavam um talismã branco, como um feitiço de dormir, e o utilizavam de forma ruim –, mas também contratava criadores de talismãs negros. A maioria eram bruxos de linhas de ley, já que os ingredientes necessários para fazer um talismã negro eram suficientes para empalidecer a maior parte dos bruxos da terra. Olho de salamandra e dedo de sapo? Dificilmente. O ideal era sangue extraído do baço de um animal ainda vivo e sua língua arrancada enquanto ele dava o último ganido para chegar ao éter. Horrível.

– Não vou fazer um talismã negro – esclareci quando Glenn continuou em silêncio. – Além de ser idiota e nojento, a magia negra sempre volta para te pegar. – "E se isso acontecesse comigo, envolveria o meu pé no estômago dele ou minhas algemas nos seus pulsos."

Escolhi um amuleto e massageei o dedo de forma a extrair mais três gotas do meu sangue para invocar o feitiço. Ele foi absorvido rapidamente, como se o feitiço puxasse o sangue do meu dedo. Estendi o talismã para Glenn, pensando na época em que me senti tentada a fazer magia negra. Eu sobrevivi, mas saí dela com uma marca de demônio. E tudo o que eu tinha feito foi olhar o livro. A magia negra sempre volta. Sempre.

– Tem seu sangue aí – ele disse, com repulsa. – Faz outro, e eu boto o meu sangue nele.

– O seu? O seu não vai fazer nada. Tem que ser sangue de bruxo. O seu não tem as enzimas corretas para acelerar um feitiço. – Estendi de novo, e ele balançou a cabeça. Frustrada, cerrei os dentes. – O seu pai já usou um, seu humano fresco. Pega logo isso para a gente poder seguir com a nossa vida! – Com raiva, empurrei o amuleto para ele, que o pegou com cuidado.

– Melhor? – questionei quando os dedos dele envolveram o disco de madeira.

– Hum, sim – respondeu, com o rosto de maxilar quadrado repentinamente relaxado. – Melhor, sim.

– Claro que sim – resmunguei. Ligeiramente aliviada, pendurei os outros amuletos no armário de talismãs. Glenn avaliou em silêncio o meu estoque, cada gancho cuidadosamente rotulado graças à necessidade obsessiva de Ivy de organizar tudo. Não importa. Ela ficava feliz, e isso não me incomodava. Fechei a porta com um estrondo e me virei.

– Obrigado, senhorita Morgan – ele disse, me surpreendendo.

– De nada – respondi, feliz porque ele finalmente tinha parado com o "madame". – Não deixe cair sal em cima, e ele durará cerca de um ano. Você pode tirar e guardar, se quiser, quando as bolhas sumirem. Funciona com erva venenosa também. – Comecei a arrumar a bagunça. – Me desculpe por ter deixado Jenks jogar pó de pixie em você daquele jeito – eu disse devagar. – Ele não teria feito isso se soubesse que você é sensível a pó de pixie. Normalmente as bolhas não se espalham.

– Não se preocupe com isso. – Ele estendeu a mão para pegar um dos catálogos de Ivy na ponta da mesa e recuou ao ver, em destaque, uma imagem de facas curvas de aço inoxidável.

Guardei meu livro de feitiços debaixo do balcão da ilha central, feliz por Glenn estar mais relaxado.

– Quando se trata de impercebidos, às vezes as menores coisas podem ter os socos mais fortes.

Houve um *bum* alto da porta da frente se fechando. Enrijeci e cruzei os braços, só agora reconhecendo que a motocicleta de Ivy tinha passado pela rua um momento antes. Glenn encontrou o meu olhar, sentando-se mais reto ao perceber minha preocupação. Ivy estava em casa.

– Mas nem sempre – completei.

Cinco

Com os olhos no corredor vazio, fiz sinal para Glenn continuar sentado. Eu não tinha tempo para explicar. Perguntei-me o quanto Edden tinha lhe falado ou se essa seria uma daquelas maneiras desagradáveis, mas eficazes, de lapidar Glenn.

– Rachel? – veio a voz melodiosa de Ivy, e Glenn se levantou, alisando os amassados nas calças cinza. "Ah, até parece que isso vai ajudar." – Você sabia que tem um carro do FIB estacionado em frente à casa do Keasley?

– Sente-se, Glenn – alertei e, como não sentou, me posicionei entre ele e o arco que dava para o corredor.

– Eca! – Ivy exclamou, com a voz abafada. – Tem um peixe na minha banheira. É dos Uivadores? Quando é que eles vêm buscar? – Houve uma hesitação, e eu consegui sorrir para Glenn. – Rachel? – ela chamou, mais perto. – Você está aí? Ei, a gente devia ir ao *shopping* hoje à noite. A loja de cosméticos que frequento vai relançar uma essência antiga com base cítrica. A gente precisa dos frascos de amostra para ver como funciona. Você sabe, comemorar que você conseguiu o dinheiro do aluguel. O que você está usando? Canela? Essa é boa, mas só dura três horas.

"Legal, queria ter descoberto isso antes."

– Estou na cozinha – gritei.

A figura alta de Ivy, vestida de preto, passou pela abertura. Trazia uma sacola de lona cheia de comida pendurada no ombro. A seda preta que vestia se sacudia atrás dos saltos das botas, e a ouvi procurar alguma coisa na sala de estar.

– Não achei que você conseguiria resolver o negócio do peixe – ela disse. Hesitou e, em seguida: – Onde diabos está o telefone?

– Aqui – eu disse, cruzando os braços de um jeito inquieto.

Ivy parou rapidamente no arco quando viu Glenn. Suas feições meio orientais ficaram pálidas de surpresa. Eu quase vi a parede cair quando ela percebeu que não estávamos sozinhas. A pele ao redor de seus olhos se contraiu. O nariz pequeno se dilatou, sentindo o cheiro dele, catalogando em um instante seu medo e minha preocupação. Com os lábios rígidos, ela colocou a sacola de comida no balcão e afastou o cabelo dos olhos, que caiu nas suas costas numa onda negra suave. Eu sabia que era preocupação, e não nervosismo, o que a fez colocar o cabelo atrás da orelha.

Houve uma época em que Ivy era rica e se vestia como tal, mas toda sua herança tinha sido usada para pagar a SI por seu contrato quando pediu demissão no mesmo dia que eu. Dito de um jeito simples, ela parecia uma modelo assustadora: ágil e pálida, mas incrivelmente forte. Ao contrário de mim, ela não usava esmalte, nenhum acessório – além das duas tornozeleiras de corrente preta com crucifixo – e pouquíssima maquiagem, pois não precisava. Mas, assim como eu, ela estava praticamente falida, pelo menos até a mãe dela terminar de morrer e a propriedade da família Tamwood ir para suas mãos. Eu imaginava que isso não aconteceria em menos de duzentos anos, no mínimo.

As sobrancelhas finas de Ivy se ergueram quando ela deu uma olhada em Glenn.

– Trazendo trabalho para casa de novo, Rachel?

Respirei fundo.

– Oi, Ivy. Esse é o detetive Glenn. Você falou com ele hoje à tarde. E o enviou para *me buscar*. – Meu olhar ficou penetrante. A gente conversaria sobre isso mais tarde.

Ivy virou de costas para ele e desempacotou as compras.

– Prazer em conhecê-lo – ela o cumprimentou com um tom monótono. Depois, para mim, resmungou: – Desculpe. Apareceu um problema.

Glenn engoliu em seco. Ele parecia trêmulo, mas estava se controlando. Acho que Edden não tinha contado a ele sobre Ivy. Eu realmente gostava de Edden.

– Você é uma vampira – ele afirmou.

– Ahhhhh – Ivy disse. – Esse é inteligente.

Com os dedos tateando o novo amuleto, ele puxou uma cruz de dentro da camisa.

– Mas está fazendo sol – ele disse, parecendo traído.

– Ai, ai, ai – Ivy disse. – E também é meteorologista? – Ela virou com um olhar sarcástico. – Ainda não estou morta, detetive Glenn. Só os mortos-vivos de verdade têm restrições à luz. Volte daqui a uns sessenta anos e talvez eu esteja preocupada com uma queimadura de sol. – Vendo a cruz dele, Ivy sorriu de um jeito condescendente e tirou de dentro da blusa de elastano sua própria cruz extravagante. – Isso só funciona com vampiros mortos-vivos – ela disse ao se voltar para o balcão. – Onde aprendeu essas coisas? Em filmes B?

Glenn deu um passo atrás.

– O c-c-capitão Edden nunca disse que você trabalhava com uma vampira – o oficial do FIB gaguejou.

Ao ouvir o nome de Edden, Ivy girou nos calcanhares. Foi um movimento tão rápido que mal dava para ver, e me surpreendi. Isso não acabaria bem. Ela estava começando a jogar uma aura. "Droga." Olhei de relance pela janela. O sol se poria em breve. "Duas vezes droga."

– Ouvi falar de você – o oficial disse, e eu me encolhi ao perceber a arrogância na sua voz, usada para esconder o medo. Nem mesmo Glenn seria idiota o suficiente para enfrentar uma vampira na casa dela. A arma que ele trazia consigo não serviria para nada. Claro, o sujeito poderia atirar nela e matá-la, mas aí ela estaria morta e arrancaria a cabeça dele. E nenhum júri no mundo a condenaria por assassinato, já que ele a matou primeiro. – Você é Tamwood – Glenn disse, sua coragem claramente derivada de um sentimento inapropriado de segurança. – O capitão Edden te deu trezentas horas de serviço comunitário por acabar com todo mundo no andar dele, não foi? O que ele a mandou fazer? Serviço em hospital, certo?

Ivy ficou rígida, e a minha boca se abriu. Droga. Ele *era* burro nesse nível.

– Valeu a pena – Ivy disse com suavidade. Os dedos dela estavam tremendo enquanto colocava o pacote de *marshmallows* cuidadosamente sobre o balcão.

Minha respiração parou. "Merda." Os olhos castanhos de Ivy tinham ficado pretos, resultado da dilatação das pupilas. Fiquei de pé, chocada com a rapidez com que isso aconteceu. Havia semanas que tinha se transformado em vampira na minha frente, e ela sempre dava algum sinal. O choque irritante de encontrar alguém com o uniforme do FIB na sua cozinha pode ter sido um pouco responsável por isso, e, pensando bem, tive uma sensação nauseante de que tê-la deixado entrar e encontrar Glenn de surpresa não tinha sido a melhor opção. O medo dele a atingiu com força e rapidez, sem dar a ela tempo de se preparar contra a tentação.

O pavor súbito do oficial encheu o ar de feromônios. A substância agia como um afrodisíaco potente que só Ivy conseguia saborear, trazendo à tona instintos profundamente fixados há mais de mil anos em seu DNA alterado pelo vírus. Em um piscar de olhos, os feromônios tinham transformado a minha colega um pouco perturbadora em uma predadora que poderia matar nós dois em três segundos se o desejo de eliminar sua fome há muito suprimida fosse mais forte que as consequências de drenar um detetive do FIB. Era esse equilíbrio que me assustava. Eu sabia em que posição eu estava em sua escala pessoal de fome e razão. Mas não tinha a menor ideia da posição de Glenn.

Como a seda flutuante, sua postura se derreteu, e ela se recostou no balcão com um cotovelo dobrado e o quadril inclinado. Mortalmente parada, subiu o olhar por Glenn até chegar a seus olhos. A cabeça dela se inclinou com uma lentidão sufocante, até que começou a observá-lo por sob a franja lisa. Só que agora ela respirava de um jeito lento e deliberado. Seus dedos longos e pálidos remexeram no profundo decote em V da blusa de elastano enfiada nas calças de couro.

– Você é alto – ela disse, o tom sombrio de sua voz me parecendo medo. – Eu gosto disso. – Ela não buscava sexo, e sim dominação. E o teria enfeitiçado se pudesse, mas precisaria esperar até estar morta para conseguir dominar os relutantes.

"Ótimo", pensei enquanto Ivy se afastava do balcão e caminhava em direção a ele. Ela tinha perdido o controle. Era pior do que a vez em que encontrou Nick e eu abraçados no seu sofá sem assistir à luta na TV. Ainda não sei o que a irritou naquele momento – nós duas tínhamos acordado que eu não era sua namorada, seu brinquedinho, sua amante, sua sombra ou qualquer que fosse o novo termo para lacaio de vampiro nos dias de hoje.

Tentei pensar num jeito de trazê-la de volta sem piorar as coisas. Ivy parou diante de Glenn, e a barra de seu vestido parecia se mover em câmera lenta ao se aproximar e tocar nos sapatos dele. A língua dela escapou por entre os dentes muito brancos, escondendo-os mesmo enquanto brilhavam. Com um poder de contenção nítido, colocou uma mão em cada lado dele na altura da cabeça, prendendo-o à parede.

– Hum – Ivy disse, respirando através dos lábios separados. – Muito alto. Pernas compridas. Pele bonita e escura. Rachel te trouxe para mim?

Ela se inclinou em sua direção, quase o tocando. Glenn era apenas alguns centímetros mais alto do que ela. Ivy inclinou a cabeça como se fosse beijá-lo. Uma gota de suor deslizou pelo rosto e pelo pescoço do oficial. Ele não se mexeu, mas a tensão enrijecia cada um de seus músculos.

– Você trabalha para Edden – ela sussurrou, com os olhos fixos na umidade que se acumulava na clavícula dele. – O capitão provavelmente ficaria chateado se você morresse. – Seus olhos dispararam para os dele ao som da respiração rápida do oficial.

"Não se mexa", pensei, sabendo que, se Glenn se movesse, os instintos dela assumiriam o controle. O cara estava encrencado, com as costas contra a parede daquele jeito.

– Ivy? – chamei, tentando distraí-la e evitar ter que contar a Edden por que seu filho estava na UTI. – Edden me deu uma missão. Glenn está comigo nessa.

Fiz um esforço para não tremer quando ela virou para mim os olhos que tinham se transformado em buracos negros, me rastreando enquanto eu colocava o balcão da ilha entre nós. Ela permaneceu imóvel, exceto pela mão que delineava o ombro e o pescoço de Glenn, com o dedo deslizando a um centímetro dele.

– Hum, Ivy? – eu disse, hesitante. – Glenn deve querer sair agora. Deixe ele ir.

Meu pedido pareceu funcionar, e ela inspirou rápido e com calma. Dobrando o cotovelo, se afastou da parede.

Glenn disparou para sair de perto dela. Sacou a arma e ficou parado no arco que dava no corredor, com os pés afastados e a arma apontada para Ivy. Desativou a trava de segurança, com os olhos arregalados.

Ivy se virou e foi até a sacola de compras. Podia parecer que ela o estava ignorando, mas eu sabia ela estava consciente de tudo, até da vespa quicando no teto. Com as costas arqueadas, ela colocou um pacote de queijo ralado sobre o balcão.

– Na próxima vez que encontrar aquela porcaria de capitão, diga a ele que eu disse "oi" – ela comentou. A voz macia estava carregada com uma quantidade chocante de raiva. Mas a fome, a necessidade de dominar, tinha sumido.

Com os joelhos fracos, soltei a respiração num longo sopro de ar.

– Glenn? – sugeri. – Guarde a arma antes que ela a tire de você. E na próxima vez que insultar a minha colega de quarto vou deixar que ela rasgue sua garganta. Entendeu?

Seus olhos foram até Ivy antes de guardar a arma no coldre. Ele continuou no arco, respirando com dificuldade.

Pensando que o pior tinha passado, abri a geladeira.

– Ei, Ivy – eu disse calmamente, para tentar voltar à normalidade –, me joga o pepperoni?

Ela encontrou meu olhar do outro lado da cozinha e piscou para afastar o resquício de seus instintos acelerados.

– Pepperoni – disse, com a voz mais rouca do que o normal. – Tá. – Ela passou as costas da mão na bochecha. Franzindo a testa para si mesma, atravessou a cozinha com um passo lento. – Obrigada por me acalmar – disse tranquilamente enquanto me entregava o pacote de carne fatiada.

– Eu devia ter te avisado. Desculpe. – Guardei o pepperoni e me empertiguei, dando uma olhada sombria para Glenn. Seu rosto estava cinza e tenso enquanto ele secava o suor. Acho que tinha acabado de perceber que estávamos no mesmo ambiente que uma predadora controlada pelo orgulho e pela cortesia. Talvez ele tivesse aprendido alguma coisa hoje. Edden ficaria feliz.

Vasculhei as compras e peguei os perecíveis. Ivy se aproximou ao guardar uma lata de pêssegos.

– O que ele está fazendo aqui? – perguntou, alto o suficiente para Glenn ouvir.

– Estou tomando conta dele.

Ela fez que sim com a cabeça, claramente esperando mais. Quando não continuei, acrescentou:

– É um serviço pago, não é?

Dei uma olhada de relance para Glenn.

– Hum, é. Uma pessoa desaparecida. – Olhei para ela, aliviada por ver que as pupilas estavam quase de volta ao normal.

– Posso ajudar? – ela perguntou.

Desde que tinha saído da SI, o trabalho de Ivy praticamente se resumia a procurar pessoas desaparecidas, mas, assim que soubesse que o desaparecido se tratava do namorado de Sara Jane, ela acharia, como Jenks, que aquilo era um truque de Trent Kalamack. Ainda assim, adiar contar a verdade à Ivy só pioraria as coisas. E eu queria que ela fosse à Piscary's comigo. Desse jeito eu conseguiria mais informações.

Glenn estava de pé com uma casualidade afetada enquanto nós duas guardávamos as compras, sem parecer se importar de estarmos ignorando-o.

– Ah, vamos lá, Rachel – a vampira me seduziu. – Quem é? Vou lançar meus sensores. – Agora ela parecia tão distante de um predador quanto um pato.

Eu estava acostumada com aquelas mudanças de temperamento, mas Glenn parecia desnorteado.

– Hum, um bruxo chamado Dan. – Eu me virei, escondendo a cabeça na geladeira enquanto guardava o queijo *cottage*. – Ele é namorado de Sara Jane e, antes de ficar toda irritadinha, saiba que Glenn vai comigo dar uma olhada no apartamento do cara. Acho que podemos esperar até amanhã para checar na Piscary's; ele trabalhava lá como entregador. Mas de jeito nenhum Glenn vai comigo para a universidade. – Houve um silêncio que durou um segundo, e eu me encolhi, esperando ela gritar em protesto. Mas isso não aconteceu.

Olhei por cima da porta da geladeira e fiquei fraca tamanha a surpresa. Ivy tinha se colocado na pia e estava com a cabeça baixa sobre ela, com uma mão em cada lado. Era seu ponto de "contar até dez". Sempre funcionava. Ela levantou os olhos e me encarou. Minha boca ficou seca. Não funcionou.

– Você não vai aceitar essa missão – ela disse, e a monotonia suave de sua voz provocou um arrepio de gelo negro em mim.

O pânico apareceu antes de se transformar numa queimadura na boca do meu estômago. Tudo que existia eram seus olhos negros como pupilas. Ela inspirou, percebendo meu calor. Sua presença parecia girar atrás de mim enquanto eu lutava para não me virar de costas. Meus ombros ficaram tensos e minha respiração acelerou. Ela tinha lançado uma aura completa, do tipo que rouba a alma. Mas alguma coisa estava diferente. Não havia raiva nem fome. Aquilo era medo. "Ivy está com medo?"

– Vou aceitar a missão – eu disse, ouvindo um leve tom de medo em minha própria voz. – Trent não pode me pegar, e eu já disse a Edden que aceitaria.

– Não vai aceitar, não.

Com a barra do vestido se contorcendo, ela se moveu de repente. Fiquei surpresa quando a vi bem na minha frente quase ao mesmo tempo que percebi que ela tinha se mexido. Com o rosto mais branco do que nunca, Ivy empurrou a porta da geladeira para fechá-la. Eu pulei para sair do caminho. Encontrei seus olhos, sabendo que, se eu demonstrasse o medo que estava dando nós no meu estômago, ela se alimentaria dele, fortalecendo seu fervor. Aprendi muito nos últimos três meses, algumas coisas do jeito mais difícil, outras que eu preferia não precisar saber.

– Na última vez que enfrentou Trent você quase morreu – Ivy disse, com suor escorrendo pelo pescoço e desaparecendo atrás do profundo decote em V de sua blusa. "Ela está suando?"

– A palavra-chave aqui é "quase" – respondi, cheia de coragem.

– Não. A palavra-chave é "morreu".

Eu sentia o calor que emanava dela e dei um passo para trás. Glenn estava sob o arco, me observando com olhos arregalados enquanto eu discutia com uma vamp. Era preciso ter um talento especial para isso.

– Ivy – eu disse com calma, apesar de estar tremendo por dentro. – Vou aceitar essa missão. Se você quiser ir comigo e com Glenn quando formos falar com Piscary...

Minha respiração parou. Os dedos de Ivy estavam no meu pescoço. Arfando, soltei o ar numa explosão quando ela me jogou contra a parede da cozinha.

– Ivy! – eu consegui dizer antes de ela me agarrar e me prender ali.

O ar entrava devagar e, com a respiração ofegante, fiquei pendurada, sem tocar os pés no chão.

Ivy aproximou o rosto do meu. Seus olhos estavam negros, mas arregalados de medo.

– Você não vai falar com Piscary – ordenou, como se o pânico fosse uma fita prateada através da seda sombria de sua voz. – Não vai aceitar essa missão.

Firmei os pés contra a parede e empurrei. Soprei um hálito de ar, que passou pelos dedos dela, e as minhas costas bateram de volta na parede. Afastei-me com um chute, e Ivy foi para o lado. Seu aperto no meu pescoço não afrouxou.

– Que diabos está fazendo? – falei com a voz grossa. – Me solte!

– Senhorita Tamwood! – Glenn gritou. – Solte a mulher e vá para o centro da cozinha!

Enfiando os dedos em sua mão que me estrangulava, tentando afrouxá-la, olhei além de Ivy. Glenn estava atrás dela, com os pés firmes, pronto para atirar.

– Não! – minha voz arranhou. – Saia. Saia daqui!

Ivy não me ouviria se ele estivesse ali. Ela estava com medo. Do que ela estava com medo, afinal? Trent não podia tocar em mim.

Houve um assobio agudo de surpresa quando Jenks entrou.

– Olá, amiguinhos – ele disse com sarcasmo. – Estou vendo que Rachel te contou sobre a missão, não é, Ivy?

– Saia! – exigi, com a cabeça latejando enquanto o aperto de Ivy ficava mais forte.

– Que diabos! – o pixie exclamou do teto, com as asas brilhando num vermelho assustado. – A vampira não está brincando.

– Eu sei... – Com os pulmões doendo, consegui afastar os dedos ao redor do meu pescoço, e pude respirar de forma entrecortada. O rosto pálido de Ivy estava tenso. O preto dos olhos era total e absoluto. E manchado de medo. Ver a emoção neles era apavorante.

– Ivy, solte ela! – Jenks exigiu enquanto flutuava na altura dos olhos. – Não é tão ruim. Sério. A gente vai com ela.

– Saia! – ordenei, respirando direito enquanto os olhos de Ivy ficavam confusos e o aperto afrouxava. O pânico tomou conta de mim quando seus dedos tremeram. O suor descia pela sua testa, franzida de confusão. O branco dos olhos estava forte em contraste com o preto.

Jenks disparou até Glenn.

– Você a ouviu – o pixie disse. – Saia.

Meu coração acelerou quando Glenn sibilou:

– Está louco? Se a gente sair, essa vaca vai matá-la!

A respiração de Ivy pareceu um gemido. Era suave como um floco de neve, mas eu ouvi. O cheiro de canela tomou os meus sentidos.

– A gente tem que sair daqui – Jenks disse. – Ou Rachel convence Ivy a soltá-la ou Ivy vai matá-la. Você pode conseguir separar as duas atirando em Ivy, mas Ivy vai rastrear Rachel e matá-la na primeira oportunidade que tiver se conseguir subverter a dominância de Rachel.

– Rachel é dominante?

Percebi a descrença na voz de Glenn e freneticamente rezei para que saíssem antes que Ivy terminasse de me estrangular.

O ruído das asas de Jenks era tão alto quanto o meu sangue zumbindo nos meus ouvidos.

– Como acha que Rachel fez Ivy se afastar de você? Acha que uma bruxa conseguiria fazer isso se não estivesse no comando? Saia daqui, como ela disse.

Eu não sabia se "dominante" era a palavra certa. Mas, se os dois não saíssem, essa questão seria irrelevante. A verdade era que, de algum jeito distorcido, Ivy precisava mais de mim do que eu dela. Mas o "guia de namoro" que ela tinha me dado para eu parar de despertar seus instintos vampirescos não incluía um capítulo sobre "O que fazer se você descobrir que é dominante". Eu estava num território desconhecido.

– Saia... Daqui... – engasguei quando os cantos do meu campo de visão ficaram pretos.

Ouvi a trava de segurança ser reativada. Relutante, Glenn guardou a arma. Enquanto Jenks voava indo e vindo da porta dos fundos, o oficial do FIB recuou, parecendo irritado e frustrado. Encarei o teto e vi as estrelas invadindo meu campo de visão quando a porta telada gemeu e se fechou.

– Ivy – eu disse com a voz grave, encarando seus olhos. Endureci ao ver seu pavor negro. Eu me via nas suas profundezas, com o cabelo bagunçado e o rosto inchado. Senti o pescoço latejar repentinamente sob seus dedos, que apertavam minha antiga mordida de demônio. Deus me ajude, mas estava começando a ser bom, a lembrança da euforia que me tomou quando o demônio enviado para me matar rasgou o meu pescoço e o encheu de saliva vamp.

– Ivy, solte seus dedos um pouco para eu poder respirar – consegui dizer, com saliva escorrendo pelo queixo. O calor de sua mão intensificava o cheiro de canela.

– Você me disse para esquecer o cara – ela reclamou, mostrando os dentes enquanto o aperto ficava mais forte até meus olhos se esbugalharem. – Eu o queria, e você me fez abrir mão dele!

Meus pulmões tentaram funcionar, se movendo em espasmos curtos conforme me esforçava para respirar. O aperto ficou mais fraco. Engoli uma lufada de ar. Depois outra. Seu rosto estava irado, esperando. Morrer com um vampiro era fácil. Já viver com um exigia mais sutileza.

Meu maxilar doía no ponto onde os dedos dela pressionavam.

– Se você o quiser – sussurrei –, vá pegá-lo. Mas não quebre o seu jejum por sentir raiva. – Respirei de novo, rezando para não ser meu último suspiro. – A menos que seja por paixão, não valerá a pena, Ivy.

Ela ofegou como se eu tivesse batido nela. Com o rosto surpreso, o aperto afrouxou sem aviso. Caí rente à parede.

Encolhendo-me, engasguei com o ar. Meu estômago deu um nó enquanto a mordida do demônio no pescoço continuava a pinicar de êxtase. Minhas pernas estavam tortas, e as endireitei devagar. Sentei com os joelhos encostados no peito, ajeitei a pulseira de talismã no pulso, sequei a saliva e olhei para cima.

Fiquei surpresa de ver Ivy ali ainda. Normalmente, quando sofria um desses ataques, ela corria para a Piscary's. Mas, por outro lado, ela nunca tinha tido um ataque como aquele. Ela estava com medo. Era por isso que tinha me prendido na parede. Mas ela estava com medo do quê? De eu dizer a ela que não podia rasgar a garganta de Glenn? Amiga ou não, eu iria embora se ela atacasse alguém na cozinha. O sangue me daria pesadelos eternos.

– Você está bem? – falei com a voz grave, me encolhendo com o ataque de tosse.

Ela não se mexeu; ficou sentada à mesa, com a cabeça apoiada nas mãos, de costas para mim.

Eu descobri, pouco depois de nos mudarmos para morar juntas, que Ivy não gostava de quem ela era. Odiava a violência, mesmo nos momentos em que a instigava. Lutava para se abster de sangue apesar de desejá-lo. Mas era uma vampira. Não tinha escolha. O vírus tinha se instalado profundamente em seu DNA e estava lá para ficar. Você é o que é. Perder o controle e deixar os instintos aflorarem significava um fracasso para ela.

– Ivy? – Levantei e me inclinei um pouco, tropeçando em direção a ela. Ainda sentia os efeitos de seus dedos ao redor do meu pescoço. Tinha sido ruim, mas não como na vez em que ela me prendeu numa cadeira, numa nuvem de desejo e fome. Ajeitei minha tiara. – Você está bem? – Estendi a mão, depois recuei antes de tocá-la.

– Não – ela disse enquanto a minha mão caía. Sua voz estava abafada. – Rachel, me desculpe. Eu... não posso... – Hesitou, com a respiração entrecortada. – Não aceite essa missão. Se for pelo dinheiro...

– Não é pelo dinheiro – eu a interrompi. Ivy se virou para mim, e a minha raiva por ela possivelmente tentar me pagar para desistir sumiu. Uma linha fina de suor aparecia no local onde tentou secar. Eu nunca a tinha visto chorar antes, e me sentei na cadeira ao lado dela. – Eu preciso ajudar Sara Jane.

Ela afastou o olhar.

– Então vou à Piscary's com você – ela disse, com a voz mantendo uma leve memória de sua força de sempre.

Abracei a mim mesma, com uma das mãos esfregando a cicatriz fraca no pescoço, até perceber que eu estava fazendo isso inconscientemente, para sentir a cicatriz pinicar.

– Esperava mesmo que você fosse – eu disse enquanto obrigava a mão a sair do pescoço.

Ela me deu um sorriso assustado e preocupado e se virou.

Seis

As crianças pixies se juntaram ao redor de Glenn, que estava sentado à mesa da cozinha o mais distante possível de Ivy, sem que sua intenção ficasse óbvia. Os filhos de Jenks pareciam ter desenvolvido um afeto incomum pelo detetive do FIB, e Ivy, sentada diante do computador, tentava ignorar o barulho e as pequenas figuras que se moviam rapidamente. Ela dava a impressão de um gato dormindo em frente a um comedouro de pássaros, aparentemente ignorando tudo, mas muito consciente caso um pássaro cometesse o erro de se aproximar demais. Todo mundo estava fingindo que não tivemos um quase incidente, e meus sentimentos por ter sido incumbida de cuidar de Glenn oscilava entre desgosto e uma leve chateação em relação à sua nova e inesperada diplomacia.

Usando uma seringa para diabéticos, injetei uma poção de sono na última bolinha azul de *paintball*, cuja casca era fina. Já passava das sete horas. Eu não gostava de deixar a cozinha bagunçada, mas precisava fazer essas bolinhas especiais, e de jeito nenhum ia desarmada encontrar Sara Jane num apartamento desconhecido. "Não preciso facilitar tanto assim para Trent", pensei enquanto tirava as luvas protetoras e as jogava de lado.

Tirei minha arma da tigela guardada sob o balcão. Originalmente, eu a mantinha numa panela pendurada sobre o balcão da ilha, até Ivy observar que seria necessário ficar muito à vista para apanhá-la. Mantê-la numa altura em que eu pudesse alcançá-la agachada seria melhor. Glenn estava animado com o som de ferro batendo no balcão, e sacudiu a mão para as adolescentes pixies vestidas de verde saírem dali.

– Você não devia manter uma arma tão à vista – ele disse, com desprezo. – Tem ideia de quantas crianças são mortas por ano por causa de atos idiotas como esse?

– Relaxe, Senhor Detetive do FIB – eu disse enquanto limpava o recipiente. – Até hoje ninguém morreu com uma bola de *paintball*.

– *Paintball*? – ele questionou. Depois ficou condescendente. – Vamos brincar de alguma coisa?

Minha sobrancelha se franziu. Eu gostava da minha arma. Segurá-la dava uma sensação boa, pesada e encorajadora, apesar de ela ser do tamanho da palma da mão. Mesmo com sua cor de cereja, as pessoas geralmente não reconheciam o que era e achavam que eu estava armada. O melhor de tudo era que eu não precisava de licença para ela.

Irritada, sacudi uma bola vermelha do tamanho da unha do dedinho para tirá-la da caixa que estava na prateleira acima dos meus talismãs e a coloquei no compartimento.

– Ivy. – Ela levantou o olhar do monitor, sem expressão no rosto oval perfeito. – Rótulo.

Ela se voltou para o monitor, mexendo ligeiramente a cabeça. As crianças pixies gritavam e se espalhavam, saindo pela janela para o jardim escuro e deixando trilhas cintilantes de pó de pixie e a lembrança de suas vozes. Vagarosamente, o som de grilos as substituiu.

Ivy não era o tipo de amiga que gostava de participar de jogos de tabuleiro, e a única vez que sentamos no sofá e vimos *A hora do rush*, eu acidentalmente aticei seus instintos vamps e quase fui mordida na última cena de briga, quando a temperatura do meu corpo aumentou e o cheiro das nossas essências misturadas a atingiu com força. Por isso, com exceção das sessões de luta cuidadosamente orquestradas, geralmente fazíamos as coisas mantendo muito espaço entre nós. Ela se desviar das minhas bolas de *paintball* era um bom exercício e melhorava a minha mira.

Era ainda melhor no cemitério à meia-noite.

Glenn passou a mão sobre a barba rente, esperando. Estava claro que alguma coisa ia acontecer, ele só não sabia o quê. Ignorando-o, coloquei a arma sobre o balcão e comecei a limpar a bagunça que tinha feito na pia. Minha pulsação acelerou e a tensão fez os meus dedos doerem. Ivy continuou fazendo compras na internet, e os cliques do mouse eram altos. Ela estendeu a mão para pegar um lápis, mas alguma coisa chamou sua atenção.

Agarrei a arma, me girei e apertei o gatilho. O som provocou um tremor de empolgação pelo meu corpo. Ivy se inclinou para a direita. Sua mão livre apareceu para interceptar a bola de água, que a atingiu com um som distinto, se rompendo e inundando a palma da mão. Ela nem levantou o olhar do monitor, sacudindo a água da mão ao mesmo tempo que lia algo sobre almofadas para caixão. Faltavam três meses para o Natal, e ela estava preocupada com o que comprar para a mãe.

Glenn tinha se levantado ao ouvir o som da arma, com a mão sobre o coldre. Com o rosto parado, ele alternava o olhar entre Ivy e eu. Joguei a arma de *paintball* para ele, que a pegou. Qualquer coisa para manter a sua mão longe da pistola.

– Se fosse uma poção do sono – eu disse, orgulhosa –, ela estaria dormindo profundamente.

Dei para Ivy o rolo de toalhas de papel que mantínhamos no balcão da ilha por esse motivo, e ela secou casualmente a mão, continuando suas compras.

Com a cabeça abaixada, Glenn observou minha arma. Sabia que ele estava analisando o peso, percebendo que não era um brinquedo. Então, veio na minha direção e me entregou a arma.

– Eles deveriam exigir uma licença para essas coisas – recomendou quando a arma se encaixou no meu punho.

– É – concordei superficialmente. – Deveriam mesmo.

Senti que ele me observava enquanto eu carregava a arma com as minhas sete poções. Poucos bruxos usavam poções, não porque eram absurdamente caras e só duravam uma semana se não fossem invocadas, mas porque era necessário embebê-las bem em água salgada para quebrá-las. Era uma confusão, e exigia muito sal. Satisfeita por ter me reafirmado, guardei a arma carregada na lombar e vesti a jaqueta de couro para cobri-la. Chutei longe os chinelos cor-de-rosa e andei pela sala de estar até a porta dos fundos para pegar minhas botas feitas por vamps.

– Pronto para ir? – perguntei enquanto me recostava na parede do corredor e as calçava. – Você dirige.

A figura alta de Glenn apareceu no arco, com os dedos escuros dando um nó experiente na gravata.

– Você vai assim?

Com a testa franzida, olhei para minha blusa vermelha, saia preta, meia-calça e botas na altura do tornozelo.

– Alguma coisa errada com minha roupa?

Ivy soltou um riso debochado e grosseiro no computador. Glenn olhou de relance para ela, depois para mim.

– Não importa – ele disse sem rodeios. Apertou o nó da gravata para assumir um tom mais educado e profissional. – Vamos.

– Não – eu disse, confrontando-o. – Quero saber o que acha que devo vestir. Um desses sacos de poliéster que vocês fazem as oficiais do FIB usarem? Há um motivo para Rose ser tão tensa, e não tem nada a ver com a rodinha quebrada da cadeira dela ou com a falta de paredes ao seu redor!

Com o rosto rígido, Glenn deu um passo para o lado e andou em direção ao corredor. Agarrando a bolsa, percebi o aceno preocupado de Ivy e fui atrás dele depressa. O sujeito ocupava quase toda a largura do corredor ao andar com as mãos enfiadas nos bolsos do paletó. O som do forro roçando na sua camisa era um sussurro suave que se sobrepunha ao barulho de seus sapatos de sola dura batendo no piso.

Mantive um silêncio gelado enquanto Glenn dirigia saindo de Hollows e voltava para a ponte. Teria sido legal Jenks ir com a gente, mas Sara Jane tinha falado alguma coisa sobre um gato, e ele foi prudente, decidindo ficar em casa.

O sol já tinha sumido havia muito tempo, e o tráfego estava mais intenso. As luzes de Cincinnati pareciam bonitas vistas da ponte, e senti uma pontada de diversão quando percebi que Glenn dirigia à frente de um grupo de carros cuidadosos demais para ultrapassá-lo. Mesmo os veículos à paisana do FIB eram óbvios. Aos poucos meu humor foi se acalmando. Abri um pouco a janela para diluir o cheiro de canela, e Glenn ligou o aquecedor. O perfume não estava mais tão agradável, agora que tinha fracassado.

O apartamento de Dan era uma residência urbana: arrumado, limpo e com portão. Não muito longe da universidade. Bom acesso à rodovia. Parecia caro, mas, se ele estudava numa universidade cara, provavelmente podia pagar o aluguel com tranquilidade. Glenn parou na vaga reservada com o número da casa de Dan e desligou o motor. A luz da varanda estava apagada; e as cortinas, fechadas. Um gato estava sentado na grade da sacada do segundo andar, e seus olhos brilhavam enquanto nos observava.

Sem dizer nada, Glenn colocou a mão debaixo do banco do carro, o empurrou para trás e, fechando os olhos, se instalou como se fosse cochilar. O silêncio aumentou, e ouvi o motor do carro fazer um clique ao esfriar na escuridão. Estendi a mão para o botão do rádio, e Glenn murmurou:

– Não toque nisso.

Irritada, afundei de volta.

– Você não quer interrogar alguns vizinhos? – perguntei.

– Vou fazer isso amanhã, quando o sol estiver no céu e você estiver em aula.

Minhas sobrancelhas se ergueram. De acordo com o papel que Edden tinha me dado, as aulas iam das quatro às seis da tarde. Era um horário excelente para bater em portas, pois os humanos estariam voltando para casa, os impercebidos diurnos estariam bem despertos e os noturnos estariam se agitando. E a área parecia um bairro misto.

Um casal saiu de um apartamento próximo, discutindo enquanto entravam num carro brilhoso. Ela estava atrasada para o trabalho. Era culpa dele, se é que eu estava acompanhando a conversa direito.

Entediada e meio nervosa, vasculhei minha bolsa até encontrar uma vareta e um amuleto de detecção. Eu adorava essas coisas – o amuleto, não a vareta – e, depois de espetar o dedo para tirar três gotas de sangue a fim de invocá-lo, percebi que não havia ninguém além de mim e Glenn num raio de nove metros. Pendurei no pescoço meu antigo distintivo da SI quando um carrinho vermelho parou no estacionamento. O gato na grade se espreguiçou antes de sair de vista na sacada.

Era Sara Jane, e ela parou o carro na vaga exatamente atrás de nós. Glenn percebeu, mas não disse nada conforme saíamos e nos uníamos para encontrá-la.

– Oi – ela disse, e seu rosto em forma de coração mostrava preocupação à luz do poste de rua. – Espero que vocês não tenham esperado muito – acrescentou, sua voz carregada com o ar profissional do escritório.

– Nem um pouco, madame – Glenn disse.

Apertei o casaco de couro contra o corpo por causa do frio enquanto ela procurava as chaves – a certa tinha uma aparência brilhante e recém-cortada – e abria a porta. Minha pulsação acelerou, e dei uma olhada para o meu amuleto ao mesmo tempo que pensamentos sobre Trent percorriam meu corpo. Eu estava com a minha arma de *paintball*, mas não era uma pessoa corajosa. Eu fugia dos feios-grandes-maus. Isso aumentava a minha expectativa de vida drasticamente.

Glenn seguiu Sara Jane ao entrar, enquanto ela acendia as luzes, iluminando a varanda e o apartamento. Nervosa, atravessei a soleira, oscilando entre fechar a porta para impedir que alguém me seguisse e deixá-la aberta para manter disponível uma rota de fuga. Optei por deixá-la entreaberta.

– Algum problema? – Glenn sussurrou conforme Sara Jane seguia confiante até a cozinha, e balancei a cabeça. O lugar era amplo, com o primeiro andar quase todo visível da porta de entrada. A escada formava um caminho reto e sem mistérios até o segundo andar. Relaxei, sabendo que meu amuleto me avisaria se alguém mais aparecesse. Não havia ninguém ali além de nós três e o gato gemendo na sacada do segundo andar.

– Vou subir e deixar o Sarcófago entrar – Sara Jane disse, dirigindo-se à escada.

Minhas sobrancelhas se ergueram.

– É o gato, né?

– Vou com a senhora, madame – Glenn ofereceu e subiu os degraus atrás dela, fazendo barulho.

Fiz um rápido reconhecimento do primeiro andar enquanto eles estavam no andar de cima, sabendo que não encontraríamos nada. Trent era bom demais para deixar alguma coisa para trás; eu só queria saber de que tipo de cara Sara Jane gostava. A pia da cozinha estava seca; a lata de lixo, fétida; o monitor do computador, empoeirado; e a caixa de areia do gato, cheia. Claramente Dan não ia para casa havia algum tempo.

O piso de madeira acima de mim rangia quando Glenn caminhava no segundo andar. Sobre a TV estava a mesma foto de Dan e Sara no barco a vapor. Eu a peguei e estudei os rostos, colocando o porta-retratos de volta ao lugar quando Glenn desceu com passos pesados. Os ombros do sujeito ocupavam quase a largura toda da escada estreita. Sara surgiu em silêncio atrás dele, parecendo pequena e andando de lado por causa dos saltos altos.

– O andar de cima está tranquilo – Glenn disse enquanto vasculhava a pilha de cartas sobre o balcão da cozinha. Sara abriu a despensa. Como todo o resto, era bem organizada. Depois de um instante de hesitação, ela pegou um saquinho de ração úmida para o gato.

– Posso olhar os e-mails dele? – perguntei, e ela fez que sim com a cabeça, com os olhos tristes. Mexi o mouse e descobri que Dan tinha um servidor dedicado, sempre *on-line*, como Ivy. A rigor, eu não deveria fazer isso, mas, desde que ninguém falasse nada... De soslaio, observei Glenn passar os olhos pelo vestido bem cortado e profissional de Sara, enquanto ela rasgava o saquinho de comida de gato, e depois pela minha roupa, conforme me inclinava sobre o teclado. Pelo olhar, percebi que ele achava as minhas roupas pouco profissionais, e me esforcei para não fazer uma careta.

Dan tinha um monte de mensagens não lidas, duas de Sara e uma com o endereço de uma universidade. O resto era de algum tipo de sala de bate-papo sobre *hard rock*. Até eu sabia que não deveria abrir nenhuma delas, pois isso seria alteração de evidências caso ele aparecesse morto.

Glenn passou a mão pelo cabelo curto, desapontado por não encontrar nada incomum. Achei que a decepção não se devia ao desaparecimento de Dan, mas sim à ideia de que, como ele era um bruxo, deveria haver cabeças de macacos mortos penduradas no teto. Dan parecia ser um jovem normal e solitário. Talvez fosse mais arrumadinho que a maioria, mas Sara não namoraria uma pessoa desleixada.

Sara colocou uma tigela de comida ao lado de uma de água. Um gato preto desceu ao ouvir o barulho da porcelana, sibilou para Sara e só foi comer quando ela saiu da cozinha.

– O Sarcófago não gosta de mim – ela disse, sem necessidade. – É um familiar de uma pessoa só.

Um bom familiar era assim. Os melhores escolhiam seus proprietários, e não o contrário. O gato terminou de comer num tempo surpreendentemente curto, depois pulou nas costas do sofá. Eu arranhei o forro e ele se aproximou para investigar, esticando o pescoço e tocando meu dedo com o nariz. Era assim que os gatos cumprimentavam, então sorri. Adoraria ter um gato, mas Jenks jogaria pó de pixie em mim toda noite por um ano se eu levasse um para casa.

Lembrando das minhas limitações como uma marta, vasculhei a bolsa. Tentando ser discreta, invoquei um amuleto para fazer uma verificação de feitiços no gato. Nada. Insatisfeita, vasculhei mais um pouco em busca dos óculos com armação de metal. Ignorando o olhar questionador de Glenn, abri a caixa rígida e cuidadosamente coloquei os óculos tão-horríveis-que-poderiam-funcionar-como-controle-de-natalidade. Eu os tinha comprado no mês anterior, gastando três vezes o valor do aluguel com a desculpa de que poderia deduzi-los do imposto. Os que não me faziam parecer uma rejeitada (até pelos nerds) teriam custado o dobro do que paguei.

A magia de linhas de ley podia ser envolvida em prata do mesmo jeito que a magia da terra podia ser mantida em madeira, e as armações de metal eram enfeitiçadas para permitir a visão através dos disfarces invocados pelas linhas de ley. Eu me sentia meio inferior usando os óculos, pensando que eles me jogavam de volta ao reino dos feiticeiros, já que estava usando um talismã que não conseguia fazer. Mas, conforme eu acariciava o queixo do Sarcófago, agora com a certeza de que ele não era o Dan preso na forma de um gato, decidi que não me importava.

Glenn se virou para o telefone.

– Posso ouvir as mensagens dele? – perguntou.

A risada de Sara foi amarga.

– Vá em frente. São minhas.

O barulho do fechamento da caixa foi alto quando guardei os óculos. Glenn apertou o botão, e estremeci quando a voz gravada de Sara Jane surgiu no apartamento silencioso.

"Ei, Dan. Esperei por uma hora. Era na Torre Carew, certo?" Ela hesitou por um momento. "Bom, me liga. E é bom você comprar uns bombons." A voz ficou brincalhona. "Você terá que compensar muito, mocinho." A segunda foi mais desconfortável.

"Oi, Dan. Se estiver aí, atenda." Mais uma pausa. "Hum, estava brincando sobre o chocolate. Te vejo amanhã. Te amo. Tchau."

Sara estava de pé na sala de estar, com o rosto imóvel.

– Ele não estava aqui quando cheguei, e não o vejo desde então – ela disse baixinho.

– Bom – Glenn disse quando a secretária eletrônica desligou –, ainda não encontramos o carro dele, e a escova de dentes e o barbeador estão aqui. Onde quer que Dan esteja, não tinha planejado ficar por lá. Parece que alguma coisa aconteceu.

Ela mordeu o lábio e se virou para o outro lado. Surpresa com a falta de tato de Glenn, dirigi a ele um olhar mortal.

– Você tem a sensibilidade de um cachorro no cio, sabia? – sussurrei.

Glenn olhou para os ombros encolhidos de Sara Jane.

– Desculpe, madame.

Ela se virou, com um sorriso miserável.

– Talvez eu devesse levar o Sarcófago para casa...

– Não – garanti a ela rapidamente. – Ainda não. – Toquei no ombro dela como um ato de simpatia, e o cheiro de seu perfume de lilás puxou de dentro de mim a memória com sabor de giz das cenouras com drogas. Olhei de relance para Glenn, sabendo que o sujeito não ia sair para eu poder conversar sozinha com ela. – Sara... – perguntei, hesitante. – Preciso te perguntar isso, e peço desculpas desde já. Você sabe se alguém ameaçou o Dan?

– Não – ela respondeu, com a mão indo até o colarinho e o rosto ficando rígido. – Ninguém.

– E você? – perguntei. – Você foi ameaçada de alguma forma? De qualquer forma?

– Não. Claro que não – respondeu depressa. Seus olhos caíram e as feições pálidas ficaram ainda mais brancas. Não precisava de um amuleto para saber que ela estava mentindo, e o silêncio ficou mais desconfortável quando dei a ela um tempinho para mudar de ideia e me contar a verdade. Mas ela não fez isso.

– J-já terminamos? – ela gaguejou, e, fazendo que sim com a cabeça, ajeitei minha sacola no ombro. Sara foi em direção à porta com passos rápidos e forçados. Glenn e eu a seguimos até a calçada de cimento. Estava frio demais para insetos, mas uma teia de aranha rompida estava esticada na luz da varanda.

– Obrigada por nos deixar olhar o apartamento dele – agradeci enquanto ela verificava a porta com os dedos trêmulos. – Vou falar com os colegas de classe dele amanhã. Talvez alguém saiba de alguma coisa. O que quer que seja, posso ajudar – eu disse, tentando dar mais significado à minha voz.

– Sim. Obrigada. – Seus olhos iam para todo lugar, menos para os meus, e sua voz voltou ao tom profissional. – Obrigada por terem vindo. Gostaria de poder ajudar mais.

– Madame – Glenn disse ao sair. Os saltos de Sara batiam rapidamente na calçada enquanto ela se afastava. Segui Glenn até o carro, olhando para trás, e vi o Sarcófago sentado numa janela do andar de cima nos observando.

O carro de Sara Jane apitou ao ser destravado. Ela colocou a bolsa para dentro, entrou e dirigiu para longe. Fiquei parada no escuro ao lado da minha porta aberta e observei suas luzes traseiras sumirem quando ela virou uma esquina. Glenn me encarava de pé, no lado do motorista, com os braços apoiados no teto do carro. Seus olhos castanhos estavam inexpressivos sob a agitação da luz da rua.

– Kalamack deve pagar muito bem às secretárias, pelo carro que ela tem – ele disse baixinho.

Meu corpo se enrijeceu.

– Sei com certeza que ele paga bem – eu disse, irritada, sem gostar da insinuação. – Ela é muito boa no que faz. E ainda tem dinheiro suficiente para mandar para a família toda, para que vivam como reis de verdade, em comparação com o resto dos empregados da fazenda.

Ele resmungou e entrou no carro. Também entrei, suspirando enquanto prendia o cinto de segurança e me ajeitava no banco de couro. Encarei o estacionamento escuro através da janela, ficando mais deprimida. Ela não tinha confiado em mim. Mas, do seu ponto de vista, por que deveria confiar?

– Você está levando isso para o lado pessoal, não é? – Glenn perguntou ao dar partida no carro.

– Você acha que, por ser uma feiticeira, ela não merece ajuda? – eu disse de um jeito penetrante.

– Calma. Não foi isso que eu disse. – Glenn me lançou um olhar rápido ao mesmo tempo que dava marcha a ré no carro. Ligou o aquecedor no máximo antes de mudar a marcha, e um fio de cabelo fez cócegas no meu rosto. – Só estou dizendo que você está agindo como se tivesse interesses particulares no resultado.

Passei a mão sobre os olhos.

– Desculpe.

– Tudo bem – ele disse, parecendo entender. – Então... – Hesitou. – Qual é a história?

Ele entrou no tráfego e, sob a luz da rua, o olhei de relance, me perguntando se queria me abrir tanto com ele.

– Eu conheço Sara Jane – comecei devagar.

– Quer dizer que você conhece o tipo dela – Glenn disse.

– Não. Conheço ela.

O detetive do FIB franziu a testa.

– Ela não te conhece.

– É. – Abri totalmente a janela para me livrar do cheiro do meu perfume. Não aguentava mais. Meus pensamentos continuavam voltando para os olhos de Ivy, negros e assustados. – É isso que dificulta as coisas.

Os freios gemeram um pouco quando paramos no sinal. A testa de Glenn estava franzida, e sua barba e bigode formavam sombras profundas nele.

– Quer falar em linguagem humana, por favor?

Dei a ele um rápido sorriso melancólico.

– Seu pai te contou que nós quase prendemos Trent Kalamack como traficante e fabricante de drogas genéticas?

– Sim. Isso foi antes de eu ser transferido para o departamento dele. A única testemunha era um caça-recompensas da SI que morreu numa explosão de carro. – O sinal abriu, e nós fomos em frente.

Fiz que sim com a cabeça. Edden contou o básico a ele.

– Vou te contar sobre Trent Kalamack – eu disse enquanto o vento batia contra minha mão. – Quando me pegou vasculhando seu escritório em busca de um jeito de levá-lo ao tribunal, ele não me entregou para a SI; em vez disso, me ofereceu um emprego. Qualquer coisa que eu quisesse. – Sentindo frio, virei a ventilação do aquecedor em minha direção. – Ele pagaria a minha ameaça de morte da SI, me estabeleceria como caça-recompensas independente, me daria uma pequena equipe, tudo isso se eu fosse sua funcionária. Trent queria que eu administrasse o mesmo sistema que passei minha vida profissional toda combatendo. Ele me ofereceu o que parecia liberdade. E eu queria tanto isso que até podia ter aceitado.

Glenn ficou em silêncio, sabiamente. Não havia um policial vivo que não tivesse sido tentado, e eu estava orgulhosa por ter passado no teste.

– Quando recusei, a oferta dele se transformou em ameaça. Fui enfeitiçada, transformada numa marta, e ele me torturava mental e fisicamente até eu fazer qualquer coisa para ele parar. Se não conseguia que eu fizesse isso por vontade própria, ele se satisfazia com uma sombra distorcida ansiosa para agradá-lo. Eu estava impotente. Do mesmo jeito que Sara Jane está.

Tive dificuldade para reunir determinação. Nunca tinha admitido em voz alta que eu tinha estado impotente.

– Ela achava que eu era uma marta, mas me deu mais dignidade como animal do que Trent me deu como pessoa. Preciso afastá-la dele antes que seja tarde demais. A menos que a gente consiga encontrar Dan e deixá-lo em segurança, ela não tem a menor chance.

– O senhor Kalamack é só um homem – Glenn disse.

– Sério?! – eu perguntei com uma gargalhada sarcástica. – Me diga, Senhor Detetive do FIB, ele é humano ou impercebido? A família dele administra silenciosamente uma boa parte de Cincinnati há duas gerações, e ninguém sabe quem ele é. Jenks não consegue definir o cheiro do cara, nem as fadas. Ele destrói as pessoas dando a elas exatamente o que elas querem e adora isso. – Observei os prédios que passavam sem vê-los.

O silêncio permanente de Glenn me fez levantar os olhos.

– Você realmente acha que o desaparecimento de Dan não tem nada a ver com os assassinatos do caçador de bruxos? – ele perguntou.

– Acho. – Eu me ajeitei no banco, desconfortável por ter me aberto tanto. – Só aceitei essa missão para ajudar Sara e acabar com Trent. Você vai correr e contar para o seu pai agora?

As luzes do tráfego que se aproximava o iluminaram. Ele inspirou e expirou.

– Se você fizer alguma coisa nessa sua vingancinha para me impedir de provar que a doutora Anders é a assassina, eu te amarro numa fogueira na Praça da Fonte – ele disse numa ameaça suave. – Você vai para a universidade amanhã e vai me contar tudo que descobrir. – Seus ombros relaxaram. – Apenas tenha cuidado.

Olhei para ele. As luzes que passavam o iluminavam em flashes que pareciam espelhar a minha incerteza. Parecia que ele entendia. Imagine só.

– É justo – eu disse, me recostando no banco. Minha cabeça virou quando entramos à esquerda em vez de à direita. Olhei para ele com uma sensação de déjà-vu. – Aonde estamos indo? Meu escritório é para o outro lado.

– À pizzaria Piscary's – respondeu. – Não temos motivo para esperar até amanhã.

Olhei para ele, sem querer admitir que tinha prometido para Ivy que não iria lá sem ela.

– A Piscary's só abre à meia-noite – menti. – Eles atendem impercebidos. Quero dizer, com que frequência um humano pede pizza? – O rosto de Glenn ficou paralisado ao entender, e eu comecei a descascar o esmalte. – Só lá pelas duas horas eles vão conseguir uma pausa para falar com a gente.

– Duas da manhã, certo? – perguntou.

"Dã", pensei. Era nesse horário que a maioria dos impercebidos atingia sua plena forma, especialmente os mortos.

– Por que você não vai para casa, dorme, e nós todos vamos lá amanhã?

Ele balançou a cabeça.

– Você vai hoje à noite sem mim.

Um sopro de afronta escapou de mim.

– Não trabalho assim, Glenn. Além do mais, se eu for embora, você vai lá sozinho, e prometi ao seu pai que tentaria te manter vivo. Vou esperar. Palavra de bruxa.

Mentir, sim. Trair a confiança de um parceiro – mesmo os que não são bem-vindos –, não.

Ele me lançou um olhar rápido e cheio de suspeitas.

– Tudo bem. Palavra de bruxa.

Sete

– Rachel – Jenks disse no meu brinco. – Dá uma olhada naquele cara. Ele está dando uma de trasgo ou o quê?

Puxei a bolsa mais para cima no ombro e, na tarde estranhamente quente de setembro, espiei o garoto em questão enquanto eu andava pelo *lounge* informal. Uma música surgiu fraca no meu inconsciente, pois o volume do rádio estava baixo demais para se ouvir bem. Meu primeiro pensamento foi que ele devia estar com calor. O cabelo, as roupas, os óculos de sol e o casaco que vestia eram pretos. Estava encostado numa máquina de venda automática tentando parecer educado ao conversar com uma mulher que usava um vestido gótico de renda preta. Mas não estava conseguindo. Ninguém parece sofisticado com um copo de plástico na mão, por mais que tenha uma barba há dois dias sem fazer e isso seja sexy. E ninguém usava roupas góticas, exceto vamps vivos enquanto adolescentes descontrolados e aspirantes a vamp pateticamente tristes.

Abafei o riso, me sentindo muito melhor. O campus grande e a aglomeração de jovens estavam me deixando tensa. Estudei numa pequena faculdade comunitária, fazendo o programa-padrão de dois anos seguido de um estágio de quatro com a SI. Minha mãe nunca poderia ter pagado a anuidade da Universidade de Cincinnati com a pensão do meu pai, mesmo com o benefício adicional por morte.

Olhei para o papel amarelo desbotado que Edden tinha me dado. Exibia o horário e os dias que a minha turma tinha aula e, no canto inferior direito, o custo de tudo: impostos, taxas de laboratório e mensalidade, resultando num valor espantoso. Essa única aula custava quase tanto quanto um semestre inteiro na minha faculdade. Nervosa, enfiei o papel na bolsa quando percebi um lóbis no canto me observando. Eu já parecia deslocada o suficiente ao perambular com o horário de aulas na mão. Poderia até ter pendurado um cartão no pescoço dizendo "Aluna de educação continuada de adultos". Caramba, eu me sentia velha. Os demais estudantes não eram muito mais novos do que eu, mas seus movimentos exalavam inocência.

– Isso é besteira – murmurei para Jenks ao sair da cantina. Eu nem sabia por que o pixie estava comigo. Provavelmente Edden o grudou em mim para garantir que eu fosse à aula. Minhas botas feitas por vamps batiam depressa enquanto eu caminhava pela passarela elevada cercada de janelas que conectava o prédio de Artes com o Kantack Hall. Levei uma sacudida quando percebi que meus pés estavam batendo no ritmo da música "Shattered Sight", de Takata, e, apesar de eu não ouvir de verdade a música, a letra se instalou profundamente na minha cabeça para me enlouquecer: "Separe as pistas do pó, das minhas vidas, da minha vontade./ Mas eu te amei, então. Eu ainda te amo".

– Eu devia estar com Glenn, entrevistando os vizinhos de Dan – reclamei. – Não preciso dessa porcaria de aula, só preciso conversar com os colegas de turma dele.

Meu brinco balançou, e as asas de Jenks fizeram cócegas no meu pescoço.

– Edden não quer dar à doutora Anders nenhum alerta de que ela é suspeita. Acho que é uma boa ideia.

Franzi a testa, e meus passos ficaram abafados quando cheguei ao corredor acarpetado. Comecei a observar os números nas portas aumentando.

– Você acha que é uma boa ideia, né?

– É. Mas tem uma coisa que ele esqueceu. – O pixie abafou o riso. – Ou talvez não.

Diminuí o passo quando vi um grupo parado do lado de fora de uma sala. Provavelmente era a minha.

– O que foi?

– Bom – ele falou devagar –, agora que você vai fazer a aula, você se encaixa no perfil da vítima.

A adrenalina correu pelo meu corpo e desapareceu.

– Que coisa! – murmurei. "Maldito Edden, de qualquer maneira."

A risada de Jenks era como sinos de vento. Apoiei o livro pesado no outro lado do quadril, passando os olhos pelo pequeno grupo de amigos, tentando descobrir qual era a pessoa com mais probabilidade de contar as melhores fo-

focas. Uma jovem me olhou, ou para Jenks, e sorriu brevemente antes de se virar para o outro lado. Ela vestia calças jeans, como eu, com um casaco caro de camurça sobre a camiseta. Casual, mas sofisticada. Uma boa combinação. Soltei a mochila no carpete e me encostei na parede como os outros, a uma distância reservada de um metro.

Olhei disfarçadamente para o livro de estudo ao pé da mulher. *Extensões sem contato usando as linhas de ley*. Uma minúscula onda de alívio me tomou. Pelo menos eu estava com o livro certo. Talvez aquilo não fosse ser tão ruim. Olhei para o vidro fosco da porta fechada, ouvindo uma conversa abafada vindo de dentro. Provavelmente a turma anterior ainda não tinha saído.

Jenks balançou o meu brinco, dando um puxão. Eu podia ignorar isso, mas, quando o pixie começou a cantar sobre bichos-geográficos e cravos-da-índia, o mandei sair.

A mulher ao meu lado pigarreou.

– Veio transferida? – ela perguntou.

– Como? – perguntei enquanto Jenks voava rapidamente de volta.

Ela estourou uma bola de chiclete, ao mesmo tempo que seus olhos maquiadíssimos disparavam entre mim e o pixie.

– Não existem muitos alunos de linhas de ley. Não me lembro de ter te visto. Você costuma frequentar a turma da noite?

– Ah. – Eu me afastei da parede e a encarei. – Não. Vou fazer essas aulas para... hum... subir no trabalho.

Ela riu enquanto ajeitava o cabelo comprido atrás da orelha.

– Ei, também estou nessa. Mas, quando eu sair daqui, provavelmente não vai ter mais emprego de produtora cinematográfica com experiência em linhas de ley. Hoje em dia parece que todo mundo está se formando em artes.

– Me chamo Rachel. – Estendi a mão. – E esse é Jenks.

– Prazer em conhecer vocês – ela disse, parando um instante para absorver. – Janine.

Jenks zumbiu para ela, pousando apressadamente na sua mão levantada.

– O prazer é todo meu, Janine – ele disse, fazendo uma mesura.

Ela ficou radiante, totalmente encantada. Era óbvio que não tinha muito contato com pixies. A maioria ficava fora da cidade, a menos que estivessem empregados em áreas nas quais pixies e fadas eram excelentes: manutenção de câmeras, segurança ou a velha espionagem. Mesmo assim, as fadas costumavam ter mais empregos, porque comiam insetos em vez de néctar e seu suprimento de comida era mais facilmente disponível.

– Hum... a doutora Anders dá aulas na turma ou ela tem um auxiliar para isso? – perguntei.

Janine deu um risinho, e Jenks voou de volta para o meu brinco.

– Você já ouviu falar dela? – ela perguntou. – Sim, a doutora dá aulas, já que não há muitos de nós. – Os olhos de Janine se estreitaram. – Especialmente agora. Começamos com mais de uma dúzia, mas perdemos quatro quando a doutora Anders nos contou que o assassino só estava pegando bruxos de linhas de ley e avisou para termos cuidado. E aí Dan desistiu. – Ela caiu encostada na parede, suspirando.

– O caçador de bruxos? – perguntei, reprimindo um sorriso. Eu tinha escolhido a pessoa certa para me contar as coisas. Arregalei os olhos. – Você está brincando!

Seu rosto ficou preocupado.

– Acho que isso é *parte* do motivo que fez Dan sair. E também foi uma pena. O cara era tão quente que podia fazer um dispositivo contra incêndio disparar mesmo numa tempestade. Ele fez uma entrevista importante. Não me contou detalhes. Acho que teve medo de eu me candidatar também. Parece que conseguiu o emprego.

Inclinei a cabeça enquanto me perguntava se essa era a notícia que ele ia dar à Sara Jane no sábado. Mas, depois, uma lenta queimação no estômago me disse que talvez o jantar no restaurante da Torre Carew fosse de despedida, e ele tenha se acovardado e ido embora sem falar nada para ela.

– Tem certeza de que ele desistiu? – perguntei. – Talvez o caçador de bruxos... – Deixei a frase em aberto, e Janine sorriu de um jeito reconfortante.

– É, Dan desistiu. Ele me perguntou se eu queria comprar seu giz magnético se conseguisse o emprego. A livraria não aceita devolução depois que o lacre é rompido.

Meu rosto ficou flácido com uma preocupação súbita e real.

– Não sabia que precisava de giz para a aula.

– Ah, tenho um que você pode pegar emprestado – ela disse ao vasculhar a bolsa. – A doutora Anders normalmente faz a gente desenhar uma coisa ou outra: pentagramas, apogeus Norte/Sul... o que você imaginar, já desenhamos. Ela transforma a sala de aula num laboratório. É por isso que a gente se encontra aqui, e não numa sala de conferência.

– Obrigada – eu disse enquanto aceitava a vareta metálica e a prendia junto com o livro. "Pentagramas?" Eu odiava pentagramas. Minhas linhas sempre saíam tortas. Precisava perguntar a Edden se ele pagaria uma segunda ida à livraria. Mas depois me lembrei do custo da aula, pela qual ele provavelmente nunca seria reembolsado, e decidi pegar meu material escolar antigo com minha mãe. Ótimo. "Melhor ligar para ela."

Janine viu meu olhar enjoado e, entendendo mal, se apressou em dizer:

– Ah, não se preocupe, Rachel. O assassino não está atrás de nós. Sério. A doutora Anders disse para termos cuidado, mas ele só vai atrás de bruxos experientes.

– É... – concordei, me perguntando se eu seria considerada experiente ou não. – Acho que sim.

As conversas ao redor pararam quando a voz aguda da doutora Anders veio do outro lado da porta:

– Não sei quem está matando meus alunos. Estive em funerais demais este mês para conseguir escutar calada suas acusações nojentas. E vou te processar daqui até a Virada se difamar meu nome!

Janine pareceu assustada quando pegou o livro de estudo e o levou até o peito. Os alunos no corredor se remexiam e trocavam olhares desconfortáveis. No meu brinco, Jenks sussurrou:

– Já era esse papo de manter a doutora Anders no escuro sobre seu possível status de suspeita. – Fiz que sim com a cabeça, avaliando se Edden me deixaria fugir da aula agora. – Quem está lá dentro com ela é Denon – Jenks acrescentou, e eu respirei rápido.

– O quê?

– Eu consigo sentir o cheiro de Denon – ele reiterou. – Ele está lá dentro com a doutora Anders.

"Denon?", pensei, me perguntando o que meu antigo chefe estaria fazendo fora da sua mesa de trabalho.

Houve um murmúrio suave, seguido de um estouro alto. Todo mundo no corredor, exceto Jenks e eu, deu um pulo. Janine levantou a mão e tocou a orelha como se estivesse surpresa.

– Não sentiu isso? – ela me perguntou, e eu balancei a cabeça. – Ela acabou de fazer um círculo sem antes desenhá-lo.

Observei a porta junto com os outros. Não sabia que era possível fazer um círculo sem desenhá-lo. E também não gostei do fato de que todos eram capazes de perceber que ela tinha feito, exceto Jenks e eu. Peguei minha bolsa, sentindo que estava lidando com uma situação muito complicada.

O barulho baixo da voz do meu antigo chefe me provocou um arrepio. Denon era um vamp vivo, como Ivy. Mas era de sangue inferior, e não superior, porque nasceu humano e foi infectado com o vírus vamp depois, por um dos mortos-vivos de verdade. E, enquanto Ivy tinha poder político por ter nascido vamp e, portanto, a garantia de se juntar aos mortos-vivos mesmo que morresse sozinha com todas as gotas de sangue dentro de si, Denon sempre seria de segunda classe, tendo que confiar que alguém se importaria em terminar de transformá-lo depois que morresse.

– Saia da minha sala – a doutora Anders exigiu. – Antes que eu abra um processo por assédio.

Todos os alunos se remexiam, nervosos. Não fiquei surpresa quando o vidro fosco escureceu com uma forma atrás. Enrijeci com o resto do pessoal quando a porta se abriu e Denon saiu. O homem quase tinha que se virar de lado para passar pela porta.

Eu ainda achava que Denon tinha sido uma rocha numa vida anterior: uma rocha suave, esculpida pela água do rio, com uma tonelada de massa, talvez? Sendo de sangue inferior e tendo apenas força humana, ele precisava trabalhar muito para acompanhar seus irmãos mortos. Os resultados eram uma cintura fina e montes de músculos aglomerados, que esticavam sua camisa social branca enquanto ele saía para o corredor. O algodão macio contrastava com sua pele, atraindo e mantendo minha atenção – exatamente como ele queria.

A turma se afastou enquanto ele passava. Uma presença fria parecia escapar da sala e se acumular ao seu redor; deviam ser os restos da aura que ele provavelmente tinha lançado sobre a doutora Anders. Um sorriso dominante e confiante se formou quando seus olhos se prenderam em mim.

– Hum... Rachel? – Jenks murmurou enquanto voava rapidamente até Janine. – Te vejo lá dentro, tá?

Eu não disse nada, porque de repente me sentia muito fraca e vulnerável.

– Guardo seu lugar – Janine disse, mas não tirei os olhos do meu antigo chefe. Houve um farfalhar suave enquanto o corredor se esvaziava.

Eu já sentira medo daquele homem e estava pronta para temê-lo de novo, mas alguma coisa tinha mudado. Apesar de ainda se mover com a graciosidade de um predador, o olhar imortal que ele tivera havia sumido. O olhar faminto, que Denon não se preocupava em esconder, me disse que ele ainda era um vamp praticante, mas ele devia ter perdido alguns privilégios e não estava mais saboreando os mortos-vivos, apesar de eles provavelmente ainda estarem se alimentando dele.

– Morgan – ele disse, e suas palavras pareceram me jogar contra a parede de tijolos atrás de mim e, em seguida, me trazer para a frente. Sua voz era exatamente como ele: ensaiada, poderosa e cheia de uma promessa pesada. – Ouvi dizer que você estava se prostituindo para o FIB. Ou você está mesmo interessada nas aulas?

– Olá, senhor Denon – eu disse, sem desgrudar de seus olhos pretos como a pupila. – Foi rebaixado a caça-recompensas? – O desejo faminto no seu olhar mudou para raiva, e eu acrescentei: – Parece que você está fazendo os serviços que me deu. Resgatando familiares de árvores? Verificando a validade de licenças? Como estão aqueles trasgos sem-teto da ponte, afinal?

Denon se inclinou para a frente, com os olhos atentos e os músculos tensos. Meu rosto ficou frio, e percebi que as minhas costas estavam contra a parede. O sol que vinha da passarela distante pareceu enfraquecer. Como um caleidoscópio, ele fez uma espiral e pareceu duas vezes mais longe do que estava. Meu coração deu um pulo, depois voltou ao ritmo normal. Ele estava tentando lançar uma aura, mas eu sabia que o sujeito não conseguiria fazer isso se eu não desse o medo para alimentá-la. E eu não ficaria com medo.

– Pare de palhaçada, Denon – provoquei com ousadia, meu estômago dando um nó. – Moro com uma vamp que poderia te comer no café da manhã. Guarde a aura para alguém que liga para isso.

Mesmo assim, ele se aproximou até seu corpo ser a única coisa que eu podia ver. Precisei olhar para cima, e isso me irritou. Seu hálito era quente, e eu conseguia sentir o cheiro amargo de sangue. Minha pulsação acelerou, e odiei o fato de o cara saber que eu ainda tinha medo dele.

– Alguém aqui além de você e eu? – perguntou, com a voz macia como leite achocolatado.

Minha mão fez um movimento lento e controlado, e peguei o cabo da arma de *paintball*. O tijolo arranhou as dobras dos meus dedos, mas, quando toquei no punho da arma, minha confiança voltou apressada.

– Só você, eu e minha arma. Se me tocar, te derrubo. – Sorri. – O que acha que eu coloquei nas bolas de *paintball*? Pode ser meio difícil explicar por que alguém da SI teve que vir até aqui para te lavar com água salgada, não é? Eu diria que isso renderia boas risadas por pelo menos um ano. – Vi seus olhos mudarem para ódio.

– Para trás – ordenei claramente. – Se puxar a arma, vou usá-la.

Ele recuou.

– Fique longe disso, Morgan – ameaçou. – Esse serviço é meu.

– Isso explica por que a SI não está progredindo no caso. Talvez você devesse voltar a multar carros estacionados e deixar um profissional cuidar disso.

Sua respiração saiu sibilando, e encontrei forças em sua raiva. Ivy estava certa. Havia medo no fundo de sua alma. Medo de que algum dia os vampiros mortos--vivos que se alimentavam dele perdessem o controle e o matassem. Medo de eles não o trazerem de volta como um de seus irmãos.

Ele tinha razão para ter medo.

– Isso é assunto da SI – ele disse. – Se você interferir, vou mandar te prender. – Sorriu, mostrando seus dentes humanos. – Se achou que ficar presa na gaiola de Kalamack era ruim, imagine ficar na minha.

Minha confiança se abalou. A SI sabia dessa história?

– Não tire conclusões erradas – eu disse com falsidade. – Estou aqui para procurar uma pessoa desaparecida, não para cuidar dos seus assassinatos.

– Pessoa desaparecida – zombou. – Essa é boa. Se fosse você, continuaria usando essa desculpa. Tente manter seu alvo vivo desta vez. – Ele me deu uma última olhada antes de seguir em direção ao sol no fim do corredor e ao som distante do restaurante. – Você não vai ser o bichinho de estimação de Tamwood para sempre – ele disse, sem se virar. – E aí eu vou atrás de você.

– Tanto faz – eu disse enquanto um pedaço do meu velho medo tentava vir à tona. Eu o reprimi e tirei a mão da lombar. Não era o bichinho de estimação de Ivy, ainda que morar com ela me protegesse da população de vamps de Cincinnati. Ela não estava numa posição de poder, mas, como último membro da família Tamwood, tinha um status de futura líder honrado pelos vamps inteligentes; tanto os vivos quanto os mortos.

Respirei fundo para tentar combater a fraqueza nos joelhos. Ótimo. Agora eu tinha que entrar na sala de aula depois de eles provavelmente terem começado.

Pensando que meu dia não podia piorar, me concentrei e entrei na sala bem iluminada pelas janelas que davam para o campus. Como Janine disse, era arrumada como um laboratório, com duas pessoas sentadas em cada uma das mesas altas de ardósia. Janine estava sozinha conversando com Jenks, claramente guardando o banco ao lado dela para mim.

O ozônio do círculo construído às pressas pela doutora Anders me atingiu. O círculo tinha desaparecido, mas meus seios coçaram com o que sobrou do poder. Dei uma olhada para sua fonte, na frente da sala.

A doutora Anders estava sentada de frente para uma mesa de metal horrível, diante de uma lousa tradicional. Estava com os cotovelos sobre a mesa, com as mãos apoiando a cabeça. Percebi seus dedos tremendo e me perguntei se era por causa das acusações de Denon ou por ela ter forçado o todo-sempre com energia suficiente para formar um círculo sem o auxílio de uma manifestação física. A turma parecia excepcionalmente silenciosa.

Seu cabelo estava preso para trás num coque sério, e faixas cinza formavam desfavoráveis linhas atravessando o preto. Ela parecia mais velha que a minha mãe, usando calças bege conservadoras e uma blusa elegante. Tentando não chamar atenção para mim mesma, passei pelas duas fileiras de mesas e me sentei ao lado de Janine.

– Obrigada – sussurrei.

Seus olhos estavam arregalados quando guardei a bolsa debaixo da mesa.

– Você trabalha para a SI?

Dei uma olhada para a doutora Anders.

– Trabalhava. Pedi demissão na primavera.

– Não sabia que era possível pedir demissão da SI – ela disse, e seu rosto ficou ainda mais surpreso.

Dei de ombros e tirei o cabelo do caminho para Jenks poder pousar no local de sempre.

– Não foi fácil. – Segui a atenção dela até a frente da sala quando a doutora Anders se levantou.

A mulher alta era tão assustadora quanto eu me lembrava, com um rosto magro e longo, e um nariz que se encaixaria bem na imagem de uma bruxa pré-Virada.

Mas não tinha verruga, e sua pele não era verde. Ela exalava poder, atraindo a atenção da turma apenas ao se levantar. O tremor havia desaparecido das suas mãos quando pegou uma pilha de papéis.

Ela abaixou os óculos de armação de metal até a ponta do nariz e fingiu ler algumas anotações. Eu podia apostar que, além de corrigir sua visão, eles tinham um feitiço para ver através de talismãs de linhas de ley, e desejei ter coragem para colocar os meus próprios óculos e ver se ela usava magia de linhas de ley para torná-la pouco atraente, ou se aquela era sua aparência natural. Um suspiro mexeu seus ombros estreitos quando ela levantou o olhar, que foi direto até o meu através dos óculos enfeitiçados.

– Estou vendo – começou a falar, e sua voz fez com que eu me curvasse – que temos um rosto novo hoje.

Dei um sorriso falso. Era óbvio que a doutora me reconhecia; seu rosto tinha murchado como uma ameixa.

– Rachel Morgan – ela disse.

– Eu – respondi, com a voz monótona.

Um fio de contrariedade passou por ela.

– Sei quem você é. – Com os saltos baixos batendo no chão, ela se aproximou e parou na minha frente. Inclinou-se para a frente e olhou para Jenks. – E quem seria você, senhor pixie?

– Hum, J-Jenks, senhora – gaguejou, com as asas se movendo irregularmente e enroscando no meu cabelo.

– Jenks – ela disse, com o tom beirando o respeitoso. – Estou feliz por conhecê-lo. Você não está na minha lista de alunos. Por favor, saia.

– Sim, senhora – ele disse e, para minha surpresa, o pixie, que costuma ser arrogante, balançou e saiu do meu brinco. – Desculpe, Rachel – ele disse, flutuando na minha frente. – Estarei no *lounge* ou na biblioteca. Pode ser que Nick ainda esteja trabalhando.

– Claro. Te encontro mais tarde.

Ele fez um sinal com a cabeça para a doutora Anders e saiu voando pela porta ainda aberta.

– Sinto muito – a doutora Anders disse. – Minha aula está interferindo na sua vida social?

– Não, doutora Anders. É um prazer vê-la de novo.

Ela recuou com o leve sarcasmo.

– É mesmo?

Pelo canto do olho vi a boca de Janine aberta. O que eu via do resto da turma parecia igual. Meu rosto queimou. Não sei por que implicava comigo, mas ela fazia isso. A mulher era legal como um corvo faminto com todo mundo, mas comigo era um texugo devorador.

A doutora Anders deixou seus papéis caírem na minha mesa com um estalo. Meu nome estava circulado por uma caneta vermelha grossa. Seus lábios finos se enrijeceram quase imperceptivelmente.

– Por que você está aqui? – perguntou. – Já tivemos duas aulas neste semestre.

– Ainda podemos nos inscrever em matérias, ou desistir delas – reagi, sentindo o coração acelerar. Diferentemente de Jenks, eu não tinha medo de autoridades. Mas, como aquela música do John Mellencamp, "Authority Song", dizia, a autoridade sempre ganhava.

– Nem sei como conseguiu aprovação para frequentar esta turma – ela disse de um jeito cáustico. – Você não tem nenhum dos pré-requisitos.

– Todos os meus créditos foram transferidos. E consegui um ano a mais pelas minhas experiências de vida. – Era verdade, mas Edden era o motivo real de eu ter conseguido pular direto para uma turma de nível quinhentos.

– Você está desperdiçando meu tempo, senhorita Morgan – ela disse. – Você é uma bruxa da terra. Achei que tinha deixado isso muito claro para você. Seu controle para trabalhar linhas de ley basta apenas para fechar um círculo modesto. – Ela se inclinou sobre mim, e senti a minha pressão sanguínea subir. – Vou te reprovar mais rápido do que antes.

Respirei para me acalmar, olhando de relance para os rostos chocados. Eles sem dúvida nunca tinham visto esse lado de sua amada instrutora.

– Preciso dessas aulas, doutora Anders – eu disse, sem saber por que tentava apelar para sua compaixão atrofiada. Provavelmente porque, se eu fosse expulsa, Edden podia me fazer pagar pela mensalidade. – Estou aqui para aprender.

Ao ouvir isso, a mulher irritada pegou seus papéis e voltou para a mesa vazia atrás de si. Seu olhar passou pela turma toda antes de pousar em mim.

– Está tendo problemas com o seu demônio?

Várias pessoas na sala ofegaram. Janine se afastou de mim. "Maldita mulher", pensei, e cobri o pulso com a mão. "Não estou aqui nem há cinco minutos, e ela já me afastou da turma toda." Eu devia ter usado uma pulseira. Meu maxilar ficou tenso, e a minha respiração acelerou enquanto eu me esforçava para não responder.

A doutora Anders pareceu satisfeita.

– Não é possível esconder bem uma marca de demônio com magia da terra – ela disse, com tom e força professorais. – É preciso magia de linhas de ley para isso. É por isso que está aqui, senhorita Morgan? – zombou.

Tremendo, me recusei a afastar os olhos dela. Eu não sabia disso. Por isso os meus talismãs para disfarçá-la nunca funcionavam após o pôr do sol.

Suas rugas se aprofundaram quando ela franziu a testa.

– A aula de demonologia para praticantes modernos, do professor Peltzer, é no próximo prédio. Talvez você devesse pedir licença e ver se não é tarde demais para mudar de turma. Não trabalhamos com as artes negras aqui.

– Não sou uma bruxa negra – eu disse suavemente, com medo de que, se eu aumentasse a voz, começasse a gritar. Puxei a manga para mostrar minha marca de demônio, me recusando a ter vergonha dela. – Não chamei o demônio que me deu isto. Eu lutei contra ele.

Respirei devagar, incapaz de olhar para as pessoas, principalmente para Janine, que tinha se afastado de mim o máximo possível.

– Estou aqui para aprender a mantê-lo longe de mim, doutora Anders. Não vou fazer uma aula de demonologia. Tenho medo de demônios.

A última frase foi um sussurro, mas sabia que todo mundo tinha ouvido. A doutora Anders pareceu surpresa. Eu estava com vergonha, mas, se isso a fizesse parar de pegar no meu pé, era uma vergonha que valia a pena.

Os passos da mulher faziam um barulho alto conforme ela se dirigia à frente da sala.

– Vá para casa, senhorita Morgan – ela disse, olhando para o quadro-negro. – Sei por que você está aqui. Não matei meus ex-alunos e estou ofendida com sua acusação velada.

E, com isso, ela se virou, dando à turma um sorriso com os lábios rígidos.

– Vocês podem, por favor, pegar suas cópias dos pentagramas do século dezoito? Vamos fazer um teste com eles na sexta-feira. Para a próxima semana, quero que leiam os capítulos seis, sete e oito do livro de estudos, e façam as práticas pares ao final de cada um. Janine?

Ao ouvir o próprio nome, a mulher deu um pulo. Ela estava tentando dar uma boa olhada no meu pulso. Eu ainda estava tremendo, e não conseguia controlar meus dedos enquanto escrevia a lição.

– Janine, você também pode fazer as práticas ímpares no capítulo seis. Seu controle ao liberar a energia das linhas de ley armazenadas deixa um pouco a desejar.

– Sim, doutora Anders – ela disse, com o rosto pálido.

– E sente-se ao lado de Brian – acrescentou. – Você pode aprender mais com ele do que com a senhorita Morgan.

Janine não hesitou. Antes mesmo de a doutora Anders terminar, Janine pegou a bolsa e o livro de estudos e foi para a mesa ao lado. Fiquei sozinha, me sentindo enjoada. O giz emprestado de Janine ficou ao lado do meu livro como se fosse um doce roubado.

– Também gostaria de avaliar seus vínculos com seus familiares na sexta-feira, já que vamos começar uma seção sobre proteção de longo prazo nas próximas semanas – a doutora Anders dizia. – Então, por favor, tragam-nos para a aula. Vai demorar um pouco para eu analisar todos vocês. Os que estão no fim do alfabeto terão que ficar até depois do horário da aula.

Alguns alunos soltaram um gemido de desagrado, mas faltava certa jovialidade que, eu sentia, havia ali normalmente. Meu estômago gelou. Eu não tinha familiares. Se eu não conseguisse um até sexta-feira, ela me reprovaria. Como na última vez.

A doutora Anders sorriu para mim com o calor de uma boneca.

– Algum problema, senhorita Morgan?

– Não – respondi sem rodeios, começando a querer atribuir os assassinatos a ela mesmo que não os tivesse cometido. – Nenhum problema.

Oito

Felizmente, não havia fila quando chegamos à pizzaria Piscary's no carro do FIB à paisana de Glenn. Ivy e eu saímos quase ao mesmo tempo em que o carro parou. Não tinha sido um passeio muito confortável para nenhuma de nós, pois a lembrança dela me prendendo à parede da cozinha ainda estava bem viva. Seu humor estava estranho naquela noite: cabisbaixa mas empolgada. Era como se eu fosse conhecer os pais dela. De certo modo, acho que eu ia. Piscary era o originador mais antigo de sua linhagem familiar de vamp viva.

Glenn bocejou ao sair do carro devagar e vestir a jaqueta, mas acordou o suficiente para espantar Jenks, que flutuava ao redor de sua cabeça. Ele não pareceu nem um pouco desconfortável em entrar no que era um restaurante estritamente impercebido. Ele parecia ter sido programado; eu quase conseguia ver o *chip* no seu ombro. Talvez ele tivesse dificuldade de aprendizado.

O detetive tinha concordado em trocar seu terno sério por calças jeans e uma camisa de flanela desbotada que Ivy tinha enfiado numa caixa no fundo do armário com a etiqueta SOBRAS escrita com caneta preta. Elas serviam direitinho em Glenn, mas havia vários rasgões remendados com perfeição em lugares bem incomuns – não queria saber nem imaginar como eles haviam sido feitos. Uma jaqueta de náilon escondia a arma que ele se recusou a deixar para trás, mas eu tinha deixado minha arma de *paintball* em casa. Seria inútil contra uma sala cheia de vamps.

Uma van parou numa vaga na ponta mais distante do estacionamento. Minha atenção saiu da van para a janela bem iluminada de delivery e drive-thru. Enquanto eu observava, outra pizza saiu, e a rapidez com que o carro deu uma guinada para a rua e se afastou revelava um motor potente. Os entregadores de pizza ganhavam um bom dinheiro, já que tinham conseguido fazer lobby para receber adicional de insalubridade.

Além do estacionamento, havia o suave marulhar de água em madeira. Faixas de luz compridas cintilavam sobre o rio Ohio, e os prédios mais altos de Cincinnati se refletiam em linhas largas sobre a água lisa. A Piscary's ficava de frente para a água, situada no meio da faixa mais afluente de boates, restaurantes e clubes noturnos. Tinha até um ancoradouro no qual clientes que viajavam de iate podiam parar – mas conseguir uma mesa no deque seria impossível àquela hora.

– Prontos? – Ivy perguntou alegremente quando terminou de arrumar a jaqueta. Ela usava as calças de couro preto de sempre e blusa de seda, o que lhe conferia um aspecto magro e predador. A única cor no seu rosto era o vermelho forte do batom. No pescoço trazia uma corrente de ouro em vez do crucifixo usual, que agora estava guardado na caixa de joias em casa. Combinava perfeitamente com suas tornozeleiras. Ela tinha pintado as unhas com um esmalte claro, dando a elas um brilho sutil.

As joias e o esmalte eram incomuns para ela e, depois de vê-los, para cobrir a marca de demônio, optei por usar uma faixa prateada larga em vez da pulseira de talismã de sempre. Era legal me produzir, e tinha até tentado alguma coisa diferente com o cabelo. O frisado vermelho que consegui quase parecia intencional.

Fiquei um passo atrás de Glenn enquanto íamos em direção à porta da frente. Os impercebidos se misturavam com facilidade, mas nosso grupo era mais estranho do que o normal, e eu esperava sair com as informações de que precisávamos antes de chamarmos a atenção. A van que parou depois de nós era uma matilha de lóbis, e eles faziam muito barulho enquanto se aproximavam de nós.

– Glenn – Ivy disse quando chegamos à porta. – Fique de bico calado.

– Que seja... – o oficial disse de um jeito hostil.

Minhas sobrancelhas se ergueram, e dei um passo atrás, preocupada. Jenks pousou no meu brinco de argola.

– Isso vai ser divertido – ele abafou o riso.

Ivy agarrou o colarinho de Glenn, levantando-o e jogando-o contra a pilastra de madeira que sustentava o teto. Assustado, Glenn ficou imóvel por um instante, depois deu um chute, mirando no estômago de Ivy. Ela o soltou para evitar o golpe. Com a rapidez de uma vamp, ela o pegou de novo e o jogou novamente contra o poste. Glenn gemeu de dor, se esforçando para recuperar o fôlego.

– Ahhhh – Jenks incentivou. – Isso vai doer de manhã.

Movi os pés e dei uma olhada para a matilha de lóbis.

– Vocês não podiam ter cuidado disso antes de sair de casa? – reclamei.

– Olha, seu espertinho – Ivy disse com calma, se aproximando do rosto de Glenn. – Fique de boca calada. Você não existe até eu te fazer uma pergunta.

– Vá para o inferno – Glenn conseguiu dizer, com o rosto ficando vermelho sob a pele escura.

Ivy o levantou um pouquinho, e ele gemeu.

– Você fede como um humano – ela continuou, seus olhos ficando negros. – A Piscary's é só para impercebidos ou humanos presos. O único jeito de você sair daqui com todas as suas partes intactas e sem furos é se todo mundo achar que você é minha sombra.

"Sombra", pensei. Era um termo depreciativo. "Servo" era outro. "Brinquedinho" seria mais preciso. Referia-se a um humano recém-mordido, agora pouco mais do que uma fonte móvel de sexo e alimento, e mentalmente preso a um vamp. Eles eram mantidos como submissos pelo máximo de tempo possível. Às vezes, décadas. Denon, meu antigo chefe, era um brinquedinho até que caiu nas graças de um vamp que garantiu a ele uma existência mais livre.

De cara feia, Glenn se livrou dela e caiu no chão.

– Vá se Virar, Tamwood – ele falou grosso, esfregando o pescoço. – Sei tomar conta de mim mesmo. Isso não vai ser pior do que entrar num bar de mal-encarados nos confins da Geórgia.

– Ah, é? – ela questionou, com a mão pálida no quadril. – Alguém lá queria te comer?

A matilha de lóbis passou por nós e entrou. Um deles se sacudiu, olhando de novo quando me viu, e me perguntei se o roubo daquele peixe seria um problema. O som de música e conversas escapava do interior, sendo interrompido quando a porta grossa se fechava. Suspirei. O lugar parecia cheio. A gente provavelmente teria que esperar por uma mesa.

Ofereci a mão para Glenn se levantar quando Ivy abriu a porta. Ele recusou minha ajuda, enfiando o feitiço anticoceira por baixo da camisa enquanto lutava para encontrar seu orgulho, esmagado em algum lugar sob as botas de Ivy. Jenks voou do meu ombro para o dele, e Glenn reclamou.

– Vá sentar em outro lugar, pixie – ele disse e tossiu.

– Ah, não – Jenks disse alegremente. – Você não sabe que um vamp não pode te tocar se tiver um pixie no seu ombro? É um fato bem conhecido.

Glenn hesitou, e os meus olhos reviraram. "Que mentiroso."

Fizemos uma fila atrás de Ivy enquanto a matilha de lóbis era levada à sua mesa. O lugar estava lotado, o que era comum em dias úteis. A Piscary's tinha a melhor pizza de Cincinnati e não aceitava reservas. O calor e o barulho me relaxaram, e tirei o casaco. As vigas de apoio, brutas e grossas, pareciam escorar o teto baixo, e uma batida rítmica de "Rehumanize Yourself", do Sting, descia pela escada ampla. Além delas, havia janelas largas que davam para o rio escuro e a cidade do outro lado. Um barco a motor de três andares obscenamente caro estava atracado, e as luzes do deque iluminavam o nome na proa: SOLAR. Jovens atraentes em idade universitária se movimentavam com eficiência, vestindo uniformes reduzidos, alguns mais sugestivos que outros. A maioria era de humanos presos, já que os funcionários vamps tradicionalmente assumiam o andar de cima, menos supervisionado.

As sobrancelhas do *host* da casa se levantaram quando viu Glenn. Adivinhei seu cargo porque sua camisa estava fechada apenas até a metade, e o crachá dizia isso.

– Mesa para três? Iluminada ou não?

– Iluminada – respondi antes que Ivy dissesse o contrário. Não queria ir para o andar de cima. Parecia caótico.

– Vai levar cerca de quinze minutos, então. Vocês podem esperar no bar, se quiserem.

Suspirei. Quinze minutos. Sempre eram quinze minutos que se arrastavam até trinta, depois quarenta e aí você estava disposto a esperar mais dez para não ter que ir para o próximo restaurante e começar tudo de novo.

Ivy sorriu e mostrou os dentes. Seus caninos não eram maiores do que os meus, mas eram afiados como os de um gato.

– A gente espera aqui, obrigada.

Parecendo quase extasiado com seu sorriso, o *host* da casa fez que sim com a cabeça. Seu peito, que aparecia por baixo da camisa aberta, era repleto de cicatrizes pálidas. Não era o que os *hosts* usavam no restaurante em que costumava ir, mas quem era eu para reclamar? Havia um olhar suave nele que eu não gostava nos homens, mas algumas mulheres gostavam.

– Não vai demorar muito – ele disse, com os olhos fixos nos meus quando percebeu que eu o olhava com atenção. Seus lábios se separaram de um jeito sugestivo. – Querem pedir agora?

Uma pizza passou na bandeja. Afastei o olhar dele, olhei para Ivy e dei de ombros. Não estávamos lá para jantar, mas por que não? O cheiro estava ótimo.

– Sim – Ivy respondeu. – Uma extragrande. Tudo menos pimentão e cebola.

Glenn afastou sua atenção do que parecia um conventículo de bruxos aplaudindo a chegada do jantar. Comer na Piscary's era um evento.

– Você disse que a gente não ficaria aqui.

Ivy se virou, com o preto aumentando em seus olhos.

– Estou com fome. Tudo bem para você?

– Claro – ele murmurou.

– Talvez a gente possa dividir uma mesa com alguém. Estou morta de fome – ela disse, balançando o pé e imediatamente se recompondo.

Eu sabia que ela não daria uma de vamp ali. Isso poderia iniciar uma reação em cadeia nos vampiros ao redor, e Piscary perderia sua classificação A na LPM.

LPM era a abreviação de Licença de Público Misto. Padrão para a maioria dos lugares que servia álcool desde a Virada, significava uma proibição rígida contra derramar sangue nas instalações. Criava uma zona segura de que nós, pessoas frágeis para as quais "morto significa morto", precisávamos. Se houvesse muitos vamps juntos e um deles derramasse sangue, o resto perderia o controle. Não seria problema se todo mundo fosse vampiro, mas as pessoas não gostavam quando uma noite fora com seu amado ou sua amada se transformava em eternidade ou cemitério. Ou coisa pior.

Existiam boates e clubes noturnos sem LPM, mas não eram tão populares e não ganhavam tanto dinheiro. Os humanos gostavam de locais com LPM, já que podiam paquerar em segurança sem correr o risco de alguém tomar uma decisão ruim e transformar sua companhia agradável em um inimigo descontrolado e sedento por sangue. Pelo menos até a privacidade de seus quartos, onde eles tinham chances de sobreviver. E vamps também gostavam da licença: era mais fácil quebrar o gelo quando sua companhia não estava com medo de você rasgar sua pele.

Olhei ao redor do salão semiaberto e só vi clientes impercebidos. Com ou sem LPM, era óbvio que Glenn estava chamando atenção. A música tinha acabado, e ninguém colocou outra moeda na jukebox. Além dos bruxos no canto e da matilha de lóbis nos fundos, o andar de baixo estava cheio de vamps em diferentes níveis de sensualidade, desde casual até cetim e renda. Boa parte do chão estava tomada pelo que parecia uma festa do Dia das Bruxas.

Fiquei enrijecida ao sentir um súbito hálito quente no pescoço, e apenas o olhar incomodado de Ivy me impediu de socar quem quer que fosse. Quando me virei, minha resposta atravessada morreu. "Que ótimo. Kisten."

O vamp vivo era amigo de Ivy, e eu não gostava dele. Em parte porque o sujeito era herdeiro do Piscary, praticamente uma extensão do vampiro mestre que fazia a luz do dia funcionar para ele. Não ajudava muito o fato de que Piscary tinha me lançado um feitiço contra a minha vontade usando Kist, algo que, na época, eu não sabia que era possível. Também não ajudava o fato de ele ser muito, muito bonito, o que o tornava muito, muito, muito perigoso.

Se Ivy era uma diva das trevas, Kist era seu consorte e, caramba, ele era perfeito para isso. Cabelo louro curto, olhos azuis e queixo com barba suficiente para dar a suas feições delicadas uma aparência mais rude; características que o transformavam em um pacote sensual de diversão garantida. Ele estava vestido de um jeito mais conservador do que o normal, seu couro e suas correntes de motoqueiro substituídos por uma camisa elegante e calças de tecido. Mas a atitude de por-que-eu-devo-me-preocupar-com-o-que-você-pensa? ainda estava ali. A ausência das botas de motoqueiro o deixava um pouco mais alto do que eu, que estava de salto, e o olhar imortal de um vampiro morto-vivo brilhava nele como uma promessa a ser cumprida. Kist se movimentava com a confiança de um gato, com músculos suficientes para alguém gostar de acariciá-los, mas não demais para ser incômodo.

Ivy e ele tinham um passado sobre o qual eu não queria saber, já que ela fora uma vamp muito praticante na época. Sempre tive a impressão de que, se ele não pudesse ficar com ela, ele ficaria feliz com sua colega de quarto. Ou com a garota da casa vizinha. Ou com a mulher que ele conheceu no ônibus na mesma manhã...

– Boa noite, amor – ele suspirou com um sotaque inglês falso, os olhos felizes por ele ter me surpreendido.

Eu o empurrei para trás com um dedo.

– Seu sotaque é horrível. Vá embora até conseguir acertar. – Minha pulsação tinha acelerado, e uma coceira fraca e agradável na cicatriz no meu pescoço fez meus alarmes soarem. "Droga. Tinha me esquecido disso."

Ele olhou para Ivy como se pedisse permissão, depois lambeu os lábios com prazer quando ela franziu a testa em resposta. Fiz uma cara feia, pensando que não precisava da ajuda dela para afastá-lo. Ao ver isso, ela bufou com raiva e puxou Glenn até o bar, atraindo Jenks com a promessa de suco adoçado com mel. O detetive do FIB olhou de relance para mim por sobre o ombro enquanto se afastava, entendendo que alguma coisa tinha se passado entre nós três, mas sem saber o quê.

– Enfim sós. – Kist se mexeu para ficar ombro a ombro comigo e olhar ao redor. Senti cheiro de couro, apesar de ele não estar usando. Não em lugares que eu pudesse ver, pelo menos.

– Conhece uma cantada melhor do que essa? – perguntei, querendo não ter afastado Ivy.

– Não foi uma cantada.

Seu ombro estava próximo demais do meu, mas não queria me afastar para ele não achar que estava me incomodando. Olhei para Kisten, que respirava com uma lentidão pesada, enquanto esquadrinhava os clientes e tentava analisar meu estado de desconforto através do meu cheiro. Dois brincos iguais de diamante brilhavam em uma das orelhas, e me lembravam que a outra só tinha um piercing e um rasgão cicatrizado. Uma corrente feita do mesmo material da de Ivy era a única pista de seus usuais trajes de bad boy. Eu me perguntei o que o sujeito estava fazendo ali. Havia lugares melhores para um vamp vivo escolher uma companhia ou um petisco.

Seus dedos fizeram um movimento impaciente, sempre atraindo meus olhos de volta para si. Sabia que ele estava lançando feromônios vamps para me acalmar e me relaxar – "para te comer melhor, meu bem" –, mas quanto mais bonito o cara é, mais na defensiva fico. Meu queixo caiu quando percebi que eu tinha combinado nossas respirações.

"Um feitiço sutil em sua melhor forma", pensei, segurando a respiração de propósito para sair da sincronia, e o vi sorrir ao abaixar a cabeça e passar a mão no queixo. Normalmente, apenas um vampiro morto-vivo poderia enfeitiçar alguém relutante, mas ser herdeiro de Piscary dava a Kist uma parte das habilidades do mestre. De qualquer forma, ele não ousaria tentar isso naquele momento. Não com Ivy observando do bar com sua garrafa d'água.

De repente, percebi que ele estava se balançando, mexendo os quadris num ritmo firme e sugestivo.

– Pare com isso! – exclamei ao me virar para encará-lo, enojada. – Tem uma fileira de mulheres te olhando no bar. Vá atrás delas.

– É muito mais divertido te perturbar. – Inspirando minha essência, ele se aproximou. – Você ainda tem o cheiro de Ivy, mas não foi mordida por ela. Meu Deus, você é provocante.

– Somos amigas – esclareci, ofendida. – Ivy não está me caçando.

– Então ela não vai se importar se eu te caçar.

Irritada, me afastei. Ele me seguiu até eu dar com as costas numa coluna.

– Pare de se mexer – ele disse enquanto colocava a mão na coluna grossa ao lado da minha cabeça, me prendendo apesar de ainda haver ar entre nós. – Quero te contar uma coisa, e não quero que mais ninguém ouça.

– Como se alguém pudesse ouvir algo com esse barulho – zombei. Formei um punho com a mão que estava atrás das minhas costas de forma que minhas unhas não machucassem minha palma se eu tivesse que atingi-lo.

– Você ficaria surpresa – ele murmurou, com os olhos decididos. Fixei-me neles, procurando e reconhecendo a menor pista de preto aumentando, apesar de sua proximidade provocar uma promessa de calor na minha cicatriz. Já morava com Ivy havia tempo suficiente para saber como um vamp ficava quando estava perto de perder o controle. Ele estava bem, com os instintos contidos e a fome saciada.

Eu estava razoavelmente segura, então relaxei, soltando os ombros. Seus lábios cheios de luxúria se abriram de surpresa por eu aceitar sua proximidade. Com os olhos brilhando, ele respirava de forma lânguida, inclinando a cabeça e se aproximando para seus lábios roçarem a curva da minha orelha. A luz se refletiu na corrente negra ao redor de seu pescoço, atraindo minha mão para ela. Era quente, e essa surpresa manteve meus dedos brincando com ela quando eu já deveria ter parado.

O ruído de pratos e conversas diminuiu quando expirei diante do seu sussurro suave e irreconhecível. Fui tomada por um sentimento delicioso, que enviou uma sensação de metal derretido pelas minhas veias. Não me importava que viesse dele a provocação da minha cicatriz; era tão boa. E ele ainda nem tinha dito uma palavra que eu reconhecesse.

– Senhor? – veio uma voz hesitante de trás dele.

A respiração de Kist parou. Ficou imóvel durante alguns segundos, sem se mexer, enquanto seus ombros estavam tensos de irritação. Tirei a mão do seu pescoço.

– Alguém está te chamando – eu disse, olhando para o *host* postado atrás dele, se remexendo de um jeito nervoso. Sorri lentamente. Kist estava tentando abrir uma brecha na LPM, e alguém foi mandado para controlá-lo. Leis eram coisas boas. Elas me mantinham viva quando eu fazia alguma coisa idiota.

– O quê? – Kist disse sem rodeios. Nunca tinha ouvido a voz dele carregada de alguma outra coisa que não fosse uma petulância opressiva. O poder encontrado ali me sacudiu, e o fato de ser inesperado fez tudo ser mais difícil.

– Senhor, o bando de lóbis no andar de cima? Estão começando a se unir.

"Ahn?", pensei. Não era isso que eu esperava.

Kist endireitou o ombro e se afastou da coluna, irritado. Respirei com calma e meu desapontamento doentio se misturou com um pequeno bafejo angustiado de alívio pela autopreservação.

– Eu falei para avisar que a gente estava sem veneno – Kist disse. – Eles entraram exalando isso.

– Nós avisamos, senhor – o *host* protestou, dando um passo para trás enquanto Kist se afastava totalmente de mim. – Mas os lóbis fizeram a Tarra admitir que tinha um pouco nos fundos, e ela deu a eles.

A irritação de Kist se transformou em raiva.

– Quem deixou a Tarra cuidar do andar de cima? Disse para ela trabalhar no primeiro andar até aquela mordida de lóbis se curar.

"Kist trabalha na Piscary's?" Que surpresa. Achava que o vamp não tinha presença de espírito suficiente para fazer algo de útil.

– Ela convenceu o Samuel a deixá-la em cima, dizendo que conseguiria gorjetas melhores – o garçom disse.

– Sam... – Kist disse entre dentes. A emoção tomou conta dele, e as primeiras pistas de pensamentos coerentes que não giravam em torno de sexo e sangue me surpreenderam. Com os lábios pressionados, vasculhou o andar. – Tudo bem. Chame todo mundo como se fosse um aniversário e tire a garota de lá antes que ela os acione. Corte o veneno. Sobremesa de graça para quem quiser.

Com a barba loura refletindo a luz, Kist olhou para cima como se conseguisse ver, através do teto, o barulho da cobertura. A música estava alta de novo, e dava para ouvir Jeff Beck no andar de baixo, com "Loser". De alguma forma, parecia se encaixar, e todos cantavam a música com a voz enrolada. Os clientes mais ricos no andar de baixo não pareciam se importar.

– Piscary vai acabar comigo se a gente perder a classificação A por causa de uma mordida de lóbis – Kist disse. – E, por mais emocionante que isso possa parecer, quero ser capaz de andar amanhã.

A admissão fácil de Kist sobre seu relacionamento com Piscary me deixou surpresa, mas não deveria. Apesar de eu sempre equiparar o ritual de dar e receber sangue ao sexo, não era assim que acontecia, sobretudo quando a troca era entre um vampiro vivo e um morto-vivo. Os dois tinham visões bastante diferentes, provavelmente porque um tinha alma e o outro não.

O "frasco" de onde o sangue saía era importante para a maioria dos vamps vivos. Eles escolhiam seus parceiros com cuidado, em geral – mas nem sempre – seguindo suas preferências sexuais para o caso de o sexo estar incluído no pacote. Mesmo quando era impulsionado pela fome, o ritual envolvendo o sangue satisfazia uma necessidade emocional, uma afirmação física de uma ligação emocional, algo bem parecido com o sexo – mas nem sempre.

Vampiros mortos-vivos eram até mais meticulosos, escolhendo seus companheiros com o cuidado de um *serial killer*. Buscando dominação e manipulação emocional em vez de compromisso, o gênero não entrava na equação. Ainda assim, mortos-vivos não desprezavam a adição do sexo, já que transmitia uma sensação mais intensa de dominação, semelhante ao estupro – até mesmo quando o parceiro era voluntário. Qualquer relacionamento que nascesse num arranjo como esse era unilateral, apesar de o mordido normalmente não aceitar isso, achando que seu mestre era a exceção à regra. Era estranho pensar que Kist parecia ansioso por outro encontro com Piscary, e, quando olhei para o jovem vampiro ao meu lado, me perguntei se era porque Kist recebia uma grande quantidade de força e status por ser seu herdeiro.

Desconhecendo meus pensamentos, Kist franziu a testa de raiva.

– Onde Sam está? – perguntou.

– Na cozinha, senhor.

Seu olho se contraiu. Kist virou-se para o garçom como se dissesse "O que está esperando?", e o homem saiu apressado.

Com a garrafa d'água na mão, Ivy apareceu discretamente atrás de Kist, afastando-o mais ainda de mim.

– E você achou que eu era burra por me formar em segurança em vez de administração de empresas? – ela perguntou. – Você está quase parecendo responsável, Kisten. Tome cuidado para não estragar a sua reputação.

Kist sorriu, mostrando caninos afiados, e a aparência de gerente de restaurante desapareceu.

– Os bônus são ótimos, Ivy, meu amor – o sujeito disse, curvando uma das mãos nas costas dela com uma intimidade que ela só tolerou por um instante antes de bater nele. – Se algum dia precisar de emprego, fale comigo.

– Enfie no seu rabo, Kist.

Ele riu, deixando a cabeça cair antes de voltar seu olhar travesso ao meu. Um grupo de garçons e garçonetes subia a escada larga, batendo palmas e cantando uma música idiota. Parecia irritante e inócuo, em nada semelhante à missão de resgate que realmente era. Minhas sobrancelhas se ergueram. Kist era bom nisso.

Quase como se tivesse lido a minha mente, ele se inclinou para perto.

– Sou ainda melhor na cama, meu amor – sussurrou, e seu hálito provocou uma sensação deliciosa que atingiu até o fundo do meu ser.

Ele saiu do meu alcance antes que pudesse empurrá-lo e, ainda sorrindo, se afastou. No caminho para a cozinha, parou para ver se eu estava olhando. E eu estava. Caramba, todas as presenças femininas no restaurante – vivas, mortas ou no meio do caminho – estavam olhando.

Afastei minha atenção dele e encontrei um olhar curiosamente concentrado em Ivy.

– Você não tem mais medo dele – ela disse sem rodeios.

– Não – respondi, surpresa por descobrir que essa era a verdade. – Deve ser porque o cara sabe fazer outras coisas além de paquerar.

Ela afastou o olhar.

– Kist sabe fazer muitas coisas. Ele gosta de ser dominado, mas, quando se trata de negócios, te joga no chão assim que te vê. Piscary não teria um herdeiro idiota, não importa o quanto ele fosse bom de sangrar. – Ela pressionou os lábios até ficarem brancos. – A mesa está pronta.

Segui o olhar dela até a mesa vazia encostada na parede mais distante das janelas. Glenn e Jenks tinham se juntado a nós quando Kist se afastou, e, como grupo, passamos pelas mesas e sentamos no banco de meia-lua com as costas para a parede – impercebido, humano, impercebido – e esperamos o garçom nos encontrar.

Jenks se empoleirou no candelabro baixo, e a luz que atravessava suas asas formava pontos verdes e dourados na mesa. Glenn absorvia tudo em silêncio.

Era óbvio que estava se esforçando para não parecer constrangido com a imagem do belo grupo de garçons e garçonetes cheios de cicatrizes. Tanto os homens quanto as mulheres eram jovens e tinham rostos sorridentes e empolgados que me deixavam tensa.

Ivy não falou mais nada sobre Kist, e fiquei grata por isso. Era vergonhoso como os feromônios vamps agiam rapidamente em mim, transformando "saia daqui" em "venha cá". Graças à quantidade excessiva de saliva vamp que o demônio tinha colocado em mim enquanto tentava me matar, minha resistência aos feromônios vamps era quase nula.

Glenn colocou os cotovelos cuidadosamente sobre a mesa.

– Você não me disse como foi a aula.

Jenks riu.

– Foi o inferno na Terra. Duas horas de implicância e humilhação.

Escancarei a boca em surpresa.

– Como sabe disso?

– Voltei sorrateiramente. O que você fez com aquela mulher, Rachel? Matou o gato dela?

Senti o rosto queimar. Saber que Jenks tinha testemunhado a cena só fez as coisas piorarem.

– A mulher é uma bruxa malvada – eu disse. – Glenn, se quiser prender a criatura por matar aquelas pessoas, vá em frente. Ela já sabe que é suspeita. A SI estava lá provocando-a. Não encontrei nada que se parecesse remotamente com um possível motivo ou culpa.

Glenn afastou os braços da mesa e se encostou na cadeira.

– Nada?

Balancei a cabeça.

– Só que Dan teve uma entrevista depois da aula de sexta-feira. Acho que essa era a grande notícia que ele ia dar à Sara Jane.

– Ele abandonou todas as aulas na sexta-feira à noite – Jenks disse. – Conseguiu reembolso total. Deve ter feito isso por e-mail.

Estreitei os olhos para o pixie, que estava sentado perto das lâmpadas tentando se aquecer.

– Como você sabe?

Suas asas ficaram borradas e desapareceram, e ele sorriu.

– Dei uma olhada no escritório de matrícula durante o intervalo. Você acha que o único motivo para eu ter ido à escola foi para ficar lindo andando por aí no seu ombro?

Ivy tamborilou os dedos.

– Vocês três não vão falar de trabalho a noite toda, vão?

– Garota Ivy! – ouviu-se uma voz forte, e todos nós levantamos o olhar. Um homem baixinho com avental de cozinheiro atravessava o restaurante, contornando as mesas com graciosidade, vindo direto em nossa direção. – Minha garota Ivy! – gritou acima do barulho. – Já voltou. E com amigos!

Olhei de relance para Ivy, surpresa por ver um rubor leve colorindo seu rosto pálido. "Garota Ivy?"

– Garota Ivy? – Jenks disse do alto. – Que diabos é isso?

Ivy se levantou para dar ao homem um abraço envergonhado enquanto ele parava na nossa frente, formando uma imagem estranha, já que era quase quinze centímetros mais baixo que ela. Ele retribuiu com um tapinha paternal nas costas dela. Minhas sobrancelhas se ergueram. Ela o tinha *abraçado*?

Os olhos negros do cozinheiro brilharam com o que parecia prazer. O aroma de molho de tomate misturado com sangue chegou até mim. O sujeito era claramente um vamp praticante, mas eu ainda não tinha definido se estava morto.

– Oi, Piscary – Ivy disse enquanto sentava, e Jenks e eu trocamos olhares.

Esse era Piscary? Um dos vamps mais poderosos de Cincinnati? Nunca tinha visto um vampiro de aparência tão inócua.

Piscary, na verdade, era de dois a cinco centímetros mais baixo do que eu e carregava seu corpo delicado e equilibrado com uma facilidade confortável. Seu nariz estreito, os olhos espaçados e amendoados e os lábios finos complementavam a aparência exótica. Seus olhos eram muito escuros e brilharam quando ele tirou o chapéu de chef e o prendeu no laço do avental. Sua cabeça era raspada, e a pele âmbar-mel cintilava sob a luz acima da nossa mesa. A camisa e as calças claras e leves que usava podiam ser sob medida, mas duvidei que fossem. Elas conferiam um ar de classe média confortável, e o sorriso empolgado de Piscary reforçava a imagem na minha mente. Piscary administrava grande parte do lado mais sombrio de Cincinnati, mas, olhando para o sujeito, eu me perguntava como.

Minha usual e saudável desconfiança em relação a vamps mortos-vivos progrediu para uma prudência cautelosa.

– Piscary? – perguntei. – Tipo "pizzaria Piscary's"?

O vampiro sorriu, mostrando os dentes. Não eram mais longos que os de Ivy – ele era um morto-vivo de verdade – e pareciam muito brancos perto de sua pele escura.

– Sim, sou dono da pizzaria Piscary's. – Sua voz era profunda para uma estrutura tão pequena, e parecia carregar a força da areia e do vento. Os resquícios fracos de um sotaque me fizeram imaginar há quanto tempo ele falava inglês.

Ivy pigarreou, tirando minha atenção dos olhos negros e rápidos dele. De alguma forma, a imagem de seus dentes não tinha me feito tremer os joelhos como normalmente acontecia.

– Piscary – Ivy disse –, esses são Rachel Morgan e Jenks, meus sócios.

Jenks tinha voado até o pimenteiro, e Piscary deu um aceno de cabeça para ele antes de se virar para mim.

– Rachel Morgan... – ele disse devagar e com cuidado. – Andei esperando minha garota Ivy trazer você para me conhecer. Acho que ela tem medo de que eu diga que não pode mais brincar com você. – Seus lábios se encurvaram num sorriso. – Encantado.

Segurei a respiração quando ele pegou a minha mão com uma gentileza altiva, que contrastava com sua aparência. Levantou os meus dedos, aproximando-os de seus lábios. Seus olhos escuros estavam fixos nos meus. Minha pulsação acelerou, mas senti como se o meu coração estivesse em outro lugar. Ele inspirou sobre a minha mão, como se sentisse o cheiro do sangue zumbindo ali dentro. Travei o maxilar para evitar um tremor.

Os olhos de Piscary eram da cor do petróleo. Retribuí o olhar com ousadia, intrigada pelas pistas de sua profundidade. Foi Piscary que afastou o olhar primeiro, e rapidamente afastei minha mão dele. O sujeito era bom. Muito bom. Tinha usado sua aura para encantar, em vez de assustar. Só os mais antigos conseguiam fazer isso. E não houve nem uma pontada de dor na minha cicatriz do demônio. Não sei se isso era um bom ou mau sinal.

Rindo afavelmente da minha suspeita súbita e evidente, Piscary sentou no banco ao lado de Ivy. Três garçons se esforçavam para passar com bandejas redondas. Glenn não pareceu nem um pouco chateado porque Ivy não o apresentou, e Jenks manteve a boca calada. Meu ombro fez pressão contra o de Glenn enquanto ele me empurrava até eu ficar quase pendurada na outra ponta do banco para dar lugar a Piscary.

– Você deveria ter avisado que vinha – Piscary disse. – Eu teria reservado uma mesa.

Ivy deu de ombros.

– Conseguimos uma com facilidade.

Piscary deu meia-volta, olhou para o bar e gritou:

– Traga uma garrafa de vermelho-sangue do porão de Tamwood! – Um sorriso travesso surgiu. – Sua mãe não vai sentir falta de uma.

Glenn e eu trocamos um olhar preocupado. "Uma garrafa de vermelho-sangue?"

– Hum, Ivy? – questionei.

– Meu Deus – ela disse. – É vinho. Relaxe.

"Relaxe", pensei. Mais fácil falar do que fazer, quando você está com a bunda pendurada pela metade no assento e cercada de vampiros.

– Já pediram? – Piscary perguntou à Ivy, mas seu olhar sufocante estava em mim. – Tenho um novo queijo que usa uma espécie recém-descoberta de fungo para envelhecer. Vem lá dos Alpes.

– Sim – Ivy disse. – Pedimos uma extragrande...

– Com tudo menos cebola e pimentão – ele concluiu, mostrando os dentes num sorriso largo enquanto olhava de mim para ela.

Meus ombros caíram quando seu olhar me deixou. O sujeito não parecia ser nada além de um pizzaiolo simpático, e isso disparava mais alarmes do que se ele fosse alto, magro e sedutor, usando renda e seda.

– Rá! – ele latiu, e reprimi um pulo. – Vou preparar seu jantar, garota Ivy.

Ivy sorriu e ficou parecendo uma menina de dez anos.

– Obrigada, Piscary. Vou gostar disso.

– Claro que vai. Alguma coisa especial. Alguma coisa nova. Por conta da casa. Será minha melhor criação! – ele disse, audacioso. – Vou dar ao prato o seu nome e o da sua sombra.

– Não sou a sombra dela – Glenn disse com firmeza, os ombros encolhidos e os olhos sobre a mesa.

– Não estava falando de você – Piscary disse, e meus olhos se arregalaram.

Ivy se remexeu de um jeito desconfortável.

– Rachel... também... não é minha sombra.

Ela parecia culpada, e um instante de confusão atravessou o rosto do vamp.

– Sério? – ele disse, e Ivy ficou visivelmente tensa. – Então o que está fazendo com ela, garota Ivy?

Ela não tirava o olhar da mesa. Piscary captou meu olhar de novo. Senti o coração martelar e um formigamento leve passar pelo pescoço, na mordida do demônio. De repente, a mesa estava cheia demais. Eu me senti pressionada por todos os lados, e a sensação de claustrofobia me derrubou. Chocada com a mudança, prendi a respiração. "Droga."

– Que cicatriz interessante no seu pescoço – disse Piscary, cuja voz parecia vasculhar a minha alma. Doía e era bom ao mesmo tempo. – É de vamp?

Minha mão se levantou instintivamente para escondê-la. A esposa de Jenks tinha me costurado, e os pontos minúsculos eram quase invisíveis. Não gostei de ele ter percebido.

– É de demônio – respondi, sem me importar se Glenn contaria ao pai. Não queria que Piscary pensasse que tinha sido mordida por um vamp, fosse Ivy ou não.

Piscary arqueou as sobrancelhas com uma leve surpresa.

– Parece de vampiro.

– O demônio também parecia, na época – comentei, e meu estômago gelou com a lembrança.

O velho vamp fez que sim com a cabeça.

– Ah, isso explica tudo. – Ele sorriu, e eu me arrepiei. – Uma virgem desolada cujo sangue foi deixado para trás. Que combinação deliciosa você é, senhorita Morgan. Não me surpreende minha garota Ivy ter escondido você de mim.

Minha boca se abriu, mas não consegui pensar em nada para dizer.

Ele se levantou sem aviso.

– Vou trazer seu jantar a qualquer momento. – Inclinando-se para Ivy, ele murmurou: – Fale com sua mãe. Ela sente saudade de você.

Ivy baixou os olhos. Com uma graça casual, Piscary pegou uma pilha de pratos e pães de uma bandeja que estava passando.

– Aproveitem a noite – ele disse enquanto colocava tudo na nossa mesa. Em seguida, voltou para a cozinha, parando várias vezes para cumprimentar os clientes mais bem-vestidos.

Encarei Ivy, esperando uma explicação.

– E aí? Quer explicar por que Piscary acha que eu sou sua sombra? – questionei.

Jenks abafou o riso, assumindo a pose de Peter Pan em cima do pimenteiro, com as mãos nos quadris. Ivy deu de ombros, com evidente culpa.

– Ele sabe que a gente mora debaixo do mesmo teto. Simplesmente supôs...

– É, entendi. – Chateada, peguei um pão e o joguei contra a parede. O acordo entre mim e Ivy era estranho, não importa de que ângulo se olhava. Ela estava tentando se abster de sangue, e a atração para interromper seu jejum era quase irresistível. Como bruxa, poderia afastá-la com a minha magia quando seus instintos falavam mais alto. Uma vez eu a afastei com um talismã, e era essa lembrança que a ajudava a controlar seus desejos e a mantê-la do outro lado do corredor.

Mas o que me incomodou foi o fato de que Ivy tinha deixado Piscary acreditar no que quisesse por estar com vergonha – vergonha de renegar suas origens. Com uma colega de quarto, ela podia mentir para o mundo, fingindo que levava uma vida normal de vamp com uma fonte de sangue à disposição em casa, e ainda assim se manter fiel ao seu segredo. Tinha dito a mim mesma que não me importava, que isso me protegia de outros vamps. Mas às vezes... Às vezes me irritava o fato de que todo mundo pensava que eu era seu brinquedinho.

Meu mau humor foi interrompido pela chegada do vinho ligeiramente quente, como a maioria dos vamps gostava. Já estava aberto, e Ivy assumiu o controle da garrafa, evitando meu olhar enquanto servia as três taças. Jenks se contentou com a gota na boca da garrafa. Ainda irritada, me recostei com a taça e observei os outros clientes. Eu não ia bebê-lo porque o enxofre em que ele tinha se transformado costumava me destruir. Eu teria contado para Ivy, mas não era da sua conta. Não era uma coisa de bruxa, só uma peculiaridade minha que me dava dores de cabeça e me deixava tão sensível à luz que eu tinha que me esconder no quarto com um pano sobre os olhos. Era um resquício estranhamente relacionado a um problema infantil que me fizera entrar e sair do hospital até a chegada da puberdade. Eu preferia ter a sensibilidade desenvolvida ao enxofre ao meu sofrimento de quando era uma criança fraca e doente pelo meu corpo tentar se matar.

A música tinha começado de novo, e meu desconforto com Piscary desapareceu lentamente, removido por ela e pelas conversas ao fundo. Todo mundo podia ignorar Glenn, agora que Piscary tinha falado conosco. Perturbado, o humano bebia o vinho como se fosse água. Ivy e eu trocamos olhares quando ele encheu a taça outra vez, com as mãos trêmulas. Eu me perguntei se ele iria beber até desmaiar ou se tentaria se manter sóbrio. O oficial deu um gole na próxima taça, e eu sorri. Ele ia tentar aproveitar ao máximo.

Glenn olhou com um ar preocupado para Ivy e se inclinou mais para perto de mim.

– Como você conseguiu olhar nos olhos dele? – sussurrou, e foi difícil ouvir, com o barulho ao redor. – Não teve medo de ele te enfeitiçar?

– O cara tem mais de trezentos anos – respondi, percebendo que o sotaque de Piscary era inglês arcaico. – Se quisesse me enfeitiçar, não precisaria me olhar nos olhos.

Com o rosto ficando pálido por trás da barba curta, Glenn se afastou. Deixei-o refletir um pouco sobre isso e inclinei a cabeça para atrair a atenção de Jenks.

– Jenks – chamei suavemente –, por que você não dá uma olhada nos fundos? Verifique a sala de descanso dos empregados e veja o que está acontecendo.

Ivy tirou os óculos da cabeça.

– Piscary sabe que a gente está aqui por um motivo – ela disse. – Ele vai nos contar o que queremos saber. Jenks só vai conseguir ser capturado.

O pequeno pixie se eriçou.

– Vá se Virar, Tamwood – resmungou. – Por que estou aqui se não for para espionar? O dia em que eu não conseguir escapar de um cozinheiro será o dia em que eu... – interrompeu o próprio pensamento. – Hum – reiterou –, é. Já volto. – Pegou uma bandana vermelha no bolso de trás e a colocou na cintura como se fosse um cinto. Era a versão pixie de uma bandeira branca de trégua, uma declaração para outros pixies e fadas de que não estava invadindo ilegalmente, caso entrasse no território de alguém protegido. Em seguida, saiu zumbindo, pouco abaixo do teto, em direção à cozinha.

Ivy balançou a cabeça.

– O pixie vai ser pego.

Dei de ombros e puxei os pães mais para perto.

– Eles não vão machucá-lo. – Ajeitei-me e, observando as pessoas se divertindo, pensei em Nick e em quanto tempo fazia que a gente não saía. Comecei a comer outro pão quando um garçom apareceu. Já em silêncio, a mesa ficou em expectativa quando ele limpou as migalhas e tirou os pratos sujos. O pescoço do homem por trás da camisa de cetim azul era uma massa de cicatrizes, sendo que a mais recente ainda estava com as bordas vermelhas e parecia meio inchada. Seu sorriso para Ivy foi um pouco empolgado demais, fazendo-o parecer-se com um cachorrinho. Odiei a cena e imaginei quais teriam sido os sonhos daquele cara antes de ter se transformado no brinquedinho de alguém.

Minha mordida do demônio latejou. Com o olhar, percorri o ambiente lotado e encontrei o próprio Piscary trazendo nossa refeição. Enquanto ele passava cabeças viraram, atraídas pelo cheiro fabuloso que emanava da bandeja. O nível de conversa caiu nitidamente. Piscary colocou a bandeja na nossa frente com um sorriso animado no rosto. Sua necessidade de que alguém reconhecesse suas habilidades na cozinha parecia estranha em alguém com tanto poder.

– Dei o nome de "A necessidade do medo" – ele disse.

– Meu Deus! – Glenn disse, enojado, com clareza em meio ao silêncio. – Tem tomates!

Ivy deu uma cotovelada em seu estômago com força suficiente para deixá-lo sem fôlego. O ambiente ficou silencioso, exceto pelo barulho que vinha do andar de cima, e eu encarei Glenn.

– Hum, que maravilha – ele bufou.

Olhando para Glenn, Piscary cortou a pizza em fatias com um floreio profissional. Minha boca se encheu de água com o cheiro de molho e queijo derretido.

– O cheiro está ótimo – comentei, admirada, com a desconfiança anterior tranquilizada pela ideia de uma refeição. – Minhas pizzas nunca ficam assim.

O homem baixinho levantou as sobrancelhas finas e quase inexistentes.

– Você usa molho pronto.

Fiz que sim com a cabeça, depois me perguntei como ele sabia.

Ivy olhou para a cozinha.

– Onde está Jenks? Ele devia estar aqui para comer.

– Meus funcionários estão brincando com o pixie – Piscary disse suavemente. – Imagino que ele deva sair em breve. – O vamp morto-vivo colocou a primeira fatia no prato de Ivy, depois no meu e no de Glenn. Enojado, o detetive do FIB empurrou o prato para longe com um dedo. Os outros clientes sussurraram, esperando ver nossa reação à mais recente criação de Piscary.

Ivy e eu imediatamente pegamos nossas fatias. O cheiro de queijo era forte, mas não o bastante para esconder o aroma dos temperos e dos tomates. Dei uma mordida e meus olhos se fecharam de prazer. Havia apenas molho de tomate suficiente para apoiar o queijo, e apenas queijo suficiente para apoiar a cobertura. A pizza estava tão boa que eu nem me importava se tinha ou não Enxofre.

– Ah, podem me queimar na fogueira agora – gemi, mastigando. – Isso está absolutamente maravilhoso.

Piscary fez que sim, a luz refletindo na cabeça raspada.

– E você, garota Ivy?

Ivy limpou o molho que sujava seu queixo.

– É bom o bastante para alguém voltar do mundo dos mortos.

O homem suspirou.

– Vou dormir melhor hoje, quando o sol nascer.

Mastiguei mais devagar, virando para Glenn junto com todo mundo. Ele estava sentado imóvel entre mim e Ivy, com o maxilar travado com um misto de determinação e náusea.

– Hum – ele disse, olhando para a pizza. Engoliu em seco, como se a náusea estivesse desaparecendo.

O sorriso de Piscary sumiu, e Ivy olhou furiosa.

– Coma – ela disse alto o suficiente para o restaurante inteiro escutar.

– E comece pelo meio, e não pela borda – alertei.

Glenn lambeu os lábios.

– Tem tomates – ele disse, e meus lábios se franziram. Era exatamente o que eu esperava evitar. Parecia que tínhamos pedido para o cara comer larvas vivas.

– Não seja babaca – Ivy disse. – Se acha mesmo que o vírus T4 Anjo pulou quarenta gerações de tomate e apareceu numa espécie totalmente nova por sua causa, vou pedir para o Piscary te morder antes de irmos embora. Desse jeito, você não morrerá; só se transformará em vamp.

Glenn percorreu os rostos que aguardavam, percebendo que ia ter que comer um pedaço de pizza se quisesse sair dali são e salvo. Engolindo visivelmente a saliva, ele pegou a fatia com certa estranheza. O queijo formou um fio saindo da bandeja até o pedaço. Seu olhar cruzou com o meu, e eu fiz que sim com a cabeça. Devagar, ele puxou o pedaço até o queijo se partir. O barulho do andar de cima parecia alto, enquanto no andar de baixo todo mundo observava, sem respirar.

Seus olhos se fecharam, e ele abriu a boca para dar uma mordida, com o rosto totalmente retorcido. Mastigou duas vezes antes de abrir os olhos de repente. O maxilar ficou mais lento. Agora ele estava saboreando.

– Sim? – Piscary se inclinou e colocou as mãos expressivas sobre a mesa, genuinamente interessado no que um humano achava da sua habilidade culinária. Glenn provavelmente era o primeiro em quatro décadas.

O rosto do homem estava flácido. Ele engoliu em seco.

– Hum – resmungou pela boca parcialmente cheia. – É, hum... bom. – Ele parecia chocado. – É muito bom.

O restaurante todo pareceu suspirar. Encantado, Piscary se empertigou até sua altura total, enquanto as conversas recomeçaram com um tom novo e empolgado.

– Você é bem-vindo aqui a qualquer momento, oficial do FIB – ele disse, e Glenn congelou, claramente preocupado por ter sido descoberto.

Piscary pegou uma cadeira atrás de si, virou-a e, arqueado sobre a mesa à nossa frente, nos observou comer.

– Vamos lá... – ele disse enquanto Glenn levantava o queijo para analisar o molho embaixo. – Vocês não vieram aqui para jantar. Como posso ajudar?

Ivy deixou a pizza no prato e pegou o vinho.

– Estou ajudando Rachel a encontrar uma pessoa desaparecida – ela disse, jogando o cabelo para trás sem a menor necessidade. – Um de seus empregados.

– Problemas, garota Ivy? – Piscary perguntou, com a voz ressonante surpreendentemente gentil e arrependida.

Dei um gole no vinho.

– É isso que queremos descobrir, senhor Piscary. Trata-se de Dan Smather.

As poucas rugas de Piscary viraram um franzido suave enquanto ele olhava para Ivy. Com movimentos tão sutis que eram quase imperceptíveis, ela ficou inquieta, com os olhos preocupados e desafiadores.

Minha atenção se voltou para Glenn, que tirava o queijo da pizza. Horrorizada, o observei empilhá-lo.

– Pode nos dizer qual foi a última vez que o viu, senhor Piscary? – o homem perguntou, sem dúvida mais interessado em desnudar a pizza do que em nosso interrogatório.

– Certamente. – Piscary olhou para Glenn, com a sobrancelha franzida, como se não tivesse certeza se deveria se sentir insultado ou feliz enquanto o homem comia a pizza, agora reduzida a massa e molho de tomate. – Foi no sábado de manhã, depois do trabalho. Mas Dan não está desaparecido. Ele pediu demissão.

Meu rosto ficou flácido de surpresa. Isso durou alguns segundos, depois meus olhos se estreitaram de raiva. Tudo estava começando a se juntar, e o quebra-cabeça era bem menor do que tinha pensado. Uma entrevista importante, desistir das aulas, pedir demissão do emprego, deixar a namorada esperando num jantar de "precisamos conversar". Meus olhos voaram para Glenn, que me deu um olhar breve e enojado ao chegar à mesma conclusão. Dan não tinha desaparecido; ele tinha conseguido um bom emprego e largado a namorada interiorana.

Empurrei a taça e lutei contra um sentimento de tristeza.

– Pediu demissão? – perguntei.

O vamp com aparência inofensiva olhou por cima do ombro para a porta da frente, enquanto um grupo bagunceiro de jovens vamps entrava. Parecia que todos os funcionários do atendimento tinham corrido até eles com gritos altos e abraços.

– Dan era um dos meus melhores entregadores – ele disse. – Vou sentir falta do moço. Mas desejo sorte. Ele disse que era para isso que estudava. – O homem frágil tirou a farinha da frente do avental. – Manutenção de segurança, acho que foi isso que ele disse.

Troquei olhares preocupados com Glenn. Ivy se empertigou no banco; sua aparência normalmente distante parecia tensa. Uma sensação de enjoo passou por mim. Não queria ser a pessoa que ia dizer para Sara Jane que ela tinha sido abandonada. Dan tinha conseguido um emprego bom e cortado todos os laços antigos; covarde nojento. Podia apostar que ele tinha uma segunda namorada. O cara provavelmente estava se escondendo na casa dela, deixando Sara achar que ele estava morto num beco e rindo enquanto ela alimentava o seu gato.

Piscary deu de ombros, seu corpo todo se sacudindo com o movimento sutil.

– Se soubesse que ele era bom em segurança, poderia ter feito uma oferta melhor, mas seria difícil oferecer mais do que o senhor Kalamack. Sou apenas o dono de um restaurante modesto.

Ao ouvir o nome de Trent, eu me assustei.

– Kalamack? – perguntei. – Dan conseguiu um emprego com Trent Kalamack?

Piscary fez que sim com a cabeça enquanto Ivy continuava sentada de forma rígida no banco. Sua pizza estava intocada, exceto pela primeira mordida.

– É – ele respondeu. – Ao que tudo indica, a namorada dele também trabalha para o senhor Kalamack. Acho que o seu nome é Sara. Vocês podem falar com ela. – Seu sorriso com dentes longos ficou sorrateiro. – Provavelmente foi ela que conseguiu o emprego para ele, se é que vocês me entendem.

Eu entendia o que ele estava sugerindo, mas Sara Jane não. Meu coração bateu com força e comecei a suar. Sabia! Trent era o caçador de bruxos. Ele atraiu Dan com a promessa de emprego e provavelmente o matou quando Dan tentou se afastar, percebendo de que lado da lei Trent trabalhava. Era ele. Maldito seja na Virada, eu sabia!

– Obrigada, senhor Piscary – agradeci, querendo sair para poder começar a cozinhar alguns feitiços naquela noite. Senti um nó no estômago. A fatia de pizza e o gole de vinho estavam ficando azedos com a minha empolgação. "Trent Kalamack", pensei com amargura, "você é meu."

Ivy pousou a taça de vinho vazia na mesa. Encontrei seus olhos de um jeito triunfante e minha emoção agradável se esvaiu quando ela encheu a taça. Ivy nunca, *jamais*, bebia mais do que uma taça, preocupada, com razão, com a diminuição de seu pudor. Pensei em como ela havia surtado na cozinha quando eu disse que ia atrás de Trent de novo.

– Rachel – Ivy disse, com o olhar fixo no vinho. – Sei o que está pensando. Deixe o FIB cuidar disso. Ou a SI.

Glenn enrijeceu, mas continuou em silêncio. A lembrança dos dedos dela ao redor do meu pescoço me ajudou a encontrar um tom de voz uniforme.

– Vou ficar bem – eu disse.

Piscary se levantou, com a careca ficando embaixo da luz pendurada.

– Venha me ver amanhã, garota Ivy. Precisamos conversar.

O mesmo fluxo de medo que eu vi passar por Ivy ontem passou por ela novamente. Estava acontecendo alguma coisa que eu não sabia, e não era uma coisa boa. Ivy e eu também iríamos conversar.

A sombra de Piscary caiu sobre mim, e levantei o olhar. Minha expressão congelou. O vamp estava perto demais, e o cheiro de sangue superava o amargor forte do molho de tomate. Seus olhos negros se fixaram nos meus, alguma coisa mudou, tão súbita e inesperadamente quanto gelo estalando.

O velho vamp não tocou em mim, mas um formigamento delicioso me atravessou quando ele expirou. Arregalei os olhos de surpresa. Seu hálito sussurrado seguiu seus pensamentos que entravam em meu ser, se transformando numa onda quente que me invadiu como se fosse água na areia. Seus pensamentos tocaram o fundo da minha alma e ecoaram quando ele sussurrou alguma coisa que não foi ouvida.

De repente, a cicatriz no meu pescoço latejou no mesmo ritmo da minha pulsação, e parei de respirar por um instante. Chocada, fiquei sentada, imóvel, enquanto rastros de êxtase prometido escapavam dali. Uma necessidade súbita arregalou meus olhos, e minha respiração se acelerou.

Piscary mostrou um olhar decidido e astuto enquanto eu inspirava de novo, prendendo a respiração contra a fome que aumentava em mim. Eu não queria sangue. Queria o Piscary. Queria que ele pegasse meu pescoço, me prendesse contra a parede, forçasse minha cabeça para trás e sugasse o sangue de mim, deixando para trás uma sensação exaltada de êxtase que era melhor do que sexo. Isso confrontava minha decisão, exigindo uma resposta. Fiquei sentada, rija, incapaz de me mexer, com a pulsação latejando.

Seu olhar potente desceu até meu pescoço. Estremeci com a sensação conforme minha postura mudava, convidando-o. O impulso ficou mais forte, irresistivelmente insistente. Seus olhos acariciaram minha mordida de demônio. Meus olhos se fecharam com a suave promessa dolorosa. Se ele apenas me tocasse... Eu sentia dor até mesmo por isso. Sem querer, minha mão foi até o pescoço. A aversão e uma embriaguez agradável guerreavam dentro de mim, abafadas por uma necessidade dolorida.

"Me mostre, Rachel." Sentia a voz dele entrando em mim. Havia compulsão envolvida no pensamento. Uma compulsão linda; linda e despreocupada. Minha necessidade se transformou em ansiedade. Eu teria isso tudo e mais... em breve. Quente e feliz, passei a unha da minha orelha até a clavícula, quase estremecendo quando tocava cada cicatriz. O zumbido da conversa tinha sumido. Estávamos sozinhos, envolvidos numa espiral indistinta de expectativa. Ele tinha me enfeitiçado. Eu não me importava. Meu Deus, era bom demais.

– Rachel? – Ivy sussurrou, e eu pisquei.

Minha mão estava parada no pescoço. Sentia minha pulsação aumentando de forma rítmica contra ela. O ambiente e o barulho alto voltaram à existência com um choque doloroso de adrenalina. Piscary estava ajoelhado na minha frente, com uma das mãos sobre a minha enquanto olhava para cima. Seu olhar, preto como a pupila, estava penetrante e claro quando ele inspirou, saboreando minha respiração, que fluía de volta através dele.

– Sim – ele disse quando puxei a mão, meu estômago embrulhado. – Minha garota Ivy tem sido muito descuidada.

Quase ofegando, encarei meus joelhos, misturando meu medo com o desejo pelo toque de Piscary, agora enfraquecido. A cicatriz de demônio no meu pescoço pulsou mais uma vez e se enfraqueceu. Minha respiração presa escapou num som suave. Tinha um toque de desejo, e me odiei por isso.

Em um movimento de serena graciosidade, ele se levantou. Encarei-o, percebendo, e detestando o fato de ele saber, o que tinha feito comigo. O poder de Piscary era tão íntimo e certo que a ideia de que eu podia confrontá-lo diretamente nunca lhe ocorreu. Ao lado dele, Kist parecia uma criança, mesmo tomando emprestadas as habilidades de seu mestre. Como eu poderia voltar a ter medo de Kisten?

Os olhos de Glenn estavam arregalados e vagos. Perguntei-me se todo mundo sabia o que tinha acontecido.

Os dedos de Ivy agarraram a haste da taça vazia de vinho, os nós dos dedos brancos de tanta pressão. O velho vamp se inclinou para perto dela.

– Isso não está funcionando, garota Ivy. Ou você assume o controle do seu bichinho de estimação ou eu faço isso.

Ivy não respondeu, sentada com a mesma expressão desesperada.

Ainda tremendo, não estava em condições de lembrá-los que eu não era uma propriedade.

Piscary suspirou, parecendo um pai cansado.

Jenks voou erraticamente até nossa mesa com um resmungo fraco.

– Pra que diabos eu estou aqui? – reclamou ao pousar no saleiro e começar a se espanar. Algo que cheirava a queijo ralado caiu sobre a mesa, e havia molho em suas asas. – Poderia muito bem estar em casa, na cama. Pixies dormem à noite, sabe? Mas nããão – ele falou devagar. – Eu tinha que me oferecer para ser babá. Rachel, me dê um pouco do seu vinho. Sabe como é difícil tirar molho de tomate da seda? Minha esposa vai me matar.

O pixie parou de resmungar, percebendo que ninguém estava ouvindo. Analisou a expressão angustiada de Ivy e meus olhos assustados.

– Que Virada está acontecendo aqui? – perguntou com agressividade, e Piscary se afastou da mesa.

– Amanhã – o velho vamp disse para Ivy. Virou-se em minha direção e acenou um adeus com a cabeça.

Jenks olhou de mim para Ivy e de volta para mim.

– Perdi alguma coisa?

Nove

– Onde está o meu dinheiro, Bob? – sussurrei enquanto jogava as bolinhas fedorentas na banheira de Ivy. Jenks tinha mandado os filhos ao parque mais próximo na noite anterior para me trazer comida de peixe. O belo peixe abriu a boca na superfície, e lavei as mãos para tirar o cheiro de óleo de peixe da minha pele. Com os dedos pingando, olhei para as toalhas cor-de-rosa perfeitamente arrumadas de Ivy. Após um instante de hesitação, sequei as mãos, depois alisei o tecido para ela não perceber que o tinha usado.

Passei um momento tentando ajeitar o cabelo debaixo do boné de couro, depois saí para a cozinha, com as botas fazendo barulho no chão. Olhei para o relógio acima da pia. Inquieta, fui até a geladeira, abrindo-a para encarar o nada. Onde diabos estava Glenn?

– Rachel – Ivy murmurou do computador. – Pare. Você está me deixando com dor de cabeça.

Fechei a porta da geladeira e me recostei no balcão.

– Ele disse que estaria aqui à uma da tarde.

– Então está atrasado – ela disse, com um dedo na tela do computador enquanto anotava um endereço.

– Uma hora? – exclamei. – Droga. Nesse tempo eu poderia ter ido até o FIB e voltado.

Ivy clicou numa nova página.

– Se ele não aparecer, te empresto o dinheiro da passagem de ônibus.

Virei-me para a janela e o jardim.

– Não é por isso que estou esperando – eu disse, apesar de ser.

– Ah, tá, acredito. – Com dois cliques ela abriu e fechou a caneta tão rápido que quase assobiou. – Por que não faz um café da manhã pra gente enquanto espera? Comprei *waffles* de torradeira.

– Claro – concordei, sentindo uma pontada de culpa. Não era encarregada do café da manhã, só do jantar, mas, já que tínhamos comido fora na noite anterior, senti que devia algo à Ivy. O acordo era ela fazer as compras e eu, o jantar. Originalmente, o acordo servia para me impedir de encontrar assassinos no mercado e criar um novo significado para a frase "limpeza no corredor três". Mas, agora, Ivy não queria cozinhar e se recusava a negociar. Tudo bem. Do modo como as coisas estavam, eu não teria dinheiro suficiente para uma lata de atum no fim da semana. E o aluguel vencia no domingo.

Abri a porta do freezer, empurrei para o lado as embalagens quase vazias de sorvete e encontrei os *waffles* congelados. A caixa bateu no balcão com um baquete forte.

Ivy me deu um olhar com a sobrancelha levantada quando fiz força para abrir a embalagem de papelão molhada.

– Entãããão – ela falou devagar enquanto eu enfiava as unhas vermelhas na parte de cima e rasgava completamente a embalagem. – Quando é que eles vêm buscar o peixe?

Meus olhos voaram para o Senhor Peixe nadando no copo de conhaque que ficava no peitoril da janela.

– O que está na minha banheira – acrescentou.

– Ah! – exclamei, ficando vermelha. – Bom...

A cadeira gemeu quando Ivy se recostou.

– Rachel, Rachel, Rachel – ela me reprovou. – Já te disse. Você tem que pegar o dinheiro adiantado. *Antes* do serviço.

Com raiva por ela estar certa, enfiei dois *waffles* na torradeira e empurrei a alavanca. Eles pularam de volta, e os empurrei outra vez para dentro.

– Não foi culpa minha. O peixe idiota não estava desaparecido, e ninguém me falou nada – expliquei. – Mas vou conseguir o dinheiro do aluguel até segunda-feira. Prometo.

– O aluguel vence no domingo.

Houve uma batida distante na porta da frente.

– Aí está o Glenn – eu disse, saindo da cozinha antes que ela pudesse falar mais alguma coisa. Com as botas batendo no chão, desci o corredor e entrei no santuário vazio. – Entre, Glenn! – gritei, com a voz ecoando pelo teto distante. A porta continuou fechada, então a abri, parando de repente, surpresa. – Nick!

– Ei. Oi! – ele disse, seu corpo magro parecendo esquisito na entrada larga. O rosto comprido estava questionador; e as sobrancelhas finas, levantadas. Tirando as mechas de cabelo invejavelmente lisas dos olhos, perguntou: – Quem é Glenn?

Um sorriso retorceu os cantos da minha boca ao perceber um toque de ciúme em sua voz.

– Filho de Edden.

O rosto de Nick ficou vazio, e sorri, agarrando o braço dele e puxando-o para dentro.

– Ele é detetive do FIB. Estamos trabalhando juntos.

– Ah.

O sentimento por trás dessa única palavra era melhor do que um ano de encontros casuais. Nick passou por mim, seus tênis raspando no chão de madeira. Sua camisa, lisa e azul, estava enfiada nas calças jeans, e eu o peguei antes que ele chegasse ao santuário, puxando-o de volta para o saguão escuro. A pele de seu pescoço quase pareceu brilhar na sombra, lindamente bronzeada e tão macia que implorava para meus dedos rastrearem a linha de seus ombros.

– Onde está meu beijo? – reclamei.

O olhar preocupado em seus olhos desapareceu. Dando um sorriso desigual, ele colocou as mãos compridas na minha cintura.

– Desculpa – ele disse. – Você me desanimou na entrada.

– Ohn – brinquei com ele. – Com o que você está preocupado?

– Hummm. – Ele passou o olhar em mim de cima a baixo. – Muita coisa. – Com os olhos quase pretos sob a luz fraca, me puxou para perto, enviando o aroma de livros embolorados e equipamentos eletrônicos novos para ocupar meus sentidos. Inclinei a cabeça para cima e encontrei seus lábios, uma sensação quente começando no meu interior. "Ah, é. Era assim que eu gostava de começar o meu dia."

Como tinha ombros estreitos e era um pouco magro, Nick não se encaixava exatamente no molde de cavaleiro-no-cavalo-branco. Mas ele tinha salvado a minha vida se unindo a um demônio, me levando a pensar que um homem inteligente podia ser tão sexy quanto um musculoso. Essa ideia tinha se solidificado quando Nick perguntou de um jeito galante se podia me beijar pela primeira vez, e me deixou sem ar e agradavelmente chocada quando eu respondi que sim.

Mas, ao afirmar que Nick não era musculoso, não queria dizer que era fracote. Sua constituição esbelta era surpreendentemente forte, como eu aprendi quando nós brigamos pela última colherada de sorvete e quebramos o abajur de Ivy. Ele era magro, mas atlético; suas pernas longas conseguiam me acompanhar sempre que eu o obrigava a me levar ao zoológico de manhã, período reservado para caça-recompensas. Aquelas colinas acabavam com as panturrilhas!

O apelo mais forte de Nick, contudo, era que seu exterior relaxado e tranquilo escondia uma mente esperta, veloz e quase assustadora. Seus pensamentos se sucediam mais rápido que os meus, levando-o a lugares que os meus nunca pensariam em ir. A ameaça provocava uma ação rápida e decisiva com pouca avaliação das futuras consequências. E ele não tinha medo de nada. Era isso que eu admirava e com que me preocupava. Ele era um humano que usava magia. Ele devia ter medo. De muita coisa. E não tinha.

"Mas o melhor de tudo", pensei enquanto ele me puxava para si, "é que ele não se importa nem um pouco com o fato de eu não ser humana."

Seus lábios eram macios contra os meus, com uma familiaridade confortável. Nem um fiapo de barba estragava o nosso beijo. Minhas mãos se uniram atrás da cintura dele, e o puxei sugestivamente na minha direção. Desequilibrados, balançamos até as minhas costas baterem na parede. Nosso beijo se interrompeu quando senti os lábios dele se encurvarem contra os meus num sorriso pela minha ousadia.

– Você é uma bruxa muito, muito má – disse baixinho. – Sabe disso, não é? Vim aqui te dar os ingressos, e você está aí, me deixando todo perturbado.

Sua franja era um sussurro suave nos meus dedos.

– É? Você provavelmente devia fazer alguma coisa a respeito.

– Vou fazer. – Ele me soltou um pouco. – Mas você vai ter que esperar. – Sua mão percorreu um caminho delicioso na minha bunda quando ele se afastou. – Esse perfume é novo?

Com o humor brincalhão vacilando, me virei para outro lado.

– É. – Eu tinha jogado fora a essência de canela naquela manhã. Ivy não disse uma palavra quando encontrou o frasco de trinta-dólares-por-trinta-mililitros fazendo nossa lata de lixo ficar com cheiro de Natal. A essência falhara, e eu não tinha estômago para usá-la novamente.

– Rachel...

Era o começo de uma discussão familiar, e eu enrijeci. Com as circunstâncias incomuns de ter sido criado em Hollows, Nick sabia mais sobre vamps e suas fomes acionadas por essências do que eu.

– Não vou me mudar daqui – eu disse sem rodeios.

– Você poderia pelo menos... – Ele hesitou. Suas mãos compridas de pianista faziam movimentos curtos e bruscos para demonstrar sua frustração, e ele viu meu maxilar travar.

– A gente está indo bem. Sou muito cuidadosa. – A culpa por não ter contado a ele que Ivy tinha me prendido na parede da cozinha fez meu olhar ir para o chão.

Ele suspirou, com o corpo estreito se mexendo.

– Aqui. – Nick se virou e colocou a mão no bolso de trás. – Fique com os ingressos. Eu perco tudo que fica parado comigo por mais de uma semana.

– Então me lembre de ficar em movimento – brinquei para aliviar o clima quando peguei os ingressos. Olhei para os números dos assentos. – Terceira fila. Fantástico! Não sei como você faz isso.

Nick mostrou os dentes num sorriso agradável, com um toque de astúcia nos olhos. Ele nunca me contaria como tinha obtido os ingressos. O rapaz conseguia encontrar qualquer coisa, ou então conhecia alguém que conseguia. Achava que esse era o motivo de sua cautela diante de autoridades policiais. Apesar de tudo, essa parte ainda inexplorada de Nick era deliciosamente provocante. E, desde que eu não tivesse certeza sobre algo ilícito...

– Quer café? – perguntei, enfiando os ingressos no bolso.

Nick olhou para o santuário vazio atrás de mim.

– Ivy ainda está aí?

Eu não disse nada, e ele entendeu a minha resposta em silêncio.

– Ela gosta de você – menti.

– Não, obrigado. – Ele foi em direção à porta. Ivy e Nick não se davam bem. Eu nem imaginava o porquê. – Tenho que voltar ao trabalho. Estou no horário de almoço.

A decepção fez meus ombros caírem.

– Tudo bem. – Nick trabalhava em período integral no museu do Eden Park limpando artefatos quando não estava fazendo bicos na biblioteca da universidade, ajudando a catalogar e mover os volumes frágeis para um lugar mais seguro.

Era interessante o fato de que nosso arrombamento no cofre de livros antigos da universidade provavelmente tivesse provocado a mudança. Tinha certeza de que Nick havia aceitado o emprego para poder "pegar emprestado" os mesmos livros que estavam tentando proteger. Ele trabalharia nos dois empregos até o fim do mês, e eu sabia que isso o deixava cansado.

Ele se virou para ir embora, e eu o segui com um pensamento súbito.

– Ei, você ainda está com a minha panela grande de feitiços, não é? – A gente tinha usado para fazer chili três semanas antes, para uma maratona de *Perseguidor implacável* na casa dele, e não a tinha trazido de volta.

Ele hesitou, com a mão na maçaneta.

– Você precisa dela?

– Edden está me obrigando a fazer uma aula de linhas de ley – comentei, sem contar que estava trabalhando nos assassinatos do caçador de bruxos. Pelo menos por enquanto. Não ia estragar aquele beijo com uma discussão. – Preciso de um familiar ou a professora vai me reprovar. Isso significa a panela grande para feitiços.

– Ah. – Ele ficou em silêncio, e me perguntei se ele descobriria de qualquer maneira. – Claro – ele disse devagar. – Pode ser hoje à noite? – Quando eu fiz que sim com a cabeça, acrescentou: – Tudo bem. Te vejo mais tarde, então.

– Obrigada, Nick. Tchau. – Feliz por ter conseguido uma promessa de vê-lo à noite, empurrei a porta, parando no meio do caminho quando uma voz masculina gritou em protesto. Olhei e encontrei Glenn na entrada, equilibrando três sacolas de fast-food e uma bandeja de bebidas.

– Glenn! – exclamei, estendendo a mão para as bebidas. – Você chegou. Entre. Esse é Nick, meu namorado. Nick, esse é o detetive Glenn. – "Nick, *meu namorado*. É, eu gosto disso."

Mudando as sacolas para o outro braço, Glenn estendeu a mão.

– Como vai? – ele disse com formalidade, ainda do lado de fora. Usava um terno cinza de aparência distinta, fazendo as roupas casuais de Nick parecerem desarrumadas. Minhas sobrancelhas se ergueram quando Nick hesitou antes de apertar a mão de Glenn. Tinha certeza que era por causa do distintivo do FIB. "Não quero saber. Não quero saber."

– Prazer em conhecê-lo – Nick disse, depois se virou para mim. – Bom, te vejo hoje à noite, Rachel.

– Tá bom. Tchau. – Pareceu um pouco triste até para mim, e Nick se remexeu de um pé para o outro antes de se inclinar para a frente e me beijar no canto da boca. Achei que foi mais para provar seu status de namorado do que uma tentativa de demonstrar afeto. Tanto faz.

Com os tênis silenciosos, Nick se apressou descendo a escada até sua caminhonete azul no meio-fio, enferrujada pelo sal. Senti um fluxo de preocupação em seus ombros encolhidos e no passo artificial. Glenn também estava observando, mas sua expressão era mais curiosa do que qualquer outra coisa.

– Entre – repeti, olhando para as sacolas de comida e abrindo mais a porta.

Glenn tirou os óculos de sol, e com uma das mãos os guardou no bolso interno do paletó. Com o corpo atlético e a barba asseada, o sujeito parecia um cara do Serviço Secreto pré-Virada.

– Aquele é o Nick Sparagmos? – ele perguntou enquanto Nick se afastava no carro. – O que era um rato?

O pelo do meu pescoço se arrepiou pelo modo como ele disse, como se alguém se transformar num rato ou numa marta fosse moralmente errado. Coloquei a mão no quadril; a bandeja de bebidas inclinada demais, quase derramando gelo e refrigerante. Sem dúvida, o pai dele tinha contado mais da história do que Glenn tinha dito.

– Você está atrasado.

– Parei para comprar almoço para todos – explicou, rígido. – Posso entrar?

Eu me afastei para trás, e ele atravessou o portal. Prendeu a porta com o pé, fechando-a com um empurrão para trás. O cheiro de batata frita era dominante sob o súbito escuro no saguão.

– Roupinha bonita – ele disse. – Quanto tempo levou para pintá-la na sua pele?

Ofendida, olhei para minhas calças de couro e a blusa de seda vermelha enfiada nelas. Vestir couro antes do pôr do sol me preocupava até Ivy me convencer que a alta qualidade do couro que eu tinha comprado elevava a aparência de "bruxa classe média" para "bruxa classe rica". Ela devia saber do que estava falando, mas eu ainda era sensível a isso.

– É minha roupa de trabalho – soltei. – Economiza os enxertos de pele se eu tiver que correr e acabar arrastada no asfalto. Algum problema?

Mantendo seus comentários num nível de resmungo descompromissado, ele me seguiu até a cozinha. Ivy levantou os olhos do mapa, absorvendo as sacolas de hambúrgueres e bebidas em silêncio.

– Bom – ela falou devagar. – Estou vendo que sobreviveu à pizza. Mesmo assim, posso pedir para Piscary te morder se você quiser.

Meu humor melhorou ao ver a expressão subitamente fechada de Glenn. Ele fez um barulho horrível no fundo da garganta, e fui guardar os *waffles* congelados, vendo que a torradeira estava desligada.

– Você engoliu aquela pizza bem rápido ontem à noite – eu disse. – Admita. Você gostou!

– Comi a pizza para sobreviver. – Com movimentos rápidos, ele ficou em pé ao lado da mesa e puxou as sacolas para si. Ver um homem com um terno caro e um coldre no ombro desembrulhando um hambúrguer embalado em plástico era uma imagem estranha. – Fui para casa e rezei para o deus de porcelana por duas horas seguidas – ele acrescentou, e Ivy e eu trocamos olhares divertidos.

Afastando o trabalho, Ivy pegou o hambúrguer que estava menos esmagado e o saquinho de batatas fritas mais cheio. Eu me larguei numa cadeira ao lado de Glenn, que foi para a ponta da mesa, sem nem tentar fazer parecer casual.

– Obrigada pelo café da manhã – eu disse, comendo uma batatinha antes de desembrulhar o hambúrguer farfalhando o papel.

Ele hesitou, afrouxando a persona de oficial do FIB enquanto desabotoava o botão inferior do paletó e se sentava.

– O FIB está pagando. Na verdade, esse também é meu café da manhã. Só cheguei em casa quando o sol estava quase nascendo. Seu dia é longo.

Seu tom de aceitação relaxou um pouco mais os meus ombros.

– Na verdade, não. Ele começa umas seis horas depois do seu.

Querendo *ketchup* para as batatas fritas, me levantei e fui até a geladeira. Hesitei ao estender a mão para o frasco vermelho. Ivy captou o meu olhar, dando de ombros depois que eu apontei para o frasco. "É", pensei. Ele estava invadindo as nossas vidas e até tinha comido a pizza na noite anterior. Por que Ivy e eu devíamos sofrer por sua causa? Decidindo isso, peguei o frasco e coloquei sobre a mesa com um barulho ousado. Fiquei desapontada quando Glenn não percebeu.

– Então – Ivy disse, estendendo a mão e pegando o *ketchup*. – Você vai ser babá de Rachel hoje? Não a leve de ônibus. Os motoristas não param para ela.

Ele levantou o olhar, surpreso ao ver Ivy envolver o hambúrguer com o molho vermelho.

– Hum. – Ele piscou, claramente perdendo o fio da meada. Seus olhos estavam fixos no *ketchup*. – Sim. Vou mostrar a ela o que já temos sobre os assassinatos.

Um sorriso encurvou o canto da minha boca com um pensamento súbito.

– Ei, Ivy – chamei com leveza. – Me passa o sangue coagulado.

Sem se abalar, ela empurrou o frasco sobre a mesa. Glenn congelou.

– Meu Deus! – ele murmurou preocupado, o rosto ficando pálido.

Ivy abafou o riso, e eu ri.

– Calma, Glenn – eu disse enquanto colocava o *ketchup* nas batatas fritas. Relaxei na cadeira, lhe dando um olhar travesso enquanto comia uma. – É *ketchup*.

– *Ketchup*! – Ele puxou o jogo americano e a comida mais para perto. – Você está louca?

– Praticamente a mesma coisa que você comeu ontem à noite – Ivy disse.

Empurrei o frasco na direção dele.

– Não vai te matar. Experimente.

Com os olhos grudados no plástico vermelho, Glenn balançou a cabeça. Seu pescoço estava rígido, e ele puxou a comida mais para perto.

– Não.

– Ah, vamos lá, Glenn – o incentivei. – Não seja bobo. Estava brincando quando falei do sangue. – "Qual é o objetivo de se ter um humano por perto se não podemos brincar um pouco com ele?"

Ele continuou mal-humorado, comendo o hambúrguer como se fosse uma tarefa, e não uma experiência agradável. Pensando bem, sem *ketchup*, podia mesmo ser uma tarefa.

– Olhe – eu disse persuasivamente ao me aproximar e virar o frasco. – Olhe o que tem aqui dentro. Tomate, xarope de milho, vinagre, sal... – Hesitei, franzindo a testa. – Ei, Ivy. Sabia que tem cebola e alho em pó no *ketchup*?

Ela fez que sim com a cabeça, limpando um pouco de *ketchup* do canto da boca. Glenn pareceu interessado, se aproximando para ler o que estava impresso no frasco acima da minha unha recém-pintada.

– Por quê? – perguntou. – O que há de errado com cebola e alho? – Seus olhos mostraram que ele havia sacado, e ele se recostou. – Ah – disse com sabedoria. – Alho.

– Não seja idiota. – Coloquei o frasco sobre a mesa. – Alho e cebola têm muito enxofre. Ovos também. Eles me dão enxaqueca.

– Hummmm – Glenn disse com orgulho enquanto pegava o frasco de *ketchup* com dois dedos para ler o rótulo sozinho. – O que são sabores naturais?

– Você não quer saber – Ivy disse, com a voz dramaticamente aguda.

Glenn largou o frasco. Não consegui deixar de rir.

O som de uma motocicleta se aproximando fez Ivy se levantar de repente.

– É minha carona – ela disse. Amassou a embalagem, empurrou o envelope de batatas fritas pela metade para o meio da mesa e se alongou, com o corpo esbelto tentando alcançar o teto. Glenn voltou sua atenção para ela, depois desviou o olhar.

Meu olhar encontrou o de Ivy. Parecia a moto de Kist. Eu me perguntei se isso tinha alguma coisa a ver com a noite passada. Notando minha apreensão, Ivy pegou a bolsa.

– Obrigada pelo café da manhã, Glenn. – E se virou para mim. – Te vejo mais tarde, Rachel – acrescentou enquanto saía às pressas.

Com os ombros relaxados, Glenn olhou para o relógio acima da pia, depois voltou a comer. Eu estava raspando o finalzinho do *ketchup* com uma batata frita quando ouvimos a ordem de Ivy vindo da rua.

– Vá se Virar, Kist. Eu dirijo. – Sorri quando a moto acelerou e a rua ficou em silêncio.

Terminei de comer, amassei o papel e me levantei. Glenn não tinha acabado e deixei o *ketchup* enquanto limpava a mesa. De soslaio, o observei olhando para o frasco.

– Também fica bom no hambúrguer – eu disse, me agachando ao lado do balcão da cozinha para pegar um livro de feitiços. Ouvi o som de plástico deslizando. Com o livro na mão, me virei e percebi que Glenn tinha afastado o frasco. Ele não quis encontrar o meu olhar quando sentei à mesa. – Posso dar uma olhada numa coisa antes de a gente sair? – perguntei, abrindo no índice.

– Vá em frente.

Sua voz estava fria de novo e, percebendo que era por causa do livro de feitiços, suspirei e me inclinei sobre o impresso desbotado.

– Quero fazer um feitiço para os Uivadores mudarem de ideia quanto a não me pagar – comentei, esperando que ele relaxasse se soubesse o que eu estava fazendo. – Achei que poderia aproveitar para pegar as coisas que não tenho no jardim enquanto estiver na rua. Você não se importa de dar uma paradinha a mais, não é?

– Não. – Foi ligeiramente menos frio, o que entendi como um bom sinal. Ele estava fazendo barulho ao mexer o gelo com o canudo, e me aproximei um pouco para ele poder ver.

– Olhe – disse, apontando para o impresso borrado. – Eu estava certa. Se quiser fazer a bola deles falhar, preciso de um feitiço sem contato. – Para uma bruxa da terra como eu, sem contato significava ter uma varinha. Nunca tinha feito uma antes, mas minhas sobrancelhas se ergueram ao ver os ingredientes. Eu tinha tudo, menos a semente de samambaia e a varinha. "Quanto deve custar uma vareta de sequoia?"

– Por que você faz isso?

Sua voz tinha um toque de agressividade. Fechei o livro e, desapontada, fui guardá-lo, virando para encará-lo com as costas apoiadas no balcão da ilha.

– Feitiços? É o que eu faço. Não vou machucar ninguém. Não com um feitiço.

Glenn largou o copo extragrande. Seus dedos escuros o soltaram e deslizaram para longe. Recostando na cadeira, ele hesitou.

– Não – ele disse. – Como você consegue viver com alguém desse tipo? Pronta para explodir a qualquer momento?

– Ah. – Estendi a mão para minha bebida. – Você a pegou num dia ruim. Ela não gosta do seu pai e acabou descontando em você. – "E você pediu, seu babaca." Engoli o resto da bebida e joguei o copo fora. – Pronto? – perguntei enquanto pegava minha bolsa e meu casaco numa das cadeiras.

Glenn se levantou e ajeitou o casaco antes de passar na minha frente para jogar as embalagens no lixo sob a pia.

– Ivy quer alguma coisa – Glenn disse. – Toda vez que ela te olha, vejo culpa. Quer Ivy queira ou não, ela vai te machucar e sabe disso.

Ofendida, dei a ele um olhar de cima a baixo.

– Ela não está me caçando. – Tentando manter minha raiva sob controle, desci o corredor a passos rápidos.

Glenn estava próximo, seus sapatos de sola dura um passo atrás dos meus.

– Está dizendo que ontem foi a primeira vez que ela te atacou?

Meus lábios ficaram tensos, e as batidas das botas subiram pela minha espinha. Houve muitos "quase ataques" antes de eu descobrir as coisas que a irritavam e parar de fazê-las.

Glenn não disse nada, claramente ouvindo a resposta no meu silêncio.

– Escuta – ele disse quando chegamos ao santuário. – Posso ter parecido um humano idiota ontem à noite, mas eu estava observando. Piscary te enfeitiçou com mais facilidade do que sopraria uma vela. Ivy te afastou dele só dizendo seu nome. Isso não pode ser normal. E ele te chamou de bichinho de estimação dela. É isso que você é? Porque é o que parece ser.

– Não sou o bichinho de estimação dela – eu disse. – Ivy sabe disso e eu também. Piscary pode pensar o que quiser. – Enfiei os braços no casaco e saí da igreja descendo os degraus com irritação. Puxei a maçaneta, mas o carro dele estava trancado. Com raiva, esperei que destrancasse. – E isso não é da sua conta – acrescentei.

O detetive do FIB ficou calado ao abrir a porta, depois parou para me olhar por cima do teto do carro. Colocou os óculos de sol, escondendo os olhos.

– Você está certa. Não é da minha conta.

A porta se abriu e eu entrei, batendo-a e fazendo o carro estremecer. Glenn deslizou suavemente para trás do volante e fechou a porta.

– De jeito nenhum é da sua conta – resmunguei dentro do carro. – Você a ouviu na noite passada. Não sou a sombra dela. Ivy não estava mentindo quando falou isso.

– Também ouvi Piscary dizer que, se ela não te controlasse, ele te controlaria.

Um lampejo de medo real e perturbador me deixou tensa.

– Sou amiga dela – afirmei. – Tudo que Ivy quer é uma amiga que não esteja atrás do sangue dela. Já pensou nisso?

– Um bichinho de estimação, Rachel? – ele disse suavemente enquanto dava partida no carro.

Não respondi, e fiquei tamborilando os dedos no apoio de braço. Não era o bichinho de estimação de Ivy. E Piscary não podia fazê-la me transformar em um.

Dez

O sol do fim da tarde de setembro estava quente sobre minha jaqueta de couro, e apoiei o braço na janela do carro. O minúsculo frasco de sal na minha pulseira de talismã se mexeu com o vento e bateu na cruz de madeira. Estendendo a mão, ajeitei o espelho lateral para observar o tráfego um pouco mais atrás. Era bom ter um veículo à disposição. Chegaríamos ao FIB em quinze minutos, e não nos quarenta que eu levaria de ônibus, com o trânsito e tudo o mais.

– Pegue a direita no próximo semáforo – eu disse, apontando.

Observei, incrédula, quando Glenn passou direto pela esquina.

– Que Virada deu em você? – exclamei. – Ainda vai chegar o dia em que eu vou entrar neste carro e você vai para onde quero que vá.

Glenn exibia uma expressão convencida por trás dos óculos.

– Atalho. – Sorriu, com os dentes impressionantemente brancos. Foi o primeiro sorriso de verdade que ele tinha dado até então, e me deixou surpresa.

– Claro – eu disse, gesticulando com a mão no ar. – Me mostre seu atalho. – Duvidei que fosse mais rápido, mas não iria dizer nada. Não depois daquele sorriso.

Minha cabeça virou, seguindo um cartaz conhecido num dos prédios que passaram.

– Ei! Pare! – gritei, virando para trás no assento. – É uma loja de talismãs.

Glenn olhou para trás e fez um retorno proibido. Agarrei a alça do teto quando ele fez outro, parando bem na frente da loja e estacionando no meio-fio. Abri a porta e peguei a bolsa.

– Vou demorar só um minuto – avisei, e ele fez que sim com a cabeça, inclinando o assento para trás e apoiando a cabeça no encosto.

Deixei-o cochilando e entrei a passos largos na loja. Os sinos da porta ressoaram, e respirei devagar, me sentindo relaxar. Gostava de lojas de talismãs. Esta tinha cheiro de lavanda, dente-de-leão e um toque de clorofila. Passando direto pelos feitiços prontos, fui até a parte dos fundos, onde ficavam as matérias-primas.

– Posso ajudar?

Ergui os olhos, que estavam em um ramalhete de sanguinária, e dei de cara com um vendedor bem-arrumado e cheio de entusiasmo inclinado sobre o balcão. Pelo cheiro ele era um bruxo – embora fosse difícil dizer, com tantos odores ao redor.

– Sim – eu disse. – Estou procurando semente de samambaia e uma vareta de sequoia que sirva para varinha.

– Ah! – ele disse, triunfante. – As sementes ficam aqui.

Eu o segui do meu lado do balcão até um mostruário de frascos âmbar. O vendedor passou os dedos neles, pegando um do tamanho do meu dedo mindinho e estendendo-o para mim. Eu não o peguei, indicando que ele deveria colocá-lo sobre o balcão. Ele pareceu ofendido quando vasculhei a bolsa e depois segurei um amuleto sobre o frasco.

– Posso garantir, senhora – ele disse, severo –, que é da mais alta qualidade.

Dei um sorriso débil quando um verde fraco brilhou do amuleto.

– Fui ameaçada de morte na última primavera – expliquei. – Tenho motivos para ser cautelosa.

Os sinos da porta ressoaram, e vi Glenn entrando.

O vendedor se iluminou, estalando os dedos e dando um passo para trás.

– Você é Rachel. Rachel Morgan, certo? Eu te conheço! – Ele colocou o frasco nas minhas mãos. – Por conta da casa. Fico muito feliz de ver que você sobreviveu. Quais eram as chances? Trezentas contra uma?

– Eram duzentas – eu disse, um pouco ofendida. Observei o olhar dele disparar por sobre meu ombro até Glenn, e seu sorriso congelou quando percebeu que ele era humano. – Ele está comigo – avisei, e o homem engoliu em seco, tentando disfarçar com uma tosse. Seus olhos pararam sobre a arma mal escondida de Glenn. "Que Virada, eu sentia falta das minhas algemas."

– As varinhas ficam aqui – informou, e seu tom me deu uma indicação clara de que ele não aprovava minha escolha de companhia. – Guardamos numa caixa de dessecação para mantê-las frescas.

Glenn e eu o seguimos até um ponto claro ao lado da máquina registradora. O homem pegou uma caixa de madeira do tamanho de um estojo de violino, abriu-a e se virou com um floreio para que eu pudesse ver.

Suspirei ao sentir o aroma de sequoia. Minha mão se ergueu para tocar nelas, mas desabou com o pigarrear do vendedor.

– Que feitiço está fazendo, senhorita Morgan? – perguntou com um tom profissional enquanto me olhava por cima dos óculos. A armação era de madeira, e poderia apostar minhas calcinhas que eram enfeitiçados para ver através de talismãs de disfarce feitos com magia da terra.

– Quero tentar um feitiço sem contato. Para... hum... quebrar madeira que já está desgastada? – eu disse, disfarçando uma pontada de vergonha.

– Qualquer uma dessas menores vai servir – respondeu, com o olhar alternando entre mim e Glenn.

Fiz que sim com a cabeça, mantendo os olhos fixos nas varinhas do tamanho de um lápis.

– Quanto custa?

– Novecentos e setenta e cinco – ele respondeu. – Mas, para você, vendo por novecentos.

"Dólares?"

– Sabe – eu disse devagar –, é melhor eu conferir se tenho tudo antes de comprar a varinha. Não faz sentido deixá-la de lado pegando umidade até a hora de usá-la.

O sorriso do vendedor tornou-se forçado.

– Claro. – Em um movimento suave, fechou o estojo e o guardou.

Estremeci, murchando por dentro.

– Quanto pela semente de samambaia? – perguntei, sabendo que a oferta anterior tinha sido feita apenas porque eu ia comprar uma varinha.

– Cinco e cinquenta.

"Eu tenho esse valor", pensei. Com a cabeça abaixada, vasculhei a bolsa. Sabia que varinhas eram caras, mas não tanto. Com o dinheiro na mão, olhei para Glenn e o vi observando uma prateleira de ratos empalhados. Quando o vendedor fechou minha venda com uma campainha, Glenn se aproximou e, ainda encarando os ratos, sussurrou:

– Para quê eles são usados?

– Não tenho a menor ideia. – Peguei o recibo e enfiei tudo na bolsa. Tentando encontrar uma pontinha de dignidade, segui em direção à porta, com Glenn atrás. Os sinos ressoaram quando chegamos à calçada. De volta ao sol, respirei para me purificar. Não gastaria novecentas pratas para talvez receber meu pagamento de quinhentos dólares.

Glenn me surpreendeu abrindo a porta do carro para mim, e, quando me ajeitei no assento, ele se inclinou sobre a janela aberta.

– Já volto – ele disse e entrou na loja. Saiu um instante depois, com uma sacolinha branca. Atravessou na frente do carro, parou para esperar o trânsito, abriu a porta e sentou atrás do volante. Tentei entender o que estava acontecendo.

– E aí? – perguntei enquanto ele punha o pacote entre nós. – O que comprou?

Glenn deu partida no carro e saiu da vaga.

– Um rato empalhado.

– Ah – eu disse, surpresa. Que diabos ele faria com isso? Nem eu sabia para que servia. Fiquei morrendo de vontade de perguntar durante o caminho todo até o prédio do FIB, mas consegui manter a boca fechada mesmo quando paramos na sombra fria do estacionamento subterrâneo.

Glenn tinha uma vaga reservada, e meus saltos ecoaram quando pisei no chão. Com uma lentidão dolorosa que fazia eu me lembrar do meu pai, Glenn se alongou ao sair. Em seguida, tirou o paletó, pegou o rato e apontou para a escada.

Ainda em silêncio, o segui até a escada de concreto. Nós só precisávamos subir um andar, e Glenn segurou a porta para mim quando entramos pelos fundos. Ele tirou os óculos de sol, e eu afastei o cabelo dos olhos e o coloquei sob o capuz. O ar-condicionado estava ligado. Olhei para a pequena entrada e pensei que aquele lugar era muito diferente do saguão movimentado na frente.

Glenn pegou um crachá de visitante atrás de uma mesa bagunçada, me cadastrando e fazendo um sinal de positivo com a cabeça para o homem ao telefone. Prendi o crachá na lapela enquanto o seguia até os escritórios abertos.

– Oi, Rose – Glenn disse ao se aproximar da secretária de Edden. – O capitão Edden está disponível?

A mulher idosa me ignorou, colocou um dedo sobre o papel cujo conteúdo estava digitando e fez um sinal com a cabeça.

– Ele está numa reunião. Quer que eu diga que você está aqui?

Glenn pegou meu cotovelo e começou a me empurrar ao passarmos por ela.

– Quando ele sair. Não tem pressa. A senhorita Morgan e eu estaremos aqui durante as próximas horas.

– Sim, senhor – ela disse, voltando a digitar.

"Horas?", pensei, sem gostar do jeito como ele não me deixou falar com Rose; eu queria descobrir qual era o código de vestimenta da empresa. O FIB não podia ter essa informação. A SI tinha jurisdição principal sobre os crimes.

– Meu escritório é ali – Glenn disse, apontando para os cubículos com paredes e uma porta que cercava o espaço. Os poucos oficiais presentes ergueram os olhares enquanto Glenn quase me empurrava para a frente. Tive a distinta impressão de que ele não queria que ninguém soubesse que eu estava ali.

– Bacana – comentei sarcasticamente conforme ele me apressava para dentro do escritório. A sala branca era quase árida, e a sujeira se acumulava nitidamente nos cantos. Havia um novo monitor sobre uma mesa quase vazia. Atrás dela, estava uma cadeira feiosa, e me perguntei se existia uma cadeira decente naquele prédio. A mesa era de fórmica branca, mas a imundície impregnada pelo uso a tornava quase cinza. Não havia nada na lixeira ao lado.

– Cuidado com os fios de telefone – Glenn disse enquanto passava rapidamente por mim e largava a sacola com o rato sobre o arquivo. Ele tirou o paletó e o pendurou meticulosamente num mancebo que mais parecia uma árvore de chapéus. Olhando para aquela sala horrorosa, me perguntei como seria o apartamento do sujeito.

As duas linhas de telefone que saíam da parede atrás da mesa longa passavam livremente pelo piso até a mesa. Devia ser uma violação das leis de saúde e segurança ocupacional ter linhas telefônicas penduradas daquele jeito, mas, se ele não se importava de alguém desligar as linhas telefônicas ao tropeçar nelas, por que eu deveria?

– Por que não coloca sua mesa ali? – perguntei, olhando para uma mesinha repleta de papéis que estava num ponto mais lógico para se colocar a mesa de trabalho.

Em pé, arqueado sobre o teclado, ele ergueu os olhos.

– Eu ficaria de costas para a porta e não poderia ver o andar principal.

– Ah.

Não havia nenhum enfeite, nada de natureza pessoal, e a única prateleira só continha pastas com papéis soltos. Não parecia que Glenn estava lá havia muito tempo. Sombras retangulares suaves apareciam onde antes havia fotografias penduradas. A única coisa nas paredes além de seu certificado de detetive era um quadro de avisos, pendurado acima da mesa comprida. Estava empoeirado e tinha centenas de post-its grudados, já desbotados e encurvados, com mensagens enigmáticas que provavelmente só Glenn conseguia decifrar.

– O que é aquilo? – perguntei enquanto ele verificava se a persiana da janela que dava para o andar estava fechada.

– Anotações de um caso antigo em que venho trabalhando. – Ele estava com um tom de voz preocupado ao voltar para o teclado e digitar algumas letras. – Por que não se senta?

Fiquei parada no meio do escritório, encarando-o.

– Onde? – perguntei, finalmente.

Ele levantou o olhar, ficando vermelho ao perceber que estava ao lado da única cadeira.

– Já volto. – Movimentou-se ao redor da mesa, parando de um jeito esquisito na minha frente até eu sair do caminho. Seu modo de andar estava atravancado quando passou por mim e saiu da sala.

Achando que seu escritório era a parte mais inóspita da burocracia do FIB que eu já tinha visto, tirei o casaco, pendurando-o no prego que se destacava atrás da porta. Entediada, fui até a mesa dele, na qual uma tela de boas-vindas com um aviso piscando aguardava.

Uma trepidação antecedeu Glenn enquanto ele empurrava uma cadeira de rodinhas para dentro do escritório. Me olhando com um ar defensivo, ele a colocou ao lado da dele. Larguei a bolsa sobre a mesa vazia e sentei ao lado dele, me inclinando para a frente para poder ver. Eu o vi digitar três senhas: golfinho, tulipa e Monica. "Antiga namorada?", me perguntei. As senhas apareciam na tela como asteriscos, mas ele digitava apenas com dois dedos, então não foi difícil descobrir.

– Tudo bem – ele disse, puxando para si um bloco de anotações com uma lista de nomes e números de identificação. Olhei para o bloco e depois para a tela. Com uma lentidão dolorosa, ele franziu a testa e começou a digitá-los. *Tec.* Pausa. *Tec, tec.*

– Ah, me dá isso aqui – eu disse, puxando o teclado para perto de mim. As teclas tagarelaram felizes quando eu digitei o primeiro, depois peguei o *mouse* e cliquei no botão "Todos", fazendo com que o único limite de busca fosse as entradas feitas nos últimos doze meses.

Uma pergunta apareceu na tela, e eu hesitei.

– Qual impressora? – perguntei.

Glenn não disse nada, então me virei e o vi recostado na cadeira com os braços cruzados na frente.

– Aposto que você também pega o controle remoto da mão do seu namorado – ele disse, puxando o teclado de volta para si e recuperando o mouse.

– Bom, a TV é minha – eu disse, irritada, depois acrescentei: – Desculpe. – Na verdade, era de Ivy. A minha foi perdida no grande mergulho das minhas coisas em água salgada. Mas tudo bem, porque ela parecia um brinquedo perto da TV de Ivy.

Glenn fez um barulhinho no fundo da garganta. Devagar, digitou o próximo nome, verificando na lista antes de ir para o próximo. Esperei, impaciente. Meus olhos foram até a sacola amassada sobre o arquivo e fui tomada por um desejo insano de pegar o rato. Provavelmente era por isso que ele tinha dito que ficaríamos ali durante horas. Seria mais rápido cortar as letras e colá-las num bilhete.

– Não é a mesma impressora – eu disse, notando que ele tinha mudado.

– Não sabia que você queria ver tudo – ele disse, com a voz preocupada enquanto digitava muito devagar. – Vou mandar o resto para a impressora do porão. – Lentamente, digitou os últimos números e apertou "Enter". – Não quero ouvir reclamações sobre entupir a impressora deste andar – acrescentou.

Esforcei-me para esconder um risinho. "Não quer ouvir reclamações? Quantas poderiam acontecer?"

Glenn se levantou, e o encarei.

– Vou pegar a impressão. Fique quieta aqui até eu voltar.

Fiz que sim com a cabeça quando ele saiu. Girando a cadeira de um lado para o outro, esperei, ouvindo a conversa ao fundo. Um sorriso ocupou meu rosto. Não tinha percebido como sentia falta da camaradagem dos meus colegas caça-recompensas da SI. Sabia que, se saísse do escritório de Glenn, as conversas parariam e os olhares ficariam gelados, mas, se permanecesse ali e ouvisse, poderia fingir que alguém passaria para dizer oi ou para pedir minha opinião sobre um caso difícil ou, ainda, para me contar uma piada suja e me ver rindo.

Suspirei e me levantei para pegar o rato de Glenn na sacola. Coloquei a coisa feia com olhos vidrados sobre o arquivo para vigiá-lo. Um andar arrastado na porta me despertou.

– Ah. Oi – eu disse, percebendo que não era Glenn.

– Madame. – O pesado oficial do FIB olhou primeiro para as minhas calças de couro, depois para o crachá de visitante. Eu me mexi para ele ver melhor. O crachá, não as minhas calças.

– Meu nome é Rachel – me apresentei. – Estou ajudando o detetive Glenn. Ele foi pegar umas impressões.

– Rachel Morgan? – ele perguntou. – Achei que você fosse uma bruxa velha.

Minha boca se abriu de raiva, depois se fechou ao entender. Na última vez em que ele me viu, eu provavelmente estava com a aparência de uma bruxa velha.

– Aquilo era um disfarce – eu disse enquanto amassava a sacola e a jogava no lixo. – Esta sou eu de verdade.

Ele passou os olhos pela minha roupa de novo.

– Tudo bem. – Ele se virou para sair, e eu respirei com mais facilidade.

Ele tinha ido embora quando Glenn entrou com um ar decididamente preocupado. Havia um maço meio grande de papel em suas mãos, e achei que a coleta de informações do FIB seria parecida com a da SI, no fim das contas. Ele ficou em pé por um instante no meio do escritório, depois empurrou para uma ponta os papéis que estavam sobre a mesa comprida encostada na parede.

– Aqui está o primeiro – ele disse, largando o relatório na parte vazia. – Já volto com os do porão.

Congelei ao estender a mão. "O primeiro?" Achava que aquilo era tudo. Quando fui questioná-lo, ele já tinha ido embora. O volume do relatório era impressionante. Arrastei a cadeira até a mesa e a posicionei de lado para não ficar de costas para a porta. Sentada, cruzei as pernas e puxei o bolo de papel para o colo.

Reconheci a imagem frontal da primeira vítima porque a SI a tinha liberado para os jornais. Fora uma mulher bonita e mais velha, com um sorriso maternal. Pela maquiagem e pelas joias, parecia ser uma foto tirada por um profissional, como retratos de aniversário de casamento e coisas desse tipo. A mulher estava a três meses de se aposentar de uma empresa de segurança que projetava cofres resistentes à magia. Morreu de "complicações decorrentes de um estupro". Isso tudo era notícia velha. Folheei até chegar ao relatório do médico-legista, e meu olhar recaiu sobre a imagem.

Meu estômago se embrulhou, e fechei o relatório. De repente senti frio e encarei a porta do escritório de Glenn que dava nos escritórios abertos. Um telefone tocou, e alguém o atendeu. Inspirei de novo e prendi a respiração. Obriguei-me a respirar, prendendo a respiração de novo para não hiperventilar.

Acho que, numa interpretação mais livre, aquilo podia ser considerado estupro. As entranhas da mulher tinham sido arrancadas por entre as pernas e estavam penduradas até os joelhos. Perguntei-me por quanto tempo ela continuou viva ao longo do suplício, depois desejei não ter pensado nisso. Com o estômago revirado, jurei que não veria mais nenhuma imagem.

Com os dedos trêmulos, tentei me concentrar no relatório. O FIB tinha sido surpreendentemente meticuloso, me deixando apenas uma pergunta para fazer. Alonguei-me e peguei o telefone sem fio na mesa. Meu maxilar doía por eu tê-lo travado por tempo demais enquanto discava o número do parente mais próximo da vítima.

Um homem mais velho atendeu.

– Não, não sou de um serviço de encontros – tranquilizei-o quando ele tentou desligar. – Encantos Vampirescos é uma empresa independente de caça-recompensas. No momento, estou trabalhando com o FIB para identificar a pessoa que atacou sua esposa.

A imagem da mulher retorcida e aniquilada na maca passou diante dos meus olhos. Afastei a lembrança para o local em minha mente onde deveria ficar, provavelmente até que eu tentasse dormir. Esperava que o homem não tivesse visto a foto. Rezei para que ele não tivesse encontrado o corpo dela.

– Peço desculpas por ligar, senhor Graylin – disse no meu tom mais profissional. – Gostaria de fazer apenas uma pergunta. Sua esposa por acaso falou com um homem chamado Trent Kalamack em algum momento antes de morrer?

– O conselheiro municipal? – perguntou, com a voz grossa de surpresa. – Ele é suspeito?

– Claro que não – menti. – Estou seguindo uma das pistas falsas que temos sobre um perseguidor que quer chegar até ele.

– Ah. – Houve um instante de silêncio, depois: – Sim. Na verdade, falamos.

O vigor da adrenalina fez com que me empertigasse.

– Nós o conhecemos numa peça de teatro na primavera – o homem dizia. – Eu me lembro porque era *Piratas de Penzance* e achei que o pirata principal se parecia com o senhor Kalamack. Depois jantamos na Torre Carew e rimos da situação. Ele não está correndo nenhum risco, não é?

– Não – respondi, com o coração explodindo. – Mas peço que o senhor não comente nada sobre a nossa linha de investigação até provarmos que ela é falsa. Sinto muito pela sua esposa, senhor Graylin. Ela era uma mulher muito bonita.

– Obrigado. Sinto saudade dela. – Ele desligou o telefone num silêncio desconfortável.

Larguei o telefone, esperando alguns segundos antes de sussurrar um exuberante "Uau!" Girei a cadeira e vi Glenn em pé na porta.

– O que está fazendo? – perguntou, soltando outra pilha de papéis na minha frente.

Sorri, continuando a ir de um lado para o outro na cadeira.

– Nada.

Ele voltou para a sua mesa e apertou um botão na base do telefone, franzindo a testa quando o último número discado apareceu na tela minúscula.

– Não disse que você podia ligar para essas pessoas. – Seu rosto mostrava raiva e sua postura tinha enrijecido. – Esse homem está tentando esquecer a situação. Ele não precisa que você desenterre o crime para ele.

– Só fiz uma pergunta. – Com as pernas cruzadas, me girei, sorrindo.

Glenn olhou para trás de mim, em direção aos escritórios abertos.

– Você é uma convidada aqui – disse de um jeito rude. – Se não consegue seguir as regras... – Parou. – Por que continua sorrindo?

– O senhor e a senhora Graylin jantaram com Trent um mês antes de ela ser atacada.

O homem se empertigou até sua altura total e deu um passo para trás. Seus olhos se estreitaram.

– Posso ligar para o próximo? – perguntei.

Ele olhou para o telefone ao lado da minha mão, depois para o andar à sua volta. Com uma casualidade forçada, fechou a porta.

– Fale baixo.

Feliz comigo mesma, puxei a pilha de papéis mais para perto. Glenn voltou para trás de seu computador, digitando com uma lentidão irritante.

Meu humor sossegou rapidamente quando vasculhei o relatório do médico--legista, pulando a parte das fotos desta vez. Aparentemente, a vítima, um homem, tinha sido comida viva a partir das extremidades. Concluiu-se que ele estava vivo durante o ato pelo padrão de corte das feridas. E o médico estava razoavelmente seguro de que ele tinha sido comido porque faltavam partes do corpo.

Tentando ignorar a imagem da cena, formada em minha mente, liguei para o número de contato. Ninguém atendeu, nem mesmo a secretária eletrônica. Em seguida, liguei para o antigo local de trabalho, e minha intuição seguiu um caminho agradável ao ver o nome do local: Segurança Seary.

A secretária que atendeu foi muito simpática, mas não sabia de nada, e disse que a esposa do senhor Seary estava num hotel com spa tentando reaprender a dormir. Ainda assim, deu uma olhada nos arquivos e informou que a empresa tinha sido contratada para instalar um cofre na propriedade de Kalamack.

– Segurança... – murmurei, prendendo o maço do senhor Seary no quadro de avisos para tirá-lo da minha frente. – Ei, Glenn. Você tem mais post-its?

Ele vasculhou a gaveta da mesa e me jogou um pacote e, em seguida, uma caneta. Rabisquei o nome do local de trabalho do senhor Seary nele e o afixei no relatório. Depois de pensar por um instante, fiz a mesma coisa com o da mulher, escrevendo "Projetista de segurança". Acrescentei mais uma anotação – "Falou com T" – e a circulei em preto.

Um arrastar de pés no corredor fez meus olhos se erguerem do terceiro relatório. Dei um sorriso descompromissado ao reconhecer o policial gordo com um saquinho de batatas chips na mão. Ele me reconheceu e captou o sinal de Glenn, parando para descansar na porta.

– Glenn te obrigou a fazer trabalho de secretária? – perguntou, com jeito de garoto bonzinho.

– Não – respondi, sorrindo com doçura. – Trent Kalamack é o caçador de bruxos, e eu só preciso de um tempo para juntar as peças.

Ele rosnou, olhando para Glenn, que o olhou de volta de maneira entediada e deu de ombros.

– Rachel – ele disse –, este é o oficial Dunlop. Dunlop, esta é a senhorita Morgan.

– Encantada – respondi, sem oferecer a mão, com medo de ela voltar coberta de gordura de batatas *chips*.

Sem entender a dica, o homem entrou, deixando cair farelos no chão.

– O que você tem aí? – ele perguntou, vindo espiar os extensos relatórios presos no quadro de avisos sobre os post-its de Glenn com anotações desbotadas.

– Cedo demais para dizer. – Com o dedo em seu estômago o empurrei para fora do meu espaço. – Com licença.

Ele recuou, mas não saiu, e foi ver o que Glenn estava fazendo. Policiais nos intervalos são sempre iguais. Os dois conversaram sobre as suspeitas de Glenn em relação à doutora Anders; suas vozes calmas aumentavam e diminuíam de volume.

Soprei os farelos de batatas chips dos meus papéis e senti o coração acelerar quando vi que a terceira vítima tinha trabalhado no controle climático do hipódromo municipal. Era uma área profissional muito difícil, pesada em magia de linhas de ley. O homem tinha sido esmagado até a morte enquanto fazia hora extra para provocar uma chuva de outono e umedecer a pista para a corrida do dia seguinte. O instrumento da morte era desconhecido. Não havia nada pesado o suficiente nos estábulos. Não olhei também para aquela foto.

Foi então que a imprensa percebeu que as três mortes estavam ligadas, apesar dos diferentes métodos de assassinato, e deu o nome de "caçador de bruxos" ao sádico.

Um telefonema rápido me levou à irmã da vítima, a qual informou que ele definitivamente conhecia Trent Kalamack. O conselheiro municipal costumava ligar para o irmão dela e perguntar o estado da pista, mas ela não sabia se o homem tinha falado com o senhor Kalamack antes da morte. Disse também que estava cansada de ouvir falar da morte do irmão e perguntou se eu sabia quanto tempo levaria para ela receber os cheques do seguro.

Finalmente consegui oferecer meus pêsames no meio da falação da mulher e desliguei. As pessoas lidavam com a morte de jeitos diferentes, mas aquilo tinha sido ofensivo.

– Ele conhecia o senhor Kalamack? – Glenn perguntou.

– Aham. – Prendi o maço no quadro de avisos e colei nele um post-it com as palavras "manutenção climática".

– E o emprego dele é importante porque...

– É preciso ter muita habilidade com linhas de ley para manipular o clima. Trent cria cavalos de corrida. Poderia facilmente ter ido até lá e conversado com o homem e ninguém teria desconfiado. – Acrescentei um post-it dizendo "Conhecia T".

O velho policial Dunlop fez um barulho mostrando-se interessado e se aproximou devagar. Desta vez, ficou a um metro de distância de mim, de um jeito respeitoso.

– Acabou com esse? – perguntou, apontando para o primeiro.

– Por enquanto – respondi, e ele se afastou do quadro de avisos. Algumas das anotações de Glenn flutuaram e caíram atrás da mesa. O maxilar de Glenn ficou rígido.

Sentindo que alguém estava me levando a sério, me sentei empertigada. O homem gordo foi de novo até Glenn, fazendo barulhos à medida que descobria as fotos. Soltou o relatório sobre a mesa de Glenn, e eu ouvi o farfalhar de migalhas de batatas chips. Outro oficial entrou, e uma reunião improvisada pareceu tomar forma quando eles se agruparam em volta do monitor do computador de Glenn. Virei de costas para eles e olhei para o próximo relatório.

A quarta vítima tinha sido encontrada no início de agosto. Os jornais disseram que a causa da morte era perda grave de sangue. O que eles não disseram era que o homem tinha sido estripado, rasgado como se tivesse sido atacado por animais. Seu chefe o encontrou no porão do trabalho, ainda vivo e tentando empurrar as entranhas para dentro de si. Era mais difícil do que o normal, porque ele só tinha um braço, já que o outro estava pendurado pela pele da axila.

– Aqui está, madame – uma voz disse no meu cotovelo, e dei um pulo. Com o coração disparado, encarei um jovem oficial do FIB. – Me desculpe – ele acrescentou ao estender uma pilha de papéis. – O detetive Glenn pediu para trazer quando eles terminassem. Não queria assustá-la. – Seus olhos recaíram no relatório que estava na minha mão. – Horrível, não é?

– Obrigada – agradeci, aceitando os relatórios. Meus dedos estavam tremendo quando digitei o número do chefe da vítima, já que não havia parente próximo.

– Jim's – Uma voz cansada atendeu depois do terceiro toque.

Meu cumprimento ficou preso na garganta. Reconheci a voz. Era o anunciador das lutas ilegais de ratos de Cincinnati. Com o coração martelando, desliguei, após vacilar ao tentar pôr o fone no gancho. Olhei fixamente para a parede. A sala estava silenciosa.

– Glenn? – eu disse, com a garganta apertada. Virei-me e o vi cercado por três oficiais, todos olhando para mim.

– Sim?

Minhas mãos tremiam quando estendi o relatório para ele no ambiente pequeno.

– Pode olhar as fotos do crime por mim?

Com o rosto pálido, ele pegou o relatório. Voltei-me para a parede de anotações em post-its, ouvindo o barulho de páginas virando e de pés se arrastando.

– O que devo procurar? – perguntou.

Engoli em seco.

– Gaiolas de ratos? – sugeri.

– Meu Deus – alguém sussurrou. – Como ela sabia?

Engoli em seco de novo. Não conseguia parar.

– Obrigada.

Com movimentos lentos e deliberados, peguei o relatório e o preguei no quadro de avisos. Minha letra estava trêmula ao escrever "Disponibilidade de T" e grudar nele. O relatório dizia que ele era segurança numa boate, mas, se era aluno da doutora Anders, ele deveria ser habilidoso com linhas de ley e provavelmente era chefe de segurança nas rinhas de ratos do Jim's.

Peguei o quinto maço com um sentimento amargo. Era Trent – sabia que era Trent –, mas o horror do que ele tinha feito estava matando qualquer alegria que eu pudesse encontrar nisso.

Senti os homens observando enquanto eu folheava o relatório, me lembrando que a quinta vítima, encontrada três semanas antes, tinha morrido do mesmo jeito que a primeira. Uma ligação para sua mãe chorosa me revelou que ela conhecera Trent no último mês numa livraria especializada. Ela se lembrou de que a filha tinha ficado surpresa por um homem tão jovem e importante ter interesse em antologias de contos de fadas pré-Virada colecionáveis. Depois de confirmar que a filha trabalhava numa empresa de segurança, ofereci meus pêsames e desliguei.

Os murmúrios empolgados dos homens aumentaram meu estado de torpor. Escrevi cuidadosamente "T" numa letra grande, assegurando que as linhas estivessem claras e retas. Colei ao lado da cópia da identificação profissional da mulher. Ela era jovem, com cabelo louro até os ombros e um rosto oval bonito. Tinha acabado de sair da faculdade. A lembrança da imagem que eu tinha visto da primeira mulher na maca passou depressa pela minha mente. Senti o sangue se esvair de mim. Gelada e com a cabeça pesada, me levantei.

As conversas dos homens pararam como se eu tivesse tocado um sino.

– Onde é o banheiro feminino? – sussurrei, com a boca seca.

– Vire à esquerda, depois vá até os fundos da sala.

Não tive tempo para agradecer. Com os saltos baixos batendo no chão, saí da sala. Não olhei nem para a direita nem para a esquerda, me movendo rapidamente ao ver a porta no fundo da sala. Atingi-a com força, chegando ao vaso bem a tempo.

Com uma ânsia de vômito violenta, perdi meu café da manhã. Lágrimas escorriam pelo meu rosto; o sal se misturava ao gosto amargo da bile. Como alguém podia fazer tais atrocidades com outra pessoa? Não estava preparada para aquilo. Eu era uma bruxa, não uma médica-legista. Droga. A SI não ensinava aos caça-recompensas como lidar com aquele tipo de coisa. Caça-recompensas eram caça-recompensas, não investigadores de assassinatos. Eles traziam seus alvos vivos, até mesmo os que já estavam mortos.

Meu estômago estava vazio, e quando a ânsia de vômito finalmente parou eu fiquei onde estava, sentada no chão do banheiro do FIB com a testa encostada na porcelana fria, tentando não chorar. De repente, percebi que alguém estava segurando meu cabelo, e estava ali havia algum tempo.

– Vai passar – Rose sussurrou, quase que para si mesma. – Juro. Amanhã ou depois, você vai fechar os olhos e tudo vai ter desaparecido.

Olhei para cima. Rose soltou a mão e deu um passo para trás. Além da porta aberta havia uma fileira de pias e espelhos.

– Sério? – perguntei, miserável.

Ela sorriu ligeiramente.

– É o que dizem. Ainda estou esperando. Acho que todo mundo está.

Sentindo-me tola, me levantei de um jeito desengonçado e dei descarga. Ajeitei minhas roupas, feliz porque o FIB mantinha o banheiro mais limpo do que o meu. Rose tinha ido até uma pia, me dando um instante para me recompor. Saí do reservado me sentindo envergonhada e idiota. Glenn nunca me deixaria em paz por isso.

– Melhor? – Rose perguntou enquanto secava as mãos, e dei a ela um sinal de positivo com a cabeça, pronta para cair no choro de novo porque ela não estava me chamando de novata nem fazendo eu me sentir inadequada nem fraca. – Tome – ela disse, pegando minha bolsa da pia e me dando. – Achei que você podia precisar de sua maquiagem.

Fiz outro sinal de positivo com a cabeça.

– Obrigada, Rose.

Ela sorriu, e as rugas do rosto a fizeram parecer ainda mais reconfortante.

– Não se preocupe com isso. É uma situação ruim.

Ela se virou para ir embora, e eu soltei de repente:

– Como você lida com isso? Como consegue não se despedaçar? Aquilo... O que aconteceu com aquelas pessoas é horrível. Como alguém pode fazer isso?

Rose respirou devagar.

– Você chora, fica com raiva, depois faz alguma coisa a respeito.

Eu a observei sair, com a batida rápida e aguda dos saltos antes de a porta se fechar.

"Sim. Eu consigo fazer isso."

Onze

Precisei de mais coragem do que eu gostaria de admitir para sair do banheiro feminino. Eu me perguntei se todo mundo sabia que eu tinha perdido o controle. Rose tinha sido inesperadamente gentil e compreensiva, mas eu estava certa de que os oficiais do FIB usariam isso contra mim. "Uma bruxinha bonita e frágil demais para brincar com os garotões." Glenn nunca me deixaria em paz.

Nervosa, dei uma olhada por cima da sala de baias, e meus passos falharam quando não encontrei rostos zombadores, e sim mesas vazias. Todos estavam em pé do lado de fora do escritório de Glenn, espiando para dentro. Vozes altas vinham do interior.

– Com licença – murmurei, segurando a bolsa próxima ao meu corpo enquanto abria caminho para passar empurrando os oficiais uniformizados do FIB. Parei bem na porta, e encontrei a sala cheia de pessoas discutindo, com armas e algemas.

– Morgan. – O policial que estava comendo batatas chips agarrou meu braço e me puxou para dentro. – Você está bem agora?

Eu me recompus, tropeçando com a entrada abrupta.

– Estou – respondi, hesitante.

– Ótimo. Liguei para o último por você. – Dunlop encontrou meu olhar. Seus olhos eram castanhos, e parecia que eu conseguia ver sua alma através deles, de tão sinceros que eram. – Espero que não se importe. Estava morrendo de curiosidade. – Passou a mão pelo bigode, limpando a gordura dali enquanto seu olhar seguia até os seis relatórios presos sob as anotações de Glenn.

Vasculhei a sala com os olhos. Todos os homens e as mulheres voltaram sua atenção para mim, me reconhecendo antes de retomarem a conversa. Eles sabiam que eu tinha vomitado minhas entranhas, mas, pela falta de comentários, parecia que eu tinha quebrado o gelo de um jeito meio distorcido. Talvez me despedaçar tivesse provado que eu era tão humana quanto eles – ou quase isso.

Glenn estava sentado à mesa com os braços cruzados, sem dizer nada ao observar os argumentos separados. Ele me dirigiu um olhar preocupado, com a sobrancelha levantada. Pelo som da conversa, a maioria da sala queria prender Trent, mas alguns estavam intimidados por sua força política e queriam mais indícios. Havia menos tensão na sala do que eu esperava, já que todos gritavam uns com os outros. Os humanos pareciam gostar de fazer as coisas com reuniões barulhentas.

Coloquei a bolsa no chão ao lado da mesa e me sentei para ver o último relatório. Os jornais disseram que a última vítima era um ex-nadador olímpico. Tinha morrido na banheira, afogado. Trabalhava numa estação de TV local como garoto-do-tempo-celebridade, mas estava na faculdade para aprender a manipular as linhas de ley. A anotação dizia que seu irmão não sabia se ele tinha falado com Trent ou não. Peguei o relatório do quadro de avisos e me obriguei a avaliá-lo, prestando mais atenção às conversas ao redor do que ao papel.

– Ele está rindo de nós – uma mulher morena durona disse ao argumentar com um oficial magro que parecia nervoso. Todos, menos Glenn e eu, mantinham-se de pé, e senti como se eu estivesse no fundo de um poço.

– O senhor Kalamack não é o caçador de bruxos – o homem protestou com uma voz anasalada. – Ele dá mais pra Cincinnati do que o Papai Noel.

– Isso se encaixa no perfil – Dunlop interferiu. – Vocês viram os relatórios. Quem está fazendo isso é alguém confiável. Tem vida dupla, é provavelmente um maluco.

Houve um murmúrio suave dos oficiais ao redor quando esse argumento foi apresentado. Se servia para alguma coisa, eu concordava com Dunlop. Quem estava fazendo isso era um maluco. Trent se encaixava bem nessa descrição.

O homem nervoso se empertigou, com o olhar disparado pela sala em busca de apoio.

– Tudo bem, o assassino é louco, sim – admitiu num murmúrio irritante. – Mas eu conheci o senhor Kalamack. O homem não é mais assassino do que a minha mãe.

Virei-me para o relatório do médico-legista, descobrindo que o nosso nadador olímpico tinha mesmo morrido na banheira, mas ela estava cheia de sangue de bruxo. Uma sensação ruim começou a se juntar ao terror. É necessário muito sangue para encher uma banheira. Muito mais do que uma pessoa tem; algo como duas dúzias delas. De onde tinha saído tudo aquilo? Um vampiro não poderia ter desperdiçado essa quantidade.

A discussão sobre a mãe do policial magro se tornou barulhenta, e me perguntei se deveria contar a eles sobre o senhor Kalamack, todo bonzinho, matando seu geneticista-chefe e culpando a picada de uma abelha. Um assassinato ordenado, sem bagunça e sem nem precisar levantar a mão. Trent tinha dado à viúva e à filha órfã de quinze anos o melhor pacote de benefícios e uma bolsa de estudos anônima na universidade.

– Pare de pensar com a carteira, Lewis – Dunlop disse, balançando seu corpo amplo com agressividade. – Só porque o cara faz doações para a instituição de caridade do FIB não significa que é santo. Acho que isso o torna ainda mais suspeito. Nós nem sabemos se ele é humano.

Glenn me deu uma olhada rápida.

– O que isso tem a ver?

Dunlop ficou surpreso, claramente se lembrando de que eu estava ali.

– Absolutamente nada! – ele disse em voz alta, como se o volume de sua voz pudesse apagar a ofensa racial latente. – Mas o cara tem alguma coisa a esconder.

Concordei em silêncio, começando a gostar do policial gordo apesar de sua falta de tato.

Os oficiais amontoados na porta olharam por cima de seus ombros para a sala com baias. Então trocaram olhares e recuaram. Um deles disse "Boa tarde, capitão" enquanto saía do caminho, e não me surpreendi quando o corpo atarracado de Edden substituiu o deles na entrada.

– O que está acontecendo? – perguntou, empurrando os óculos de armação redonda no nariz.

Outro oficial do FIB se despediu em silêncio e saiu sorrateiramente.

– Oi, Edden – eu disse, sem me levantar da cadeira de rodinhas.

– Senhorita Morgan – o homem baixinho disse, com uma pontada de raiva enquanto apertava minha mão estendida e levantava as sobrancelhas ao ver minhas calças de couro. – Rose disse que você estava aqui. Não estou surpreso de te encontrar no meio de uma discussão. – Ele olhou para Glenn e o oficial alto do FIB deu de ombros, nem um pouco arrependido ao se levantar.

– Capitão – Glenn disse, respirando fundo. – Estávamos realizando um exercício livre sobre os possíveis suspeitos dos assassinatos.

– Não estavam, não – Edden disse, e meus olhos foram até os dele ao perceber a raiva em sua voz. – Vocês estavam fofocando sobre o conselheiro municipal Kalamack. Ele não é suspeito.

– Sim, senhor – Glenn concordou enquanto Dunlop me lançou um olhar indecifrável e se esgueirou para fora da sala, de forma surpreendentemente ágil para seu tamanho. – Mas acredito que a senhorita Morgan esteja seguindo um rastro de pensamento válido.

Surpresa com o apoio, pisquei para Glenn.

Edden nem olhou para mim.

– Pare com essa baboseira psicológica, Glenn. A doutora Anders é nossa principal suspeita. É melhor você ter um bom motivo para gastar suas energias nele.

– Sim, senhor – Glenn disse, nem um pouco chateado. – A senhorita Morgan encontrou uma ligação direta entre quatro das seis vítimas com o senhor Kalamack, e um provável contato com o senhor Kalamack nos outros dois.

Em vez de ficar empolgado como eu esperava, Edden desmoronou. Levantei-me quando ele se aproximou para olhar os registros afixados na parede. Seus olhos cansados foram de um para o outro. O último oficial do FIB saiu, e eu fui para o lado de Glenn. Com uma frente unida, talvez ele parasse de desperdiçar nosso tempo e nos deixasse ir atrás de Trent.

Com os pés bem abertos, Edden colocou as mãos nos quadris e encarou as anotações em post-its grudados nos relatórios. Percebi que eu estava prendendo a respiração e a soltei. Sem conseguir resistir, eu disse:

– Todas, menos a última vítima, usavam muito as linhas de ley no trabalho diário. E há uma progressão lenta desde os altamente habilidosos até os que tinham acabado de sair da faculdade e ainda não usavam seus graus.

– Eu sei. – A voz de Edden não demonstrava emoção. – E é por isso que a doutora Anders é suspeita. Ela é a última bruxa de linhas de ley com alguma reputação em Cincinnati que ainda pratica ativamente. Acho que está se livrando da concorrência. Sobretudo porque a maioria das vítimas trabalhava em campos relacionados à segurança.

– Ou Trent ainda não chegou até ela – eu disse baixinho. – A mulher é dura na queda.

Edden se virou, ficando de costas para os relatórios.

– Morgan, por que Trent Kalamack estaria matando bruxos de linhas de ley? Ele não tem motivo.

– Ele tem o mesmo motivo que você deu para a doutora Anders – eu disse. – Se livrar da concorrência. Talvez tenha oferecido um emprego a eles e, quando recusaram, ele os matou. Se encaixaria no caso do namorado desaparecido de Sara Jane. – "Sem falar no que ele fez comigo."

Rugas apareceram na testa de Edden.

– O que nos leva à pergunta de por que ele deixaria sua secretária vir ao FIB.

– Não sei – respondi, minha voz aumentando de volume conforme eu ficava frustrada. – Talvez as duas coisas não tenham relação uma com a outra. Talvez Sara tenha mentido, e Trent não soubesse que ela vinha até nós. Talvez o cara seja maluco e queira ser pego. Talvez ele tivesse tanta certeza de que não o descobríamos que ficou descuidado. Ele matou essas pessoas, Edden. Eu sei disso. Ele falou com elas antes de morrerem. Do que mais você precisa?

Eu estava quase gritando. Sabia que não chegaria a lugar nenhum com Edden; essa burocracia era parte do motivo para eu ter saído da SI. E eu me irritei por ter que tentar "convencer o chefe" de novo. Com a cabeça baixa e a mão no queixo, Glenn deu um passo para trás, me deixando sozinha. Eu não me importava.

– Não é contra a lei falar com Trent Kalamack – Edden disse, com os olhos na altura dos meus. – Metade da cidade o conhece.

– Você vai ignorar o fato de ele ter falado com todas essas pessoas? – protestei.

Seu rosto ficou vermelho por trás dos óculos, que pareciam pequenos demais para seu rosto redondo.

– Não posso acusar um conselheiro municipal por telefonemas e conversas casuais – ele disse. – É o trabalho dele.

Minha pulsação se acelerou.

– Trent matou essas pessoas – afirmei suavemente. – E você sabe disso.

– O que você sabe não vale bosta nenhuma, Rachel. O que vale é o que posso provar. E não posso provar nada com isso. – Ele apontou para o relatório mais próximo, fazendo-o se agitar.

– Então procure no lixo dele – exigi.

– Morgan! – Edden gritou, me chocando. – Não vou autorizar uma busca com base no fato de ele ter conversado com as vítimas. Preciso de mais do que isso.

– Então me deixe falar com ele. Posso conseguir as provas.

– Deus me livre! – ele gritou. – Você quer que eu seja demitido, Rachel? É isso? Sabe o que vai acontecer se eu te deixar vasculhar o lixo dele e você não encontrar nada?

– Nada – respondi.

– Errado! Eu terei acusado de assassinato um homem respeitado. Ele é o conselheiro municipal. Um benfeitor da maioria das instituições de caridade e hospitais nos dois lados da linha estadual. FIB vai se tornar uma palavra nojenta nos lares humanos e impercebidos. Minha reputação será destruída!

Frustrada, fiquei cara a cara com ele, capaz de olhar bem dentro dos seus olhos.

– Não sabia que você tinha se tornado oficial do FIB para melhorar sua reputação.

Glenn se mexeu, fazendo um barulho suave de alerta. Edden enrijeceu, e seu maxilar ficou tenso até aparecerem pontos de suor em sua testa.

– Rachel – ele disse com uma ameaça sutil –, esta é uma investigação oficial do FIB, e nós faremos isso do *meu* jeito. Você se envolveu emocionalmente, e seu julgamento está comprometido.

– Meu julgamento? – gritei. – Ele me prendeu numa porcaria de gaiola e me colocou numa rinha de ratos!

Edden deu um passo em minha direção.

– Não vou – ele disse, apontando para mim – deixar você entrar neste escritório e espalhar suas suspeitas baseadas em vingança enquanto estamos colhendo provas. Mesmo que a gente decida interrogá-lo, você não... vai... estar... lá!

– Edden! – protestei.

– Não! – ele latiu, me fazendo recuar um passo. – Esta conversa acabou.

Respirei para dizer a ele que não tinha acabado até eu decidir, mas ele saiu da sala. Com raiva, fui atrás dele pisando duro.

– Edden – chamei atrás de sua sombra, que desaparecia rapidamente. Para um homem atarracado, o sujeito se movia com velocidade. Uma porta bateu. – Edden!

Ignorando os oficiais do FIB que assistiam, saí batendo pé pelas baias, passei por Rose e cheguei à porta fechada dele. Estendi a mão para a maçaneta, depois hesitei. Era o escritório dele; mesmo irritada, eu não o invadiria. Frustrada, fiquei parada do lado de fora da porta e gritei:

– Edden! – Ajeitei uma mecha de cabelo atrás da orelha. – Você e eu sabemos que Trent Kalamack é capaz de cometer um assassinato e é propenso a isso. Se você não me deixar falar com ele em nome do FIB, eu estou fora!

Tirei o crachá de visitante como se significasse alguma coisa e o joguei na mesa de Rose.

– Está me ouvindo? Vou falar com ele por minha própria conta.

A porta do Edden se abriu de repente, e dei um passo para trás. O capitão ficou parado na minha frente, com as calças cáqui amassadas e a camisa desgrenhada. Então saiu para o corredor, me empurrando quase até a mesa da Rose com um dedo gorducho.

– Eu tinha dito que, se você entrasse nessa missão atirando no senhor Kalamack, arrastaria sua bunda de bruxa cruzando o rio até Hollows. Você assumiu o compromisso de trabalhar com o detetive Glenn nisso, e vou te manter nessa missão. Mas, se falar com o senhor Kalamack, te jogo na minha própria prisão por assédio.

Respirei para protestar, mas minha determinação falhou.

– Agora saia daqui – Edden quase rosnou. – Você tem aula amanhã, e vou descontar a mensalidade do seu pagamento se não for.

Pensamentos sobre o dinheiro do aluguel acabaram interferindo. Desprezar aquele dinheiro, e não o que era certo, foi o que me impediu. Olhei furiosa para ele.

– Você sabe que Trent matou aquelas pessoas – eu disse com intensidade.

Tremendo com a adrenalina acumulada, me afastei. Passei pelos oficiais do FIB silenciosos em suas mesas no caminho para a saída. Eu ia pegar o ônibus até em casa.

Doze

Caí pesadamente quando Ivy deu uma rasteira em mim. Rolei para longe, já sentindo dor na área do quadril que atingiu o chão. Meu coração latejava no ritmo da dor nas panturrilhas. Afastei dos olhos uma mecha de cabelo que tinha escapado da tiara. Coloquei a mão na parede do santuário e a usei para me equilibrar enquanto me levantava. Com os pulmões agitados, passei as costas da mão na testa para secar o suor.

– Rachel – Ivy disse a dois metros e meio de distância. – Preste atenção. Eu quase te machuquei dessa vez.

"Quase?" Balancei a cabeça para clarear a visão. Eu nem a vi se mexer, ela era muito rápida. Evidentemente, posso não tê-la visto se mover porque eu estava quebrada.

Ivy deu três passos longos na minha direção. Com os olhos arregalados, girei meu corpo num círculo para a esquerda, lançando o pé direito em sua barriga.

Gemendo, ela pôs a mão no estômago e tropeçou para trás.

– Ai – reclamou, recuando. Eu me abaixei, colocando as mãos nos joelhos para indicar que queria um intervalo. Ivy obedientemente se afastou e esperou, tentando não demonstrar que eu a tinha machucado.

Da minha posição, olhei para ela, em pé numa faixa de sol da tarde verde e dourada que entrava pelas janelas do santuário. A meia de corpo preta e a sapatilha macia que ela usava quando lutávamos juntas a faziam parecer mais predadora do que o normal. O cabelo preto e liso estava preso para trás, acentuando sua aparência esguia. Com o rosto inexpressivo e pálido, ela me esperou recuperar o fôlego para continuarmos.

O treino era mais para mim do que para ela. Ivy insistia que isso aumentaria minha expectativa de vida se eu me encontrasse com um feio-grande-mau sem meus feitiços ou um lugar para onde fugir. Eu sempre saía do treino com manchas roxas e ia direto para meu armário de talismãs. Como isso aumentaria a minha vida era algo além da minha compreensão. Mais prática em fazer amuletos de dor, talvez?

Ivy tinha chegado em casa cedo de seu passeio com Kist, me surpreendendo ao sugerir que fôssemos malhar. Eu ainda estava fervendo com a recusa de Edden de me deixar interrogar Trent e, com a necessidade de liberar um pouco da raiva, aceitei. Como sempre, quinze minutos depois eu estava machucada e com a respiração pesada, enquanto ela ainda nem tinha suado.

Ivy dançava impacientemente de um pé para o outro. Seus olhos eram de um castanho bonito e sólido. Eu mantinha os olhos fixos nela quando malhávamos juntas, sem querer forçar demais seus limites. Ela estava ótima.

– O que aconteceu? – Ivy perguntou quando eu me empertiguei. – Você está mais agressiva do que o normal.

Dobrei a perna para trás para alongar o músculo da coxa e puxar a barra das calças de moletom de volta para o tornozelo.

– Todas as vítimas falaram com Trent antes de morrer – eu disse, aumentando a verdade. – Edden não quer me deixar interrogá-lo. – Puxei a outra perna e fiz um sinal de positivo com a cabeça.

A respiração de Ivy acelerou e me agachei quando ela disparou na minha direção. Rápido demais para eu pensar, fugi do golpe dela, dando mais uma rasteira. Tentando evitá-la e gritando, ela voou num salto para trás, pousando sobre as mãos e depois sobre os pés. Dei um pulo para trás para impedir que seu pé atingisse meu maxilar no caminho.

– E daí? – Ivy questionou suavemente, esperando eu me levantar.

– E daí que Trent é o assassino.

– Você tem como provar isso?

– Ainda não. – Eu me joguei na direção dela, que dançou e saiu do caminho, pulando para o peitoril estreito. Assim que seus pés pousaram, ela tomou impulso e deu um salto mortal direto em cima de mim. Girei-me para mantê-la no meu campo de visão. Manchas vermelhas de esforço estavam começando a aparecer em sua pele. Ela estava recorrendo a seu repertório de vamp para escapar de mim. Encorajada, continuei, golpeando com os punhos e os cotovelos.

– Então pare e termine a missão por sua conta – Ivy disse entre bloqueios e contragolpes.

Os punhos que atingiram seus bloqueios doíam, mas continuei.

– Eu disse a ele... que ia fazer isso... – Golpe, bloqueio, bloqueio, golpe. – ... e ele ameaçou me prender por assédio. Disse para eu me concentrar na doutora Anders. – Recuei, ofegante. Suor. "Por que mesmo estou fazendo isso?"

Um sorriso real e incomum apareceu em seu rosto e depois sumiu.

– Canalha ordinário – ela disse. – Sabia que Deus o tinha colocado na Terra para ser mais do que uma refeição feliz.

– Edden? – Sequei o suor que pingava do meu nariz. – Ele é mais uma refeição infantil tamanho grande, não? – Fiz um gesto para ela vir me pegar. Com os olhos cintilando de diversão, ela obedeceu, bombardeando socos e terminando com um golpe no plexo solar que me fez cambalear.

– Você está perdendo a concentração – ela disse, respirando com dificuldade enquanto me observava ajoelhar no chão, ofegando. – Devia ter adivinhado esse golpe.

Eu tinha, mas meu braço estava ficando dormente e lento por ter sido atingido muitas vezes.

– Estou bem – respirei com dificuldade. Esta era a primeira vez que a via transpirar, e não pararia naquele momento. Tremendo, me levantei e mostrei dois dedos, depois um. Minha mão se abaixou, e ela se aproximou com uma rapidez sobrenatural.

Preocupada, bloqueei seus socos vampirescos, recuando para fora do tatame e quase chegando no saguão. Quando cheguei ao portal, Ivy agarrou meu braço e me lançou sobre si e de volta para o tatame. Minhas costas bateram fazendo barulho e me tirando o fôlego. Senti seus pés vindo na minha direção. A adrenalina aumentou. Ainda sem respirar, rolei até atingir a parede. Ela estava louca atrás de mim, e caiu me prendendo.

Com os olhos iluminados, se inclinou sobre mim.

– Edden é um cara sábio – ela disse entre uma respiração e outra, com um fio de cabelo que escapou do rabo de cavalo, fazendo cócegas no meu rosto. – Você devia dar ouvidos a ele e deixar Trent em paz.

– Até tu, Brutus? – respirei com dificuldade. Resmungando, enfiei o joelho em sua virilha.

Ela percebeu o golpe se aproximando e caiu para trás. Sabia que ela era rápida demais para deixar o golpe atingi-la, mas isso a fez sair de cima de mim. Exatamente o que eu queria.

Ivy voltou à distância normal de dois metros e meio e me esperou levantar. Desta vez, mais lentamente. Esfreguei o ombro enquanto a observava, evitando contato visual para ela saber que eu não estava preparada.

– Nada mal – admitiu. – Mas você não continuou. O senhor feio-grande--mau não vai ficar parado esperando você recuperar o equilíbrio; e você também não deveria fazer isso.

Dei a ela um olhar preocupado por trás do meu cabelo vermelho. Tentar acompanhá-la – quanto mais superá-la – era difícil. Nunca tinha pensado em superar um vampiro antes, já que a SI não mandava bruxos pegá-los. E, além do mais, a SI cuidava dos seus funcionários, dentro ou fora do emprego. A menos que eles quisessem você morto.

– O que você vai fazer? – perguntou enquanto eu analisava minhas costelas através da blusa de moletom.

– Em relação a Trent? – respondi, sem fôlego. – Falar com ele sem Edden e Glenn saberem.

O movimento de balanço de Ivy falhou. Com um grito de alerta, ela pulou para a frente.

O instinto e a prática me salvaram quando me agachei. Ela se girou num círculo pequeno, e eu escapei. Ivy continuou com uma série de socos que me jogaram de costas na parede. Sua voz ecoou nas paredes vazias do santuário, enchendo-o de som.

Chocada com sua súbita ferocidade, me afastei da parede e lutei de volta usando todos os truques que Ivy havia me ensinado. Fiquei com raiva porque ela nem estava se esforçando. Com sua velocidade e força vamp, eu era um alvo móvel.

Meus olhos se arregalaram quando seu rosto ficou selvagem. Ela ia me mostrar alguma coisa nova. Legal.

Ivy gritou e se girou. Tola, não fiz nada quando seu pé atingiu meu peito, me jogando na parede da igreja.

Perdi o fôlego, e a dor esmagou meus pulmões. Ela correu para longe, me deixando pendurada e ofegando. Encarando o chão, vi os raios de sol verdes e dourados tremendo quando os vitrais dos meus dois lados estremeceram. Ainda sem respirar, olhei para cima e vi Ivy perambulando para longe. Seu passo lento e debochado me irritou.

A raiva queimou, me dando forças. Ainda sem ter recuperado o fôlego, pulei sobre ela.

Ivy gritou de surpresa quando caí em suas costas. Com um riso selvagem, minhas pernas envolveram sua cintura. Agarrei um punhado de seu cabelo e puxei sua cabeça para trás, deslizando um braço em seu pescoço para sufocá-la.

Ofegando, ela tropeçou para trás. Eu a soltei, sabendo que Ivy ia me jogar contra a parede de novo. Caí no chão, e ela tropeçou em mim, caindo. Agarrei-a, pegando-a pelo pescoço mais uma vez. Ela deu um pinote no chão, girando o corpo num ângulo impossível, e escapou de mim.

Com o coração a mil por hora, dei um pulo e me levantei, encontrando Ivy a dois metros e meio de distância – esperando. Minha satisfação por tê-la surpreendido desapareceu quando percebi que alguma coisa havia mudado. Ela estava se movendo de um pé para o outro com uma graciosidade fluida e intimidadora, o primeiro sinal de que seu lado vamp estava assumindo o controle.

Imediatamente me empertiguei e acenei os braços me rendendo.

– Chega – ofeguei. – Tenho que tomar banho. Cansei. Preciso fazer o dever de casa.

Mas, em vez de recuar como sempre fazia, ela começou a andar em círculos. Seus movimentos eram languidamente lentos, e os olhos estavam grudados nos meus. Senti o coração bater forte e me girei para mantê-la no meu campo de visão. Fui envolvida pela tensão, que retesou meus músculos um por um. Ela parou sob um raio de sol, com a luz cintilando em sua meia de corpo preta como se fosse óleo. Seu cabelo estava solto, com o elástico de cabelo no chão entre nós, onde eu acidentalmente o arrancara.

– Esse é o seu problema, Rachel – ela disse, com a voz suave ecoando. – Você sempre desiste quando começa a ficar bom. Você é uma provocadora. Nada além de uma maldita provocadora.

– Como é? – perguntei, com a boca do estômago embrulhando. Eu sabia exatamente o que Iy queria dizer, e isso me assustou pra caramba.

Seu rosto ficou tenso. Prevenida, me protegi quando ela veio na minha direção. Bloqueei seus punhos, afastando-a com um dos pés mirando em seus joelhos.

– Pare com isso, Ivy! – gritei quando ela saiu do meu alcance. – Eu disse que já chega!

– Não chega, não. – Sua voz cinza caiu sobre mim como seda. – Estou tentando salvar sua vida, bruxinha. Um vamp malvadão não vai parar só porque você mandou. Ele vai continuar até conseguir o que quer ou até você derrotá-lo. Vou salvar a sua vida... de um jeito ou de outro. Você vai me agradecer quando isso acabar.

Ela disparou na minha direção. Pegou meu braço e o girou, tentando me forçar a ir para o chão. Engoli em seco e chutei suas pernas. Nós caímos, e minha respiração explodiu. Em pânico, me afastei e rolei até ficar de pé.

Encontrei-a esperando à distância de sempre, de dois metros e meio, andando em círculos. Um calor sutil tinha tomado seus movimentos. Ela tinha a cabeça abaixada e me olhava por trás das mechas de cabelo. Seus lábios estavam entreabertos, e quase dava para ver sua respiração passando por eles.

Recuei. O medo aumentou quando o anel castanho ao redor de suas pupilas ficou preto. "Droga."

Engolindo em seco, passei a mão sobre o rosto, tentando, em vão, tirar o suor dela que tinha pingado em mim. Sabia que não devia pular em cima de Ivy. Eu precisava tirar o cheiro dela de mim, e agora? Meus dedos tocaram a cicatriz do demônio no pescoço, e prendi a respiração. Meu corpo formigava por causa dos feromônios que ela estava jogando no ar. "Duas vezes droga."

– Pare, Ivy – disse, amaldiçoando o tremor que apareceu na minha voz. – Já chega. – Sabendo que a minha vida dependia do que acontecesse nos próximos segundos, virei de costas para ela, numa demonstração falsa de confiança. Ou eu conseguiria chegar ao meu quarto, protegido por duas trancas, ou não.

O pelo na minha nuca se eriçou quando passei por ela. Meu coração estava prestes a explodir, e prendi a respiração novamente. Ivy não fez nada até eu me aproximar do corredor, e minha respiração escapou.

– Não chega, não – sussurrou.

O som do ar se movendo fez com que eu me virasse.

Ela atacou em silêncio, com os olhos tomados de preto. Nem estava se esforçando. Defendi os golpes por instinto. Ivy pegou meu braço e me girou, fazendo com que eu gritasse de dor ao ter minhas costas esmagadas contra ela. Inclinei-me para a frente como se tentasse escapar do aperto. Quando seus braços enrijeceram e seu corpo se inclinou para conseguir equilíbrio, joguei a cabeça para trás e atingi seu queixo.

Rosnando, ela me soltou e tropeçou para trás. A adrenalina percorria meu corpo. Ivy estava entre mim e os meus feitiços. Se eu fosse em direção à porta da frente, jamais conseguiria me salvar. Maldita Virada, eu não devia ter pulado na Ivy. Esse foi o meu erro. Eu não devia ter ficado agressiva. Ela era impulsionada pelos instintos, e eu tinha forçado demais a barra.

Levantei-me, observando-a parar oscilante sob um raio de sol. De lado, ela inclinou a cabeça e tocou no canto da boca.

Meu estômago gelou quando seu dedo apareceu com sangue. Seus olhos encontraram os meus enquanto ela esfregava o sangue entre os dedos e sorria. Estremeci ao ver seus caninos afiados.

– Primeiro sangue, Rachel?

– Ivy, não! – gritei quando ela se aproximou.

Ivy me pegou antes de eu conseguir dar um passo. Agarrando meu ombro, me jogou na parte da frente da igreja. Bati na parede onde ficava o altar, escorregando até o chão. Lutei para respirar enquanto ela se aproximava. Tudo doía. Seus olhos eram poços negros. Seus movimentos eram suaves de tanto poder. Tentei rolar para longe. Ela me alcançou e me puxou com força.

– Vamos lá, bruxa – Ivy disse gentilmente. Sua voz de pena de coruja negra contrastava com o aperto doloroso no meu ombro. – Te ensinei melhor do que isso. Você nem está se esforçando.

– Não quero te machucar – ofeguei, com um braço envolvido na barriga.

Ela me segurou na parede sob a sombra de uma cruz retirada dali havia muito tempo. O sangue de seus lábios formava uma joia vermelha no canto da boca.

– Você não consegue me machucar – sussurrou.

Com o coração disparado, me sacudi para me livrar dela, mas fracassei.

– Me solta, Ivy – ofeguei. – Você não quer fazer isso. – Uma essência enjoativa de incenso trouxe de volta a lembrança dela me prendendo na cadeira na última primavera. – Se você fizer isso, vou embora – ameacei, frenética. – Você vai ficar sozinha.

Ela se inclinou para perto, colocando a parte lisa do antebraço livre na parede ao lado da minha cabeça.

– Se eu fizer isso, você não vai embora. – Um sorriso irritado se abriu em seu rosto, mostrando alguns dentes, e ela pressionou um pouco mais. – Mas você poderia escapar se quisesse de verdade. O que acha que eu andei te ensinando nos últimos três meses? Quer ir embora, Rachel?

O pânico se entrelaçou fundo dentro de mim. Meu coração batia alucinadamente, e Ivy inspirou como se eu tivesse dado um tapa nela. O medo era um afrodisíaco, e eu tinha acabado de fornecê-lo. Perdida na escuridão dos instintos e das necessidades, seus músculos ficaram tensos como fios esticados.

– Quer ir embora, bruxinha? – murmurou, com o hálito sobre a minha cicatriz do demônio, provocando um formigamento no meu corpo inteiro.

Inspirei, levando ar até a essência do meu ser. Parecia que meu sangue estava sendo transformado em metal líquido enquanto uma pulsação era conduzida pelo meu corpo.

– Me larga – ofeguei, e a sensação deliciosa saía do pescoço e me tomava. Era a cicatriz. Ela estava brincando com a cicatriz do demônio como Piscary tinha feito.

Ela lambeu os lábios.

– Me obrigue a fazer isso. – Hesitou, com a fome poderosa mudando para algo mais brincalhão e traiçoeiro. – Me diga que não é bom quando eu faço isso. – Ela soltou a respiração num suspiro e observou meus olhos enquanto seu dedo formava uma trilha saindo da minha orelha, passando pelo pescoço e descendo pela clavícula.

Quase me rendi à sensação de sua unha encontrando os ressaltos suaves da cicatriz, estimulando-a em sua força total. Fechei os olhos ao me lembrar que o demônio tinha assumido o rosto de Ivy quando rasgara minha garganta, enchendo a ferida com um coquetel perigoso de neurotransmissores que transformavam dor em prazer.

– Sim – respirei, quase gemendo. – Deus do céu. É bom. Por favor... pare.

Seu corpo se remexeu contra o meu.

– Sei como é – respondeu. – A fome se espalha e ocupa seu corpo. Conheço a necessidade que provoca, até que o único pensamento queimando em você é tocar no desejo para realizá-lo.

– Ivy? – choraminguei. – Pare. Eu não posso. Não quero.

Meus olhos se abriram de repente com seu silêncio. A gota de sangue no canto da boca tinha sumido. Eu sentia o sangue pulsando em mim. Sabia que minhas reações estavam presas à cicatriz do demônio, que estava lançando feromônios para reestimular a saliva pseudovamp que continuava em mim para transformar a dor em prazer. Sabia que era uma das poucas adaptações de sobrevivência em que os vamps confiavam para prender as pessoas a eles, garantindo um suprimento voluntário de sangue. Sabia disso tudo, mas estava ficando mais difícil lembrar. Mais difícil me importar. Não era sexual. Era uma necessidade. Fome. Calor.

Ivy colocou a testa ao lado da minha, contra a parede, como se quisesse concentrar sua determinação. Seu cabelo formava uma cortina de seda entre nós. Senti seu calor através da meia de corpo. Não conseguia me mexer, tensa de medo e desejo, me perguntando se ela ia saciá-lo ou se eu teria força de vontade suficiente para afastá-la.

– Você não sabe o que é viver ao seu lado, Rachel – ela disse, com o sussurro vindo de trás do cabelo como se viesse de um confessionário. – Você teria medo se soubesse como sua cicatriz te deixa vulnerável. Você foi marcada para o prazer e, a menos que tenha um vampiro para te reivindicar e te proteger, todos vão tirar vantagem disso, pegando o que querem e te passando para o próximo até que não seja nada além de uma marionete implorando para ser sangrada. Eu esperava que você conseguisse dizer não. Que, se te ensinasse o suficiente, você conseguiria afastar um vampiro faminto. Mas você não consegue, querida. As neurotoxinas entraram fundo demais. Não é culpa sua. Lamento...

Minha respiração veio ofegante. Cada suspiro provocava a promessa de prazer em mim, fluindo para renovar aqueles que se enfraqueceram, crescendo sobre aqueles que tinham vindo antes. Prendi a respiração, tentando encontrar força de vontade para mandá-la me largar. "Meu Deus, estou fracassando."

A voz de Ivy ficou suave, persuasiva.

– Piscary disse que esse é o único jeito de te manter. De te manter viva. Eu seria gentil, Rachel. Não pediria nada que você não quisesse dar. Você não seria como aquelas sombras patéticas na Piscary's; você seria forte, igual a mim. Quando te enfeitiçou, ele me mostrou que não doeria. – Sua voz ficou suave como a de uma garotinha. – O demônio já te amoleceu. A dor acabou. Nunca vai doer de novo. Ele disse que você reagiria e, meu Deus, Rachel, você reagiu. É como se um mestre tivesse te quebrado. E você é minha.

O medo me tomou com seu tom duro e possessivo. Ela virou a cabeça; o cabelo se afastou e mostrou seu rosto. Os olhos negros, perfeitos em sua inocência, demonstravam uma fome antiga..

– Eu vi o que aconteceu sob o encanto de Piscary, o que você sentiu com apenas um dedo tocando sua pele.

Não conseguia me mexer. Estava com medo demais e extasiada pelas sensações que disparavam do meu pescoço no ritmo da minha pulsação.

– Imagine – sussurrou – se não fosse um dedo, e sim meus dentes, rasgando sua pele com precisão e pureza.

O pensamento lançou um pulso de calor pelo meu corpo. Fiquei fraca sob o aperto, meu corpo se rebelando contra minha mente, que divagava. Senti lágrimas quentes escorrerem pelas minhas bochechas e pingarem na clavícula. Não sabia se eram lágrimas de medo ou de necessidade.

– Não chore, Rachel – ela disse, inclinando a cabeça para roçar os lábios no meu pescoço junto com as palavras. Quase desmaiei com a dor do desejo. – Também não queria que fosse assim. Mas, por você – sussurrou –, eu quebraria meu jejum.

Seus dentes arranharam meu pescoço, provocando. Ouvi um gemido suave, chocada ao perceber que tinha saído de mim. Meu corpo implorava por aquilo, mas minha alma gritava o oposto. Os rostos dóceis e ansiosos na Piscary's apareceram na minha mente. Sonhos perdidos. Vidas desperdiçadas. A existência transformada para servir às necessidades de outra pessoa. Tentei empurrá-la, mas não consegui. Minha força de vontade era um novelo de lã, se despedaçando com o menor puxão.

– Ivy – protestei, ouvindo meu sussurro. – Espere. – "Não consigo dizer não. Mas consigo pedir um tempo."

Ela me ouviu, se afastando para me olhar. Ela estava perdida num labirinto de expectativa e êxtase. Um terror dormente me atingiu.

– Não – eu disse, ofegando enquanto lutava contra a viagem induzida por feromônios. "Eu disse. De algum jeito eu consegui dizer."

Surpresa e dor atravessaram seu rosto, com um pouco de consciência voltando a seus olhos negros.

– Não? – Ela parecia uma criança magoada.

Meus olhos se abriram de repente quando ela apertou mais meu ombro.

– Acho que você não quis dizer isso – rangeu os dentes.

– Ivy! – gritei quando ela me puxava para si. A adrenalina percorreu as minhas veias. Depois foi a dor, me punindo pelo desafio. Apavorada, encontrei forças para afastá-la do meu pescoço. Ela me puxava com uma força cada vez maior. Seus lábios se abriram para mostrar os dentes. Meus músculos começaram a tremer. Devagar, ela me puxou para perto. Sua alma tinha sumido de seus olhos. A fome brilhava neles como um deus. Meus braços tremiam, prontos para se renderem.

"Que Deus me salve", pensei, desesperada, e meus olhos encontraram a cruz incorporada no teto.

Ivy se sacudiu quando um barulho metálico reverberou no ar.

Ela se enrijeceu. Sua necessidade fraquejou. As sobrancelhas se ergueram confusas, e o foco oscilou. Senti o aperto enfraquecer enquanto prendia a respiração. Com os dedos escorregando da minha pele, ela caiu aos meus pés com um suspiro.

Atrás dela, Nick estava parado com minha maior panela de cobre para feitiços.

– Nick – sussurrei, com lágrimas borrando minha visão. Respirei e corri até ele, desmaiando quando ele tocou minha mão.

Treze

Estava quente e sufocante. Eu sentia cheiro de café. Starbucks: com açúcar, sem creme. Abri os olhos e encontrei meu cabelo vermelho bloqueando a visão. Meu braço doía, e eu o afastei. O ambiente estava silencioso, com apenas o som abafado do tráfego e o zumbido familiar do despertador de Nick interrompendo a calmaria. Não fiquei surpresa ao descobrir que estava no quarto dele, segura no meu lado ocasional da cama, de frente para a janela e a porta. A cômoda dilapidada de Nick, sem puxador, nunca me pareceu tão bonita.

A luz que entrava pelas cortinas fechadas era fraca. Imaginei que estava perto do pôr do sol. Uma olhada para o relógio mostrou 17h35. Sabia que o relógio estava certo. Nick era um cara da tecnologia, e o relógio sempre recebia um sinal do Colorado à meia-noite para se ajustar ao relógio atômico de lá. Seu relógio de pulso funcionava do mesmo jeito. Por que alguém necessitava de tanta precisão era algo além do meu alcance. Eu nem usava relógio de pulso.

A manta de crochê que a mãe de Nick tinha feito para ele com lã azul e dourada estava sobre o meu queixo e exalava um leve odor de sabonete Ivory. Algo que reconheci como um amuleto de dor estava sobre a mesinha de cabeceira – bem ao lado da vareta. Nick pensou em tudo. Se ele pudesse tê-lo invocado, o teria feito.

Sentei-me procurando por ele, sabendo, pelo aroma de café, que ele provavelmente estava por perto. Pus os pés no chão, enrolada na manta. Meus músculos protestaram, e estendi a mão para pegar o amuleto. As costelas doíam e as costas estavam feridas. Com a cabeça abaixada, espetei o dedo para tirar três gotas de sangue e invocar o talismã. Antes mesmo de colocar o cordão no pescoço, me senti relaxar com um alívio imediato. Eram só dores musculares e manchas roxas, nada que não pudesse ser curado.

Estreitei os olhos no crepúsculo artificial. Uma xícara de café abandonada atraiu meus olhos para uma pilha de roupas sobre a cadeira. A pilha se movia num ritmo suave e, enfim, se revelou ser Nick dormindo com as compridas pernas esparramadas. Ele estava de meias, já que não usava sapatos no carpete, e seus pés grandes provocaram um sorriso em mim.

Sentei-me, feliz por estar ociosa naquele momento. O dia de Nick começava seis horas antes do meu, e uma barba por fazer formava sombras no seu rosto longo e relaxado ao dormir. Seu queixo estava apoiado no peito, com o cabelo preto e curto caído, escondendo seus olhos, que se abriram quando sentiu meu olhar sobre si. Meu sorriso aumentou quando ele se espreguiçou na cadeira, soltando um suspiro.

– Oi, Ray-Ray – ele disse. Sua voz era como uma poça de água morna envolvendo meus tornozelos. – Como está?

– Bem. – Eu estava com vergonha por ele ter testemunhado o que tinha acontecido, com vergonha por ele ter me salvado, e muito feliz por ele ter estado lá para fazer essas duas coisas.

Ele foi se sentar ao meu lado, e seu peso me fez deslizar na direção dele. Respirei aliviada e feliz quando encostei nele. Nick me envolveu com seu braço e me apertou. Descansei a cabeça em seu ombro sentindo sua essência de livros antigos e enxofre. Devagar, minha respiração se tornou evidente, e fiquei sentada sem fazer nada, absorvendo energia apenas pela presença dele.

– Tem certeza de que está bem? – perguntou, com a mão enterrada no meu cabelo enquanto me abraçava.

Eu me distanciei para olhá-lo.

– Tenho. Obrigada. Onde está Ivy? – Ele não respondeu nada, e meu rosto demonstrou preocupação. – Me diz que ela não te machucou.

Sua mão saiu do meu cabelo.

– Ela está no chão, onde a deixei.

– Nick! – protestei, me afastando dele para endireitar o corpo. – Como pôde deixar Ivy lá? – Levantei-me e fui procurar minha bolsa, percebendo que ele não a trouxera. Eu também estava descalça. – Me leva para casa – eu disse, sabendo que os motoristas de ônibus não me deixariam entrar.

Nick tinha se levantado junto comigo. Seu rosto ficou preocupado, e ele baixou os olhos.

– Merda – ele disse entre os dentes. – Desculpa. Achei que você tinha dito não para ela. – Seu olhar procurou o meu e se afastou depressa, e seu rosto longo pareceu magoado, desapontado e vermelho de vergonha. – Ah, merda, merda, merda – murmurou. – Me desculpe mesmo. É... É, vem comigo. Vou te levar para casa. Talvez ela ainda não tenha acordado. Sinto muito, de verdade. Achei que você tinha dito não. Meu Deus. Eu não devia ter interferido. Achei que você tinha dito não!

Ele estava encolhido de constrangimento, e, desnorteada, estendi a mão e o puxei de volta antes que ele pudesse sair pela porta do quarto.

– Nick? – eu disse quando ele parou de repente. – Eu *disse* não.

Os olhos de Nick se arregalaram ainda mais. Seus lábios se abriram, e ele ficou parado, parecendo incapaz até mesmo de piscar.

– Mas... você quer voltar?

Sentei na cama e olhei para ele.

– Bom, quero. Ela é minha amiga. – Fiz um gesto de descrença. – Não consigo acreditar que você simplesmente a deixou deitada lá!

Nick hesitou, revelando confusão nos olhos semicerrados.

– Mas eu vi o que ela tentou fazer. Ela quase te mordeu, e você quer voltar?

Meus ombros desabaram, e meu olhar despencou até o carpete amarelo, horroroso e manchado.

– Foi culpa minha – contei, baixinho. – Estávamos treinando luta, e eu estava com raiva. – Levantei o olhar. – Não dela. De Edden. Ela ficou atrevida, e isso me irritou, então pulei sobre ela e a peguei desprevenida... caí nas costas dela, puxei seu cabelo para trás e respirei no seu pescoço.

Com os lábios pressionados, Nick se abaixou para sentar na ponta da cadeira e colocou os cotovelos nos joelhos.

– Deixa eu ver se entendi. Você decidiu treinar luta com ela quando estava com raiva. Você esperou as duas estarem com a emoção à flor da pele e pulou sobre ela? – Ele expirou ruidosamente pelo nariz. – Tem certeza de que você *não* queria que ela te mordesse?

Fiz uma cara azeda para ele.

– Eu disse que não era culpa dela. – Sem querer discutir, me levantei e mexi seus braços de forma a abrir espaço para eu sentar no seu colo. Ele soltou um gemido de surpresa, depois me envolveu com os braços quando sentei. Encostei a cabeça no queixo e no ombro dele, inspirando seu aroma masculino. A lembrança da euforia induzida por saliva vamp me atingiu e depois sumiu. Não queria que ela me mordesse – não mesmo –, mas um pensamento não desaparecia: de que meu lado mais primitivo, movido pelo prazer, pode ter desejado isso. Eu sabia que não devia ter pulado nela. Não tinha sido sua culpa. E, assim que eu conseguisse me convencer disso e sair do colo de Nick, eu ligaria para Ivy e falaria isso.

Eu me aninhei nele e ouvi os carros na rua enquanto Nick passava a mão na minha cabeça. Ele parecia excessivamente aliviado.

– Nick? – perguntei. – O que você teria feito se eu não tivesse dito não?

Ele respirou devagar.

– Teria deixado sua panela de feitiços lá e ido embora – ele respondeu, com sua voz ressoando dentro de mim.

Eu me endireitei, e Nick recuou quando o peso do meu corpo se remexeu sobre ele.

– Você teria deixado ela rasgar a minha garganta?

Ele não me olhava nos olhos.

– Ivy não teria drenado seu sangue e te deixado para morrer – ele disse, relutante. – Mesmo no frenesi que você provocou. Eu ouvi o que ela te ofereceu. Não era só por uma noite. Era um compromisso para a vida toda.

Minha cicatriz do demônio formigou com essas palavras, e, assustada, afastei a sensação.

– Por quanto tempo você ficou parado lá? – perguntei, gelando ao pensar que o pesadelo poderia ter sido muito pior do que Ivy simplesmente perdendo o controle.

Ele me apertou com mais força, mas seus olhos não encontraram os meus.

– Por tempo suficiente para ouvir Ivy pedir para que você fosse herdeira dela. Eu não ficaria no seu caminho se fosse algo que você desejasse.

Minha boca se abriu de repente, e tirei o braço de trás dele.

– Você teria ido embora e deixado ela me transformar num brinquedinho?

Um brilho de raiva apareceu em seus olhos castanhos.

– Uma herdeira, Rachel. Não uma sombra, nem um brinquedinho... nem mesmo uma escrava. Há um mundo de diferenças.

– Você teria ido embora?! – exclamei, sem querer sair do colo dele por medo de que o orgulho me obrigasse a deixar seu apartamento. – Não teria feito nada?

Seu maxilar travou, mas ele não fez nenhum movimento para me jogar no chão.

– Não sou eu que moro numa igreja com uma vamp! – ele disse. – Não sei o que você quer. Só posso confiar no que você me conta e no que eu vejo. Você mora com ela. Você me namora. O que eu deveria pensar?

Eu não disse nada, e ele acrescentou, numa voz mais suave:

– O que Ivy quer não é errado nem incomum. É um fato, e um fato assustador. Ela vai precisar de um herdeiro confiável daqui a uns quarenta anos, mais ou menos, e a vamp gosta de você. Para dizer a verdade, é uma oferta muito boa. Mas você precisa decidir o que quer antes que o tempo e os feromônios vamp façam isso por você. – Sua voz ficou hesitante e relutante. – Você não seria um brinquedinho. Não com Ivy. E estaria em segurança com ela, fora do alcance de praticamente tudo o que há de ruim em Cincinnati.

Com o olhar distante, meus pensamentos se iluminaram sobre instâncias pequenas e aparentemente desconexas entre Ivy e Nick, e as vi sob uma nova luz.

– Ela tem me caçado esse tempo todo – murmurei, sentindo todas as primeiras sensações do medo real.

As rugas ao redor dos olhos de Nick se aprofundaram.

– Não. Ela não está apenas atrás de sangue, apesar de haver uma troca envolvida. Mas tenho que ser sincero. Vocês se complementam como nenhum outro par de vamp e herdeira que eu já tenha visto. – Um lampejo de emoção desconhecida cresceu e morreu em seus olhos. – É uma chance de ser grandiosa; se você estiver disposta a abrir mão dos seus sonhos e se unir aos dela. Você sempre estará em segundo lugar. Mas você seria a auxiliar de uma vamp destinada a governar Cincinnati.

A mão de Nick parou de mexer no meu cabelo.

– Se cometi um erro – ele disse com cuidado, sem me olhar – e você quiser ser herdeira dela, tudo bem. Eu levo você e sua escova de dentes para casa e vou embora, deixando as duas terminarem o que interrompi. – Sua mão começou a mexer de novo. – Me arrependerei apenas de não ter sido suficiente para te atrair para longe dela.

Meus olhos passearam pela confusão de móveis de Nick, ouvindo o tráfego pesado do lado de fora do apartamento. Era tão diferente da igreja de Ivy com seus espaços amplos e a sala de ginástica. Tudo que eu queria era ser amiga dela. Ivy precisava desesperadamente de uma, pois era infeliz consigo mesma, querendo ser algo mais, algo limpo e puro, algo intocado e imaculado. Ela se esforçava muito para escapar de sua existência vampiresca e acreditava que um dia eu pudesse descobrir um feitiço para ajudá-la. Eu não poderia ir embora e destruir a única coisa que a mantinha em movimento. Não sei se era tolice minha, mas eu admirava sua força de vontade indomável e sua crença de que um dia ela encontraria o que procurava.

Apesar da ameaça potencial que Ivy representava, sua exigência estúpida de organização e sua aderência rígida à estrutura, ela era a primeira pessoa com quem eu dividia apartamento que não dizia nada sobre meus lapsos de memória, como esvaziar o aquecedor de água ou me esquecer de desligar o aquecimento antes de abrir as janelas. Eu tinha perdido muitos amigos por causa dessas brigas insignificantes. Não queria mais ficar sozinha. O que me assustava era que Nick estava certo. Nós duas nos dávamos bem.

E agora eu tinha um novo medo. Não havia percebido a ameaça da cicatriz até Ivy chamar minha atenção. Marcada para o prazer e não solicitada. Passada de vampiro em vampiro até eu implorar para ser sangrada. Lembrando das ondas de euforia e de como tinha sido difícil dizer não, me dei conta de como seria fácil a previsão de Ivy se tornar real. Apesar de ela não ter me mordido, eu tinha certeza de que os boatos diziam que Ivy era minha dona e que os outros deviam recuar. "Droga. Como foi que cheguei a esse ponto?"

– Quer que eu te leve de volta? – Nick sussurrou, me puxando para perto.

Mexi meu ombro para me encaixar nele. Se eu fosse esperta, pediria ajuda para tirar minhas coisas da igreja naquela noite mesmo, mas o que saiu pela minha boca foi uma voz baixa dizendo:

– Ainda não. Mas vou ligar para ver se ela está bem. Não vou ser sua herdeira, mas também não posso deixá-la sozinha. Eu disse não, e acho que Ivy vai respeitar isso.

– E se não respeitar?

Eu me aproximei mais.

– Não sei... Posso colocar um sino nela.

Ele deu um risinho, mas acredito ter percebido um toque de dor ali. Senti sua alegria diminuir. Seu peito levantava minha cabeça quando ele inspirava. O que aconteceu me apavorou mais do que eu gostaria de admitir.

– Você não está mais sob ameaça de morte – ele murmurou. – Por que não vai embora?

Permaneci imóvel, ouvindo as batidas de seu coração.

– Não tenho dinheiro – protestei com suavidade. Já tínhamos falado disso antes.

– Já falei que você pode morar comigo.

Sorri, apesar de ele não poder ver, e rocei o rosto em sua camisa de algodão. O apartamento era pequeno, mas não era por isso que eu limitava minhas noites ali aos fins de semana. Nick tinha a própria vida, e eu atrapalharia se ele precisasse me aturar mais do que em pequenas doses.

– Duraria uma semana, e depois a gente se odiaria – eu disse, sabendo por experiência própria que era verdade. – E eu sou a única coisa que a impede de voltar a ser uma vamp praticante.

– Então deixe ela voltar. Ela *é* uma vampira.

Suspirei, sem encontrar forças para sentir raiva.

– Ela não quer ser. Eu serei mais cuidadosa. Tudo vai dar certo – falei com um tom confiante e persuasivo, mas fiquei pensando se estava tentando convencer a mim mesma ou a Nick.

– Rachel – ele sussurrou, com a respiração fazendo o cabelo do alto da minha cabeça esvoaçar. Esperei. Quase conseguia ouvi-lo tentando decidir se devia falar mais alguma coisa. – Quanto mais tempo você ficar – ele disse relutantemente –, mais difícil será resistir à euforia induzida por vamps. O demônio que te atacou na última primavera injetou mais saliva vamp em você do que um vampiro mestre. Se as bruxas pudessem ser transformadas, você teria se tornado uma vampira. Do jeito que está, acho que Ivy poderia te enfeitiçar apenas dizendo seu nome. E ela ainda nem está morta. Você está buscando uma lógica arriscada para continuar numa situação arriscada. Se acha que um dia vai querer ir embora, você deve ir agora. Acredite em mim. Sei como é gostosa a sensação de uma cicatriz de vampiro quando a necessidade de um vamp é ativada. Sei até onde vai a mentira e como a sedução é forte.

Eu me sentei ereta, e cobri o pescoço com a mão.

– Você sabe?

Seu olhar ficou reticente.

– Eu cursei o ensino médio em Hollows. Você acha que passei por isso sem ser mordido pelo menos uma vez?

Minha sobrancelha se ergueu diante de seu olhar quase culpado.

– Você tem uma mordida de vamp? Onde?

Seus olhos não encontravam os meus.

– Foi um namorico de verão. E ela não estava morta, então não contraí o vírus de vamp. A cicatriz não contém muita saliva, então fica meio quieta a menos que eu me encontre numa situação em que haja muitos feromônios de vampiros. É uma armadilha. Você sabe disso, certo?

Eu me encostei de novo nele, fazendo que sim com a cabeça. Nick estava em segurança. Sua cicatriz era antiga e feita por uma vampira viva que mal saíra da adolescência. A minha era nova e com tantas neurotoxinas que Piscary conseguia brincar com ela apenas usando os olhos. Nick ficou parado, e me perguntei se sua cicatriz tinha criado vida quando entrou na igreja. Isso poderia explicar por que ele não disse nada e simplesmente observou. "Sua cicatriz tinha provocado uma sensação muito boa?", me perguntei, sem conseguir culpá-lo.

– Onde é? – perguntei devagar. – Sua cicatriz de vamp?

Nick me ajeitou mais para cima no colo.

– Esqueça isso... bruxa – completou de um jeito brincalhão.

De repente, fiquei muito consciente da pressão dele em mim, seus braços me envolvendo para me impedir de cair. Olhei de relance para o relógio. Precisava ir à casa da minha mãe e pegar minhas coisas antigas de linhas de ley antes de fazer o dever de casa. Se não fosse naquela noite, não daria tempo de terminar. Meu olhar foi até o de Nick, que sorriu. Ele sabia por que eu estava olhando para o relógio.

– É essa aqui? – perguntei. Me ajeitando em seu colo, puxei o colarinho da camisa para o lado, revelando uma cicatriz branca desbotada na parte superior do ombro com um arranhão profundo.

Ele sorriu.

– Não sei.

– Hummm – eu disse. – Aposto que eu saberia dizer. – Quando ele entrelaçou as mãos para envolver meus quadris, abri o botão superior de sua camisa. O ângulo era estranho, e mudei de lugar para cavalgar suas pernas, com um joelho de cada lado de Nick. Suas mãos se moveram para me segurar um pouco mais abaixo, e, arqueando as sobrancelhas, me inclinei mais para perto. Meus dedos foram até sua nuca, e afastei um pouco o colarinho para passar os lábios na cicatriz, deixando-a com um estalar.

Nick respirou ruidosamente, se ajeitando sob mim para encontrar uma posição mais relaxada e não precisar ficar me segurando.

– Não é essa – ele disse. Sua mão foi até as minhas costas, percorrendo uma trilha que descia pela coluna e parando ao encontrar o cós das minhas calças.

– Tudo bem – murmurei quando seus dedos pegaram a bainha da minha blusa. Ele colocou a mão por baixo, seus dedos provocando um formigamento na minha pele. – Sei que não é essa. – Eu me debrucei sobre ele e deixei meu cabelo cair no seu peito enquanto passava a língua sobre a primeira e depois sobre a segunda marca de furo que eu tinha feito nele quando eu era uma marta e ele, um rato tentando me matar. Não disse nada, e rocei delicadamente os dentes na cicatriz de três meses atrás.

– Não – ele disse, com a voz subitamente tensa. – *Você* me deu essas.

– Isso mesmo – sussurrei, com os lábios roçando seu pescoço conforme eu seguia decididamente até sua orelha com beijinhos. – Hummmm... – sussurrei. – Acho que vou ter que fazer uma investigação. Está ciente, senhor Sparagmos, de que sou profissionalmente treinada no campo da investigação?

Ele não disse nada, e sua mão livre provocou uma sensação deliciosa enquanto ele traçava um rastro pela minha lombar.

Recuei, e suas mãos seguiram as curvas da minha cintura sob a blusa com uma pressão crescente. Fiquei feliz por estar quase escuro. Tão quieto e quente. Uma expectativa apareceu em seu olhar; me inclinei para a frente, para roçar as pontas do meu cabelo no seu rosto, e sussurrei:

– Feche os olhos.

Seu corpo todo se remexeu quando ele suspirou, fazendo o que havia pedido.

O toque de Nick se tornou mais insistente, e aninhei minha cabeça sobre seu ombro. Com os olhos fechados, senti os botões de sua camisa, desfrutando a sensação crescente de expectativa ao abrir cada um deles. Lutei com o último, começando a arrancar a camisa de dentro das calças jeans.

Suas mãos saíram do meu corpo, e ele terminou o seviço, tirando a camisa das calças. Inclinei a cabeça e mordi delicadamente o lóbulo da sua orelha.

– Não se atreva a me ajudar – sussurrei, com o lóbulo ainda entre os dentes. Estremeci quando ele voltou a tocar com as mãos quentes as minhas costas. Todos os botões estavam abertos, e passei os lábios pelo contorno de sua orelha.

Com um movimento rápido, ele levantou a mão, puxando meu rosto para o dele. Seus lábios eram exigentes. Um som suave me obrigava a reagir. "Foi ele? Fui eu? Não sei. Não me importa." Uma das mãos estava mergulhada no meu cabelo, me prendendo, enquanto seus lábios e sua língua me exploravam. Os movimentos ficaram agressivos, e o empurrei de volta para a cadeira, gostando da pegada pesada. Ele atingiu a madeira com um *tum*, me puxando em sua direção.

Sua barba estava espetando e, mantendo os lábios ainda nos meus, ele me puxou mais para perto. Com um gemido de esforço, ficou de pé, me carregando. Minhas pernas o envolviam enquanto ele nos levava até a cama. Meus lábios ficaram gelados quando ele se afastou, me colocando gentilmente na cama. Seus braços se soltaram do meu corpo quando se ajoelhou sobre mim.

Olhei para Nick, com a camisa ainda vestida, mas aberta e mostrando músculos que desciam até desaparecer na cintura da calça. Eu tinha jogado um dos braços engenhosamente sobre a cabeça, e estendi o outro para desenhar uma linha que ia do seu peito até dentro das calças jeans.

"Calças de botão", pensei, impaciente. "Deus do céu." Eu odiava calças de botão. Seu sorriso sombrio falhou, e ele quase estremeceu quando desisti por um instante e levei a mão atrás dele, rastreando a curva das suas costas, seguindo-a até onde eu alcançava. Não era até onde eu queria, e o puxei para cima de mim. Caindo para a frente, Nick se apoiou na parte interna do antebraço. Deixei escapar um suspiro quando levei as mãos até onde eu queria.

Quente, e com a deliciosa mistura de pressão delicada e pele áspera, Nick colocou a mão sob minha blusa. Passei a mão sobre seus ombros, sentindo os músculos se retesarem e relaxarem. Ele desceu mais, e engoli em seco de surpresa quando ele esfregou o nariz em minha barriga, com os dentes procurando a bainha da blusa.

Minha respiração acelerou, suspirei de expectativa quando ele levantou minha blusa, com as mãos empurrando minha cintura. Apressada com uma necessidade súbita, parei de mexer em suas calças para ajudá-lo com a blusa. Ela raspou no meu nariz, levando meu amuleto. Deixei a respiração escapar com um som de alívio. Os dentes de Nick me provocavam enquanto ele puxava meu top apertado de ginástica. Estremeci, arqueando as costas para estimulá-lo.

Ele enterrou o rosto na base do meu pescoço. Minha cicatriz do demônio, que ia da clavícula até a orelha, deu uma fisgada, e uma cautela assustadora me paralisou. Ela nunca fez isso quando estava com Nick. Eu não sabia se aproveitava ou se engolia a sensação e o pavor que a origem da cicatriz me causava.

Sentindo meu medo súbito, Nick desacelerou, com o corpo cutucando o meu uma, duas vezes, depois parando. Num movimento lento, roçou minha cicatriz com os lábios. Não conseguia me mexer enquanto ondas de promessas passavam por mim, se instalando em meu corpo com insistência. Meu coração martelava conforme eu comparava isso com o êxtase induzido por feromônios de Ivy e achava as duas coisas idênticas. Parecia bom demais para dispensar.

Nick hesitou, com a respiração pesada em meu ouvido. Devagar, a sensação diminuiu.

– Devo parar? – sussurrou, com a voz rouca de desejo.

Fechei os olhos, estendendo a mão para baixo para trabalhar quase com frenesi nas calças com fecho de botão.

– Não – gemi. – Está quase doendo. Seja... cuidadoso.

Sua respiração saiu com um barulho rápido, combinando com a minha. Mais insistente, ele passou a mão sob meu top e beijou suavemente meu pescoço e a cicatriz. Um som desesperado escapou de mim quando consegui abrir o último botão.

Os lábios de Nick se moveram como fantasmas pela lateral do meu queixo e encontraram minha boca. Seu toque era delicado, e enfiei a língua fundo nele. Ele empurrou de volta, com a barba cerrada áspera. Nossa respiração entrou em sintonia. Seus dedos delicados no meu pescoço provocaram um espasmo súbito em mim.

Passei as mãos por seu peitoral, descendo pela camisa aberta até encontrar as calças jeans. Com a respiração rápida, empurrei suas roupas para baixo até onde eu poderia prendê-las com o pé e empurrá-las para tirar. Faminta por ele, minhas mãos o exploraram, se estendendo até encontrar o que eu queria.

A respiração de Nick parou quando o agarrei, sentindo a pele rígida e macia entre meus dedos. Sua cabeça caiu sobre mim, se enterrando entre os meus seios, esfregando o nariz, enquanto meu top desaparecia de algum jeito.

Ele forçou os lábios em mim, me testando, e o empurrei de volta. Meu coração explodia. Forte e insistente, a cicatriz enviava ondas pelo meu corpo, apesar de os lábios de Nick não estarem nem perto dela.

Eu me entreguei à cicatriz do demônio, deixando o sentimento fluir por mim. Mais tarde eu podia descobrir se isso era errado ou não. Minhas mãos aceleraram o movimento, sentindo a diferença entre ele e um bruxo, descobrindo que ele me deixava mais excitada. Deixei uma das mãos para acariciá-lo, agarrei a mão dele que não estava apoiando seu peso sobre mim e a levei até a cordinha das minhas calças.

Ele agarrou meu pulso, prendendo-o sobre minha cabeça no travesseiro, se recusando a aceitar ajuda. Um solavanco me atingiu. Ele mordiscou meu pescoço e foi em frente, e seus dentes me arrancaram uma arfada. As mãos de Nick agarraram minha cintura, puxando minhas calças e a calcinha numa necessidade feroz. Arqueei as costas para ajudar a tirá-las dos meus quadris, e uma mão pesada prendeu meu ombro na cama.

Abri os olhos, e Nick se inclinou sobre mim e sussurrou:

– Isso é função minha, bruxa. – E minhas calças desapareceram.

Estendi a mão para baixo e ele mudou o peso do corpo, enfiando o joelho entre as minhas coxas. Mais uma vez, arqueei a lombar, me esticando, me esforçando para encontrá-lo. Ele caiu e me cobriu. Seus lábios nos meus, começamos a nos mover um contra o outro.

Devagar, quase de um jeito provocante, ele se moveu dentro de mim. Agarrei seus ombros, reagindo com sacolejos dormentes enquanto seus lábios encontravam meu pescoço.

– Meu pulso – ele ofegou no meu ouvido. – Meu Deus, Rachel. Ela mordeu meu pulso.

As ondas de sensação sincronizaram com o ritmo dos nossos corpos enquanto eu buscava, faminta, seu pulso. Ele gemeu quando eu o apertei. Arranhei os dentes ali, sugando com fome enquanto ele fazia a mesma coisa no meu pescoço. Senti mais dor e, enlouquecida de desejo, mordi a antiga cicatriz de Nick, transformando-a em minha, tentando tirá-la da primeira pessoa que o marcou.

A dor atravessou meu pescoço, e gritei. Nick hesitou, depois mordeu um pedaço de pele cicatrizada. Fiz a mesma coisa com seu pulso, para dizer que estava tudo bem. Em silêncio e com uma necessidade desesperada, sua boca disparou faminta para dentro de mim. O desejo exalava de dentro e a puxei mais para perto, querendo que acontecesse. "Agora", pensei, quase gritando. "Meu Deus. Vem, agora."

Juntos, Nick e eu estremecemos, nossos corpos reagindo como um só enquanto uma onda de euforia fluía de mim para ele. Ela ricocheteou, me atingindo com o dobro da força. Engoli em seco, agarrando-o. Ele gemeu como se sentisse dor. De novo a onda nos tomou, nos puxando para trás. Prontos, ficamos à beira do clímax, tentando mantê-lo para sempre.

Nick diminuiu devagar, com sacolejos de prazer agonizante enviando tremores através de nós dois enquanto a tensão saía de nós aos poucos. Seu peso gradualmente caiu sobre mim e ele respirava pesado em meu ouvido. Exausta, fiz um esforço consciente para tirar minhas mãos do ombro dele. As marcas dos meus dedos formaram linhas vermelhas em sua pele.

Fiquei deitada por um instante, sentindo um formigamento agonizante no pescoço. Depois sumiu. Passei a língua na parte de dentro dos meus dentes. Nada de sangue. Eu não tinha rasgado a pele dele. "Graças a Deus."

Ainda sobre mim, Nick tirou seu peso para eu poder respirar com mais facilidade.

– Rachel? – sussurrou. – Acho que você quase me matou.

Com a respiração ficando mais lenta, eu não disse nada, pensando que esse fora meu exercício da semana. Minha pulsação desacelerou, me enchendo com um cansaço relaxado. Puxei seu pulso para perto e olhei a cicatriz antiga, que mostrava um branco total contra a pele vermelha e áspera. Senti uma pontinha de vergonha de ver que eu tinha deixado um chupão nele. Sem culpa, no entanto, por tê-lo marcado. Ele provavelmente sabia melhor do que eu o que aconteceria, e meu pescoço sem dúvida estava numa situação semelhante.

"Se eu devo me importar?" Não no momento. Talvez mais tarde, quando minha mãe me visse.

Dei um beijo na sua pele macia e abaixei seu braço.

– Por que parecia que um de nós era um vampiro? – perguntei. – Minha cicatriz do demônio nunca esteve tão sensível. E a sua? – Deixei a frase sem terminar. Eu havia mordiscado boa parte do corpo dele nos últimos dois meses e nunca tinha provocado uma reação como aquela. Não que eu estivesse reclamando.

Parecendo exausto, ele saiu de cima de mim e caiu na cama gemendo.

– Deve ter sido porque Ivy deu início às coisas – ele disse, com os olhos fechados encarando o teto. – Amanhã ficarei marcado.

Agarrei a manta de lã e a puxei sobre mim, enfim sentindo frio, sem o calor de seu corpo. Virando de lado, me aproximei e sussurrei:

– Tem certeza de que prefere que eu saia da igreja? Acho que estou começando a entender por que o *ménage à trois* é tão comum nos círculos vamps.

Os olhos de Nick se abriram enquanto ele resmungava.

– Você está tentando me matar, não é?

Dando risinhos, me levantei, enrolada na manta de lã. Toquei meu pescoço, encontrei a pele ferida, mas intacta. Não diria que tinha sido errado me aproveitar das sensibilidades que Ivy colocara em jogo, mas a necessidade veemente disso me deixou preocupada. Quase intensa demais para controlar... Não era de surpreender que Ivy tivesse tanta dificuldade em fazê-lo.

Com os pensamentos lentos e especulativos, vasculhei a gaveta inferior de Nick em busca de uma de suas camisas velhas e fui até o chuveiro.

Catorze

– Alô. – A voz gravada de Nick saiu da minha secretária eletrônica, parecendo suave e educada. – Você ligou para Morgan, Tamwood e Jenks, da Encantos Vampirescos, caçadores de recompensas independentes. No momento eles não podem atender. Por favor, deixe um recado e avise se prefere receber a ligação de retorno durante o dia ou à noite.

Agarrei com mais força o telefone de Nick e esperei o *bip*. Pedir a ele para gravar a mensagem na nossa secretária eletrônica tinha sido ideia minha. Eu gostava da sua voz e achava que era muito elegante e profissional dar a impressão de que tínhamos um recepcionista do sexo masculino. Claro, isso tudo ía pelo ralo quando se via a igreja.

– Ivy? – eu disse, estremecendo com a culpa que percebi na minha voz. – Atenda se você estiver aí.

Nick passou por mim vindo da cozinha. Alisou minha cintura e continuou andando em direção à sala de estar.

O telefone continuou em silêncio, e me apressei a falar antes que a secretária eletrônica desligasse.

– Oi, estou na casa de Nick. Hum... sobre hoje mais cedo... Desculpe. Foi culpa minha. – Olhei para Nick fazendo papel de "solteirão ordeiro" ao se movimentar para um lado e para o outro, escondendo coisas debaixo do sofá e atrás de almofadas. – Nick pediu desculpas por ter te batido.

– Eu não fiz isso – ele disse, e cobri o aparelho achando que sua audição vamp poderia ouvir.

– Ei, humm – continuei –, vou até a casa da minha mãe para pegar umas coisas, mas devo voltar perto das dez. Se chegar em casa antes de mim, tire a lasanha do congelador e a gente come à noite. Podemos comer perto da meia-noite? Um jantar cedo para eu poder fazer meu dever de casa? – hesitei, querendo dizer mais coisas. – Bom, espero que ouça esta mensagem – terminei de um jeito bobo. – Tchau.

Desliguei o telefone e me virei para Nick.

– E se ela ainda estiver desmaiada?

Seus olhos se estreitaram.

– Não bati nela com tanta força.

Recostei-me na parede. Era pintada com um marrom nojento e não combinava com as outras coisas. Nada no apartamento de Nick combinava com o resto, então a decoração acabava dando certo – de um jeito deturpado. Não que Nick não ligasse para o conjunto das coisas, mas ele as via de um modo diferente. Quando o vi usando uma meia azul com uma preta, ele piscou para mim e disse que as duas tinham a mesma espessura.

Seus livros também não eram catalogados em ordem alfabética – os volumes mais antigos não tinham nem título nem o nome do autor –, mas por um sistema de classificação que eu ainda não tinha entendido. Eles ocupavam uma parede inteira da sala de estar, me dando a impressão sombria de ser observada quando estava lá. Nick tentou me pedir para guardá-los no meu armário depois que a mãe dele os jogou na rua numa manhã. Respondi com um beijo apaixonado e me recusei. Eles me assustavam demais.

Nick se inclinou para dentro da cozinha e pegou as chaves. Ouvindo o som de metal deslizante, me afastei da parede e fui até a porta. Olhei de relance para minha roupa antes de segui-lo até o corredor: calças jeans, camiseta de algodão preta por dentro das calças e os chinelos que eu usava quando a gente nadava na piscina de seu prédio. Eu os tinha deixado na casa dele no último mês e os encontrei lavados e pendurados no guarda-roupa dele.

– Não estou com a minha bolsa – murmurei enquanto ele puxava a porta com firmeza para trancá-la.

– Quer passar na igreja no caminho?

Sua oferta não me pareceu genuína, então hesitei. Teríamos que atravessar metade de Hollows para chegar lá. Já tinha escurecido. As ruas estavam ficando agitadas, e isso levaria uma eternidade. Não havia muita coisa na minha bolsa em termos de dinheiro, e não precisaria dos talismãs – eu só ia até a casa da minha mãe –, mas a ideia de Ivy deitada no chão era intolerável.

– Podemos?

Nick respirou devagar e, com o rosto comprido retorcido numa expressão forçada, fez que sim com a cabeça.

Eu sabia que ele não queria, e essa preocupação quase me fez tropeçar no degrau de saída do apartamento que dava no estacionamento escuro. Estava frio. Não havia nem uma nuvem no céu, mas as estrelas estavam perdidas atrás das luzes da cidade. Meus pés estavam frios calçando chinelos, e Nick me deu seu casaco quando me envolvi com os braços. Eu me encolhi nele, e a raiva por sua relutância em verificar se Ivy estava bem diminuiu com o seu calor e o aroma no tecido da blusa.

Um gemido fraco veio de um poste de luz. Meu pai teria chamado de luz de ladrões. Era iluminação suficiente apenas para um ladrão saber o que estava fazendo. O som dos nossos passos era alto, e Nick colocou a mão na maçaneta do carro.

– Pode deixar que eu abro – ele disse num galanteio, e dei um sorriso debochado quando ele brigou com a maçaneta, grunhindo enquanto dava o último puxão e a porta se abria.

Nick só estava no novo emprego havia três meses, mas de algum jeito já tinha conseguido comprar uma caminhonete Ford azul. Eu gostava dela. Era grande e feia, e foi por isso que acabou saindo tão barata. Segundo Nick, era o único automóvel na concessionária que não fazia suas pernas se encolherem até o queixo. A tinta estava descascando, e o para-choque estava enferrujado, mas ainda assim era um meio de transporte.

Subi na caminhonete, colocando os pés diretamente no repugnante tapete do proprietário anterior, e Nick bateu a porta para fechá-la. O carro se sacudiu, mas esse era o único jeito de garantir que a porta não abriria quando passássemos sobre trilhos de ferrovias.

Enquanto eu esperava Nick contornar a traseira do carro, uma sombra vacilante sobre o capô chamou minha atenção. Eu me inclinei para a frente, estreitando os olhos. Alguma coisa quase bateu na janela, e dei um pulo.

– Jenks! – exclamei, reconhecendo-o. O vidro entre nós não disfarçava sua agitação. Suas asas eram um borrado diáfano, cintilando sob o poste de luz enquanto ele franzia a testa. Usava um chapéu vermelho com aba larga que parecia cinza na luz inconstante, e tinha as mãos nos quadris. Pensei em Ivy com culpa, e abri a janela, empurrando-a quando ficou emperrada. Ele voou para dentro e tirou o chapéu.

– Quando diabos vocês vão comprar um viva-voz para o telefone? – ele disparou. – Sou dessa porcaria de empresa tanto quanto vocês e não posso usar o telefone!

"Ele veio da igreja?" Não sabia que Jenks conseguia voar tão rápido.

– O que você fez com a Ivy? – ele continuou quando Nick entrou em silêncio e fechou a porta. – Passei a tarde com Glenda, a Boa, tentando acalmá-lo depois que você gritou com o pai dele, aí chego em casa e encontro uma Ivy histérica no chão do banheiro.

– Ela está bem? – perguntei, depois olhei para Nick. – Me leve para casa.

Nick deu partida na caminhonete, que deu um tranco para trás quando Jenks pousou no câmbio de marchas.

– Está ótima, como sempre – Jenks disse, com a raiva mudando para preocupação. – Não volte agora.

– Saia daí – eu disse, colocando a mão sob o pixie.

Jenks esvoaçou para cima, depois para baixo, encarando Nick até ele pôr as mãos de novo no volante.

– Não – Jenks disse. – Estou falando sério. Dê um tempo pra vamp. Ela ouviu o recado e está se acalmando. – Ele voou e sentou no painel na minha frente. – Cara, o que você fez com a Ivy? Ela ficou falando direto sobre não ser capaz de te proteger, e que Piscary ia ficar com raiva, e que ela não sabia o que faria se você fosse embora. – Seu rosto minúsculo ficou preocupado. – Rachel? Talvez você devesse ir embora. Isso é esquisito demais, até para você.

Senti frio ao ouvir o nome do vampiro morto-vivo. Talvez eu não tivesse forçado a barra; talvez Piscary a tenha obrigado a fazer isso. Nós estaríamos ótimas se ela tivesse desistido quando pedi pela primeira vez. Ele provavelmente tinha descoberto que Ivy não era a dominante no nosso relacionamento estranho e o idiotinha queria que ela corrigisse essa situação. Não era da conta dele.

Nick colocou o carro em movimento, e os pneus gemeram e pularam sobre o cascalho do estacionamento.

– Igreja? – perguntou.

Olhei de relance para Jenks, que balançou a cabeça negativamente. Foi o seu medo que decidiu por mim.

– Não – respondi. Era melhor eu esperar. Dar tempo para ela se recompor.

Nick pareceu tão aliviado quanto Jenks. Entramos no tráfego em direção à ponte.

– Ótimo – Jenks disse, e então pulou para sentar no espelho retrovisor, já que eu estava sem brincos. – Que diabos aconteceu, afinal?

Fechei de novo a janela, sentindo o frio da noite na brisa úmida.

– Eu forcei demais a barra enquanto estávamos treinando. Ela tentou me transformar em sua... hum... ela tentou me morder. Nick a derrubou com minha panela de feitiços.

– Ela tentou te morder?

Olhei da janela para Jenks, vendo, com a luz do carro atrás de nós, suas asas ficarem paradas, depois borradas e então paradas de novo. Jenks olhou do rosto envergonhado de Nick para o meu rosto preocupado.

– Ahhh – ele disse, com os olhos arregalados. – Agora entendi. Ela queria se unir a você para que apenas *ela* pudesse fazer sua cicatriz de vamp reagir aos feromônios vamps. Você a recusou. Meu Deus, ela deve estar com muita vergonha. Não é de surpreender que a vamp esteja chateada.

– Jenks, cale a boca – eu disse, sufocando a vontade de agarrá-lo e jogá-lo pela janela. Ele só conseguiria nos alcançar no próximo semáforo vermelho.

O pixie voou até o ombro de Nick, observando as luzes piscando no painel.

– Bela caminhonete.

– Obrigado.

– Original?

O olhar de Nick deslizou das lanternas traseiras dos carros à frente para Jenks.

– Modificada.

As asas de Jenks ficaram borradas, depois se estabilizaram.

– Qual é o máximo?

– Duzentos e quarenta quilômetros com nitro.

– Caramba! – o pixie xingou admirado enquanto voava de volta para o espelho retrovisor. – Verifique os cabos. Estou sentindo cheiro de vazamento.

Os olhos de Nick dispararam para uma alavanca suja sob o painel, que obviamente não vinha de fábrica, antes de voltar para a rua.

– Obrigado. Eu estava intrigado. – Devagar, ele abriu um pouco a janela.

– Sem problemas.

Abri a boca para perguntar, mas depois a fechei. Devia ser coisa de homem.

– Entããão – Jenks falou lentamente. – A gente vai à casa da sua mãe?

Fiz que sim com a cabeça.

– É. Quer ir?

Ele deu um pulinho quando atingimos um buraco na rua, flutuando com as pernas cruzadas.

– Claro. Obrigado. O hibisco dela provavelmente ainda está florindo. Acha que ela se importaria se eu levasse um pouco do pólen para casa?

– Por que não pergunta a ela?

– Vou fazer isso. – Um sorrisinho apareceu em seu rosto. – É melhor você passar uma maquiagem nessa mordida do amor.

– Jenks! – exclamei, com a mão cobrindo o pescoço. Eu tinha me esquecido. Meu rosto esquentou quando Jenks e Nick trocaram olhares de um jeito masculino idiota. Meu Deus, parecia que a gente tinha voltado à época das cavernas. "Mim marcar mulher para Glurg não pegar ela."

– Nick, você pode me emprestar algum dinheiro? Preciso parar numa loja de talismãs – implorei, sentindo muita falta da minha bolsa.

A única coisa mais vergonhosa do que comprar um feitiço de pele era comprar um quando se estava com um chupão no pescoço. Especialmente porque a maioria dos donos de loja me conheciam. Então optei pela loja de conveniência e pedi para Nick parar num posto de gasolina. Evidentemente, a prateleira de feitiços perto da caixa registradora estava vazia, por isso acabei disfarçando meu pescoço com maquiagem convencional. Maquiagem que promete disfarçar tudo? Não acredite nisso. Nick disse que tinha funcionado, mas Jenks riu até ficar com as asas vermelhas. Sentou-se no ombro de Nick e tagarelou sobre os atributos das garotas pixies que havia conhecido antes de encontrar Matalina, sua esposa. Todo vulgar, o pixie continuou com a história até a periferia de Cincinnati, onde minha mãe morava, enquanto eu tentava retocar a maquiagem no espelho retrovisor.

– À esquerda naquela rua – informei, esfregando os dedos uns nos outros. – É a terceira casa à direita.

Nick não disse nada ao parar no meio-fio em frente à casa. A luz da varanda estava acesa para nós, e juro que vi a cortina se mexer. Eu não ia lá havia algumas semanas, e a árvore que eu tinha plantado com as cinzas do meu pai estava mudando a folhagem. O bordo que se espalhava estava quase fazendo sombra na garagem pelos doze anos que estava no solo.

Jenks já tinha saído zumbindo pela porta do carro do lado de Nick e, quando este se inclinou para sair, estendi a mão e toquei no seu braço.

– Nick? – chamei. Ele parou com o tom preocupado da minha voz, se recostando no vinil desgastado pelo tempo enquanto eu afastava a mão e olhava para os meus joelhos. – Hum, quero pedir desculpas pela minha mãe... antes de você conhecê-la – soltei.

Ele sorriu, e seu rosto comprido ficou relaxado. Então se inclinou por sobre o assento da frente e me deu um beijo rápido.

– Mães são terríveis, não são? – Ele saiu, e eu esperei impacientemente até ele contornar o carro e abrir a porta para mim.

– É sério – eu disse quando ele pegou minha mão e seguimos pela calçada. – Minha mãe é meio maluca. A morte do meu pai realmente acabou com ela. Ela não é psicopata nem nada, mas não pensa no que diz e sai falando tudo que lhe vem à mente.

Sua expressão tensa relaxou.

– É por isso que ainda não a conheci? Achei que era por minha causa.

– Sua causa? – perguntei, depois tremi por dentro. – Ah. A coisa entre humanos e bruxas? – perguntei baixinho, para ele não precisar falar. – Não. – Na verdade, eu tinha me esquecido disso. Fiquei nervosa de repente, verifiquei meu cabelo e procurei a bolsa que não estava comigo. Meus dedos do pé estavam gelados, e os chinelos faziam um barulho alto e estranho nos degraus de cimento. Jenks estava flutuando ao lado da luz da varanda, parecendo uma mariposa gigante. Toquei a campainha e fiquei ao lado de Nick. "Por favor, que ela esteja num dia bom."

– Fico feliz por não ser por minha causa – Nick disse.

– É – Jenks disse quando pousou no meu ombro. – Sua mãe precisa conhecê-lo. Ver quem está transando com a filha dela e tal.

– Jenks! – exclamei, depois enrijeci o rosto quando a porta se abriu.

– Rachel! – minha mãe gritou, se jogando para a frente e me abraçando. Fechei os olhos e retribuí o abraço. Ela era mais baixa do que eu, e isso era estranho. O cheiro do laquê em seu cabelo ficou entalado na minha garganta, sobrepondo-se ao aroma fraco de sequoia. Eu me senti mal por não contar a verdade completa a ela sobre sair da SI e sobre as ameaças de morte que eu tinha enfrentado. Não queria preocupá-la.

– Oi, mãe – eu disse, me afastando. – Esse é Nick Sparagmos. E você se lembra de Jenks?

– Claro que sim. Que bom te ver de novo, Jenks. – Ela voltou para dentro de casa, ajeitou o cabelo vermelho liso e desbotado e depois o vestido na altura da canela. Um nó de preocupação se afrouxou dentro de mim. Ela estava bem. Melhor do que da última vez. Tinha recuperado o brilho travesso no olhar e se movia rapidamente quando nos conduziu para dentro. – Entrem, entrem – disse, colocando a mão sobre o ombro de Nick. – Antes que os insetos sigam vocês.

A luz do vestíbulo estava acesa, mas mal iluminava o escuro corredor verde. Fotos se alinhavam no espaço estreito, e me senti claustrofóbica quando ela me deu outro abraço apertado, mostrando-se radiante ao se afastar.

– Estou tão feliz por você ter vindo – ela disse, depois se virou para Nick. – Então você é o Nick – ela disse, dando uma olhada de cima a baixo, com o lábio inferior entre os dentes. Assentiu vigorosamente quando viu seus sapatos sociais desgastados, depois seus lábios se retorceram ao notar meus chinelos.

– Senhora Morgan – ele disse, sorrindo e oferecendo a mão.

Ela a pegou, e o puxou para um abraço, me fazendo estremecer. Minha mãe era bem mais baixa do que Nick, e, depois de um instante inicial de surpresa, ele sorriu para mim por sobre a cabeça dela.

– Que maravilha conhecê-lo – ela disse ao soltá-lo e se virar para Jenks.

O pixie tinha se colocado no teto.

– Oi, senhora Morgan. Está bonita hoje – ele disse, preocupado, descendo um pouquinho.

– Obrigada. – Ela sorriu, e suas rugas se aprofundaram. A casa estava cheirando a molho de macarrão, e me perguntei se deveria ter avisado à minha mãe que Nick era humano. – Bom, vamos entrando. Vocês podem ficar para o almoço? Estou fazendo espaguete. Não tem problema fazer um pouco mais.

Não consegui evitar um suspiro enquanto ela nos levava até a cozinha. Devagar, comecei a relaxar. Minha mãe parecia estar controlando o que falava melhor do que nunca. Entramos na cozinha, clara com a luz do teto, e respirei com mais calma. Parecia normal – humanamente normal. Minha mãe já não fazia muitos feitiços, e apenas o frasco de dissolução de água salgada perto da geladeira e a panela de cobre para feitiços sobre o fogão entregavam alguma coisa. Ela estava no ensino médio durante a Virada, e sua geração era muito discreta.

– Viemos apenas para pegar meu material de linhas de ley – eu disse, sabendo que minha ideia de pegá-lo e correr para fora da casa era uma causa perdida, já que a panela de cobre estava cheia de água fervendo para o macarrão.

– Não tem problema – ela disse ao adicionar um feixe de espaguete, passar os olhos por Nick e adicionar mais um. – Já são mais de sete. Você está com fome, não é, Nick?

– Sim, senhora Morgan – ele respondeu, apesar do meu olhar suplicante.

Ela se virou do fogão, feliz.

– E você, Jenks? Não tenho muita coisa no quintal, mas pode pegar o que quiser. Ou posso fazer uma água com açúcar, se preferir.

Jenks se iluminou.

– Obrigado, senhora – agradeceu, flutuando perto o suficiente para fazer alguns fios do cabelo dela se mexerem. – Vou olhar no quintal. A senhora se importa se eu pegar o pólen de hibisco? Vai fazer muito bem aos meus filhos mais novos, neste fim de estação.

Minha mãe ficou radiante.

– Claro! Pode pegar à vontade. Aquelas fadas malditas mataram quase tudo enquanto procuravam por aranhas. – Suas sobrancelhas se arquearam, me fazendo gelar num instante de pânico. Ela havia tido uma ideia, e eu não fazia ideia de qual era. – Por acaso você tem algum filho que poderia se interessar por um emprego de fim de verão? – ela perguntou, e minha respiração escapou ruidosamente.

Jenks pousou em sua mão estendida, com as asas piscando num cor-de-rosa satisfeito.

– Sim, senhora. Meu filho, Jax, ficaria encantado em trabalhar no seu quintal. Ele e minhas duas filhas mais velhas seriam suficientes para manter as fadas longe. Vou mandá-los amanhã antes de o sol nascer, se a senhora quiser. Quando terminar sua primeira xícara de café, não haverá mais nenhuma fada à vista.

– Maravilha! – minha mãe exclamou. – Aquelas canalhas malditas passaram o verão todo no quintal. Afastaram as cambaxirras.

Nick se assustou com o palavreado obsceno vindo de uma senhora de meia-idade, e eu dei de ombros.

Jenks voou formando um arco da porta dos fundos até mim, num pedido silencioso para eu abri-la.

– Se não se importa – ele disse, flutuando sobre a maçaneta –, vou sair e dar uma olhada. Não quero que eles encontrem alguma coisa inesperada. Jax é só um menino, e quero garantir que ele saiba com o que deve se preocupar.

– Excelente ideia – minha mãe concordou, com os saltos batendo no linóleo branco. Ela acendeu a luz dos fundos e o deixou sair. – Bem! – disse quando se virou, olhando para Nick. – Sente-se, por favor. Quer alguma coisa para beber? Água? Café? Acho que tenho uma cerveja em algum lugar.

– Café está ótimo, senhora Morgan – Nick disse enquanto puxava uma cadeira e se sentava. Abri a geladeira para pegar o café, e minha mãe apanhou o pacote de pó de café da minha mão, fazendo barulhinhos suaves até eu sentar ao lado de Nick. O arranhar da minha cadeira foi alto, e desejei que minha mãe não fizesse tanto alvoroço. Nick deu um risinho, claramente gostando de me ver inquieta.

– Café – ela disse enquanto andava de um lado para o outro. – Admiro um homem que toma café no almoço. Você não tem ideia de como estou feliz em conhecê-lo, Nick. Faz tanto tempo que Rachel não traz um rapaz para casa. Nem no ensino médio ela gostava muito de namorar. Eu estava começando a me perguntar se ela ia para o outro lado, se é que me entende.

– Mãe! – exclamei, sentindo o rosto ficar tão vermelho quanto meu cabelo.

Ela piscou para mim.

– Não que haja alguma coisa errada com isso – ela remendou, pegando o pó e enchendo o filtro. Não consegui olhar para Nick, mas percebi, quando pigarreou, que ele estava se divertindo. Coloquei os cotovelos sobre a mesa e deixei a cabeça cair nas mãos.

– Mas você me conhece – minha mãe acrescentou, de costas para nós enquanto punha o café de lado. Eu me encolhi de medo, esperando o que ia sair de sua boca. – Penso que é melhor não ter homem nenhum do que ter o homem errado. Seu pai, sabe... ele era o homem *certo*.

Suspirando de alívio, olhei para cima. Se ela fosse falar do meu pai, não falaria de mim.

– Era um homem tão bom – continuou, com movimentos lentos conforme ia até o fogão. Ficou parada de lado para poder nos ver enquanto tirava a tampa do molho e o mexia. – Você precisa do homem certo para ter filhos. Tivemos sorte com Rachel. Mesmo assim, quase a perdemos.

Nick se empertigou, interessado.

– Como assim, senhora Morgan?

Seu rosto se estendeu numa antiga preocupação, e me levantei para ligar a cafeteira, já que ela havia esquecido. A história por vir era vergonhosa, mas era uma vergonha conhecida, muito melhor do que qualquer coisa que ela pudesse inventar, especialmente depois de ter mencionado filhos. Sentei ao lado de Nick enquanto minha mãe começava com a frase de abertura de sempre.

– Rachel nasceu com uma doença sanguínea rara – ela disse. – Não tínhamos ideia de que ela estava lá, apenas esperando uma combinação inoportuna para se revelar.

Nick se virou para mim, com as sobrancelhas levantadas.

– Você nunca me disse isso.

– Bom, ela não tem mais essa doença – minha mãe ressaltou. – A mulher simpática da clínica explicou tudo, dizendo que tivemos sorte com o irmão mais velho de Rachel e que as chances de meu próximo filho ser igual a ela eram de uma em quatro.

– Parece um distúrbio genético – ele disse. – Não existe cura para esse tipo de doença.

Minha mãe fez que sim com a cabeça e diminuiu o fogo do macarrão fervendo.

– Rachel reagiu a uma combinação de remédios herbais e medicamentos tradicionais. Ela é nosso bebê milagroso.

Nick não pareceu convencido, então acrescentei:

– Minhas mitocôndrias estavam expelindo uma enzima esquisita, e meus glóbulos brancos achavam que era uma infecção. Eles atacavam as células saudáveis como se fossem invasoras, principalmente a medula e qualquer coisa que tivesse a ver com a produção de sangue. Eu vivia cansada o tempo todo. Os remédios herbais ajudavam, mas, quando a puberdade surgiu, tudo pareceu se ajeitar. Estou bem agora, exceto por ter sensibilidade a enxofre, mas a doença diminuiu minha expectativa de vida em uns dez anos. Pelo menos foi o que me disseram.

Nick tocou no meu joelho por baixo da mesa.

– Sinto muito.

Dei um sorriso para ele.

– Ei, o que são dez anos? Eu nem devia ter chegado até a puberdade. – Não tive coragem de dizer que, mesmo com esses dez anos a menos, ainda viveria décadas a mais do que ele. Mas Nick provavelmente já sabia disso.

– Monty e eu nos conhecemos na faculdade, Nick – minha mãe afirmou, voltando a conversa para o assunto original. Sabia que ela não gostava de falar dos doze anos iniciais da minha vida. – Foi tão romântico. A universidade tinha acabado de começar os estudos paranormais e havia muita confusão em relação aos pré-requisitos. Qualquer pessoa podia fazer qualquer curso. Eu não tinha por que estar na aula de linhas de ley, e o único motivo para eu me inscrever foi porque o bruxo enorme e lindo na minha frente também se inscreveu, e todas as minhas aulas optativas estavam cheias.

Ela diminuiu o movimento da colher na panela, e o vapor subiu.

– Engraçado como o destino às vezes parece empurrar as pessoas umas em direção às outras – ela disse com suavidade. – Me inscrevi naquela aula para sentar ao lado de um homem, mas acabei me apaixonando pelo melhor amigo dele. – Ela sorriu para mim. – Seu pai. Nós três éramos parceiros no laboratório. Eu teria sido reprovada se não fosse por Monty. Não sou uma bruxa de linhas de ley, e como o Monty não conseguia mexer um feitiço nem que fosse para salvar a própria vida, ele fez todos os meus círculos nos dois anos seguintes em troca de eu invocar todos os feitiços dele até que se formasse.

Nunca tinha ouvido essa parte da história e, quando me levantei para pegar três xícaras de café, meu olhar recaiu sobre a panela de molho vermelho. Com a sobrancelha contraída, pensei se havia um jeito diplomático de jogar tudo no lixo. Além disso, minha mãe estava cozinhando na panela de feitiços de novo. Esperei que ela tivesse se lembrado de lavá-la com água salgada, senão o almoço seria um pouco mais interessante do que o normal.

– Como foi que você e Rachel se conheceram? – minha mãe perguntou enquanto me afastava da panela e colocava um pedaço de pão congelado para assar no forno.

Com os olhos subitamente arregalados, sacudi a cabeça para Nick em alerta. Seus olhos se alternavam entre mim e minha mãe.

– Ah, um evento esportivo.

– Dos Uivadores? – ela questionou.

Nick me olhou em busca de ajuda, e sentei ao lado dele.

– Nós nos conhecemos nas rinhas de ratos – respondi. – Eu apostei na marta, e ele apostou no rato.

– Rinhas de ratos? – ela perguntou, franzindo a testa. – Que horror esse negócio. Quem ganhou?

– Eles fugiram – Nick disse, com os olhos suaves nos meus. – Nós sempre imaginamos que eles fugiram juntos, se apaixonaram loucamente e estão morando em alguma parte dos esgotos da cidade.

Contive uma risada, mas minha mãe deixou a dela sair livremente. Meu coração pareceu se empolgar com o som que percorria o ambiente. Não a ouvia rir de felicidade havia muito tempo.

– Sim – ela disse enquanto soltava as luvas térmicas. – Gostei disso. Martas e ratos. Exatamente como eu e Monty sem outros filhos.

Pisquei, tentando imaginar como ela tinha passado de ratos e martas para ela e meu pai, e como isso se relacionava ao fato de eles não terem outros filhos.

Nick se aproximou e sussurrou:

– Martas e ratos também não podem procriar.

Minha boca se abriu num "ah!" silencioso, e achei que talvez Nick, com seu jeito estranho de ver o mundo, pudesse entender minha mãe melhor do que eu.

– Nick, querido – minha mãe disse ao mexer o molho rápido e no sentido horário. – Você não tem uma doença celular na família, tem?

"Oh, não", pensei em pânico enquanto Nick respondia sem rodeios.

– Não, senhora Morgan.

– Pode me chamar de Alice – ela disse. – Gostei de você. Case com Rachel e tenham muitos filhos.

– Mãe! – exclamei. Nick riu, gostando da situação.

– Mas não agora – ela continuou. – Aproveitem a liberdade juntos por um tempo. Vocês não devem ter filhos enquanto não estiverem preparados. Vocês fazem sexo seguro, certo?

– Mãe! – gritei. – Cale a boca! – "Meu Deus, me ajude a sobreviver a esta noite."

Ela se virou, com uma das mãos no quadril e a outra segurando a colher pingando.

– Rachel, se você não queria que eu falasse desse assunto, devia ter enfeitiçado esse seu chupão.

Encarei-a, com a boca escancarada. Mortificada, me levantei e a puxei para o corredor.

– Dá licença – consegui dizer, vendo Nick dando um risinho.

– Mãe! – sussurrei na segurança do corredor. – Você devia estar tomando remédios, sabia?

Ela deixou a cabeça cair.

– Ele parece um bom homem. Não quero que o afaste como fez com todos os outros namorados. Eu também adorava seu pai. Só quero que você seja tão feliz quanto eu fui.

Imediatamente minha raiva se dissipou, vendo-a parada ali, sozinha e chateada. Meus ombros se mexeram num suspiro. "Eu devia vir aqui mais vezes", pensei.

– Mãe, ele é humano – revelei.

– Ah – ela disse com suavidade. – Acho que não existe sexo mais seguro do que esse, não é?

Eu me senti mal quando o peso dessa simples declaração caiu sobre ela, e me perguntei se isso poderia mudar sua opinião sobre Nick. Nunca haveria filhos entre mim e ele. Os cromossomos não se alinhavam da maneira correta. Descobrir isso com certeza foi o fim de uma longa controvérsia entre impercebidos, já que bruxos, diferentemente de vamps e lóbis, eram uma espécie separada dos humanos, tanto quanto os pixies e os trasgos. Vamps e lóbis, mordidos ou nascidos assim, eram apenas humanos modificados. Apesar de nós, bruxos, imitarmos a humanidade quase à perfeição, nos distinguíamos dos humanos no nível celular, como bananas distinguem-se de drosófilas. Com Nick, eu seria estéril.

Eu tinha explicado a ele, na primeira vez em que nossas carícias viraram algo mais intenso, com medo de que ele percebesse se alguma coisa não parecesse muito certa. Tinha ficado quase enjoada só de imaginar que ele reagiria com nojo em relação a essa coisa de espécies diferentes. Depois quase chorei quando sua única pergunta de olhos arregalados foi "Tudo parece e funciona do mesmo jeito, não é?"

Na época, eu sinceramente não sabia. Respondemos juntos a essa pergunta.

Corando com esses pensamentos na frente da minha mãe, dei um sorriso fraco a ela, que o retribuiu, empertigando o corpo frágil.

– Bom – ela disse –, vou abrir um pote de molho alfredo, então.

A tensão escoou de mim, e a abracei. Havia uma força maior em seu abraço, e respondi na mesma moeda. Eu sentia saudade dela.

– Obrigada, mãe – sussurrei.

Ela deu um tapinha nas minhas costas, e nos separamos. Sem encontrar meus olhos, ela se virou para a cozinha.

– Tenho um amuleto no banheiro, se você quiser. Na terceira gaveta de cima para baixo. – Ela respirou e, com uma expressão feliz, foi para a cozinha com passinhos rápidos e curtos. Percebi que nada tinha mudado ao ouvi-la conversar alegremente com Nick sobre o clima enquanto guardava o molho de tomate. Aliviada, desci pelo corredor cheio de sombras.

O banheiro da minha mãe parecia misterioso como o de Ivy – exceto pelo peixe na banheira. Encontrei o amuleto e, depois de tirar a maquiagem, invoquei o feitiço, feliz com o resultado. Uma ajeitada final no cabelo e um suspiro, e voltei para a cozinha. Nem imagino o que minha mãe poderia contar a Nick se a deixasse a sós com ele por muito tempo.

Encontrei os dois juntos, com a cabeça quase encostada um no outro, enquanto ela apontava para o álbum de fotos. Ele tinha uma xícara de café na mão, e o vapor subia entre os dois.

– Mãe – reclamei. – É por isso que eu nunca trago ninguém aqui.

As asas de Jenks fizeram um barulho hostil quando ele saiu do ombro dela.

– Ah, relaxa, bruxa. A gente já passou pelas fotos de bebê pelada.

Fechei os olhos para reunir forças. Movendo-se com um molejo feliz, minha mãe foi mexer o molho alfredo. Roubei o lugar dela ao lado de Nick, apontando para baixo.

– Esse é o meu irmão, Robert – eu disse, desejando que ele retornasse minhas ligações telefônicas. – E ali está o meu pai – apontei, sentindo uma emoção delicada me tomar. Sorri para a foto, sentindo saudade.

– Ele parecia legal – Nick comentou.

– Ele era o melhor. – Virei a página, e Jenks pousou ali, com as mãos nos quadris enquanto andava por cima da minha vida, cuidadosamente arrumada em fileiras e colunas. – Essa é minha foto preferida dele – eu disse, apontando para um grupo incomum de meninas de onze e doze anos na frente de um ônibus amarelo. Todas nós estávamos bronzeadas, com os cabelos três tons mais claros que o normal. O meu estava curto e arrepiado. Meu pai estava em pé ao meu lado, com a mão no meu ombro enquanto sorria para a câmera. Deixei escapar um suspiro.

– Essas são as minhas amigas do acampamento – mencionei, pensando que os três anos lá tinham sido alguns dos meus melhores verões. – Olhe. Dá para ver o lago. Foi em algum lugar em Nova York. Só fui nadar uma vez, porque estava frio. Meus dedos do pé tiveram cãibra.

– Nunca acampei – Nick disse, olhando os rostos com intensidade.

– Era um daqueles acampamentos solidários, para crianças doentes – expliquei. – Fui expulsa quando descobriram que eu não estava mais morrendo.

– Rachel! – minha mãe protestou. – Nem todo mundo lá estava morrendo.

– A maioria estava. – Meu humor ficou sombrio quando meu olhar passou pelos rostos e percebi que provavelmente era a única pessoa da foto que ainda estava viva. Tentei lembrar o nome da menina magra de cabelo preto ao meu lado, e fiquei frustrada por não ter conseguido. Ela era minha melhor amiga.

– Rachel foi convidada a se retirar depois de perder o controle – minha mãe disse –, e não porque estava ficando curada. Ela colocou na cabeça que devia punir um garotinho por ter provocado as meninas.

– Garotinho – debochei. – Ele era mais velho que todo mundo lá e era um valentão.

– O que você fez? – Nick perguntou, com um brilho de diversão nos olhos castanhos.

Eu me levantei para encher minha xícara com café.

– Eu o joguei numa árvore.

Jenks abafou um riso, e minha mãe bateu com a colher na lateral da panela de molho.

– Não seja modesta. Rachel mexeu na linha de ley sobre a qual o acampamento era construído e jogou o menino a nove metros de altura.

Jenks assobiou, e os olhos de Nick se arregalaram. Servi o café, envergonhada. Não tinha sido um dia muito bom. Aquele peste tinha uns quinze anos e estava atormentando a garota que eu estava abraçando na foto. Eu o mandei deixá-la em paz e, quando ele me empurrou, perdi a cabeça. Eu nem sabia como desenhar uma linha de ley; meio que aconteceu. O garoto parou numa árvore, caiu e cortou o braço. Era tanto sangue que fiquei aterrorizada. Os vamps jovens do acampamento tiveram que fazer uma viagem especial para o outro lado do lago até o pessoal cavar a terra onde ele havia sangrado e queimá-la.

Meu pai precisou ir voando até lá e resolver as coisas. Foi a primeira vez que usei linhas de ley, e praticamente a última, até eu ir para a faculdade, já que meu pai me encheu de bordoadas. Tive sorte de eles não terem me obrigado a ir embora naquele mesmo instante.

Voltei para a mesa e vi Nick sorrir para minha imagem na foto.

– Mãe, posso ficar com essa foto? Perdi a minha na última primavera quando... um feitiço mal alinhado as levou. – Encontrei os olhos de Nick, e a compreensão compartilhada entre nós me garantiu que ele não falaria nada sobre as ameaças de morte.

Minha mãe se aproximou, hesitante.

– É uma foto boa do seu pai – ela disse, tirando-a do álbum e me dando antes de voltar para o fogão.

Sentei na cadeira e olhei para os rostos, buscando um nome para qualquer uma das meninas. Não me lembrei de nenhum. Isso me incomodou.

– Hum, Rachel? – Nick disse, olhando para o álbum.

– O quê? – "Amanda?" Perguntei em silêncio à menina de cabelo preto. "Era esse seu nome?"

As asas de Jenks se moveram de repente, fazendo meu cabelo dançar no meu rosto.

– Caramba! – ele exclamou.

Olhei para a foto – que até então estava embaixo da que eu segurava em minha mão – e empalideci. Era o mesmo dia, já que o ônibus aparecia ao fundo. Mas, nesta, em vez de estar cercada de meninas pré-adolescentes, meu pai estava ao lado de um homem que parecia idêntico a uma versão mais velha de Trent Kalamack.

Prendi a respiração sem perceber. Os dois homens sorriam, com os olhos semicerrados por causa do sol. Estavam com um braço envolvendo o ombro do outro e claramente felizes.

Troquei olhares assustados com Jenks.

– Mãe? – por fim consegui dizer. – Quem é esse?

Ela se aproximou, fazendo um barulhinho de surpresa.

– Ah, tinha me esquecido dessa. Esse homem era o dono do acampamento. Seu pai sofreu quando ele morreu. Os dois eram bons amigos. Ele também morreu de um jeito muito trágico, menos de seis anos depois de sua esposa. Acho que foi parte do motivo para seu pai perder a vontade de lutar. Eles morreram com um intervalo de uma semana, sabe.

– Não, eu não sabia – sussurrei, encarando o álbum. Não era Trent, mas a semelhança era assustadora. Tinha que ser o pai dele. Meu pai conhecia o pai de Trent?

Coloquei a mão no estômago com um pensamento súbito. Por anos eu tinha ido para o acampamento com uma doença sanguínea rara e a cada vez ia embora me sentindo melhor. Trent se envolveu com pesquisas genéticas. Seu pai pode ter feito a mesma coisa. Chamaram minha recuperação de milagre, mas talvez ela tivesse sido uma manipulação genética imoral e criminosa.

– Deus do céu... – murmurei.

Três verões no acampamento. Meses dormindo até quase o pôr do sol. O machucado inexplicado no meu quadril. Os pesadelos que ainda tenho ocasionalmente, de um vapor enjoativo.

"Quanto?", me perguntei. O que o pai de Trent tinha levado do meu pai em pagamento pela vida de sua filha? Será que ele a havia trocado pela própria vida?

– Rachel? – Nick disse. – Você está bem?

– Não. – Eu me concentrei em respirar, encarando a foto. – Posso ficar com essa também, mãe? – perguntei, ouvindo minha voz como se pertencesse a outra pessoa.

– Ah, não quero essa foto – ela disse. Tirei-a do álbum, com os dedos tremendo. – É por isso que ela está por baixo. Você sabe que eu não consigo jogar fora nada que envolva seu pai.

– Obrigada – sussurrei.

Quinze

Tirei um dos meus chinelos macios cor-de-rosa e cocei a panturrilha com o dedão. Passava da meia-noite, mas a cozinha estava clara, com brilhos de luz fluorescente refletindo nas panelas de cobre para feitiços e nos utensílios pendurados. Em pé ao lado da ilha de aço inoxidável, apertei o pilão, transformando o gerânio selvagem numa pasta verde. Jenks o havia encontrado num terreno vazio, trocando um de seus preciosos cogumelos por ele. O clã de pixies que trabalhou no terreno ficou com a melhor parte do negócio, mas acho que Jenks se sentiu mal por eles.

Nick tinha feito sanduíches para nós cerca de meia hora antes, e a lasanha foi guardada na geladeira ainda quente. Meu sanduíche de mortadela estava sem gosto. Acho que não podia colocar a culpa toda no fato de Nick não ter posto *ketchup* nele, como eu pedira, dizendo que não o tinha encontrado na geladeira. Esse era um ponto fraco idiota dos humanos. Eu acharia divertido se não me irritasse tanto.

Ivy ainda não tinha aparecido, e eu não comeria a lasanha sozinha na frente de Nick. Queria conversar com ela, mas precisaria esperar até ela estar pronta. Ivy era a pessoa mais reservada que eu conhecia, e não dizia nem a si mesma quais eram seus sentimentos até encontrar um motivo lógico para justificá-los.

Bob, o peixe, nadava na minha segunda maior panela de feitiços ao meu lado no balcão. Eu o usaria como familiar. Eu precisava de um animal, e peixes eram animais, certo? Além do mais, Jenks surtaria se eu trouxesse um gato para casa, e Ivy tinha dado suas corujas para a irmã depois que uma delas quase escapara de ser destruída quando pegou a filha mais nova de Jenks. Jezebel estava bem. A coruja conseguiria voar de novo. Um dia.

Deprimida, continuei a amassar as folhas até virarem uma polpa. A magia da terra tinha mais poder quando era feita entre o pôr do sol e a meia-noite, mas naquela noite eu estava com dificuldade para me concentrar, e já passava de uma hora. Meus pensamentos ficaram circulando e voltando àquela foto e ao acampamento solidário. Um suspiro pesado escapou de mim.

Nick levantou o olhar do lado oposto do balcão, onde estava empoleirado numa banqueta terminando o último sanduíche de mortadela.

– Desista, Rachel – ele disse, sorrindo para aliviar as palavras, sabendo no que eu estava pensando. – Acho que você não foi adulterada e, mesmo que tivesse sido, como alguém poderia provar isso?

Deixei o pilão de lado e empurrei o pote para longe.

– Meu pai morreu por minha causa – eu afirmei. – Se não fosse por mim e pela minha maldita doença sanguínea, ele ainda estaria aqui. Sei disso.

Seu rosto comprido ganhou um ar triste.

– Seu pai talvez pensasse que era culpa dele você estar doente.

Isso fez eu me sentir muito melhor, e me larguei onde estava.

– Talvez eles fossem apenas amigos, como sua mãe disse – Nick comentou.

– E talvez o pai de Trent tenha tentado chantagear o meu pai a fazer alguma coisa ilegal e ele morreu porque não quis fazer. – "Pelo menos levou o pai de Trent junto."

Nick estendeu seu longo braço para pegar a foto no balcão, onde eu a tinha deixado.

– Não sei – ele comentou, com a voz branda ao olhar para a foto. – Eles me parecem amigos.

Sequei as mãos nas calças jeans e me inclinei para pegar a foto. Franzi a testa enquanto analisava o rosto do meu pai na imagem. Afastei as emoções e a devolvi.

– Não fui curada por remédios herbais e feitiços. Fui adulterada.

Era a primeira vez que eu dizia isso em voz alta, e meu estômago se contraiu.

– Mas você está viva – ele observou.

Virei-me para outro lado e medi seis xícaras de água de nascente. O barulho que ela fez ao cair na minha maior panela de cobre foi alto.

– E se não tivesse dado certo? – perguntei, sem conseguir olhar para ele. – Eles me colocariam numa ilha congelada como se eu fosse uma leprosa, com medo de que o que ele fez comigo pudesse sofrer mutação e se transformar em algo que desse início a mais uma praga.

– Ah, Rachel... – Nick saiu da banqueta. Ansiosa, me ocupei secando desnecessariamente a xícara de medidas. Ele surgiu me abraçando por trás antes de me virar para encará-lo. – Você não é uma praga esperando para se libertar – ele disse, encontrando meus olhos. – Se o pai de Trent curou sua doença sanguínea, então curou. Mas foi só isso. Ele consertou tudo. Nada vai acontecer. Está vendo? Ainda estou aqui. – Sorriu. – Vivo e tudo.

Funguei, sem gostar do fato de isso me perturbar tanto.

– Não quero dever nada a ele.

– Você não deve. Isso foi entre seu pai e o de Trent, se é que aconteceu. – Suas mãos estavam quentes ao redor da minha cintura, e meus pés estavam entre os dele. Entrelacei meus dedos em suas costas e equilibrei meu peso nele. – O fato de que seu pai e o de Trent se conheciam não significa nada – ele disse.

"Ah, sim", pensei, com sarcasmo. Nós nos separamos ao mesmo tempo, nos afastando com relutância. Enquanto Nick enfiava a cabeça na despensa, eu verificava a receita para saber qual era o meio de transferência. O texto para criar um familiar estava em latim, mas eu conhecia os nomes científicos das plantas o suficiente para segui-lo. Eu esperava que Nick ajudasse com o encantamento.

– Obrigada por me fazer companhia – agradeci, sabendo que ele tinha uma jornada de meio período na universidade no dia seguinte e um turno à noite no museu. Se ele não fosse embora logo, não dormiria nada antes de ir para o trabalho.

Nick olhou para o corredor escuro ao sentar na banqueta com um pacote de batatas *chips*.

– Eu esperava estar aqui quando Ivy voltasse. Por que você não passa a noite na minha casa?

Meus lábios se curvaram num sorriso.

– Vou ficar bem. Ela só vai voltar para casa depois de se acalmar. Mas, se for ficar mais um tempo, que tal desenhar uns pentagramas para mim?

O barulho de plástico parou. Nick olhou para o papel preto e o giz prata empilhados de um jeito suspeito sobre o balcão, depois para mim. Seus olhos se iluminaram de diversão, e ele terminou de fechar as bordas do pacote.

– Não vou fazer seu dever de casa, Ray-Ray.

– Sei como eles são – protestei, colocando tufos do meu cabelo na panela de feitiços e empurrando-os com a colher de cerâmica até afundarem. – Prometo que vou copiá-los depois. Mas se eu não entregá-los amanhã a professora vai me reprovar, e Edden vai descontar o custo da matrícula do meu pagamento. Não é justo, Nick. A mulher pega no meu pé!

Nick comeu uma batata, cheio de ceticismo.

– Você os conhece? – Balancei afirmativamente a cabeça, e ele limpou as mãos nas calças jeans antes de puxar meu livro de estudos para perto. – Está bem – ele me desafiou enquanto inclinava o livro para eu não poder ver. – Como é um pentagrama de proteção?

Minha respiração escapou num sopro aliviado, e acrescentei a decocção de sanícula que tinha preparado mais cedo.

– Gráfico padrão com duas linhas trançadas no círculo externo.

– Tudo bem... E o de adivinhação?

– Luas novas desenhadas nas pontas, e uma fita de moebius no meio para equilibrar.

O brilho de diversão nos olhos de Nick se transformou em surpresa.

– Invocação? – exigiu.

Sorri e coloquei a polpa de gerânio selvagem no caldo. Pedaços verdes ficaram pendurados como se a água fosse um gel. Legal.

– Qual? Invocação de poder interior ou de uma entidade física?

– Ambos.

– O de poder interior tem bolotas e folhas de carvalho nas pontas do meio, e o de invocação de entidade tem uma corrente celta ligando os pontos. – Orgulhosa ao ver sua surpresa evidente, ajustei a chama sob a panela e vasculhei a gaveta de talheres em busca de uma vareta.

– Certo. Estou impressionado. – Ele devolveu o livro de estudos ao balcão e pegou um punhado de batatas chips.

– Você vai copiá-los para mim? – pedi, satisfeita.

– Promete que vai copiá-los depois?

– Combinado – eu disse, alegre. Já tinha terminado os artigos curtos. Agora, só precisava transformar o Bob em meu familiar e tudo ficaria bem. Moleza. Olhei para o Bob e me encolhi. "É. Moleza." – Obrigada – agradeci com suavidade quando Nick ajeitou meu papel preto arrumando as pontas sobre o balcão.

– Vou fazer pentagramas desleixados, para ela achar que foi você que fez – ele disse.

Lancei-lhe um olhar com a sobrancelha erguida.

– Muito obrigada – emendei de um jeito seco, e ele deu um risinho. Depois de terminar a mistura, espetei meu dedo e o massageei para extrair três gotas de sangue. O aroma de sequoia se espalhou quando elas pingaram na panela e o feitiço acelerou. Até aquele momento, tudo bem.

– Bruxas da terra não usam pentagramas – Nick disse ao aparar o giz esfregando-o num pedaço de papel de rascunho. – Como os conhece?

Com cuidado para manter meu dedo sangrando afastado, poli o espelho de adivinhação com um cachecol de veludo emprestado de Ivy. Estremeci com a sensação fria. Eu detestava adivinhação; me dava calafrios.

– Daqueles potes de geleia com pentagramas – eu disse. Nick levantou o olhar, e a expressão perdida no seu rosto fez eu me sentir bem por algum motivo. – Sabe? Aqueles potes de geleia que a gente usa como copo de suco depois que a geleia acaba? Alguns tinham pentagramas no fundo e seus usos na lateral. Eu vivi de sanduíches de manteiga de amendoim e geleia naquele ano. – Meu humor melhorou com a lembrança do meu pai me testando enquanto eu comia torrada.

Nick enrolou as mangas da camisa e começou a desenhar.

– E eu achava que era espertinho por completar o labirinto que vinha nas caixas de cereal.

Terminei a parte de preparação e estava pronta para fazer um feitiço sério. Hora de abrir o círculo.

– Dentro ou fora? – perguntei, e Nick levantou o olhar do meu dever de casa, piscando. Percebendo sua confusão, acrescentei: – Estou pronta para abrir o círculo. Você quer ficar dentro ou fora dele?

Ele hesitou.

– Quer que eu saia daqui?

– Só se você quiser ficar fora do círculo.

Seu olhar ficou incrédulo.

– Você vai incluir a ilha toda?

– Algum problema com isso?

– Nããão. – Nick aproximou a banqueta. – Bruxos devem ser capazes de reter mais poder das linhas de ley do que humanos. Não consigo fazer um círculo muito maior do que um metro.

Sorri.

– Não sei. Eu perguntaria à doutora Anders se ela não fosse fazer eu me sentir uma idiota. Acho que depende. Minha mãe também não consegue fazer um círculo maior do que um metro. Então... dentro ou fora?

– Dentro?

Minha respiração escapou de mim, num alívio.

– Ótimo. Esperava que você dissesse isso. – Inclinei-me sobre o balcão e coloquei o livro de feitiços ao seu lado. – Preciso da sua ajuda para traduzir isso.

– Quer que eu faça seu dever de casa e também te ajude a invocar um familiar? – protestou.

Recuei.

– O único feitiço que encontrei nos meus livros estava em latim.

Nick olhou para mim, incrédulo.

– Rachel. Eu costumo dormir à noite.

Olhei para o relógio sobre a pia.

– É só uma e meia.

Suspirando, ele deslizou o livro para si. Sabia que ele não resistiria depois de começar, e sua chateação mudou para um interesse agudo antes de ele ler mais do que um parágrafo.

– Ei, isso é latim arcaico.

Inclinei-me sobre o balcão até minha sombra cobrir a publicação.

– Consigo ler o nome das plantas e tenho certeza de que fiz o meio de transferência corretamente, no padrão, mas o encantamento é duvidoso.

Ele não estava mais ouvindo; tinha a sobrancelha franzida enquanto passava o dedo comprido sob o texto.

– Seu círculo precisa ser modificado para distinguir e reunir poder.

– Obrigada – eu disse, feliz porque ele ia ajudar. Não me importava de errar algumas coisas até acertar, mas lançar feitiços era uma ciência exata. E a simples ideia de que eu precisava de um familiar me deixava desconfortável. A maioria dos bruxos os tinha, mas os bruxos de linhas de ley precisavam deles por motivos de segurança. Dividir a aura com alguém ajudava a evitar que um demônio te levasse para o todo-sempre. Pobre Bob.

Nick voltou a desenhar os pentagramas por mim, levantando o olhar quando puxei o saco de nove quilos de sal e o coloquei sobre o balcão fazendo um barulho.

Bem consciente dos olhos dele em mim, peguei um punhado da massa pesada. Por insistência de Ivy, eu tinha destruído o depósito caução e desenhado um círculo fraco no linóleo. Ivy tinha ajudado. Na verdade, ela tinha feito tudo, usando um dispositivo com fio e giz para garantir que o círculo fosse perfeito. Sentei no balcão e a deixei tomar conta, sabendo que a irritaria se ficasse no caminho. O resultado foi um círculo absolutamente perfeito. Ela até pegou uma bússola e marcou o norte com esmalte preto para me mostrar onde começar meu círculo.

Agora, procurando o ponto preto, eu peneirava o sal com todo o cuidado, me movendo no sentido horário ao redor da ilha até encontrar o ponto de partida. Acrescentei os acessórios de proteção e de adivinhação, coloquei as velas verdes nos locais adequados e acendi com a chama usada para fazer o meio de transferência.

Nick observou com metade de sua atenção. Gostava do fato de ele me aceitar como bruxa. Quando nos conhecemos, fiquei preocupada de que, como ele era um dos poucos humanos que praticavam as artes negras, eu teria que derrubá-lo e dedurá-lo, mas Nick fez aulas de demonologia para melhorar o latim e passar para uma aula de desenvolvimento de linguagem, não para invocar demônios. E a novidade de um humano que aceitava a magia com tanta facilidade definitivamente me excitava.

– Última chance para sair – eu disse enquanto desligava o queimador de gás e levava o meio de transferência para a ilha central.

Nick fez um barulho no fundo da garganta, colocando o pentagrama perfeito de lado e começando o próximo. Com inveja de seus traços retos e exatos, empurrei minha parafernália para abrir um espaço vazio no balcão na sua frente.

A lembrança de ser punida por ter liberado uma linha de ley e jogado o valentão do acampamento numa árvore apareceu como um flash em minha mente. Achei idiotice o fato de que eu não gostar de linhas de ley tenha surgido desse incidente infantil, mas sabia que era mais do que isso. Era fácil demais perder de vista a que lado pertencia a magia que você estava fazendo.

Com a magia da terra, era tranquilo. Se você precisasse matar bodes, provavelmente era magia negra. A magia das linhas de ley também exigia um pagamento de morte, mas era uma morte mais nebulosa, tirada da alma, muito mais difícil de quantificar e mais fácil de passar por cima – até que fosse tarde demais.

O custo da magia branca de linhas de ley era insignificante, equivalente a colher ervas e usá-las em feitiços. Mas o poder não filtrado disponível através das linhas de ley era sedutor. Era necessária uma grande força de vontade para cumprir os limites autoimpostos e continuar sendo uma bruxa branca de linhas de ley. Os limites que se mostravam tão razoáveis e ponderados ao serem estabelecidos muitas vezes pareciam tolos ou fracos quando a força de uma linha atravessava você. Eu tinha visto muitos amigos saírem da analogia de "colher ervas" para "matar bodes" sem nem perceber que tinham passado para as artes negras. E eles nunca me davam ouvidos, dizendo que era inveja ou tolice minha. Eu acabava os levando para a prisão da SI quando jogavam um talismã negro no policial que os parou por dirigir a cem quilômetros por hora numa zona de oitenta. Ou algo assim. Talvez fosse por isso que eu não conseguia manter amizades.

Essas pessoas me incomodavam. Eram boas, mas tinham sido tentadas por um poder mais forte que sua força de vontade. Elas eram dignas de pena, suas almas sendo lentamente devoradas para pagar pela magia negra com a qual brincavam. Mas quem me assustava eram os bruxos negros profissionais, cuja força era suficiente para promover a morte da alma de outra pessoa para pagar pela própria magia. Mas, no fim das contas, a morte da alma encontrava seu caminho, provavelmente arrastando um demônio junto. Tudo que eu sabia era que havia gritos e sangue e estrondos enormes que sacudiam a cidade.

E aí eu não precisava mais me preocupar com aquele bruxo específico.

Eu não dispunha de tanta força de vontade. Sabia disso, aceitava e me esquivava do problema evitando as linhas de ley sempre que podia. Tinha esperanças de que fazer um peixe virar meu familiar não fosse o início de um novo caminho, mas um mero quebra-molas na minha estrada atual. Olhando para Bob, jurei que seria apenas isso. Todos os bruxos tinham familiares. E não havia nada nesse feitiço que fosse machucar alguém.

Respirando devagar, fechei os olhos para me preparar para a desorientação que viria a seguir por me conectar com uma linha de ley. Lentamente, concentrei minha segunda visão. O cheiro de âmbar queimado fez cócegas no meu nariz. Um vento despercebido movimentou meu cabelo, apesar de a janela da cozinha estar fechada. Sempre havia vento no todo-sempre. Imaginei as paredes que me cercavam ficando transparentes e, em minha mente, elas ficaram.

Minha segunda visão se fortaleceu, e a sensação de estar ao ar livre aumentou até a imagem mental além das paredes da igreja se tornar tão real quanto o balcão, invisível sob meus dedos. Com os olhos fechados para bloquear a visão mundana, olhei para a cozinha inexistente com minha visão interior. Nick não aparecia de jeito nenhum, e a lembrança das paredes da igreja tinha desaparecido até virar traços de giz prateados e fracos. Através deles, eu via a paisagem ao redor.

Era parecida com um parque, com um nevoeiro vermelho refletindo a parte de baixo das nuvens onde Cincinnati estaria, se escondendo atrás das árvores encolhidas. Era de conhecimento geral que os demônios contavam com sua própria cidade, construída sobre as mesmas linhas de ley que Cincinnati. As árvores e plantas apresentavam um brilho vermelho semelhante e, apesar de nenhum vento soprar através da árvore de tília do lado de fora da cozinha, os ramos das árvores encolhidas do todo-sempre se sacudiam com o vento que levantava meu cabelo. Havia pessoas que adoravam as discrepâncias entre a realidade e o todo-sempre, mas eu achava assustadoramente desconfortável. Algum dia, eu subiria até a Torre Carew e olharia para a cidade dos demônios destruída e brilhante com minha segunda visão. Meu estômago gelou. "Até parece que eu faria isso."

Meu olhar foi atraído para o cemitério com os túmulos brancos quase reluzentes. Junto com a lua, eram as únicas coisas que não tinham o brilho vermelho – eram iguais nos dois mundos –, e reprimi um tremor. A linha de ley formava uma mancha vermelha com aparência sólida que ia em direção ao norte sobre os túmulos. Era pequena – nem chegava a dezoito metros, imaginei –, mas era tão subutilizada que parecia mais forte que a enorme linha de ley da universidade.

Consciente de que, provavelmente, Nick estava observando com sua própria segunda visão, estendi minha força de vontade e toquei na faixa de poder. Equilibrei-me, obrigando os olhos a continuar fechados enquanto apertava o balcão com mais força. Minha pulsação deu um salto, e senti a respiração acelerar.

– Ótimo – sussurrei, pensando que a força que me tomava parecia mais poderosa do que da última vez.

Eu me levantei e não fiz nada enquanto o influxo continuava, tentando equilibrar minhas forças. A ponta dos dedos formigava, e os dedos do pé doíam como efeito colateral das minhas extremidades teóricas, que espelhavam as reais. Por fim, o influxo começou a se equilibrar, e um rastro de energia me deixou para se unir à linha. Era como se eu fosse parte de um circuito, e a passagem da linha deixasse um resíduo crescente que fazia eu me sentir pegajosa.

A ligação com a linha de ley era estonteante e, sem conseguir manter os olhos fechados, eles se abriram. Os contornos prateados foram substituídos pela visão da minha cozinha atulhada de coisas. Enjoada com a desorientação, tentei reconciliar a minha visão interior com a minha mais mundana, usando-as ao mesmo tempo. Apesar de não conseguir ver Nick com a segunda visão, eu via sombras sobre ele com a visão normal. Às vezes não havia diferença, mas eu estava inclinada a apostar que Nick não seria uma dessas pessoas. Nossos olhos se encontraram, e meu rosto ficou tenso.

A aura de Nick tinha um contorno preto. Isso não era necessariamente ruim, mas apontava para uma direção desconfortável. Sua constituição frágil parecia abatida e, embora seu aspecto intelectual antes lhe desse um toque acadêmico, agora revelava certo perigo. Mas o que me chocou foi a sombra circular negra sobre sua têmpora esquerda. Estava onde o demônio do qual ele me salvou colocou sua marca, uma marca de dívida que Nick um dia teria de pagar. Olhei imediatamente para meu pulso.

Minha pele mostrava apenas o tecido de cicatriz levantado de sempre, na forma de um círculo, atravessado por uma linha. Mas isso não significava que Nick também o via assim. Levantei o braço e perguntei:

– Está brilhando em preto?

Ele fez um movimento afirmativo com a cabeça de um jeito solene, e sua aparência normal começou a superar a aparência ameaçadora enquanto a visão interior fraquejava sob a força da minha visão mundana.

– É a marca do demônio, não é? – perguntei, passando os dedos sobre o punho. Eu não via nem um traço de preto, mas também não conseguia visualizar minha aura.

– É – ele respondeu com suavidade. – Hum, alguém já falou que você parece muito diferente ao canalizar uma linha de ley?

Fiz que sim com a cabeça, meu equilíbrio oscilando enquanto as duas realidades se chocavam. "Diferente" era melhor do que "assustadora como o inferno", como Ivy tinha me chamado uma vez.

– Quer sair do círculo? Ainda não o fechei.

– Não.

Imediatamente me senti melhor. Um círculo fechado de maneira adequada não poderia ser quebrado exceto por quem o criou. Ele não se importava de ficar preso ali dentro comigo, e sua demonstração de confiança foi gratificante.

– Tudo bem, então. Lá vai. – Respirando para me acalmar, movi mentalmente o fio estreito de sal desta dimensão para o todo-sempre. Meu círculo deu o salto com a agudeza de um elástico batendo na minha pele. Fiquei assustada quando o sal sumiu num piscar de olhos, substituído por um círculo igual do todo-sempre. O sacolejo capaz de fazer a coluna formigar era esperado, mas sempre me pegava de surpresa.

– Odeio quando isso acontece – disse ao olhar para Nick, mas ele estava encarando o círculo.

– Uau – respirou admirado. – Olhe aquilo. Você sabia que elas iam fazer isso?

Segui seu olhar até as velas, e meu queixo caiu. Estavam transparentes. As chamas ainda brilhavam, mas a cera verde cintilava com uma aparência totalmente irreal.

Nick deslizou da banqueta, se aproximando do balcão com cuidado para não atingir o círculo. Então se abaixou perto de uma das velas, e eu quase entrei em pânico quando ele estendeu o dedo para tocá-la.

– Não! – gritei, e ele puxou a mão para trás. – Hum, acho que elas mudaram para o todo-sempre com o sal. Não sei o que acontece se você as tocar. Só... não. Está bem?

Nick fez um sinal de positivo com a cabeça ao se levantar e, parecendo apropriadamente assustado, voltou para a banqueta. Mas não pegou o giz. Ele ia apenas observar. Dei um sorriso fraco para ele, sem gostar de estar em tanta desvantagem com a magia das linhas de ley. Mas, se eu seguisse a receita, ficaria tudo bem.

Exceto por um mero restinho, todo o poder que eu havia extraído da linha de ley agora estava correndo pelo meu círculo. Eu o sentia pressionando minha pele. A fatia do todo-sempre, fina como uma molécula, era uma mancha vermelha entre mim e o resto do mundo, formando uma cúpula arqueada sobre minha cabeça. Nada passava pelas faixas de realidades alternativas. A esfera alongada também estava espelhada abaixo do meu corpo e, se eu tivesse encontrado algum cano ou fio de eletricidade, o círculo não seria perfeito, mas sim vulnerável a quebras naquele ponto.

Apesar de a maior parte do poder da linha de ley ter sido gasta selando o círculo, havia um aumento secundário começando em mim. Ele continuaria até eu quebrar o círculo e me desconectar da linha de ley. Os bruxos de linhas de ley sabiam armazenar o poder adequadamente, mas eu não sabia e, se me mantivesse conectada à linha por muito tempo, ficaria enlouquecida. O tempo de que eu precisava não chegava a ser demais.

Satisfeita porque o círculo estava seguro, deixei minha segunda visão morrer por completo. A imagem da aura de Nick se perdeu de mim.

– Pronta para a segunda etapa? – ele perguntou. Fiz que sim com a cabeça.

Deixando os pentagramas totalmente de lado, ele puxou o livro antigo para perto. Suas sobrancelhas se franziram quando ele passou o dedo sob o texto e deixou uma marca de giz ao ler.

– Agora, você retira todos os talismãs e feitiços que tiver em si. – Ele ergueu o olhar. – Talvez você devesse ter tomado um banho de sal.

– Não. Os únicos talismãs que tenho são amuletos. – Tirei o feitiço que tinha recebido da minha mãe, e a corda prendeu no meu cabelo. Coloquei a mão sobre meu pescoço, dando a Nick um sorrisinho por sua atenção a ele. Depois de um instante de hesitação, tirei o anel do meu dedinho e o pus de lado.

– Sabia! – Nick exclamou. – Sabia que você tinha sardas. Era o anel, certo?

Ele estava estendendo a mão, e o dei a ele em meio à bagunça entre nós.

– Meu pai me deu quando fiz treze anos – eu disse. – Está vendo a madeira incrustada? Tenho que renovar todo ano.

Nick olhou para mim por sob a franja.

– Eu gosto das suas sardas.

Envergonhada, peguei o anel de volta e o coloquei de lado.

– O que faço agora?

Ele olhou para o livro.

– Hum... prepare o meio de transferência.

– Feito – eu disse, dando um tapinha na panela de feitiços e a ouvindo ressoar. "Isso não é tão ruim."

– Tudo bem... – Ele permaneceu em silêncio, e o tique-taque do relógio pareceu ficar alto. Ainda lendo, disse: – Agora você tem que ficar sobre o espelho de adivinhação e empurrar sua aura para o reflexo abaixo. – Seus olhos castanhos se estreitaram de preocupação quando encontraram os meus. – Você sabe fazer isso?

– Em teoria. Foi por isso que eu fui chata em relação ao círculo. Até eu conseguir minha aura de volta, ficarei vulnerável a todo tipo de coisa. – Ele fez um sinal de positivo com a cabeça, e seu olhar estava distante, perdido em pensamentos. – Você pode observar e ver se funciona? Não posso ver minha própria aura.

– Claro. Não vai doer, vai?

Balancei a cabeça enquanto pegava o espelho de adivinhação e o colocava no chão. Olhando para sua superfície negra abaixo, me lembrei por que eu precisava me esforçar tanto para evitar a magia das linhas de ley. Sua negritude perfeita parecia engolir a luz, mas ao mesmo tempo ainda era brilhante. Não consegui me ver nele, e isso ativou meu medo.

– Descalça – Nick acrescentou. Tirei os chinelos, respirei fundo e pisei sobre o espelho. Era tão frio quanto era negro, e eu reprimi um tremor, sentindo que poderia cair nele, como se fosse um poço.

– Ui – eu disse, fazendo uma careta com a sensação de repuxo sob os pés.

Nick encarou, se levantando e olhando para meus pés por sobre o balcão.

– Está funcionando – ele disse, com o rosto subitamente pálido.

Engoli em seco, passei as mãos pela cabeça como se estivesse tirando água dali. Uma dor fez minha cabeça latejar.

– Ah, sim – Nick disse, parecendo enjoado. – Isso acelera o processo.

– É horrível – murmurei enquanto continuava a empurrar minha aura para os pés. Sabia que ela estava indo por causa da dor suave que sua ausência deixava para trás. Senti um gosto metálico na língua e olhei para a superfície negra, deixando o queixo cair ao ver meu reflexo ali pela primeira vez. Meu cabelo vermelho estava sobre o rosto, com a aparência que eu esperava, mas meu rosto estava perdido atrás de uma mancha âmbar. – Minha aura é marrom? – perguntei.

– É dourada – Nick respondeu enquanto arrastava a banqueta até o meu lado do balcão. – No geral. Acho que você empurrou tudo. Podemos... seguir em frente?

Percebendo o desconforto na voz dele, encontrei seu olhar.

– Por favor.

– Ótimo. – Ele sentou e colocou o livro no colo. Com a cabeça abaixada, leu a próxima passagem. – Tudo bem, ponha o espelho de adivinhação no meio de transferência, com cuidado para não tocá-lo na superfície, ou sua aura vai voltar e você terá que recomeçar.

Eu me recusei a olhar para o espelho, preocupada de me ver presa ali. Com os ombros tensos, tornei a calçar os chinelos. Meus pés doíam, e minha cabeça latejava, indicando o início de uma enxaqueca. Se eu não terminasse isso logo, acabaria fechada num quarto escuro com um pano na testa no outro dia. Peguei o espelho e o coloquei no meio com cuidado. As partículas de gerânio selvagem se transformaram em nada, dissolvidas pela minha aura. Era esquisito, até mesmo pelos meus padrões, e não consegui evitar um "ahhh" de felicidade.

– O que vem a seguir? – perguntei, querendo acabar logo para pegar minha aura de volta.

A cabeça de Nick pendia sobre o livro.

– Agora, é preciso untar seu familiar com o meio de transferência, mas cuidado para você mesma não tocar no meio. – Ele levantou o olhar. – Como se unta um peixe?

Empalideci.

– Não sei. Talvez eu pudesse simplesmente colocá-lo na panela junto com o espelho? – Fui até o livro no seu colo, virando a página. – Não tem alguma coisa sobre transformar um peixe em familiar? – perguntei. – Aqui tem tudo.

Nick tirou minha mão das páginas quando uma delas rasgou.

– Não. Coloque o peixe na panela de feitiços. Se não funcionar, a gente experimenta outra coisa.

Meu humor ficou azedo.

– Não quero que minha aura fique com cheiro de peixe – eu disse ao mergulhar a mão no aquário de Bob, e Nick abafou o riso.

Bob não queria ir para a panela de feitiços. Tentar pegá-lo, todo acelerado, dentro de um aquário redondo era quase impossível. Tirá-lo da banheira foi fácil – eu simplesmente escoei a água até ele encalhar –, mas agora, depois de várias tentativas frustrantes de capturá-lo, eu estava pronta para jogá-lo no chão. Por fim, consegui pegá-lo e, derramando a água sobre o balcão, o joguei na panela. Espiei dentro da panela de feitiços, observando suas guelras bombearem o líquido âmbar.

– Certo – eu disse, esperando que ele estivesse bem. – Ele está untado. O que vem a seguir?

– Só um encantamento. E, quando o meio de transferência estiver claro, você pode pegar de volta a aura que o familiar deixar para você.

– Encantamento – eu disse, pensando que a magia das linhas de ley era idiota. A magia da terra não requeria encantamentos. A magia da terra era bela e precisa em sua simplicidade. Olhei para as velas que não estavam mais ali e reprimi um tremor.

– Aqui. Vou ler para você. – Ele se levantou com o livro, e abri espaço ao lado de Bob. Inclinei-me sobre o livro, pensando que o cheiro de Nick era bom, de um jeito viril. Esbarrando nele de propósito, senti um fluxo quente que provavelmente era sua aura. Ele não percebeu, ocupado demais decifrando o texto. Suspirei e voltei minha atenção para o livro.

Nick pigarreou. Suas sobrancelhas se uniram, e seus lábios se moveram quando ele sussurrou as palavras, parecendo sombrio e perigoso. Entendi cerca de uma a cada três palavras. Ele terminou, me dando um de seus meios sorrisos.

– Que tal esse? – perguntou. – É rimado.

Um suspiro sacudiu meus ombros.

– Preciso dizer em latim?

– Acho que não. O único motivo para fazerem essas coisas rimadas é para o bruxo conseguir se lembrar. É a intenção por trás das palavras, e não as palavras em si, que fazem funcionar. – Ele se inclinou de novo sobre o livro. – Me dá um instante para traduzir. Acho que até consigo fazer rimar para você. O latim é muito solto na interpretação.

– Certo. – Nervosa e tensa, enfiei o cabelo atrás da orelha e olhei para dentro da panela de feitiços. Bob não parecia feliz.

– "*Pars tibi, totum mihi. Vinctus vinculis, prece factis.*" – Nick levantou o olhar. – "Um pouco para você, mas tudo para mim. Prenda meus laços feitos por apelo, sim?"

Repeti obediente, me sentindo boba. Invocações. Não dava pra ser mais brega. Em breve eu estaria de pé numa perna só sacudindo um ramo de penas para a lua cheia.

O dedo de Nick passou sob o texto.

– "*Luna servata, lux sanata. Chaos statutum, pejus minutum.*" – Sua sobrancelha franziu. – Vamos dizer assim: "Lua segura, luz antiga e sã. Caos decretado, tropeçando se for amaldiçoado."

Eu o ecoei, achando que os bruxos de linhas de ley tinham uma falta de imaginação substancial.

– "*Mentem tegens, malum ferens. Semper servus, dum duret mundus.*" Diga: "Proteção lembrada, carregada de mérito fecundo. Amarrada antes do renascimento do mundo."

– Ah, Nick – reclamei –, tem certeza de que está traduzindo direito? Isso é horrível.

Ele suspirou.

– Tente assim, então. – Pensou por um instante. – "Abrigo da mente, portador do desgosto. Escravo até os mundos em destruição serem postos."

Com isso eu conseguia conviver, e repeti, sem sentir nada. Nós dois espiamos Bob, esperando o líquido âmbar ficar claro. Minha cabeça latejava, mas, além disso, nada aconteceu.

– Acho que fiz errado – eu disse, arrastando o chinelo.

– Ah... merda – Nick xingou. Levantei o olhar e o vi encarando por sobre meu ombro, em direção à porta. Ele engoliu em seco; seu pomo de Adão se moveu.

Senti o pelo na minha nuca se arrepiar. Minha cicatriz do demônio pulsou. Recuperando o fôlego, me virei, achando que Ivy tinha voltado para casa.

Mas não era Ivy. Era um demônio.

Dezesseis

– Nick! – gritei, tropeçando para trás. O demônio deu um risinho. Parecia um aristocrata britânico, exceto pelo fato de que eu o reconheci como aquele que assumiu o rosto de Ivy e rasgou minha garganta naquela primavera.

Minhas costas encontraram o balcão. Eu tinha que correr. Tinha que sair dali! Ele ia me matar! Descontrolada para ficar atrás do balcão, colocando-o entre nós, atingi a panela de feitiços.

– Cuidado com a mistura! – Nick gritou, estendendo a mão enquanto a panela virava.

Ofeguei, afastando meu olhar do demônio por tempo suficiente para ver a panela com Bob virando. A água envolta em aura se derramou sobre o balcão, formando uma poça âmbar. Bob deslizou para fora, agitado.

– Rachel! – Nick exclamou. – Pegue o peixe! Ele está com sua aura. Ele pode quebrar o círculo!

"Estou num círculo", pensei, controlando o pânico. "O demônio não está. Não pode me machucar."

– Rachel!

O grito do meu namorado fez com que eu desviasse os olhos do demônio sorridente. Nick tentava a todo custo pegar Bob, agitado sobre o balcão, e impedir que a água derramada chegasse à borda. Meu rosto ficou gelado. Poderia apostar que a água envolvida em aura seria suficiente para quebrar o círculo.

Tentei pegar as toalhas de papel. Enquanto Nick tateava em busca de Bob, eu corria, enlouquecida, contornando o balcão e cobrindo-o com papel para absorver os filetes de água antes que formassem poças no chão, que correriam até o círculo. Meu coração palpitava, e eu alternava minha atenção freneticamente entre a água e o demônio, que estava parado com uma expressão selvagem e divertida na porta que dava para o corredor.

– Te peguei – Nick sussurrou. Sua respiração saiu numa explosão áspera quando ele finalmente controlou o peixe.

– Não use a água salgada! – alertei enquanto Nick o segurava sobre minha panela de dissolução. – Aqui. – Joguei o aquário de Bob para Nick. Ele estava cheio de água comum, e o ocultei assim que Nick soltou Bob ali dentro. O peixe estremeceu e, com as guelras bombeando água, foi para o fundo do aquário.

Houve um silêncio, envolvido pela aspereza pesada da nossa respiração e pelo tique-taque do relógio sobre a pia. Os olhos de Nick e os meus se encontraram sobre o aquário. Juntos, viramos para o demônio.

Ele tinha uma aparência agradável, na forma de um jovem com bigode, elegante e refinado. Estava vestido como um homem de negócios do século XVIII, com um paletó de veludo verde com punho rendado e cauda longa. Óculos redondos empoleiravam-se em seu fino nariz. Eram fumês, escondendo os olhos vermelhos. Apesar de o demônio ser capaz de mudar de forma à vontade – se tornando qualquer coisa, desde minha colega de quarto até um roqueiro punk –, seus olhos continuavam os mesmos, a menos que ele se esforçasse para assumir todas as habilidades da pessoa que estava imitando. Além de tudo isso, minha cicatriz estava envolvida em saliva vamp. Um tremor me sacudiu quando me lembrei que suas pupilas eram rachadas como as de um bode.

O medo contraiu meu estômago. Eu detestava ter medo. Obriguei-me a soltar meus cotovelos, me empertiguei e joguei a cabeça para trás.

– Já pensou em atualizar seu guarda-roupa? – zombei. "Estou segura dentro do círculo. Estou segura dentro do círculo."

Minha respiração parou quando uma névoa vermelha do todo-sempre o nublou. As roupas do demônio se transformaram num terno moderno que eu esperaria ver num executivo da *Fortune 20*.

– Isso é tão... comum – ele disse, com o sotaque britânico carregado e ressoante, perfeito para o cenário. – Mas não quero que digam que não estou me adaptando. – Ele tirou os óculos, e minha respiração saiu sibilando. Encarei a estranheza em seus olhos, dando um pulo quando Nick tocou meu braço.

Nick parecia cauteloso – não tão assustado quanto eu gostaria –, e eu fiquei com vergonha do meu pânico anterior. Mas que droga, demônios me assustavam demais.

Ninguém se arriscava a invocá-los desde a Virada. Exceto a pessoa que invocara aquele para acabar comigo na última primavera. E também teve o que atacou Trent Kalamack. Talvez a invocação fosse mais comum do que eu gostaria de admitir.

Eu detestava o fato de que o respeito de Nick por demônios não envolvia medo. Eles o fascinavam, e eu tinha medo de que sua busca por conhecimento algum dia o levasse a tomar uma decisão idiota, pela qual tivesse que pagar com a própria vida.

O demônio sorriu, mostrando dentes grossos e bem cuidados enquanto olhava para a própria vestimenta. Então, fez um som como se estivesse perdido em pensamentos e o paletó desapareceu, se transformando numa camiseta preta enfiada em calças de couro com uma corrente de ouro em volta dos quadris estreitos. Uma jaqueta de couro preto apareceu, e o demônio se alongou com sensualidade, mostrando cada curva dos músculos novos e atraentes que esticavam a camiseta na altura do peito. Ele sacudiu a cabeça, fazendo o cabelo louro curto crescer, e sua altura aumentou.

Fiquei pálida. Ele tinha se transformado em Kist, puxando da minha mente meu velho medo do vamp. O demônio parecia se divertir muito ao se transformar no que me assustava mais. Eu não deixaria isso me abalar. Não mesmo.

– Ei, isso é legal – o demônio disse. Seu sotaque tinha mudado para um jeito arrastado de falar, típico de bad boys atraentes, o que combinava com a nova aparência. – Você teme pessoas muito bonitas, Rachel Mariana Morgan. Gostei de ser este. – Lambendo os lábios de um jeito sugestivo, ele lançou o olhar para meu pescoço, se demorando na cicatriz que tinha deixado em mim quando eu estava deitada no chão do porão da biblioteca da universidade, perdida numa nuvem de êxtase induzido por saliva vamp enquanto ele me matava.

A lembrança fez meu coração martelar, e cobri o pescoço com a mão. A pressão de seu olhar forçava minha pele, fazendo-a formigar.

– Pare – exigi, assustada por ele brincar com a cicatriz e com sensações que corriam como metal derretido do meu pescoço até a virilha. Minha respiração sibilou ao passar pelo nariz. – Eu mandei você parar!

O azul dos olhos do falso Kist se expandiu e se tornou vermelho. Vendo minha determinação, os contornos do demônio ficaram borrados.

– Você não tem mais medo disso – ele disse. Sua voz mudou, ficando mais baixa e carregada e novamente com sotaque britânico. – Que pena... Eu gosto muito de ser jovem e cheio de testosterona. Mas sei o que te assusta. Só que vamos manter isso em segredo, está bem? Nick Sparagmos não precisa saber. Ainda não. Ele pode querer comprar essa informação.

A respiração de Nick parecia áspera ao meu lado, enquanto o demônio tirava o capacete de motociclista – que imediatamente desapareceu numa nuvem vermelha do todo-sempre – e mudava, voltando à forma anterior de nobreza britânica com rendas e veludo verde. Ele sorriu para mim por sobre os óculos redondos de lentes fumês.

– Isso vai ter que funcionar por enquanto – ele disse.

Dei um pulo quando Nick me tocou.

– Por que você está aqui? – ele perguntou ao demônio. – Ninguém te chamou.

O demônio não disse nada, olhando ao redor da cozinha com curiosidade evidente. Mostrando uma graciosidade predadora, começou a circular pelo ambiente claro. Suas botas com fivelas brilhantes não faziam nenhum barulho sobre o linóleo.

– Sei que vocês são novos nisso tudo – ele meditou em voz alta enquanto tamborilava os dedos no copo de conhaque do Senhor Peixe no peitoril, fazendo o peixe se agitar –, mas geralmente o invocador fica *fora* do círculo, e o invocado fica *dentro.* – Ele se virou e fez a cauda do paletó girar. – Vou te dar essa aula de graça, Rachel Mariana Morgan, porque você me fez rir. Não dou risadas desde a Virada. Todos nós rimos daquilo.

Minha pulsação tinha desacelerado, mas meus joelhos estavam moles como geleia. Eu queria sentar, mas não tinha coragem.

– Como você pode estar aqui? – perguntei. – Estamos em solo sagrado.

A figura de graciosidade britânica abriu minha geladeira. Soltando um muxoxo, remexeu nas sobras e tirou um pote de cobertura de chocolate que estava pela metade.

– Ah, sim, *gostei* dessa coisa. Estar do lado de fora é *sempre* muito mais interessante. Acho que também vou responder a essa pergunta de graça.

Esbanjando charme do Velho Mundo, ele tirou a tampa do pote. O plástico azul desapareceu numa mancha do todo-sempre, sendo substituído por uma colher, que o demônio mergulhou no recipiente.

– Isto não é solo sagrado – ele disse enquanto ficava parado na minha cozinha vestido de cavalheiro e comia a cobertura. – A cozinha foi adicionada depois que o santuário foi abençoado. Você poderia ter santificado o terreno todo, mas aí você conectaria seu quarto à linha de ley no cemitério. Ah, e não seria *tão* divertido!

Uma sensação de enjoo retorceu meu estômago quando percebi o que aquilo poderia significar. Com as sobrancelhas erguidas, ele me olhou por sobre os óculos fumês, seus olhos vermelhos demonstrando uma quantidade chocante de ira súbita.

– É melhor você ter alguma coisa que valha a pena ouvir ou vou ficar nobremente irritado.

Empertiguei-me ao entender. O demônio achava que eu o tinha invocado com uma oferta de informação para pagar pela minha dívida. Minha pulsação disparou a toda velocidade quando o recipiente de cobertura desapareceu da mão do demônio e ele se aproximou do círculo.

– Não! – soltei quando ele atingiu a faixa do todo-sempre entre nós. Seu rosto perdera o tom de divertimento e, com a expressão mortalmente séria, ele voltou a atenção para a fresta formada no chão. Agarrei o braço de Nick enquanto o demônio murmurava sobre esquartejar invocadores membro a membro, chás interrompidos e sobre como era indelicado tirar alguém do jantar ou da frente da televisão numa noite de quarta-feira. A adrenalina me sacudiu quando ele se dissolveu numa névoa vermelha e afundou no piso de madeira.

Agarrei-me a Nick, com os joelhos ameaçando falhar.

– Ele está procurando canos – expliquei. – Não há canos. Eu verifiquei. – O medo fez meus ombros doerem enquanto eu esperava o demônio se erguer pelo chão aos meus pés e me matar. – Eu verifiquei! – afirmei, tentando convencer a mim mesma.

Sabia que o círculo cortava rochas e raízes e, no alto, ia até o sótão, e, desde que não houvesse um caminho aberto, como um cano de gás ou um fio de telefone, o círculo estava seguro. Até mesmo um notebook poderia quebrar um círculo se estivesse conectado à internet e recebesse um e-mail.

– Ah, que bom. Ele voltou – Nick respirou quando o demônio reapareceu do lado de fora do círculo, e eu reprimi um riso, sabendo que pareceria histérico. Que tipo de vida eu tinha quando achava bom ver um demônio?

O demônio ficou parado na nossa frente, pegou uma latinha de um bolso minúsculo e aspirou uma pitada de pó preto pelas duas narinas.

– Você fez um círculo bem-feito – ele disse entre espirros educados. – Tão bom quanto os do seu pai.

Meus olhos se arregalaram, e fui até a beirada do círculo.

– O que você sabe do meu pai?

– Reputação, Rachel Mariana Morgan – ele sorriu de um jeito afetado. – Mera reputação. Ele não estava na minha área de especialização quando vivo. Agora que está morto, estou interessado. Sou especializado em segredos. Assim como Nick Sparagmos, parece. – Ele largou a latinha e puxou a cadeira de Ivy da frente do computador. – Agora – ele disse devagar enquanto mexia o mouse e abria a internet –, por mais que isso seja interessante, podemos continuar? Seu círculo está firme. Não vou te matar agora. – Seus olhos vermelhos ficaram dissimulados. – Mais tarde, talvez.

Segui seu olhar até o relógio sobre a pia. Era uma e quarenta. Eu esperava que Ivy não entrasse agora. Uma vamp morta-viva poderia sobreviver a um ataque de demônio, mas uma vamp viva teria tanta chance quanto eu.

Respirei, reunindo forças para mandá-lo embora, já que não o tinha chamado, mas um pensamento me fez gelar. Ele sabia o sobrenome de Nick. Tinha falado duas vezes.

– Ele sabe seu sobrenome – eu disse, virando para Nick. – Como?

A boca de Nick se abriu, e seus olhos miraram o demônio.

– Ah...

– Como ele sabe seu sobrenome? – exigi saber, com as mãos nos quadris. Eu estava cansada de ter medo, e Nick era uma válvula de escape conveniente. – Você tem invocado esse demônio, não é?

– Bom... – ele disse, com o rosto comprido ficando vermelho.

– Seu idiota! – gritei. – Eu falei para não invocá-lo. Você prometeu que não faria isso!

– Não – ele disse, segurando meus ombros. – Eu não fiz isso. Você me pediu para não fazer. Mas meio que aconteceu. Nem tinha a intenção de chamá-lo na primeira vez.

– Primeira? – exclamei. – Quantas vezes foram?

Nick esfregou a barba cerrada.

– Sabe, eu estava desenhando pentagramas... para praticar. Não ia fazer nada. O demônio apareceu, achando que eu o tinha chamado com alguma informação para pagar minha dívida. Graças a Deus eu estava num círculo. – Nick olhou para os papéis molhados com os traços de giz prateado. – Do mesmo jeito que ele apareceu hoje.

Juntos, viramos para o demônio, que deu de ombros. Ele parecia mais do que disposto a esperar nossa discussão, mais interessado na lista de favoritos do navegador de Ivy do que em nós, naquele momento.

– Não vou deixar você colocar a culpa disso no demônio – eu disse.

– Quanta gentileza, Rachel Mariana Morgan – o demônio comentou, e olhei de cara feia.

Nick estava começando a ficar com raiva. Num impulso súbito, empurrei o cabelo de sua têmpora esquerda para o lado. Perdi o fôlego por um instante ao ver duas linhas cortando a cicatriz do demônio, em vez de uma.

– Nick! – lamentei. – Sabe o que acontece quando você tem muitas dessas linhas?

Ele deu um passo para trás, incomodado, e seu cabelo castanho caiu sobre a testa, escondendo a cicatriz.

– Isso pode te puxar para o todo-sempre! – gritei, querendo bater nele. Eu só tinha uma linha na minha cicatriz do demônio, e a preocupação ainda me mantinha acordada à noite.

Nick não disse nada, me observando com olhos impenitentes. Que inferno, ele nem ia tentar se explicar.

– Fale comigo! – exclamei.

– Rachel – ele disse. – Não vai acontecer nada. Estou sendo cuidadoso.

– Mas você tem duas dívidas – protestei. – Se não compensá-las, vai pertencer a ele.

Nick sorriu, confiante, e eu xinguei mentalmente sua certeza de que estaria seguro se seguisse as regras.

– Está tudo bem – ele disse ao pegar meus ombros de novo. – Só entrei num contrato de teste.

– Contrato de teste... – balbuciei, arrasada. – Nick, isso não é um estágio. Ele está tentando levar sua alma!

O demônio deu um risinho, e olhei para ele de relance.

– Isso não vai acontecer – Nick me acalmou. – Posso chamá-lo sempre que quiser, do mesmo jeito que se lhe desse minha alma. E, no fim de três anos, saio sem laços ou compromissos.

– Se parece um negócio bom demais, você não leu as entrelinhas.

Ele sorriu mesmo assim, com o rosto demonstrando confiança em vez do pavor que deveria estar sentindo.

– Li as entrelinhas, sim. – Ele ergueu o dedo para tocar meus lábios e interromper meu surto. – Todas elas. Posso fazer perguntas sem importância de graça e perguntas importantes no crédito.

Fechei os olhos.

– Nick, você sabia que sua aura está com um contorno preto? Parece um fantasma na minha visão interior.

– Você também, meu amor – Nick sussurrou, me puxando para perto.

Chocada, não fiz nada quando seus braços me envolveram. "Minha aura está manchada como a dele? Eu não fiz nada além de deixar o demônio salvar minha vida."

– Ele tem todas as respostas, Rachel – Nick sussurrou, e senti meu cabelo voar com seu hálito. – Não consigo evitar.

O demônio pigarreou, e me afastei de Nick.

– Nick Sparagmos é meu melhor aluno desde Benjamin Franklin – o demônio disse. Seu sotaque fez a frase parecer totalmente razoável enquanto tocava a tela de Ivy e a fazia ficar azul. Mas ele não me enganava. A coisa não podia ser movida por pena, culpa ou remorso. Se tivesse encontrado um jeito de entrar no círculo, teria matado nós dois pela audácia de chamá-lo do todo-sempre, quer o chamado tivesse sido intencional ou não.

– Se bem que Átila poderia ter ido longe se tivesse conseguido olhar além das aplicações militares – continuou, fitando as unhas. – E é difícil superar Leonardo di ser Piero da Vinci na astúcia e na determinação.

– Vaidoso inseguro – murmurei, e o demônio inclinou a cabeça com graciosidade. Era óbvio que, se tinha o demônio à disposição durante três anos, Nick concordaria com qualquer coisa para mantê-lo ali. E era exatamente com isso que o demônio estava contando.

– Hum, Rachel – Nick disse ao pegar meu cotovelo. – Já que o demônio está aqui, você pode conseguir um nome de invocação dele para que não apareça todas as vezes que você fechar um círculo e desenhar um pentagrama. Foi assim que ele conseguiu meu sobrenome. Eu o dei em troca do nome de invocação dele.

– Eu sei seu nome, Rachel Mariana Morgan – o demônio disse. – Quero um segredo.

Meu estômago se revirou.

– Está bem – concordei, cansada, lutando por alguma coisa. Eu tinha alguns. Meus olhos recaíram na foto do meu pai e do pai de Trent, e a levantei em silêncio contra a faixa transparente do todo-sempre.

– Onde está o segredo nisso aí? – o demônio zombou. – Dois homens na frente de um ônibus. – Depois piscou. Observei, fascinada, enquanto as fendas horizontais de seus olhos ficavam largas até eles estarem quase pretos. Ele se levantou e estendeu a mão para a foto. Um xingamento murmurado passou por seus lábios quando atingiu a barreira. Senti cheiro de âmbar queimado.

Minha pulsação deu um salto com o súbito interesse. Talvez isso fosse suficiente para pagar totalmente minha dívida.

– Interessado? – provoquei. – Libere minha dívida e eu te conto quem são os dois.

O demônio caiu para trás, rindo.

– Ah, você acha que isso é tão importante assim? – zombou. Mas seus olhos acompanharam a foto até eu colocá-la sobre o balcão atrás de mim. Sem aviso, o demônio mudou de forma. O borrão vermelho do todo-sempre se derreteu e fluiu. Fiquei surpresa, horrorizada, ao vê-lo assumir minha imagem. Tinha até sardas. Era como me olhar no espelho, e fiquei arrepiada quando minha imagem se mexeu sem eu querer. Nick ficou pálido, com o rosto comprido estupefato ao olhar de mim para o demônio.

– Sei quem são os dois homens – o demônio disse na minha voz. – Um é seu pai, o outro é pai de Trenton Aloysius Kalamack. Mas o ônibus do acampamento? – Seus olhos se prenderam a mim num prazer tortuoso. – Rachel Mariana Morgan, você realmente me deu um segredo.

"Ele sabe o segundo nome de Trent?" Então o mesmo demônio atacou nós dois. Alguém queria que nós dois morrêssemos. Por um instante, me senti tentada a perguntar ao demônio quem era, depois baixei os olhos. Podia descobrir isso sozinha, e não custaria a minha alma.

– Pode nos considerar quites por você ter me conduzido pelas linhas de ley e me deixe em paz para sempre – eu disse, e o demônio riu. Eu me perguntei se meus dentes eram daquele tamanho quando eu abria a boca.

– Ah, você é um amor – ele disse na minha voz, mas com seu sotaque. – Ver essa foto talvez seja suficiente para comprar um nome de invocação, mas, se quiser liberar sua dívida, preciso de mais alguma coisa. Algo que pudesse representar sua morte se fosse sussurrado no ouvido correto.

A ideia de poder me livrar dele completamente me encheu de uma ousadia precipitada.

– E se eu te contar por que estava lá? Naquele acampamento? – Nick se mexeu de um jeito nervoso ao meu lado, mas, se me livrasse do demônio para sempre, valeria a pena.

O demônio abafou um riso.

– Você se superestima. Isso não vale sua alma.

– Então eu te conto por que estava lá se puder te invocar em segurança mesmo sem um círculo – soltei, achando que ele não queria liberar minha dívida simplesmente para ter mais uma chance contra mim no futuro.

Ao ouvir isso, o demônio riu, fazendo meu estômago se revirar quando sua aparência mudou grotescamente para o cavalheiro britânico enquanto ele dava uma risada urrada.

– Uma promessa de segurança sem um círculo? – ele disse, secando os olhos quando conseguiu falar de novo. – Não existe nada nesta terra fedorenta que valha isso.

Engoli em seco. Meu segredo era bom – e tudo que eu queria era me libertar do demônio –, mas ele não acreditaria nisso a menos que eu contasse o segredo antes.

– Eu tinha uma doença sanguínea rara – comecei a contar antes que eu pudesse mudar de ideia. – Acho que o pai de Trent me curou com terapia genética ilegal.

O demônio gargalhou.

– Você e outros milhares de fedelhos. – A cauda do paletó girou, e ele foi até a beirada do círculo. Andei de costas até o balcão, com o coração martelando. – É melhor você começar a levar isso a sério ou vou perder meu bom... – Ele deu um pulo ao ver meu livro, aberto no feitiço de ligação a um familiar. – ... temperamento – terminou, e a palavra não deu em nada. – Onde foi que você... – balbuciou, depois piscou, lançando seus olhos de bode sobre mim, depois sobre Nick. Eu não poderia ter ficado mais surpresa quando um som de incredulidade escapou de sua boca. – Ah – ele disse, parecendo chocado. – Maldito seja eu três vezes.

Nick estendeu a mão para trás de mim, fechando o livro e o cobrindo com as folhas de papel preto. De repente, me senti dez vezes mais nervosa. Meu olhar passou pelas velas transparentes e pelo pentagrama feito de sal. Que diabos eu estava fazendo?

O demônio recuou com um movimento lento e absorto em pensamentos. Levou a mão, coberta por uma luva branca, até o queixo, e me olhou com uma nova disposição, me dando a sensação de que podia ver através de mim com a mesma facilidade com que eu podia ver através das velas verdes, agora transparentes, que eu tinha acendido, sem saber para quê serviam. Sua mudança rápida de raiva para surpresa e daí para uma maquinação traiçoeira foi direto para o meu âmago, me sacudindo.

– Bom, então, não vamos apressar as coisas – ele corrigiu, com a sobrancelha franzida enquanto olhava para o relógio cheio de *gadgets* que apareceu em seu pulso no instante em que olhou para baixo. O relógio era igual ao de Nick. – O que fazer, o que fazer? Matá-los ou mantê-los? Continuar com a tradição ou abrir caminho para o progresso? Acredito que a única coisa que vá funcionar no tribunal é deixar que vocês decidam. – Ele sorriu, e um tremor incontrolável me fez estremecer. – E nós queremos agir dentro da lei. Muito, muito dentro da lei.

Assustada, deslizei ao redor do balcão e fui me aninhar em Nick. "Quando foi que agir dentro da lei significou alguma coisa para um demônio?"

– Não vou matá-los se me invocarem sem um círculo – o demônio disse abruptamente, seus saltos fazendo um barulho agudo no linóleo enquanto recuava. Sua empolgação era evidente em seus movimentos agitados. – Se eu estiver certo, vou acabar fazendo isso de qualquer maneira. Saberemos em breve. – Ele deu um risinho maligno. – Mal posso esperar. De qualquer modo, vocês são meus.

Dei um pulo quando Nick pegou meu cotovelo.

– Nunca ouvi falar de uma promessa de segurança sem um círculo – sussurrou, com os olhos comprimidos. – Nunca.

– Porque ela só é dada aos mortos-vivos, Nick Sparagmos.

A sensação ruim no fundo do meu estômago começou a subir, apertando todos os músculos no caminho. Não havia nada nesta terra fedorenta que valesse uma invocação livre de riscos, mas o demônio a concedeu em vez de absolver minha dívida? "Ah, isso tinha que ser bom."

Eu tinha deixado alguma coisa escapar, sabia disso. Decidida, afastei a sensação. Já fizera maus negócios antes e sobrevivera.

– Ótimo – eu disse, com a voz trêmula. – Já cansei de você. Quero que volte diretamente para o todo-sempre sem desvios no caminho.

O demônio olhou de novo para o pulso.

– Que mocinha mais rude – respondeu com elegância e bom humor enquanto abria o congelador e tirava uma caixa de batatas fritas de micro-ondas. – Mas, como vocês estão no círculo e eu estou aqui fora, vou embora na hora que eu quiser. – A mão coberta por uma luva branca estava envolvida numa mancha vermelha, claramente para mostrar as batatas fritas esquentando. Ele abriu a geladeira e franziu a testa. – Não tem *ketchup*?

"Duas da manhã", pensei, olhando para o relógio. Por que isso era importante?

– Nick – sussurrei, ficando gelada. – Tire a bateria do seu relógio. Agora.

– O quê?

De acordo com o relógio sobre a pia, faltavam cinco minutos para as duas. Eu não tinha certeza se ele era preciso.

– Faça isso! – gritei. – Ele está conectado com o relógio atômico do Colorado, o que significa que à meia-noite, no horário deles, vai enviar um pulso para zerar tudo. O pulso vai quebrar o círculo, exatamente como uma linha telefônica ou um cano de gás ativo.

– Ah... merda – Nick disse, seu rosto empalidecendo.

– Bruxa maldita! – o demônio gritou, furioso. – Quase peguei vocês dois!

Nick estava trabalhando freneticamente no relógio, seus dedos compridos remexendo na parte de trás.

– Você tem uma moeda? Preciso de uma moeda de dez centavos para tirar o fundo. – Seus olhos estavam assustados ao dispararem para o relógio sobre a pia. Sua mão vasculhou um dos bolsos.

– Me dá aqui! – exclamei, agarrando o relógio, e o joguei sobre o balcão. Peguei o martelo de carne na prateleira acima de mim e bati.

– Não! – Nick gritou quando as peças do relógio se espalharam. – Ainda tínhamos três minutos!

Eu me soltei de Nick e bati de novo.

– Está vendo? – exclamei, batendo várias vezes com o martelo. – Está vendo como o demônio é esperto? – A adrenalina tornou meus movimentos desengonçados conforme eu agitava o martelo de madeira na direção de Nick. – Ele sabia que você tinha esse relógio. Estava só esperando! Foi por isso que ele concordou em me dar uma invocação segura! – Com um grito de frustração, joguei o martelo no demônio. Ele atingiu a parede invisível do círculo e ricocheteou, caindo aos meus pés. Não havia muita coisa restante do relógio de pulso de Nick, além de uma parte de trás amassada e cacos de quartzo.

Nick caiu sobre o balcão, os dedos de uma das mãos pressionando a testa enquanto abaixava a cabeça.

– Achei que o demônio *queria* me ensinar – Nick sussurrou. – Mas todas aquelas vezes ele estava apenas tentando fazer eu mantê-lo comigo até o círculo se quebrar.

Nick deu um pulo quando toquei no seu ombro, me encarando com olhos arregalados. Ele finalmente estava assustado.

– Você entende, agora? – perguntei com amargura. – Ele vai te matar. Vai te matar e levar sua alma. Me diz que você não vai mais chamá-lo. Por favor?

Nick respirou rápido e encontrou meus olhos, balançando a cabeça.

– Serei mais cuidadoso – sussurrou.

Frustrada, me virei para o demônio.

– Saia daqui, como eu já mandei! – gritei.

Exibindo uma graça sobrenatural, o demônio se levantou. A imagem do cavalheiro britânico levou um instante para ajustar a renda da gola e depois os punhos. Com movimentos lentos e deliberados, empurrou a cadeira de volta para baixo da mesa e inclinou a cabeça para mim, seus olhos vermelhos observando por cima dos óculos.

– Parabéns por conseguir seu familiar, Rachel Mariana Morgan – ele disse. – Pode me invocar usando o nome Algaliarept. Se contar meu nome a alguém, você será automaticamente minha. E não pense que, por não precisar estar num círculo para me invocar, você estará a salvo. Você é minha. Nem mesmo sua alma vale sua liberdade.

E, com isso, ele desapareceu numa mancha vermelha do todo-sempre, deixando no ar um cheiro de gordura e batatas fritas.

Dezessete

Fiquei sentada no banco do laboratório e batuquei o tornozelo no apoio.

– Por quanto tempo você acha que ela consegue arrastar isso? – perguntei à Janine enquanto jogava a cabeça em direção à doutora Anders. A mulher estava na mesa diante do quadro-negro, testando um de seus alunos.

Janine estourou uma bola de chiclete e enroscou o dedo no cabelo liso invejável. Seu medo inicial da minha marca de demônio tinha se transformado numa ousadia rebelde depois que eu dissera a ela que a obtive no meu antigo emprego na SI. Sim, era noventa por cento mentira, mas não podia me dar ao luxo de ela desconfiar de mim.

– As avaliações de familiares levam uma eternidade – a jovem concordou. Os dedos de sua mão livre acariciavam a orelha de seu gato. O manês branco estava com os olhos fechados, claramente gostando da atenção. Meu olhar deslizou para Bob, mantido em um pote grande e vazio de manteiga de amendoim, com uma tampa. Janine tinha se mostrado admirada quando o vira, mas eu sabia que era por simpatia. A maioria das pessoas tinha trazido gatos. Uma delas estava com um furão. Achei isso legal, e o homem a quem ele pertencia disse que furões eram os melhores familiares.

Bob e eu éramos os únicos que ainda faltavam ser avaliados, e a sala estava quase vazia, mas Janine estava esperando Paula, a aluna que a doutora Anders atendia naquele momento. Nervosa, puxei o pote de Bob para mais perto e, pela janela, olhei para as luzes que acabavam de ser acesas no estacionamento.

Eu esperava ver Ivy naquela noite. Ainda não tínhamos nos encontrado desde que Nick a derrubara. Sabia que ela tinha passado em casa. Havia café na xícara naquela tarde, e as mensagens da secretária eletrônica tinham sido apagadas. Ivy tinha se levantado e saído antes de eu acordar. Isso era bem atípico, mas eu sabia que não devia forçar uma conversa sem que ela estivesse pronta.

– Ei – Janine disse, atraindo minha atenção de volta. – Paula e eu vamos à Piscary's para almoçar antes que o sol se ponha e o lugar fique cheio de vamps mortos-vivos. Quer ir também? A gente te espera.

Sua oferta me agradou mais do que eu gostaria de admitir, mas balancei negativamente a cabeça.

– Não, obrigada. Já tenho planos de encontrar meu namorado. – Nick estava trabalhando no prédio ao lado e, como ele sairia mais ou menos no horário em que minha aula deveria terminar, a gente iria ao McDonald's para ele jantar e eu almoçar.

– Leve ele também – Janine insistiu. O delineador azul grosso que ela estava usando contrastava com uma aparência que, fora isso, seria de bom gosto. – Ter um cara numa mesa de garotas sempre faz os homens solteiros bonitos se aproximarem.

Não consegui evitar um sorriso.

– Nããão – soltei, sem querer dizer a ela que o Piscary me matava de medo, fazia minha cicatriz do demônio formigar e era tio da minha colega de quarto, por falta de uma palavra melhor para denominá-lo. – Nick é humano – eu disse. – Seria meio estranho.

– Você namora um humano! – Janine sussurrou de um jeito grosseiro. – Ei, é verdade o que se diz por aí?

Dei um olhar de lado para ela enquanto Paula terminava com a doutora Anders e se juntava a nós.

– Sobre o quê? – perguntei quando Paula enfiou o gato relutante numa caixa de transporte dobrável entre miados estridentes e regurgitações de bolas de pelo. Horrizada, encarei a cena enquanto ela fechava o zíper da abertura.

– Você sabe... – Janine cutucou meu braço. – Eles têm, hum... Eles realmente são...

Afastando os olhos da caixa de transporte que sacolejava, dei um risinho.

– É. Eles têm. Eles são mesmo.

– Uau! – Janine exclamou, estendendo o braço para pegar o de Paula. – Ouviu isso, Paula? Preciso encantar um humano antes de ficar velha demais para curtir.

Paula estava corada, parecendo especialmente vermelha em contraste com o cabelo louro.

– Pare – cochichou, dando uma olhada para a doutora Anders.

– O quê? – Janine perguntou, nem um pouco envergonhada enquanto abria sua caixa de transporte e seu gato entrava voluntariamente, se aninhando e ronronando. – Eu não me casaria com um deles, mas o que há de errado em dar umas voltas com um humano enquanto você procura o homem perfeito? A primeira esposa do meu pai era humana.

Nossa conversa foi interrompida quando a doutora Anders pigarreou. Janine pegou sua bolsa e deslizou para fora do banco do laboratório. Dando um sorrisinho para as duas mulheres, peguei relutantemente o pote de manteiga de amendoim de Bob e fui em frente. Os pentagramas de Nick estavam debaixo do meu braço, e a doutora Anders não levantou o olhar quando coloquei o recipiente no espaço aberto da sua mesa.

Eu queria acabar logo com aquilo e sair dali. Nick me levaria ao FIB naquela noite, depois do almoço/janta, para eu falar com Sara Jane. Glenn tinha pedido para ela ir até a agência para falar sobre os hábitos de Dan, e eu pretendia perguntar a ela sobre o paradeiro de Trent nos últimos dias. Glenn não estava feliz com o rumo da investigação, mas a missão também era minha, oras.

Nervosa, me obriguei a ir até a parte de trás da cadeira ao lado da mesa da doutora Anders, me perguntando se Jenks estava certo sobre o fato de que Sara Jane ir ao FIB era o jeito tortuoso de Trent colocar as patas em mim. Uma coisa era certa: a doutora Anders não era a caçadora de bruxos. Ela era malvada, mas não assassina.

As duas mulheres hesitaram na porta para o corredor, e suas caixas de transporte de gatos as desequilibravam.

– Te vejo na segunda-feira, Rachel – Janine disse.

Acenei para ela, e a doutora Anders emitiu um som que mostrava irritação e vinha do fundo da garganta. Em seguida, a mulher rígida colocou um formulário em branco sobre a pilha de papéis e escreveu meu nome em grandes letras de forma.

– Tartaruga? – a doutora Anders tentou adivinhar quando olhou para meu recipiente.

– Peixe – respondi, me sentindo uma idiota.

– Pelo menos você conhece seus limites – ela disse. – Sendo uma bruxa da terra, seria difícil você reter todo-sempre suficiente para unir um rato a você, quanto mais o gato que eu tenho certeza de que você queria.

Sua voz estava ligeiramente condescendente, e precisei soltar minhas mãos, que estavam grudadas com força.

– Sabe, senhorita Morgan – a doutora Anders disse ao abrir a tampa e dar uma espiada –, quanto mais poder você consegue canalizar, mais inteligentes precisam ser seus familiares. O meu é um papagaio africano cinza. – Ela levou seu olhar até o meu. – Isso é o seu dever de casa?

Reprimi uma explosão de contrariedade e dei a ela uma pasta cor-de-rosa cheia de artigos curtos. Sob eles estavam os pentagramas respingados de água, com o papel preto curvo e deformado.

Os lábios da doutora Anders estavam brancos de tão tensos.

– Obrigada – ela disse, jogando os desenhos de Nick para o lado sem dar nem uma olhada superficial. – A senhorita conseguiu uma folga. Mas, ainda assim, não pertence à minha turma, e vou tirá-la daqui na primeira chance que eu tiver.

Mantive a respiração curta. Sabia que ela não ousaria dizer aquilo se houvesse mais alguém na sala.

– Bom – murmurou como se estivesse cansada –, vamos ver quanta aura seu peixe conseguiu aceitar.

– Muita. – Fiquei nervosa. Nick tinha olhado minha aura ontem antes de ir embora, dizendo que estava bem fraca. Ela seria reposta aos poucos, mas, nesse meio-tempo, me sentia vulnerável.

A doutora Anders manteve para si sua opinião sobre minha evidente agitação e, com o olhar distante, mergulhou os dedos na água de Bob. A pele da minha nuca ficou tensa, e senti meu cabelo voar com o vento que sempre parecia soprar no todo-sempre. Observei, fascinada, quando uma mancha azul de suas mãos envolveu Bob. Era o poder das linhas de ley, transformado de vermelho em azul porque refletia a cor dominante da aura da doutora.

Era improvável que ela estivesse usando a linha de ley da universidade. O poder tinha sido tomado mais cedo e armazenado; isso acelerava o lançamento de feitiços. Poderia apostar que ter uma esfera do todo-sempre nas entranhas era o que deixava a mulher tão amarga.

A névoa azul ao redor de Bob desapareceu quando a doutora Anders tirou os dedos da água.

– Pegue o seu peixe e vá embora – a mulher disse bruscamente. – Considere-se reprovada.

Arrasada, não podia fazer nada além de encará-la.

– O quê? – finalmente consegui dizer.

A doutora Anders secou os dedos num lenço de papel e o jogou na lata de lixo sob a mesa.

– Esse peixe não está unido a você. Se estivesse, o poder da linha de ley com que o envolvi teria ficado da cor da sua aura. – Seu olhar estava indecifrável, como se estivesse olhando através de mim, depois seu foco se acentuou. – Sua aura é de um dourado doentio. O que andou fazendo, senhorita Morgan, para manchá-la com uma marca tão forte de vermelho e preto?

– Mas eu segui as instruções! – gritei, sem me levantar, quando ela começou a escrever no meu formulário. – Uma boa parte da minha aura está faltando. Onde ela está?

– Talvez um inseto tenha entrado no seu círculo – ela respondeu, irada. – Vá para casa, chame seu familiar e veja o que acontece.

Com o coração explodindo, passei a língua nos lábios. "Como diabos se chama um familiar?"

Ela ergueu o olhar do formulário, colocando os braços cruzados sobre a página.

– Você não sabe fazer isso.

Não era uma pergunta. Levantei o ombro esquerdo e o deixei cair. O que eu poderia dizer?

– Eu faço – a doutora disse em voz baixa. – Me dê sua mão.

Eu me assustei quando a mulher pegou meu pulso. Seu aperto ossudo era surpreendentemente forte. Um gosto metálico de cinzas cobriu minha língua quando a doutora Anders murmurou um encantamento. Era como mastigar papel-alumínio, e puxei a mão assim que seus dedos afrouxaram. Esfregando o pulso, observei Bob, desejando que ele nadasse até a superfície ou na minha direção ou alguma coisa parecida. Mas ele simplesmente ficou parado no fundo e balançou o rabo.

– Não estou entendendo – sussurrei, me sentindo traída pelos livros e pela capacidade de fazer feitiços na qual eu confiava tanto. – Segui as instruções ao pé da letra.

A doutora Anders estava nitidamente orgulhosa.

– Você vai descobrir, senhorita Morgan, que, diferentemente da magia da terra, a manipulação das linhas de ley exige mais do que uma obediência cega às regras e às listas de tarefas. Exige talento e certa quantidade de livre-arbítrio e de adaptabilidade. Vá para casa. Faça qualquer coisa que aparecer na porta da sua casa virar um bichinho de estimação. E não volte para minha aula.

– Mas eu fiz tudo certo! – protestei, me levantando enquanto ela fazia movimentos para me enxotar e remexia em seus papéis, me dispensando. – Fiquei sobre o espelho de adivinhação, empurrei minha aura para fora e a coloquei no meio de transferência sem tocá-la. Coloquei Bob lá dentro com ela...

A doutora Anders deu um pulo, virando o rosto magro para mim.

– Espelho de adivinhação?

– Eu proferi o encantamento – continuei. – Nick disse que não importava o fato de não conseguir dizê-lo em latim. – Frustrada, fiquei parada na frente da mesa, fumegando de raiva. Se eu fosse embora, tudo estaria acabado. Não se tratava mais do dinheiro. O problema agora era essa mulher pensando que eu era burra.

– Latim? – O rosto da doutora Anders estava atônito.

– Eu disse – protestei, reproduzindo a noite na minha cabeça. – E aí... – Minha respiração ficou presa, e meu rosto gelou. – E aí o demônio apareceu – sussurrei, afundando na cadeira antes que meus joelhos falhassem. – Meu Deus. Ele levou minha aura? O demônio levou minha aura?

– Demônio? – Ela parecia assustada. – Você invocou um demônio?

Entrei em pânico, sentada à mesa daquela mulher desagradável. Eu estava apavorada e não me importava de ela saber. Algaliarept estava com minha aura.

– Minha aura passou pelo círculo! – me espantei, tentando não apertar o braço dela. – De alguma forma ele fez minha aura atravessar o círculo!

– Senhorita Morgan! – a doutora Anders exclamou. – Se um demônio tivesse entrado no seu círculo, você não estaria sentada na minha frente, mas sim no todo-sempre, implorando para morrer.

Atemorizada, fiquei imóvel, me envolvendo com meus próprios braços. Eu era uma caça-recompensas, não uma assassina de demônios.

A mulher pareceu irritada ao batucar com a caneta sobre a mesa.

– O que você estava pensando ao invocar um demônio? Essas coisas são perigosas.

– Não invoquei – respondi, num jorro. – Você tem que acreditar em mim. O demônio apareceu por conta própria. Eu lhe devo um favor por ter me conduzido pelas linhas de ley depois de ter sido enviado para me matar. Era o único jeito de voltar até Ivy antes de eu sangrar até a morte. E hoje o demônio pensou que eu o estava chamando para pagar minha dívida, com o círculo e os pentagramas que Nick estava copiando... hum... para mim.

Seus olhos dispararam para os desenhos manchados de água.

– Seu namorado fez esses desenhos?

Fiz que sim com a cabeça mais uma vez, incapaz de mentir diretamente para ela.

– Eu ia fazê-los de novo mais tarde – me expliquei. – Não tive tempo para fazer duas semanas de lição de casa e pegar um assassino ao mesmo tempo.

A doutora Anders ficou tensa.

– Eu não matei meus ex-alunos.

Meus olhos baixaram, e senti que estava começando a ficar calma.

– Sei disso.

Ela respirou, prendendo o fôlego por um instante antes de soltá-lo. Senti algum tipo de energia de linhas de ley passar entre nós e fiquei sentada com os olhos arregalados, me perguntando o que ela estava fazendo.

– Você não acha que os matei – ela disse por fim, e a sensação de estar mastigando papel-alumínio parou. – Então por que está na minha turma?

– O capitão Edden e o FIB me enviaram para encontrar provas de que você é a caçadora de bruxos – respondi. – Ele não vai me pagar se eu não seguir as ideias dele. Você é antipática, arrogante e a pessoa mais malvada que já vi desde a minha professora do quarto ano, mas não é uma assassina.

A mulher relaxou enquanto a tensão escoava.

– Obrigada – sussurrou. – Você não sabe como é bom ouvir alguém dizer isso. – Ela levantou a cabeça, me chocando com um sorriso fraco. – A parte de não ser assassina – acrescentou. – Os adjetivos eu vou ignorar.

Percebendo uma pontinha de humanidade nela, soltei:

– Não gosto das linhas de ley, doutora Anders. Onde está o resto da minha aura?

Ela respirou, se preparando para dizer alguma coisa, mas parou quando seu olhar passou por sobre meu ombro e se dirigiu à porta. Girei-me na cadeira ao ouvir uma batida hesitante junto à porta. Nick espiou pela porta aberta, e eu senti meu rosto se iluminar.

– Peço desculpas, doutora Anders – ele disse, mostrando sua identidade de funcionário da universidade presa à camisa. – Posso interromper por um instante?

– Estou com uma aluna – ela respondeu, e o tom profissional voltou à sua voz. – Falo com você em um momento, se quiser esperar no corredor. Pode fechar a porta, por favor?

Nick recuou, parecendo envergonhado em suas calças jeans e camiseta ali na porta.

– Ah, é com Rachel que eu preciso falar. Sinto muito mesmo por interromper desse jeito. Estou trabalhando no prédio ao lado. – Ele se virou para olhar para o corredor e voltou. – Queria saber se ela estava bem. E possivelmente descobrir quanto tempo ainda vai demorar...

– Quem é você? – a doutora Anders perguntou, com o rosto pálido.

– É Nick – respondi, tímida. – Meu namorado.

Encolhido de vergonha, Nick se agitou.

– Nem sei por que estou incomodando – ele disse. – Vou esperar no saguão.

Um brilho do que parecia terror passou pela doutora Anders. Ela olhou de mim para Nick, se levantou e, com os saltos batendo, o puxou para dentro e fechou a porta atrás dele.

– Fique aqui – ela disse enquanto o deixava confuso em frente à mesa. Os pentagramas de Nick estavam diante de nós como uma prova de nossa culpa. Em pé em frente à janela e de costas para nós, a doutora Anders olhou para o estacionamento escuro.

– Onde vocês conseguiram um feitiço de ligação a um familiar em latim? – ela perguntou.

Nick tocou no meu ombro com compaixão, e desejei nunca tê-lo metido naquela encrenca.

– Hum, num dos meus antigos livros de feitiços – admiti, achando que ela queria Nick ali para confirmar. – Foi o único feitiço que consegui encontrar em tão pouco tempo. Mas conheço os pentagramas. Só não tive tempo para desenhá-los.

– Tem um encantamento de ligação no apêndice de seu livro de estudos – ela disse, parecendo cansada. – Era esse que você devia ter usado. – Não era com os pentagramas que a doutora estava preocupada, e um calafrio passou por mim quando ela se virou. As rugas em seu rosto pareciam cruéis sob a luz fluorescente. – Me diga exatamente o que você fez.

Ao ver o sinal de positivo encorajador de Nick, comecei:

– Hum, primeiro fiz o meio de transferência. Depois fechei o círculo.

– Modificado para invocar e proteger – Nick interrompeu. – Eu estava dentro com ela.

– Espere um instante – a doutora Anders disse. – Qual era o tamanho do círculo?

Coloquei o cabelo atrás da orelha, feliz por ela não estar mais latindo para mim.

– Talvez um metro e oitenta.

– De circunferência?

– De diâmetro.

Ela respirou e sentou, fazendo um sinal para eu continuar.

– Depois fiquei em pé sobre o espelho de adivinhação e empurrei minha aura.

– Como foi? – ela sussurrou, com os cotovelos apoiados na mesa enquanto olhava pela janela.

– Droga... hum... muito desconfortável. Coloquei o espelho no meio de transferência sem tocar na superfície. Minha aura entrou no meio, e pus Bob lá dentro.

– No meio de transferência?

Fiz que sim com a cabeça, apesar de ela não estar olhando para mim.

– Achei que era o único jeito de untar um peixe. Depois falei o encantamento.

– Na verdade – Nick interrompeu –, eu proferi o encantamento em latim primeiro, depois traduzi para ela, dando uma interpretação alternativa na última parte.

– Isso mesmo – admiti. – Repeti e o demônio apareceu. – Olhei para Nick, mas ele não estava tão preocupado quanto eu. – Depois derrubei a panela onde estava Bob, que continha minha aura. Tive medo de que o peixe pudesse quebrar o círculo se minha aura o tocasse.

– Teria quebrado mesmo. – A doutora Anders voltou a olhar fixamente para o estacionamento.

– É por isso que parte da minha aura sumiu? – perguntei. – Eu a joguei fora junto com as toalhas de papel?

A doutora Anders levou seu olhar até o meu.

– Não. Acho que você transformou Nick em seu familiar.

Meu queixo caiu. Eu me girei na cadeira e olhei para Nick. Ele tinha tirado a mão do meu ombro, e deu um passo para trás com os olhos arregalados.

– O quê? – exclamei.

– É possível fazer isso? – Nick perguntou.

– Não. Não é possível – a doutora Anders respondeu. – Seres conscientes com livre-arbítrio não podem ser ligados a outro por encantamento. Mas você misturou magia da terra com magia das linhas de ley. Nunca ouvi falar de se unir a um familiar desse jeito. Onde foi que conseguiu esse livro?

– No meu sótão – murmurei. Olhei para Nick. – Ah, Nick – eu disse, envergonhada. – Sinto muito mesmo. Você deve ter pegado minha aura quando estava tentando capturar Bob.

Nick parecia confuso.

– Sou seu familiar? – sussurrou, com um tom interrogativo no rosto comprido.

A doutora Anders deu uma risada amarga.

– Não é nada de que se orgulhar, senhorita Morgan. Usar um humano para isso é horrível. É escravidão. É demoníaco.

– Espere... – balbuciei, me sentindo ficar gelada. – Foi um acidente.

Os olhos da mulher se endureceram.

– Lembra-se do que eu disse sobre a capacidade do praticante de se ligar ao familiar? Os demônios usam pessoas como familiares. Quanto mais poderosa a pessoa é, mais poder ele consegue através dela. É por isso que demônios sempre estão tentando ensinar as artes negras para os tolos. É assim que ganham controle sobre suas almas e depois os transformam em familiares. Você usou magia demoníaca ao misturar a magia da terra e a magia das linhas de ley.

Coloquei a mão no estômago.

– Sinto muito, Nick – eu disse em voz baixa. Ele estava pálido e imóvel ao lado do meu ombro. – Foi um acidente.

A doutora Anders fez um barulho rude.

– Acidente ou não, é a coisa mais nojenta que já ouvi. Você colocou Nick em grande perigo.

– Como? – Procurei a mão de Nick. Estava fria em contato com a minha, e ele apertou meus dedos.

– Porque Nick está carregando uma parte de sua aura. Os bruxos de linhas de ley dão aos familiares uma parte de sua aura para funcionar como âncora quando usam linha de ley. Se algo dá errado, são eles, e não os bruxos, que são puxados para o todo-sempre. Mas o mais importante é que os familiares te impedem de enlouquecer ao canalizar muita energia das linhas de ley. Os bruxos das linhas de ley não retêm em si a energia que armazenam de uma linha. Eles a mantêm nos familiares. Simon, meu papagaio, a mantém para mim, e a uso quando preciso. Quando estamos juntos, fico mais forte. Quando ele fica doente, minhas capacidades diminuem. Se ele estiver mais perto de uma linha do que eu, posso alcançá-la através dele. Se alguma coisa der errado, ele morre, e não eu.

Engoli em seco, paralisada, enquanto a doutora Anders me observava como se eu tivesse feito isso de propósito.

– É por isso que os animais são usados como familiares – ela disse com frieza. – E não pessoas.

– Nick – murmurei. – Sinto muito. – Era o quê, a terceira vez que eu dizia isso?

O rosto da doutora Anders se enrugou.

– Sente muito? Até conseguirmos desconectá-lo, você não vai armazenar nenhuma energia das linhas de ley. É perigoso demais.

– Não sei armazenar energia das linhas de ley – admiti. "Eu tinha transformado Nick em meu familiar?"

– Espere um instante. – A mulher colocou a mão magra na testa. – Você não sabe armazenar energia das linhas de ley? Nada? Você fez um círculo de um metro e oitenta de diâmetro, forte o suficiente para manter um demônio afastado, usando energia diretamente da linha? Não usou nenhuma energia armazenada anteriormente?

Balancei negativamente a cabeça.

– Você não sabe reter nem um grama do todo-sempre?

Outra vez fiz que não com a cabeça.

A mulher suspirou.

– Seu pai estava certo.

– Você conheceu meu pai? – questionei. "Por que não? Parece que todo mundo o conheceu."

– Dei aula para ele – ela disse. – Apesar de não saber, na época. Não o vi de novo até treze anos atrás, quando nos encontramos para falar sobre você. – Ela se recostou e levantou as sobrancelhas. – Ele me pediu para te reprovar se você aparecesse na minha turma.

– P-por quê? – gaguejei.

– Aparentemente ele sabia quanta energia você conseguia extrair de uma linha, já que me pediu que a convencesse a ir para a magia da terra, e não das linhas. Ele disse que seria mais seguro. Minha turma estava lotada naquele ano, e me render ao desejo de um pai para proteger a filha não fazia a menor diferença para mim. Na época, achei que ele a queria em segurança. Pensando bem, acho que ele queria as outras pessoas em segurança.

– Em segurança? – sussurrei, me sentindo mal.

– Transformar um humano em familiar não é normal, senhorita Morgan – a doutora Anders disse.

– Você conseguiria fazer isso? – Nick perguntou, e dei uma olhada para ele, feliz por não ter sido eu a perguntar.

Ela pareceu indignada.

– Provavelmente. Se eu tivesse o feitiço de ligação. Mas não faria isso. É demoníaco. Só não vou chamar a Segurança dos Impercebidos porque foi um acidente que vamos corrigir em breve.

– Obrigada – murmurei, paralisada. "Eu transformei Nick em meu familiar? Usei magia demoníaca para conectá-lo a mim?" Confusa, coloquei a cabeça entre os joelhos, imaginando que isso seria mais digno do que desmaiar e cair no chão. Senti a mão de Nick nas minhas costas e abafei uma risada histérica. "O que eu fiz?"

A voz de Nick veio da escuridão quando fechei os olhos e me esforcei para não vomitar.

– É possível desfazer o feitiço? Achei que os vínculos com familiares duravam a vida toda.

– Geralmente duram... para o familiar. – Ela parecia cansada. – Mas você pode se desconectar de um se sua habilidade aumentar a ponto de ele estar te impedindo de melhorar. E aí você tem que substituir o familiar anterior por um melhor. Mas o que seria melhor do que uma pessoa, Nick?

Levantei a cabeça de entre os joelhos e vi a doutora Anders sorrindo.

– Preciso ver esse livro – ela disse. – É provável que haja alguma coisa nele sobre como desconectar uma pessoa. Os demônios são conhecidos por se apropriarem de algo melhor quando o encontram. Para começar, gostaria de saber como um livro de magia demoníaca foi parar no seu sótão.

– Moro numa igreja – sussurrei. – O livro estava lá quando me mudei.

Olhei pela janela; meu enjoo começava a diminuir. Nick estava com a minha aura. Isso era melhor do que ela estar com um demônio. E nós íamos conseguir desfazer isso... de alguma forma. Eu tinha dito a Glenn que o encontraria naquela noite no FIB, mas Nick vinha em primeiro lugar.

– Vou pegar o livro – eu disse, olhando para a porta fechada. – Podemos fazer isso aqui ou tem que ser num lugar mais privado? Podemos ir à minha cozinha. Tenho uma linha de ley no quintal dos fundos.

A doutora Anders tinha perdido toda a sua feiura. Agora ela só parecia cansada.

– Não posso fazer nada hoje à noite – ela disse, olhando para Nick como se pedisse desculpas. – Mas vou te dar meu endereço. – Pegou uma caneta e rabiscou na minha avaliação, que ela havia dobrado. – Pode deixar o livro com o porteiro, e dou uma olhada no fim de semana.

– Por que não hoje à noite? – perguntei, pegando o papel.

– Estarei ocupada hoje à noite. Vou fazer uma apresentação amanhã e tenho que preparar uma declaração atualizada de sucessos e fracassos. – Ela ficou vermelha, e isso deixou seus olhos mais jovens.

– Para quem? – perguntei, enquanto a sensação gelada voltava à boca do meu estômago.

– Para o senhor Kalamack.

Meus olhos se fecharam numa piscada em busca de energia.

– Doutora Anders! – exclamei, ouvindo Nick se mexer de um pé para o outro ao meu lado. – Trent Kalamack é quem está matando os bruxos de linhas de ley.

A mulher voltou à expressão normal de desdém.

– Não seja tola, senhorita Morgan. O senhor Kalamack é tão assassino quanto eu.

– Me chame de Rachel – eu disse, achando que devíamos nos chamar pelo primeiro nome. – E Kalamack é o caçador de bruxos. Eu vi os relatórios. Ele falou com todas as vítimas no período de um mês antes de elas morrerem.

A doutora Anders abriu uma gaveta e pegou uma elegante bolsa preta.

– Falei com ele na última primavera, na formatura, e ainda estou viva. O homem está interessado em discutir minha pesquisa. Se eu conseguir chamar sua atenção, ele vai me financiar e então poderei fazer o que realmente quero. Estou trabalhando há seis anos por isso e não vou perder minha chance de conseguir um benfeitor por causa de uma coincidência idiota.

Fui para a borda da cadeira, me perguntando como eu pude deixar de odiá-la e passar a me preocupar com ela naquela velocidade.

– Doutora Anders, por favor – eu disse, olhando para Nick. – Sei que você acha que eu sou uma cabeça de vento fracassada. Mas não faça isso. Eu vi os relatórios das pessoas que ele matou. Todas morreram apavoradas. E Trent falou com todas elas.

– Hum, Rachel? – Nick interrompeu. – Você não tem certeza disso.

Virei-me rapidamente para ele.

– Você não está ajudando!

A doutora Anders se levantou com a bolsa.

– Leve o livro para mim. Vou dar uma olhada no fim de semana.

– Não! – protestei, ao perceber que ela estava encerrando nossa conversa. – Ele vai te matar como se esmagasse uma mosca. – Meu maxilar travou quando ela apontou para a porta. – Então deixe-me ir com você – eu disse ao me levantar. – Já fiz serviço de acompanhamento para humanos que iam a Hollows. Sei como ficar quieta e te proteger.

Os olhos da mulher se estreitaram.

– Sou doutora em magia das linhas de ley. Você acha que pode me proteger melhor do que eu?

Inspirei, me preparando para protestar, depois soltei a respiração.

– Você está certa – eu disse, pensando que seria mais fácil seguir a professora sem que ela soubesse. – Pode pelo menos me dizer quando vai se encontrar com Trent? Eu me sentiria melhor se pudesse te ligar quando você chegar em casa.

Ela ergueu uma sobrancelha.

– Amanhã à noite, às sete. Vamos jantar no restaurante no topo da Torre Carew. É um lugar público o suficiente para te agradar?

Eu teria que pedir dinheiro emprestado para Ivy se quisesse segui-la. Tinha ouvido dizer que lá um copo de água custava cinco pratas, e uma salada vagabunda da casa custava trinta. E também não tinha um vestido apropriado. Mas não deixaria a doutora se encontrar com Trent sem ser observada.

Fiz um sinal de positivo com a cabeça, coloquei a alça da bolsa sobre o ombro e fiquei de pé ao lado de Nick.

– É, sim. Obrigada.

Dezoito

O sol do início da tarde tinha quase deixado a cozinha, formando uma última faixa estreita ao longo da pia e do balcão. Eu estava sentada à mesa antiga de Ivy, folheando catálogos e terminando meu café. Havia saído da cama fazia cerca de uma hora e estava envolvendo a xícara com as mãos e esperando por ela. Eu tinha feito uma garrafa térmica inteira, esperando atraí-la para uma conversa. Ivy ainda não estava pronta e vinha me evitando com a desculpa de ter que fazer algumas pesquisas para sua missão atual. Queria que nós pudéssemos conversar. Dane-se a Virada, ficaria feliz se aquela vamp pelo menos me escutasse. Não parecia possível que Ivy estivesse dando tanta importância ao incidente. Ela já surtara antes, e nós tínhamos superado.

Suspirando, estiquei as pernas sob a mesa. Virei a página e meus olhos passearam por uma coleção de organizadores de armário. Não havia muita coisa para fazer naquele dia até Glenn, Jenks e eu irmos atrás da doutora Anders à noite. Nick havia me emprestado algum dinheiro, e eu tinha um vestido de festa que não parecia barato demais e que esconderia minha arma de *paintball*.

Edden tinha ficado animado quando informei que seguiria a mulher – até eu admitir idiotamente que ela se encontraria com Trent. Quase partimos para socos e pontapés por causa disso, chocando os oficiais do andar. Naquele ponto, não me importaria se Edden me colocasse na cadeia. Ele precisaria esperar eu fazer alguma coisa, e aí eu já teria conseguido o que precisava.

Glenn também não estava feliz comigo. Eu tinha jogado a carta do filhinho de papai para fazê-lo calar a boca e ir comigo à noite. Não me importava. Trent estava matando pessoas.

Ainda no catálogo, meus olhos pararam numa mesa de carvalho do tipo que os detetives possuíam nos filmes pré-Virada. Deixei escapar um suspiro desejoso. A mesa era linda, com um brilho profundo que faltava à madeira compensada. Havia vários tipos de nichos e um compartimento oculto atrás da gaveta esquerda inferior, de acordo com a explicação do produto. Ficaria linda no santuário.

Uma careta fez meu rosto murchar quando pensei nos meus móveis patéticos, alguns ainda no depósito. Os móveis de Ivy eram pesados e bonitos, com linhas suaves. As gavetas nunca travavam, e os fechos de metal clicavam quando fechavam. Eu queria algo como aquilo. Algo duradouro. Algo que chegasse totalmente montado na porta de casa. Algo que pudesse resistir a ser mergulhado em água salgada se algum dia eu recebesse outra ameaça de morte.

"Isso nunca vai acontecer", pensei, afastando o catálogo. Comprar móveis novos, não a ameaça de morte. Deslizei os olhos do papel brilhoso para meu livro de estudos de linhas de ley e o encarei, pensativa. "Consigo canalizar mais poder do que a maioria dos bruxos e meu pai não queria que eu soubesse disso. A doutora Anders me acha uma idiota." Só havia uma coisa que eu poderia fazer.

Respirando, puxei o livro de estudos para perto e fui até as páginas finais, os apêndices, parando no encantamento de ligação a um familiar. Era todo ritualístico, com anotações que faziam referência a técnicas que eu desconhecia totalmente. O encantamento não estava em latim, sendo inteligível, e não havia caldos nem plantas no meio. Era tão desconhecido para mim quanto geometria, e não gostava de me sentir burra.

As páginas fizeram um som agradável enquanto eu as folheava até o começo do livro, procurando alguma coisa que conseguisse entender. Diminuí o ritmo, marcando o texto com o dedão quando encontrei um encantamento para desviar objetos em movimento. "Legal", pensei. Era exatamente por isso que eu queria uma varinha.

Empertiguei-me na cadeira, cruzei os joelhos e me inclinei sobre o livro de estudos. Era necessário usar a energia das linhas de ley armazenada para manipular objetos pequenos e se conectar diretamente a uma linha no caso de objetos com muita massa ou que se movem depressa. A única coisa física de que eu precisava era um objeto para servir de ponto focal.

Levantei o olhar quando Jenks entrou voando pela janela aberta da cozinha.

– Oi, Rachel – ele disse alegremente. – O que está fazendo?

Estendi a mão para o catálogo de móveis e o deslizei para cima do livro de estudos.

– Nada de mais – respondi, olhando para baixo. – Você está de bom humor.

– Acabei de voltar da casa da sua mãe. Ela é legal, sabe. – Voou até o balcão na ilha central e pousou ali, ficando quase na altura dos meus olhos. – Jax está se saindo bem. Se sua mãe se animar com a ideia, vou deixá-lo fazer um jardim grande o suficiente para dar de comer a ele.

– Se animar? – questionei, virando uma página para ver umas mesas de telefone lindas. Fiquei boba com o preço. Como uma coisa tão pequena podia custar tanto?

– É. Você sabe... curtir, gostar, permitir.

– Sei o que significa – eu disse, reconhecendo a expressão como uma das preferidas da minha mãe e achando esquisito Jenks tê-la adotado.

– Já falou com Ivy? – perguntou.

– Não.

Minha frustração ficou evidente na resposta curta. Jenks hesitou e, com uma batida de asas, desceu voando e pousou no meu ombro.

– Sinto muito.

Forcei uma expressão agradável enquanto levantava a cabeça e ajeitava um cacho de cabelo atrás da orelha.

– É, eu também.

Ele fez um barulho raivoso com as asas.

– Entããão, o que está escondendo debaixo do catálogo? Espiando as lojas de couro de Ivy?

Meu maxilar ficou tenso.

– Não é nada – eu disse com suavidade.

– Está querendo comprar móveis? – zombou. – Conta outra.

Irritada, acenei para que fosse embora.

– É. Quero móveis, alguma coisa que não seja feita com, me desculpe, compensado ou outro derivado de madeira. As coisas de Ivy fazem as minhas parecerem plástico de segunda.

Jenks riu, e o vento de suas asas agitou o cabelo no meu rosto.

– Então compre alguma coisa legal para você quando tiver dinheiro.

– Como se isso fosse acontecer – murmurei.

Jenks voou para baixo da mesa. Sem confiar no pixie, me abaixei para ver o que ele estava fazendo.

– Ei! Pare com isso! – gritei, movimentando o pé ao sentir um puxão no sapato. O pixie disparou para longe e, quando me levantei depois de amarrar o sapato, descobri que ele tinha tirado o catálogo de cima do livro de estudos. Suas mãos estavam nos quadris e ele estava de pé sobre o livro, lendo. – Jenks! – reclamei.

– Achei que você não gostava de linhas de ley – ele comentou, voando para cima e para baixo e depois de volta para onde estava. – Ainda mais agora que não consegue usá-las sem colocar Nick em perigo.

– Não gosto – respondi, desejando não ter contado a ele sobre ter acidentalmente transformado Nick em meu familiar. – Mas, olha. Esse negócio é fácil.

Jenks ficou em silêncio, baixando as asas enquanto olhava para o feitiço.

– Você vai tentar?

– Não – respondi depressa.

– Nick vai ficar bem, se você puxar a energia direto da linha. Ele nunca vai saber. – Jenks se virou de lado para ver a mim e ao livro ao mesmo tempo. – Aqui diz que você não precisa usar energia armazenada, mas pode tirá-la da linha. Viu? Bem aqui, textualmente.

– É... – eu disse devagar, sem estar convencida.

Jenks sorriu.

– Se aprender a fazer isso, vai conseguir se vingar dos Uivadores. Ainda tem aqueles ingressos para o jogo de domingo, não é?

– Tenho – respondi com cautela.

Jenks se empertigou na página, com as asas vermelhas de empolgação.

– Você pode fazê-los pagar e, como vai usar o pagamento de Edden para o aluguel, comprar uma bela sapateira de carvalho ou algo assim.

– É... – concordei de maneira vaga.

Jenks me olhou dissimuladamente por baixo das franjas louras.

– A menos que esteja com medo.

Meus olhos se estreitaram.

– Alguém já disse que você é um idiota?

Ele riu, subindo com um raio cintilante de pó de pixie.

– Se eu contasse as vezes que isso aconteceu... – refletiu. Então voou para perto e pousou no meu ombro. – É difícil?

Inclinei-me sobre o livro e joguei o cabelo para o lado para ele também poder ver.

– Não, e é isso que me preocupa. Existe um encantamento, e preciso de um objeto de foco. Tenho que me conectar a uma linha de ley. E tem um gesto... – Minha sobrancelha se franziu e dei um tapinha no livro. "Não pode ser tão fácil."

– Você vai tentar?

A ideia de que Algaliarept pudesse descobrir que eu estava extraindo energia da linha passou por minha mente. Mas, como era dia e tínhamos um acordo, concluí que era seguro o suficiente.

– Vou.

Eu me ajeitei na cadeira, sentando mais reta, e abrindo a segunda visão, procurei a linha. O sol superava totalmente qualquer visão do todo-sempre, mas a linha de ley era clara o bastante na minha visão interior, parecendo um fio de sangue seco pendurado sobre os túmulos. Achando-a muito feia, estendi a mão com cuidado e a toquei.

Minha respiração passou ressoando pelo nariz, e fiquei tensa.

– Você está bem, Rachel? – Jenks perguntou, saindo do meu ombro.

Com a cabeça inclinada sobre o livro, fiz que sim com a cabeça. A energia fluía através de mim mais rápido do que antes, equalizando as forças com muita velocidade. Era quase como se as vezes anteriores tivessem liberado os canais. Preocupada em usar energia demais, tentei empurrar parte dela através de mim, fazendo-a sair pelos meus pés. Não deu certo. A força que chegava simplesmente me enchia de novo.

Resignada com a sensação desconfortável, sacudi mentalmente minha segunda visão e levantei o olhar. Jenks estava me observando, preocupado. Lancei-lhe um sorriso encorajador, e ele fez que sim com a cabeça, mostrando-se satisfeito.

– Que tal isso? – Jenks disse, voando até meu estoque de bolas de *paintball*. A esfera vermelha era tão grande quanto sua cabeça e claramente pesada, mas o pixie conseguiu se virar bem.

– Vai servir – concordei. – Jogue uma para cima que vou tentar movê-la.

Pensando que aquilo era mais fácil do que moer plantas e ferver água, proferi o encantamento e fiz um desenho no ar com a mão. Em seguida, disse as últimas palavras enquanto Jenks jogava a bola para cima.

– Ai! – gritei quando uma onda de energia da linha de ley queimou minha mão esquerda. Confusa, olhei para Jenks, que ria. – O que eu fiz de errado?

Ele voou para perto com a bola vermelha enfiada debaixo do braço, apanhada quando ela caiu de volta para ele.

– Esqueceu do seu objeto de foco. Aqui. Use isso.

– Ah. – Envergonhada, peguei a bola vermelha quando o pixie a jogou na minha mão. – Vamos tentar de novo – eu disse e a coloquei na mão recessiva, como instruía o livro. Sentindo a maciez fria da bola, proferi o encantamento e fiz a imagem no ar com a mão direita.

Jenks jogou mais uma bola, fazendo um assobio agudo com as asas. Surpresa, liberei uma onda de poder e desta vez funcionou. Reprimi um gritinho enquanto sentia a energia da linha de ley disparar pela minha mão, seguindo minha atenção até a bola. Ela a atingiu, jogando-a na parede e formando uma mancha molhada.

– Uau! – exclamei com um sorriso, encontrando o de Jenks. – Olha isso! Funcionou!

Jenks voou até o balcão para pegar mais uma bola.

– Tente de novo – sugeriu, jogando-a animadamente para o teto.

Desta vez, foi mais rápido. Descobri que podia fazer o encantamento e o gesto ao mesmo tempo, segurando a energia da linha de ley com minha vontade até querer liberá-la. Junto com isso veio um grande controle, e logo eu não as atingia mais com tanta força a ponto de se quebrarem quando batiam na parede. Minha mira também estava melhorando, e a pia estava cheia com as bolas que eu lançava. O Senhor Peixe não estava feliz no peitoril.

Jenks era um parceiro motivado, voando pela cozinha e jogando as bolas vermelhas no teto. Meus olhos se arregalaram quando jogou uma em mim.

– Ei! – gritei, lançando a bola pelo buraco do pixie na persiana. – Não jogue em mim!

– Que boa ideia – ele disse, depois sorriu com maldade enquanto dava um assobio agudo. Três de seus filhinhos entraram voando do jardim, todos falando ao mesmo tempo. Trouxeram com eles o aroma de dentes-de-leão e ásteres. – Joguem na senhorita Morgan – ele disse, dando sua esfera para a pixie de rosa.

– Espere – protestei, abaixando quando a menina pixie a jogou com força e habilidade iguais às do pai. Olhei para a mancha escura atrás de mim na parede amarela, depois de volta para eles. Meu queixo caiu. No instante em que eu tinha olhado para trás, todos tinham pegado bolas.

– Acertem ela! – Jenks gritou.

– Jenks! – eu disse rindo, enquanto conseguia desviar uma das quatro bolas. As três que perdi rolaram inocentemente para o chão. O pixie menor planou sobre o linóleo, jogando-as para cima, onde as irmãs as pegavam. – Quatro contra uma não é justo! – gritei quando eles miraram de novo.

Meus olhos dispararam para o corredor quando o telefone tocou.

– Tempo! – gritei, recuando para escapar para a sala de estar. – Intervalo! – Ainda sorrindo, peguei o telefone. Jenks flutuou no portal, esperando. – Alô. Encantos Vampirescos. Rachel falando – eu disse, me abaixando para escapar da bola que ele tinha jogado em mim. Dava para ouvir os risinhos dos pixies vindo da cozinha e me perguntei o que estavam aprontando.

– Rachel? – veio a voz de Nick. – Que diabos está fazendo?

– Oi, Nick. – Parei para emitir o encantamento sem voz. Segurei a energia até Jenks jogar uma bola em mim. Eu estava melhorando, quase o atingindo com a bola de *paintball* desviada. – Jenks. Pare! – protestei. – Estou ao telefone.

Ele sorriu, depois disparou para longe. Joguei-me numa das poltronas de veludo de Ivy, sabendo que ele não se arriscaria a jogar água ali porque Ivy iria atrás dele.

– Ei, você já acordou? Quer fazer alguma coisa? – perguntei, dobrando as pernas sobre um dos braços da poltrona e apoiando o pescoço no outro. Movi entre dois dedos a bola vermelha que estava usando como objeto de foco, desafiando-a a se romper com a pressão que estava exercendo sobre ela.

– Hum, talvez – ele disse. – Por acaso você está usando uma linha de ley?

Acenei para Jenks parar quando ele entrou voando.

– Sim! – respondi, me sentando ereta e colocando os pés no chão. – Me desculpe. Não imaginei que você fosse sentir. Não estou passando a linha através de você, estou?

Jenks pousou sobre um porta-retratos. Eu tinha certeza de que o pixie conseguia ouvir Nick, apesar de estar do outro lado da sala.

– Não – Nick disse, com uma leve risada na voz, baixinha através do aparelho. – Acredito que eu seria capaz de perceber. Mas é estranho. Estou aqui sentado, lendo, e de repente parece que você está aqui comigo. O melhor jeito de descrever é quando você está aqui e eu estou fazendo o jantar, observando você ver TV. Você está fazendo suas coisas, sem procurar minha atenção, mas sendo muito barulhenta. É meio perturbador.

– Você me observa vendo TV? – perguntei, desconfortável, e ele deu um risinho.

– É. É bem divertido. Você pula o tempo todo.

Minha sobrancelha se franziu quando Jenks abafou um risinho.

– Desculpe – murmurei, mas depois um formigamento fraco de alerta me fez ficar mais reta. Nick estava lendo. Ele normalmente passa o sábado na cama, compensando o sono da semana. – Nick, que livro você está lendo?

– Ah, o seu – admitiu.

Eu só tinha um livro no qual ele estaria interessado.

– Nick! – protestei enquanto deslizava para a beira da cadeira e agarrava o telefone com mais força. – Você disse que ia levá-lo para a doutora Anders. – Depois de estragar minha ida ao FIB porque eu estava mais destruída do que meu cabelo, Nick me levou para casa. Achei que ele tinha se oferecido para entregar o livro por causa da minha recém-adquirida fobia do volume literalmente amaldiçoado. Obviamente, Nick tinha outros planos.

– A doutora Anders não ia olhar o livro na noite passada – Nick disse na defensiva. – E ele está mais seguro no meu apartamento do que numa guarita, ganhando marcas de café. Se não se importar, quero ficar com ele mais uma noite. Tem uma coisa aqui que quero perguntar ao demônio. – Ele parou, claramente esperando eu protestar.

Meu rosto ficou quente.

– Idiota – eu disse, brincando. – Você é um idiota. A doutora Anders te falou o que o demônio está tentando fazer. Ele quase matou nós dois, e você ainda o está pressionando para obter informações?

Ouvi Nick suspirar.

– Estou sendo cuidadoso – ele disse, e soltei uma risada assustada que pareceu um latido. – Rachel, prometo que vou levá-lo amanhã bem cedo. Ela não vai olhar o livro até lá, de qualquer maneira. – Ele hesitou, e eu quase conseguia ouvi-lo criar coragem. – Vou chamá-lo. Por favor, não me obrigue a fazer isso escondido de você. Eu me sentiria melhor se alguém soubesse.

– Por quê? Para eu poder dizer à sua mãe quem te matou? – perguntei num ímpeto, depois parei. Com os olhos fechados, apertei a bola vermelha entre os dedos. Ele ficou em silêncio, esperando. Eu detestava não ter o direito de mandá-lo parar. Nem mesmo como sua namorada. Invocar demônios não era ilegal. Só muita, muita burrice. – Promete que vai me ligar quando terminar? – indaguei, sentindo o estômago se agitar. – Vou ficar acordada até umas cinco.

– Claro – soltou. – Obrigado. Quero saber como vai ser seu jantar com Trent.

– Certo – eu disse. – Falo com você mais tarde. – "Se você sobreviver."

Desliguei, encontrando os olhos de Jenks, que estava flutuando no meio da sala, com uma bola de debaixo do braço.

– Vocês dois vão terminar como manchas escuras nos círculos das linhas de ley – o pixie disse, e joguei nele a bola que eu estava segurando. Ele a pegou com uma das mãos, caindo para trás vários centímetros até sua velocidade parar. Então a jogou de volta, e eu me esquivei. A bola atingiu a poltrona de Ivy sem estourar. Agradecida por isso, a peguei e fui para a cozinha.

– Agora! – Jenks guinchou quando entrei no cômodo iluminado.

– Peguem ela! – gritaram uma dúzia de pixies.

Arrancada da minha melancolia, me encolhi enquanto uma tempestade de bolas me atingiu, estourando na minha cabeça coberta. Disparando para a geladeira, abri a porta e me escondi atrás dela. A adrenalina fez meu sangue parecer cantar. Sorri com o som de seis ou mais estouros contra a porta de metal.

– Seus pestinhas! – gritei, espiando. Eles estavam voando pelo lado oposto da cozinha como vaga-lumes insanos. Meus olhos se arregalaram; devia haver uns vinte deles!

As bolas se acumulavam no chão, rolando para longe de mim. Divertindo-me com a situação, falei o encantamento rapidamente três vezes e arremessei os três mísseis seguintes de volta para eles.

Os filhos de Jenks soltaram gritinhos de alegria, com os vestidos e as calças de seda formando uma mancha colorida. O pó de pixie deixou rastros no sol que se punha devagar. Jenks estava pousado sobre a concha pendurada na prateleira acima do balcão da ilha central. Tinha na mão a espada que usava para lutar contra fadas, e a brandia no alto enquanto gritava palavras de estímulo.

Eles se agruparam sob sua orientação barulhenta. Sussurros e risinhos pontuados por gritinhos animados enchiam o ar à medida que eles se organizavam.

Sorrindo, me escondi atrás da porta com os tornozelos se refrescando na corrente de ar que saía da geladeira. Proferi o encantamento várias vezes, sentindo a energia da linha de ley aumentar atrás dos olhos. Os pixies iam me atacar em massa, sabendo que não conseguiria derrotar todos eles.

– Agora! – Jenks gritou e, com a espada minúscula balançando, se lançou da concha.

Eu gritei com a ferocidade alegre de seus filhos vindo para cima de mim como um enxame. Rindo em protesto, fiz as bolas vermelhas voarem. Algumas pancadinhas me atingiram; eram as bolas que eu tinha deixado escapar. Ofegando em busca de ar, rolei para baixo da mesa. Eles me seguiram, me bombardeando.

Eu estava sem encantamentos.

– Me rendo! – gritei, com cuidado para não atingir nenhum dos filhos de Jenks enquanto colocava as mãos na parte de baixo da mesa. Eu estava molhada e afastei os fios de cabelo úmidos grudados no meu rosto. – Me rendo! Vocês venceram!

Eles vibraram, e o telefone começou a tocar de novo. Orgulhoso e exuberante, Jenks cantou bem alto uma música animada sobre derrotar invasores em suas terras e voltar para casa, para os brotos. Com a espada no alto, fez um circuito ao redor da cozinha, reunindo os filhos numa fila. Todos cantavam numa harmonia gloriosa; flutuaram janela afora e se dirigiram ao jardim.

Fiquei sentada no silêncio súbito no chão da cozinha, sob a mesa. Meu corpo todo estremeceu quando respirei fundo, sorrindo ao expirar.

– Fiu! – soltei, ainda rindo enquanto passava a mão sob o olho. Não era de surpreender que as fadas assassinas enviadas para me matar no último ano não tivessem tido chance. Os filhos de Jenks eram inteligentes, rápidos... e agressivos.

Ainda sorrindo, rolei, me levantei e fui até a sala de estar para atender o telefone antes da secretária eletrônica. Pobre Nick. Eu estava certa de que ele tinha sentido aquela última bola.

– Nick – soltei antes que ele pudesse dizer qualquer coisa. – Desculpe. Os filhos de Jenks me acuaram debaixo da mesa da cozinha e estavam jogando bolas em mim. Caramba, foi divertido. Agora eles estão no jardim, mexendo nas plantas e cantando algo sobre armas de aço.

– Rachel?

Era Glenn, e minha alegria morreu ao ouvir seu tom preocupado.

– O quê? – eu disse, olhando para as árvores através das janelas na altura dos ombros. As manchas de água que me cobriam de repente ficaram geladas, e envolvi meu corpo com os braços.

– Estarei aí em dez minutos – ele disse. – Consegue se aprontar a tempo?

Afastei o cabelo úmido.

– Por quê? O que aconteceu? – perguntei.

Ouvi Glenn cobrir o aparelho e gritar alguma coisa para alguém.

– Você conseguiu seu mandado de busca para a propriedade de Kalamack – ele disse quando retornou.

– Como? – indaguei, sem acreditar que Edden tinha cedido. – Não que eu esteja reclamando!

Glenn hesitou. Ele respirou devagar, e ouvi vozes animadas ao fundo.

– A doutora Anders me ligou ontem à noite – ele disse. – Ela sabia que você a seguiria, então mudou a apresentação para ontem à noite e me pediu para ir com ela.

– A bruxa – exclamei baixinho, querendo ter visto o que Glenn tinha vestido. Aposto que era alguma coisa elegante. Mas, quando ele continuou em silêncio, a sensação gelada no meu estômago se solidificou e formou um bolo azedo.

– Sinto muito, Rachel – Glenn disse baixinho. – O carro dela caiu da ponte Roebling hoje de manhã, empurrado através da proteção por algo que parecia uma enorme bolha de energia de linhas de ley. Eles acabaram de tirar o carro dela do rio. Ainda estamos procurando o corpo.

Dezenove

Eu sacudia o pé ao aguardar de pé, impaciente, ao lado das pilhas de manuais e copos de papel vazios que se estendiam sobre o peitoril da guarita de Trent. Jenks estava no meu brinco, resmungando ameaçadoramente enquanto observava Quen apertar um botão no telefone. Eu só tinha visto Quen uma vez – talvez duas. Na primeira, ele estava disfarçado de jardineiro e conseguiu capturar Jenks numa bola de vidro. Eu suspeitava cada vez mais que Quen tinha sido o terceiro cavaleiro que tentara me derrubar na noite em que roubei o disco que vinha usando para chantagear Trent. Era uma sensação que se cristalizou quando Jenks me disse que Quen exalava o mesmo cheiro de Trent e Jonathan.

Quen estendeu a mão na minha frente para pegar uma caneta, e eu dei um pulo para trás, sem querer que me tocasse. Ainda no telefone, sorriu com cuidado, me mostrando dentes extremamente brancos e alinhados. "Esse aí", pensei, "sabe do que sou capaz." Ele não me subestimaria como Jonathan sempre fazia. E, apesar de gostar de ser levada a sério pelo menos uma vez, queria que Quen fosse tão egoísta e chauvinista quanto Jonathan.

Trent uma vez disse que Quen estava disposto a me aceitar como aluna – depois que o oficial de segurança superou a vontade de me matar por ter me infiltrado no terreno de Kalamack. Eu me perguntei se teria sobrevivido à experiência de tê-lo como professor.

Quen aparentava a idade que meu pai teria se ainda estivesse vivo. Seu cabelo muito escuro encaracolava próximo às orelhas, os olhos verdes sempre pareciam estar me observando, e a graciosidade se assemelhava à de um dançarino – isso, eu sabia, vinha de uma vida inteira praticando artes marciais. Vestido num uniforme preto de segurança sem distintivo, ele parecia pertencer à noite. Era um pouco mais alto do que eu era usando saltos, e a força de seu corpo ligeiramente enrugado me deixava tensa. Seus dedos eram rápidos no teclado; e os olhos, ainda mais velozes. A única fraqueza que eu tinha percebido era uma leve mancada. E, ao contrário de todas as outras pessoas no cômodo, ele não portava nenhuma uma arma – ao menos não uma que pudesse ser vista.

O capitão Edden estava ao meu lado. Parecia atarracado mas eficiente em suas calças cáqui e camisa branca. Glenn vestia outro de seus ternos pretos e tentava dar a impressão de um homem controlado, apesar de seu nervosismo evidente. Edden também aparentava preocupação com a possibilidade de que não encontrássemos nada.

Ajeitei minha bolsa no ombro e fiquei agitada. Ela estava cheia de talismãs para encontrar a doutora Anders, morta ou viva. Eu tinha feito Glenn esperar enquanto os preparava, usando como ponto focal o papel no qual ela havia escrito seu endereço. Se existisse uma caixa de sapatos com seus restos, os talismãs acenderiam uma luz vermelha. Junto estavam um amuleto de mentiras, meus óculos com armação de metal para ver através de disfarces de linhas de ley e um verificador de feitiços. Eu aproveitaria a oportunidade de falar com Trent para ver se ele usava um talismã para disfarçar sua aparência. Ninguém é tão bonito daquele jeito sem alguma ajuda.

Do lado de fora, paradas no estacionamento ao lado da guarita, havia três vans do FIB. As portas estavam abertas, e os oficiais pareciam sentir calor enquanto esperavam numa tarde absurdamente quente. Com a brisa das asas de Jenks, um fio de cabelo fez cócegas no meu pescoço.

– Você consegue ouvi-lo? – sussurrei quando Quen se virou para o outro lado e começou a falar ao telefone.

– Ah, sim – murmurou o pixie. – Ele está falando com Jonathan. Quen está dizendo que está na guarita com você e Edden, com um mandado de busca para a propriedade, e que é melhor ele acordar o cara.

– O "cara" é Trent? – adivinhei, e senti minha orelha balançar quando Jenks fez que sim com a cabeça. Olhei para o relógio acima da porta, vendo que passava um pouco das duas. "Deve ser bom estar dormindo a essa hora."

Edden pigarreou quando Quen desligou. O oficial de segurança de Trent não fez cerimônia para deixar claro que não estava feliz. Suas rugas leves se aprofundaram enquanto o maxilar ficava tenso, e seus olhos verdes mostravam-se firmes.

– Capitão Edden, o senhor Kalamack está compreensivelmente chateado e gostaria de falar com o senhor enquanto seu pessoal faz a busca.

– Claro – Edden disse, e um som de descrença escapou de mim.

– Por que você está sendo tão legal? – murmurei conforme Quen nos conduzia através das portas pesadas de vidro e metal e de volta para o sol forte.

– Rachel – Edden sussurrou, carregado de tensão –, se não for educada e delicada, você vai esperar no carro.

"Delicada", pensei. "E desde quando ex-fuzileiros navais como ele são delicados?" Teimoso, agressivo, politicamente correto ao extremo. Ah... ele estava sendo politicamente correto!

Edden se inclinou para perto no momento que segurava a porta de uma das vans para mim.

– E aí nós vamos prender a bunda dele numa árvore – acrescentou, confirmando minhas suspeitas. – Se Kalamack a matou, vamos pegá-lo – ele disse, com os olhos em Quen enquanto o cara entrava num veículo da propriedade. – Mas, se entrarmos marchando como soldados de guerra, o júri vai soltá-lo até mesmo se o sujeito confessar. A questão toda é o procedimento. Já bloqueei o tráfego. Ninguém sai sem ser revistado.

Estreitei os olhos e segurei meu chapéu para impedi-lo de voar. Eu preferia ter entrado gritando, acompanhada de vinte carros com a sirene ligada, mas teria que ficar satisfeita com isso.

O trajeto de cinco quilômetros de estrada para entrar pela floresta que Trent mantinha ao redor de seus domínios foi silencioso; Jenks tinha ido com Glenn no carro da propriedade para tentar descobrir que tipo de impercebido Quen era. Seguimos o veículo de segurança virando a última curva e paramos no estacionamento vazio de visitantes.

Fiquei impressionada com o prédio principal. O edifício de três andares instalava-se no meio da vegetação, como se estivesse ali há centenas de anos, e não há quarenta. O mármore branco refletia raios de luz nas árvores, como um nascer do sol no oeste. Pilastras largas e degraus baixos formavam uma entrada convidativa. Cercados por árvores e jardins, os prédios do escritório tinham um toque de perenidade que faltava aos da cidade. Vários edifícios menores se espalhavam a partir do principal, ligados por passarelas cobertas. Os famosos jardins murados de Trent tomavam grande parte da lateral e dos fundos, os hectares de plantas bem cuidadas rodeados por campos gramados e, ainda, sua misteriosa floresta planejada.

Fui a primeira a sair da van, meu olhar atravessando a estrada até os prédios baixos distantes nos quais Trent criava puros-sangues. Um ônibus de turismo, irritantemente barulhento e enfeitado com propagandas, estava acabando de sair para visitar os jardins de Trent.

Jenks voou e pousou no meu ombro – já que o brinco que eu estava usando era pequeno demais para ele se empoleirar –, resmungando sobre sua incapacidade de descobrir o que Quen era. Virei-me para o prédio principal e comecei a subir os degraus de pedra, com os saltos clicando numa cadência firme. Edden estava logo atrás de mim.

Minhas entranhas se contraíram quando vi uma silhueta conhecida esperando por nós perto das pilastras de mármore.

– Jonathan – sussurrei, meu desgosto pelo homem extremamente alto se transformando numa raiva branda. Queria subir aqueles degraus pelo menos uma vez sem ter seus olhos arrogantes sobre mim.

Pressionei meus lábios de tensão, e de repente fiquei satisfeita por estar usando meu melhor conjunto de terninho e saia, apesar do calor absurdo que fazia. O terno de Jonathan era elegante. Devia ter sido feito sob medida, já que ele era alto demais para comprar qualquer coisa direto na loja. Seu cabelo escuro estava ficando grisalho perto das têmporas, e as rugas nos olhos estavam aprofundadas como se tivessem sido gravadas com ácido em concreto. Jonathan era uma criança durante a Virada, e sua postura abatida e quase desnutrida revelava que havia sido marcado para sempre pelo medo.

Arrumado e bem-vestido, seus modos gritavam que ele era um cavalheiro britânico, mas seu sotaque era tão do Meio-Oeste quanto o meu. A barba era bem-feita, as bochechas e os lábios finos nunca abandonavam um franzido perpétuo, a menos que fosse à custa de alguém. Ele sorrira durante os três dias que eu tinha ficado presa como marta numa gaiola no escritório de Trent, seus nítidos olhos azuis vivos e ansiosos enquanto me atormentava.

Quen subiu os degraus a passos largos para chegar na minha frente, e fiquei com um tique no olho quando os dois homens começaram a conversar apenas entre si. Eles se viraram, o sorriso profissional de Jonathan envolto numa irritação profissional. Gostei.

– Capitão Edden – ele disse, estendendo a mão magra enquanto Edden e eu parávamos na sua frente. A constituição muscular de Edden pareceu quase troncuda quando apertou a sua mão. – Meu nome é Jonathan. Sou assessor de imprensa do senhor Kalamack, que, aliás, está esperando – acrescentou. Os olhos traíam a simpatia em sua voz. – Ele me pediu para transmitir seu desejo de ajudar de todas as maneiras possíveis.

Jenks abafou um risinho no meu ombro.

– Ele podia nos dizer onde escondeu a doutora Anders.

Isso foi dito num sussuro, mas tanto Quen quanto Jonathan ficaram tensos. Fingi ajeitar a trança francesa que tinha no cabelo – sutilmente ameaçando amassar Jenks –, depois coloquei os braços para trás para evitar um aperto de mãos com Jonathan. Não queria tocar nele a menos que fosse para dar um soco no seu estômago. Droga, eu sentia muita falta das minhas algemas.

– Obrigado – Edden disse, com as sobrancelhas levantadas para os olhares malignos que Jonathan e eu estávamos trocando. – Vamos tentar falar com ele o mais rápido e de forma menos intrusiva possível.

Quando me endireitei e o fitei com fúria, Edden puxou Glenn para o lado.

– Faça uma busca discreta, mas minuciosa – ele disse enquanto os olhos de Jonathan disparavam por sobre meu ombro, em direção aos oficiais do FIB, que se encontravam nos degraus largos. Eles tinham levado vários cães, todos usando roupas azuis com FIB bordado em amarelo. Os rabos abanavam com entusiasmo, e eles estavam claramente ansiosos para trabalhar.

Glenn fez que sim com a cabeça, e eu balancei a bolsa.

– Aqui – eu disse, pegando um punhado de talismãs e os colocando na mão dele. – Preparei esses talismãs no caminho para cá. Foram feitos para encontrar a doutora Anders, esteja ela viva ou morta. Dê a todos que aceitarem. Eles vão ficar vermelhos se estiverem a trinta metros de distância dela.

– Vou garantir que cada equipe tenha um – Glenn disse, com os olhos castanhos assustados enquanto tentava não derrubá-los.

– Ei, Rachel – Jenks disse, flutuando fora do meu ombro. – Glenn me pediu para ficar com ele. Você se importa? Não posso fazer nada sentado no seu lindo ombro.

– Claro, vai lá – respondi, pensando que o pixie era melhor para fazer uma busca no jardim do que uma matilha de cães.

Rugas de preocupação passaram pelo rosto comprido de Jonathan, e sorri sarcasticamente para ele. Pixies e fadas não tinham permissão para entrar no terreno, e eu usaria minhas calcinhas por cima da roupa por uma semana se alguém me dissesse o que Trent temia que Jenks encontrasse.

Quen e Jonathan trocaram um olhar silencioso. Os lábios do homem mais baixo ficaram tensos, e seus olhos verdes se estreitaram. Com um jeito de que preferia fazer torta de lama com cocô a deixar Jonathan sozinho para nos acompanhar, Quen foi correndo atrás de Jenks. Meus olhos seguiram o oficial de segurança conforme ele descia correndo os degraus, e sua graciosidade era impressionante.

Jonathan se empertigou quando voltou sua atenção para nós.

– O senhor Kalamack está esperando por vocês no escritório da frente – disse com rigidez enquanto abria uma porta.

Dei um sorriso malvado em sua direção ao me colocar em movimento.

– Se me tocar, eu te machuco – ameacei ao mesmo tempo que abria a porta ao lado da segurada por Jonathan.

O saguão principal era espaçoso e estranhamente vazio. O murmúrio abafado do trabalho estava silenciado, já que era fim de semana, e os funcionários estavam fora. Sem esperar por Jonathan, fui direto pelo corredor amplo em direção ao escritório de Trent. Com as mãos remexendo na bolsa, peguei meus óculos enfeitiçados de linhas de ley, criminosamente feios e absurdamente caros, e os coloquei no nariz. Jonathan desistiu de demonstrar educação, deixando Edden para trás e me seguindo.

Andei a passos largos pelo corredor, com os punhos fechados e os saltos fazendo barulho. Eu queria ver Trent. Queria dizer o que achava dele e cuspir na sua cara por ter tentado me destruir ao me pôr numa rinha ilegal de ratos.

As portas de vidro fosco dos meus dois lados estavam abertas, mostrando mesas vazias. Um pouco além havia uma mesa de recepção enfiada num nicho em frente à porta de Trent. A mesa de Sara Jane era tão arrumada e organizada quanto a mulher em si. Com o coração disparado, estendi a mão para a maçaneta da porta de Trent, dando um pulo para trás quando Jonathan se aproximou. O homem alto me deu um olhar capaz de levar um cão bravo a fazer gracinhas e bateu na porta de madeira de Trent, esperando ouvir sua voz abafada antes de abri-la.

Edden se aproximou de mim, seu olhar aborrecido em choque ao ver meus óculos. Tensa, toquei no meu chapéu e ajeitei o terninho. Talvez eu devesse ter pedido um empréstimo à Ivy e comprado os óculos bonitos. O som de água sobre pedras escapou do escritório de Trent, e entrei colada nos calcanhares de Jonathan.

Ao me ver entrar, Trent se levantou de trás da mesa. Inspirei forçadamente para lhe fazer um cumprimento depreciativo mas sincero. Queria dizer que sabia que ele tinha matado a doutora Anders. Queria falar que ele era escória. Queria olhar na sua cara e gritar que eu era melhor do que ele, que ele nunca acabaria comigo, que era um canalha manipulador e que eu o *derrotaria*. Mas não fiz nada, surpreendida pela sua essência calma e forte. Ele era o homem mais controlado que eu já tinha conhecido, e fiquei parada, em silêncio, enquanto seus pensamentos visivelmente deixavam outros assuntos para se concentrar em mim. E, não, ele não usava um talismã de linha de ley. O cara era bonito daquele jeito mesmo.

Cada fio de seu cabelo fino e quase transparente estava no lugar. Seu terno cinza com fio de seda não tinha um amassado, acentuando a constituição física – cintura fina e ombros largos – que eu passei três dias admirando quando era uma marta. Mais alto do que eu, ele me deu seu sorriso de sempre: uma mistura invejável de cordialidade e interesse profissional. Em seguida, ajeitou o paletó com uma lentidão casual, os dedos compridos chamando minha atenção enquanto manipulava o último botão. Só havia um anel na mão direita e, assim como eu, ele não usava relógio de pulso.

Trent deveria ter apenas três anos a mais do que eu – o que o tornava um dos solteiros mais ricos na porcaria do planeta –, mas o terno o fazia parecer mais velho. Mesmo assim, seu maxilar bem definido, assim como o rosto macio e o nariz pequeno, o fazia parecer mais adequado para um catálogo de moda do que para o conselho diretor.

Ainda com o sorriso confiante e quase satisfeito, ele abaixou a cabeça, tirando os óculos com armação de metal e os jogando sobre a mesa. Envergonhada, guardei meus óculos encantados na caixa de couro e olhei para seu braço direito enquanto ele contornava a mesa. Estava engessado na última vez que o vi, e provavelmente tinha sido por isso que o tiro que Trent disparou não me acertou. Havia um contorno fraco de pele mais clara entre sua mão e o punho do paletó, que o sol ainda não tivera chance de escurecer.

Fiquei tensa quando seu olhar recaiu sobre mim, logo pousando no anel do meu dedinho que ele tinha roubado de mim e devolvido só para provar que podia fazê-lo, e finalmente parando no meu pescoço e na cicatriz quase invisível do ataque do demônio.

– Senhorita Morgan, não sabia que você podia trabalhar para o FIB – ele disse como cumprimento, sem fazer menção de apertar minha mão.

– Sou consultora – respondi, ignorando como sua voz fluida tinha deixado minha respiração presa. Eu tinha me esquecido da voz dele, toda âmbar e mel, se é que cor e sabor poderiam descrever um som, ressonante e profunda, cada sílaba clara e precisa, mas se misturando à seguinte como líquido. Era hipnotizante de um jeito que apenas vampiros antigos conseguiam. E me incomodava eu gostar tanto dela.

Encontrei o olhar de Trent, tentando mostrar uma imagem espelhada da confiança demonstrada por ele. Nervosa, estendi meu braço, obrigando-o a responder. Sua mão veio encontrar a minha com o mínimo de hesitação. Uma pontada de satisfação me aqueceu por tê-lo obrigado a fazer alguma coisa que ele não queria, mesmo que tivesse sido algo tão insignificante.

Sentindo-me orgulhosa, coloquei minha mão na de Trent. Apesar de seus olhos verdes estarem frios por ele saber que eu o havia obrigado a me tocar, seu aperto foi quente e firme. Eu me perguntei por quanto tempo ele o estava praticando. Satisfeita, soltei sua mão, mas, em vez de fazer o mesmo, a mão dele deslizou da minha com uma lentidão íntima que não era nem um pouco profissional. Eu teria achado que ele estava dando em cima de mim, exceto pelo leve aperto nos olhos, que transmitiam uma desconfiada cautela.

– Senhor Kalamack – eu disse, me recusando a limpar minha mão na blusa. – Você está com uma ótima aparência.

– Você também. – Seu sorriso estava congelado no mesmo lugar, e a mão direita estava quase atrás das costas. – Ouvi dizer que está se saindo razoavelmente bem com sua empresinha de investigação. Imagino que seja difícil, já que está apenas começando.

"*Empresinha* de investigação?" Meu desconforto se transformou em irritação.

– Obrigada – consegui dizer.

Com um sorriso retorcendo o canto da boca, Trent redirecionou sua atenção para Edden. Enquanto os dois homens trocavam afabilidades politicamente corretas e hipócritas, dei uma olhada no escritório de Trent. Sua janela falsa ainda mostrava uma filmagem ao vivo de um de seus pastos de potros, a luz artificial brilhando pela tela de vídeo e formando um cálido caminho de carpete cintilante. Havia uma nova leva de peixes pretos e brancos no aquário, que era do tamanho de um zoológico, e o aquário móvel tinha sido deslocado para um nicho construído na parede atrás de sua mesa. No local onde minha gaiola ficava agora se encontrava uma árvore, e a memória olfativa das bolinhas de comida fez meu estômago se revirar. A câmera no canto do teto piscava uma luz vermelha para mim.

– É um prazer conhecê-lo, capitão Edden – Trent estava dizendo, e a cadência suave de sua voz atraiu minha atenção. – Gostaria que tivesse sido em circunstâncias mais agradáveis.

– Senhor Kalamack. – O staccato agudo de Edden pareceu ríspido em comparação com a voz de Trent. – Peço desculpas por qualquer inconveniência que possa ocorrer enquanto fazemos a busca em sua propriedade.

Jonathan deu o mandado de busca a Trent, que olhou rapidamente antes de devolvê-lo.

– "Provas corporais que levem a uma prisão relacionada às mortes conhecidas como assassinatos do caçador de bruxos"? – ele disse, com os olhos disparando até os meus. – Isso é meio vago, não?

– Inserir "defunto" parecia meio grosseiro – respondi, tensa. Edden pigarreou, com uma pontadinha de preocupação de que, se não encontrássemos nada, sua imagem profissional ficaria denegrida. Percebi que o capitão estava em posição de descanso e me perguntei se o ex-fuzileiro naval tinha consciência disso. – Você foi a última pessoa a ver a doutora Anders – eu disse, querendo ver a reação de Trent.

– Isso não é adequado, senhorita Morgan – Edden murmurou, mas eu estava mais interessada na emoção que perpassou Trent. Raiva e frustração – mas não choque. Trent olhou de relance para Jonathan, que deu de ombros de um jeito muito sutil. Lentamente, o conselheiro municipal se recostou na mesa, com as mãos compridas e bronzeadas entrelaçadas na frente.

– Não sabia que ela havia morrido – ele disse.

– Não disse que ela estava morta – comentei. Meu coração disparou quando Edden agarrou meu braço num sinal de alerta.

– Ela está desaparecida? – Trent perguntou, com um alívio que parecia convincente. – Isso é bom. O fato de ela estar desaparecida, e não... hum... morta. Jantei com ela ontem à noite. – Um leve tom de preocupação passou por Trent conforme ele gesticulava para as duas cadeiras atrás de nós. – Por favor, sentem-se – disse enquanto ia para trás da mesa. – Estou certo de que vocês têm perguntas para mim, já que estão fazendo uma busca na minha propriedade.

– Obrigado, senhor. Sim, eu tenho. – Edden pegou a cadeira mais próxima do corredor. Meus olhos acompanharam Jonathan enquanto ele fechava a porta de Trent. Ele continuou ao lado da porta, parecendo na defensiva. Sentei na cadeira restante, sob o sol artificial, me obrigando a usar o encosto. Tentando parecer casual, coloquei a bolsa no colo e enfiei a mão no bolso em busca de uma lanceta. A pontada da agulha me sacudiu. Coloquei o dedo sangrando dentro da bolsa, buscando cuidadosamente o talismã. "Agora vamos ver Trent mentir e escapar com isso."

A expressão de Trent congelou ao ouvir o ruído do meu amuleto.

– Guarde seu feitiço, senhorita Morgan – me acusou. – Eu disse que ficaria feliz em responder às perguntas do capitão Edden, e não de me submeter a um interrogatório. Seu mandado é de busca e apreensão, não de investigação cruzada.

– Morgan – Edden sibilou, com a mão grossa estendida. – Me dê isso!

Fiz uma careta, limpei a ponta do dedo e entreguei o amuleto. Edden o colocou no bolso.

– Peço desculpas – ele disse, com tensão no rosto redondo. – A senhorita Morgan está obstinada em encontrar o responsável por tantas mortes e tem uma tendência *perigosa* – essa parte foi dirigida a mim – de se esquecer que precisa atuar dentro dos parâmetros da lei.

O cabelo fino de Trent se levantou com o fluxo vindo da ventilação. Vendo que eu o olhava, ele passou a mão sobre a cabeça, dando indícios de irritação.

– Ela tem boas intenções.

"Nossa, que condescendente." Furiosa, coloquei a bolsa no chão fazendo barulho.

– A doutora Anders também tinha boas intenções – eu disse. – Você a matou depois de ela recusar sua oferta de emprego?

Jonathan ficou tenso, e as mãos de Edden se remexiam como se estivesse tentando mantê-las no colo e longe do meu pescoço.

– Não vou alertá-la novamente, Rachel – rosnou.

O sorriso de Trent não se abalou. Ele estava com raiva, mas tentava não demonstrá-la. Fiquei feliz por poder falar o que estava pensando; isso era mais do que gratificante.

– Não, tudo bem – Trent disse, entrelaçando os dedos e se inclinando para a frente, colocando as mãos sobre a mesa. – Se for para acalmar a crença da senhorita Morgan de que eu sou capaz de crimes tão monstruosos, fico mais do que feliz em lhes dizer o que conversamos ontem à noite. – Apesar de ele estar falando com Edden, seu olhar não saía de mim. – Estávamos discutindo a possibilidade de eu financiar a pesquisa dela.

– A pesquisa de linhas de ley? – questionei.

Ele pegou um lápis, e o movimento ao girá-lo demonstrou desconforto. Ele realmente devia ter se livrado daquele hábito.

– Sim, pesquisa de linhas de ley – concordou. – Com pouco valor prático. Eu estava satisfazendo minha curiosidade, nada mais.

– Acho que você ofereceu um emprego a ela – eu disse. – E, quando ela recusou, você a matou, do mesmo jeito que fez com os outros bruxos de linhas de ley de Cincinnati.

– Morgan! – Edden exclamou, se empertigando na cadeira. – Você vai esperar na van. – Ele se levantou, dando um olhar apologético para Trent. – Sinto muito, senhor Kalamack. A senhorita Morgan está totalmente fora de controle e não está agindo em nome do FIB em suas acusações.

Girei-me na cadeira para encará-lo.

– Foi isso que ele tentou fazer comigo. Por que seria diferente com a doutora Anders?

O rosto de Edden ficou vermelho por trás dos óculos redondos. Travei o maxilar, pronta para argumentar. Ele inspirou com raiva, soltando a respiração ao ouvir uma batida na porta. Jonathan a abriu, dando um passo para trás quando Glenn entrou. O oficial abaixou ligeiramente a cabeça para Trent, em reconhecimento. Pela sua expressão arqueada e furtiva, percebi que a busca não estava indo bem.

Ele murmurou alguma coisa para Edden, e o capitão fez cara feia, grunhindo alguma coisa de volta. Trent observou a troca de informações com interesse, sua sobrancelha se suavizando e a fraca tensão em seus ombros diminuindo. O lápis foi deixado de lado, e ele se reclinou na cadeira.

Jonathan caminhou até Trent, colocando uma das mãos sobre a mesa ao se inclinar para sussurrar alguma coisa no ouvido do chefe. Minha atenção disparou do sorriso condescendente de Jonathan para a testa franzida de preocupação de Edden. Trent sairia dessa parecendo um cidadão ofendido e brutalizado pelo FIB. "Droga."

Jonathan se empertigou, e os olhos verdes de Trent, ligeiramente zombadores, encontraram os meus. A voz de Edden arranhou meu cérebro quando o ouvi dizer a Glenn para pedir que Jenks verificasse os jardins mais uma vez. Trent ia escapar. Ele havia matado todas aquelas pessoas e ia escapar!

A frustração me tomou quando Glenn me dirigiu um olhar impotente e saiu, fechando a porta atrás de si. Sabia que os meus talismãs eram bons, mas eles podiam falhar se Trent estivesse usando magia de linhas de ley para esconder a doutora Anders. Fiz uma cara de surpresa. "Magia de linhas de ley?" Se ele a estivesse escondendo com magia de linhas de ley, eu poderia encontrá-la com a mesma magia.

Olhei de relance para Trent, vendo sua satisfação fraquejar sob o súbito olhar questionador que eu provavelmente estava mostrando. Trent levantou um dedo para Jonathan, fazendo o homem alto ficar calado enquanto ele se concentrava em mim, tentando descobrir o que eu estava pensando.

Fazer um talismã de busca usando magia da terra era claramente magia branca. Portanto, fazer um com magia de linhas de ley também seria magia branca. O custo no meu carma seria insignificante, bem menor do que, digamos, mentir que era meu aniversário para ganhar uma bebida. E, fosse invocado com magia da terra ou de linhas de ley, um talismã de busca seria coberto pelo mandado de busca e apreensão.

Meu batimento cardíaco acelerou, e estendi a mão em direção ao cabelo. Eu não sabia qual era o encantamento, mas Nick devia tê-lo em seus livros. E, se Trent usou magia de linhas de ley para acobertar seus rastros, teria que haver uma linha próxima o suficiente para ser usada. "Interessante."

– Preciso fazer uma ligação – eu disse, ouvindo minha voz como se viesse de outra pessoa.

Trent ficou sem palavras. Gostei disso.

– Pode usar o telefone da minha secretária – ele disse.

– Tenho o meu – respondi, procurando na bolsa. – Obrigada.

Edden me deu um olhar suspeito e foi falar com Trent e Jonathan. Pela postura educada e pela aparência calma, achei que ele devia estar tentando suavizar o efeito político que a visita fracassada do FIB causaria. Tensa, me levantei e fui para o canto mais distante da sala, tentando sair do alcance da câmera e dos ouvidos deles.

– Esteja em casa – sussurrei enquanto passava o olho pela curta lista de contatos e apertava o botão de ligar. – Atenda, Nick. Por favor, atenda... – Ele podia estar fazendo compras, lavando roupa, cochilando ou tomando banho, mas eu poderia apostar que ele ainda estava lendo o maldito livro. Meus ombros relaxaram quando alguém atendeu. Ele estava em casa. Eu adorava homens previsíveis.

– Alô – ele disse, parecendo preocupado.

– Nick – sussurrei. – Graças a Deus.

– Rachel? O que houve? – A preocupação envolvia sua voz, deixando meus ombros tensos de novo.

– Preciso de sua ajuda – respondi, olhando de relance para Edden e Trent, e tentando manter a voz baixa. – Estou na casa de Trent com o capitão Edden. Conseguimos um mandado de busca. Você pode procurar nos seus livros um talismã de linhas de ley para encontrar... hum... pessoas mortas?

Houve uma longa hesitação.

– É isso que gosto em você, Ray-Ray – ele disse enquanto eu ouvia o som de um livro deslizando seguido de um *tum*. – Você diz coisas muito agradáveis.

Esperei, meu estômago embolando ao ouvir o suave farfalhar de páginas virando ao telefone.

– Pessoas mortas – murmurou, nem um pouco amedrontado, enquanto as borboletas voavam no meu estômago e o atacavam com uma perfuratriz. – Fadas mortas. Fantasmas mortos. Uma invocação para fantasmas serve?

– Não. – Cutuquei o esmalte de unha, vendo Trent me observar ao mesmo tempo que conversava com Edden.

– Reis mortos, animais mortos... ah, pessoas mortas.

Minha pulsação acelerou, e procurei uma caneta na bolsa.

– Tudo bem... – Ele ficou em silêncio, lendo. – É bem simples, mas acho que não se pode usá-la durante o dia.

– Por que não?

– Sabe como os túmulos no nosso mundo aparecem no todo-sempre? Bom, o talismã faz túmulos sem identificação no nosso mundo procederem da mesma forma. Mas você precisa olhar para o todo-sempre com sua segunda visão, e não dá para fazer isso com o sol aparecendo.

– Eu consigo se estiver sobre uma linha de ley – sussurrei, me sentindo gelada. Essa informação eu não tinha obtido de um livro. Meu pai me contara quando eu tinha oito anos.

– Rachel – ele protestou depois de um instante de hesitação. – Você não consegue. Se aquele demônio souber que você está numa linha de ley, vai tentar te puxar para o todo-sempre.

– Ele não pode fazer isso. Não é dono da minha alma – sussurrei, virando para esconder o movimento dos meus lábios.

Nick ficou calado, e minha respiração pareceu ruidosa.

– Não gosto disso – ele soltou finalmente.

– E eu não gosto de você invocando demônios.

O telefone ficou em silêncio. Olhei para Trent, depois virei de costas e me perguntei se sua audição era muito boa.

– Sim – Nick disse –, mas ele é dono de dois terços da minha alma, e um terço da sua. E se...

– Almas não são somadas como números, Nick – respondi, com a voz rouca de preocupação. – É uma questão de tudo ou nada. O demônio não tem o suficiente de mim nem de você. Não vou sair daqui sem provar que Trent matou aquela mulher. Qual é o encantamento?

Esperei, com os joelhos ficando fracos.

– Tem uma caneta? – ele disse por fim, e eu fiz que sim com a cabeça, me esquecendo de que ele não podia ver o gesto.

– Tenho – afirmei, movimentando o telefone para escrever na palma da mão como uma cola de prova.

– Certo, não é longo. Vou traduzir tudo menos a palavra de invocação, porque não temos uma palavra que signifique as cinzas cintilantes dos mortos, e acho que é importante você dizer essa parte corretamente. Me dá um instante pra eu fazer rimar.

– Não precisa rimar – respondi devagar, achando que a coisa só ficava cada vez melhor. "*Cinzas cintilantes dos mortos?* Que tipo de língua precisava de uma palavra só para isso?"

Nick pigarreou, e eu preparei a caneta.

– "De morto para morto, brilha como a lua. Silencia todos menos os inquietos". – Ele hesitou. – E a palavra para acionar é "*favilla*".

– "*Favilla*" – repeti, escrevendo-a foneticamente. – Algum gesto?

– Não. Ele não age fisicamente sobre nada, então não é preciso um gesto nem um objeto de foco. Quer que eu repita?

– Não – respondi, meio enjoada ao olhar para a palma da mão. "Será que eu realmente quero fazer isso?"

– Rachel – ele disse, com a voz preocupada. – Tome cuidado.

– Pode deixar. – Meu coração estava acelerado de expectativa e preocupação. – Obrigada, Nick. – Mordi o lábio inferior com um pensamento súbito. – Ei, hum, guarda meu livro até eu falar com você, está bem?

– Ray-Ray? – ele chamou, preocupado.

– Me pergunte mais tarde – pedi, dando uma olhada para Edden, depois para Trent. Não precisei dizer nem uma palavra. Ele era um homem inteligente.

– Espere. Não desligue – ele disse, e a preocupação em sua voz me fez parar. – Me mantenha na linha. Não posso ficar aqui sentado sentindo esses puxões sem saber se está com problemas ou não.

Passei a língua pelos lábios e obriguei minha mão a parar de brincar com a trança que tinha feito no meu cabelo. Usar Nick como familiar era contra todas as fibras morais que eu tinha – e gostava de pensar que tinha muitas –, mas não podia deixá-lo para trás. Nem tentaria se não tivesse certeza de que Nick não seria afetado.

– Vou te passar para o capitão Edden, está bem?

– Edden? – ele disse baixinho, e sua preocupação assumiu um tom de autopreservação.

Virei-me de novo para os três homens.

– Capitão – eu disse, chamando a atenção de todos. – Gostaria de experimentar um feitiço de busca diferente antes de irmos embora.

O rosto redondo de Edden ficou enrugado de frustração.

– Já acabamos por aqui, Morgan – ele disse de um jeito ríspido. – Já roubamos mais que o suficiente do tempo do senhor Kalamack.

Engoli em seco, tentando parecer confiante, como se fizesse aquilo todo dia.

– Esse é diferente.

Sua respiração entrou e saiu com um barulho áspero.

– Podemos ter uma palavrinha no corredor? – ele entoou.

"No corredor?" Eu não seria levada para o corredor como uma criança perdida. Virei-me para Trent.

– O senhor Kalamack não vai se importar. Ele não tem nada para esconder, não é mesmo?

A fisionomia de Trent era uma máscara de cortesia profissional. Jonathan estava de pé ao lado dele, com seu rosto magro e feio.

– Desde que esteja dentro dos parâmetros do seu mandado – Trent disse com suavidade.

Senti um tranco ao perceber o receio que ele estava tentando disfarçar. Trent estava preocupado. Eu também.

A passos lentos, atravessei o escritório e dei o telefone a Edden.

– É um feitiço de busca voltado para encontrar túmulos sem identificação. Nick pode lhe contar tudo sobre o feitiço, capitão, para você saber que é dentro da lei. Você se lembra dele, não é?

Edden pegou o telefone, e o fino retângulo cor-de-rosa pareceu ridículo em suas mãos grossas.

– Se é tão simples, por que não me falou dele antes?

Dei um sorriso nervoso em sua direção.

– O feitiço usa linhas de ley.

O rosto de Trent ficou paralisado. Seu olhar disparou para meu pulso marcado pelo demônio, e ele se recostou na cadeira, sob a proteção de Jonathan. Arqueei as sobrancelhas apesar de meu estômago estar embolado. Se Trent protestasse, pareceria culpado. Suas mãos se moviam com uma rapidez nervosa enquanto ele alcançava seus óculos de armação de metal e os batia sobre a mesa.

– Sinta-se à vontade – ele disse, como se tivesse poder de decisão sobre o assunto. – Invoque seu feitiço. Estou interessado em ver quanto uma bruxa da terra como você conhece a magia das linhas de ley.

– Eu também – Edden disse de um jeito seco, antes de levar o telefone ao ouvido e começar a falar com Nick num tom baixo e intenso. Provavelmente tentava garantir que o que eu estava prestes a fazer se encaixava no mandado do FIB.

– Temos de sair daqui – eu disse quase para mim mesma. – Preciso encontrar uma linha de ley para me posicionar em cima dela.

– Ah, senhorita Morgan – Trent disse, claramente agitado enquanto se empertigava na cadeira. Os óculos de armação de metal que ele colocou de volta no rosto pareciam menos sofisticados, dando a ele uma aparência mais suave, quase inofensiva. Também achei que o sujeito estava meio pálido.

"Certo", pensei com falsidade enquanto fechava os olhos para ficar mais fácil de encontrar uma linha de ley com minha segunda visão. "Como se você tivesse uma linha de ley passando pelo jardim..."

Estendi meus pensamentos, buscando a mancha vermelha do todo-sempre. Minha respiração assobiou ao entrar, e abri os olhos de repente. Encarei Trent.

O homem tinha uma linha de ley bem no meio do seu maldito escritório.

Vinte

Com a boca aberta, olhei para Trent, com o rosto tenso e esticado, sentado do outro lado do escritório, com Jonathan ao lado. Nenhum dos dois parecia feliz. Meu coração acelerou. Trent sabia que ela estava ali. Ele conseguia usar linhas de ley. Isso significava que o sujeito era humano ou bruxo. Vamps não conseguiam extrair poder delas, e os humanos que conseguiam eram subsequentemente infectados com o vírus vamp e perdiam a capacidade. Não sabia o que me assustava mais: Trent usar linhas de ley ou ele saber que eu sabia que elas estavam lá. Que Deus me ajude. Eu estava a meio caminho de descobrir o segredo mais precioso de Trent: que diabos ele era.

A porta do escritório de Trent bateu com força contra a parede. A adrenalina correu dolorosamente, e parei numa postura defensiva. Quen entrou numa explosão.

– Sa... senhor – disparou, mudando o título de Sa'han no meio da fala. Então parou de repente, com os olhos estreitos ao perceber minha postura tensa no canto e Edden sentado na cadeira com meu telefone no ouvido, cauteloso para não se mexer nem um centímetro.

Os olhos verdes do homem se fixaram nos meus. Sentia meu coração batendo com força. Nossas posturas defensivas relaxaram, e ajeitei minha saia. A porta aberta se fechou logo depois de Jenks entrar disparado.

– Ei, Rachel! – o pixie gritou, com as asas vermelhas de empolgação. – Alguém encontrou uma linha de ley, e isso fez *alguém* ficar terrivelmente irado. – Parou repetinamente, analisando a tensão no cômodo. – Ah, é você – ele disse, dando um risinho. Com as asas batendo, desceu no meu ombro, logo me abandonando pelo Edden e pela chance de ouvir o que Nick estava dizendo.

Trent se inclinou para a frente e colocou os cotovelos sobre a mesa. Uma gota de suor apareceu perto do seu cabelo. Tentei engolir saliva, mas minha boca estava seca.

– A senhorita Morgan está demonstrando para nós suas habilidades com as linhas de ley – Trent disse. – Estou muito interessado em ver isso.

"Aposto que sim", pensei, me perguntando até que ponto eu tinha me afundado na situação. A magia de linhas de ley era muito usada em questões de segurança, e Quen soube que eu a tinha encontrado no instante em que isso acontecera.

Desconfortável, aproveitei a oportunidade para analisar a aura de todos com minha segunda visão. A de Jenks era cheia de arco-íris, como a da maioria dos pixies. A de Edden era um azul intenso, que tendia para amarelo perto da cabeça dele. Quen tinha uma aura de um verde tão escuro que era quase preta, marcada por faixas laranja vibrantes no tronco e nas mãos – nada bom. A de Jonathan também era verde, porém mais clara e quase suave em sua uniformidade e sombra. A de Trent... hesitei, fraquejando.

A aura de Trent era amarela como o sol, atravessada por uma faixa vermelha bem definida. Os traços carmesins diziam que ele tinha vivido uma grande quantidade de tragédias que destroem a alma. Era incomumente próxima a ele, margeada por centelhas prateadas – como a de Ivy –, que flutuaram ao seu redor quando ele passou a mão na cabeça para ajeitar o cabelo. Trent estava à procura de alguma coisa, e o jeito como as centelhas se misturavam na aura principal indicava que o homem havia dedicado sua vida a essa busca. O dinheiro, o poder, a energia, tudo isso servia a um propósito maior. "O que ele está procurando?", me perguntei.

Não conseguia ver minha aura, a menos que eu ficasse sobre um espelho de adivinhação – o que jamais faria de novo –, mas tinha certeza de que Trent estava olhando para ela. Não gostava do fato de ele poder ver a marca do demônio no meu pulso latejando com uma mancha preta desagradável, ou de que minha aura também tivesse aquelas faixas vermelhas horríveis, ou de que, tirando as centelhas, nossas auras eram quase idênticas.

Preocupado, Edden olhou para nós, sabendo que algo estava acontecendo, mas não o quê. Com a sobrancelha franzida, sentou na ponta da cadeira e teve uma conversa sussurrada e resumida com Nick.

– Você tem uma linha de ley passando pelo seu escritório? – perguntei, zonza.

– Você tem uma no seu quintal dos fundos – Trent respondeu secamente e, com o maxilar tenso, olhou de relance para Edden. Eu quase conseguia ver seu desejo de que o capitão do FIB não estivesse ali. Sua expressão estava envolvida num alerta ameaçador. Não era de conhecimento público que apenas humanos e bruxos conseguiam manipular linhas de ley, embora qualquer um pudesse descobrir isso, e eu sabia que Trent não queria que eu falasse isso. Eu estava mais do que disposta a ficar quieta, pois sabia que ter essa informação era como segurar uma cobra pelo rabo.

Meus dedos tremiam com a adrenalina, e fechei as mãos em punhos quando me virei para a mancha do todo-sempre que passava pelo escritório de Trent. Ela media um metro de largura e formava uma faixa de leste para oeste diante de sua mesa, mais precisa do que qualquer bússola. Imaginei que provavelmente passava pelo seu escritório dos fundos também. Assim que eu entrasse nela, poderia descobrir.

Suor surgiu na minha lombar quando vi a linha. Nunca tinha me colocado sobre uma. A menos que houvesse esforço para entrar numa linha, era possível passar por ela sem sentir nada. Inspirei, tentando relaxar. Se Algaliarept aparecesse, bastaria eu sair da linha. O demônio não deixaria o todo-sempre enquanto o sol estivesse acima do horizonte.

Com uma última olhada preocupada para os dois homens em pé atrás de Trent, protegendo-o, fechei os olhos. Eu me infiltrei, me expandi e levei minha vontade até a linha.

Fui tomada pelo poder, intoxicante de tanta intenção. Meu coração disparou, e acho que congelei. Com a respiração rápida e superficial, levantei a mão para impedir que Edden tocasse em mim, pois o ouvi se levantar. Enquanto ele fazia perguntas sussurradas para Nick, abaixei a cabeça e não fiz nada, cavalgando nas ondas de poder que subiam através de mim em pulsos cada vez mais fortes. Os pulsos reverberavam nas minhas extremidades, ricocheteavam e entravam no fluxo contínuo. Ao mesmo tempo, minha cabeça latejava. Senti um instante de pânico conforme o poder crescia, crescia e continuava a crescer. Qual era a força daquela coisa?

Eu me senti um balão inflado demais, e parecia que ia explodir ou enlouquecer. "Essa", pensei, quase ofegando, "é a razão de bruxos de linhas de ley terem familiares." Os animais filtravam a energia bruta, pois suas mentes mais simples lidavam melhor com a tensão. Eu não faria Nick se arriscar por mim. Precisava assumir tudo – e ainda nem tinha entrado de fato na linha. Não dava para saber quanto mais potente ela seria quando eu entrasse.

Devagar, a dificuldade no influxo diminuiu, e ele se tornou quase suportável. Formigando por dentro, inspirei de um jeito que pareceu um soluço. O equilíbrio de energia finalmente parecia ter se equalizado. Sentia os fios do cabelo que escaparam da trança fazerem cócegas no meu pescoço enquanto o vento do todo-sempre passava por, e através de, mim.

– Meu Deus... – ouvi Edden sussurrar, e esperei não ter acabado de perder sua confiança. Acho que o capitão nunca tinha entendido como nós éramos diferentes até aquele momento, vendo meu cabelo voar com uma brisa que só eu sentia.

– Não é uma bruxa muito boa – Jonathan disse –, cambaleando bêbada de poder ao meio-dia.

– Seria se ela estivesse entrando na linha como a maioria das pessoas – veio o sussurro rouco de Quen, e me esforcei para ouvi-lo. – A bruxa não está usando um familiar, Sa'han. Ela está canalizando toda a maldita linha sozinha.

A inspiração em alerta de Jonathan enviou uma onda de desagravo através de mim – até ele a seguir com um urgente:

– Matem-na. Hoje à noite. Ela não vale mais o risco.

Meus olhos quase se abriram de repente, mas os mantive fechados para que não soubessem que os tinha ouvido. Meu coração, martelando freneticamente, parecia alto nos meus ouvidos, aumentando o inchaço lento da energia da linha de ley que ainda escorria para dentro de mim.

– Jonathan – Trent disse, parecendo cansado. – Não matamos algo só porque é mais forte que nós. Encontramos um jeito de usá-lo.

"Me usar?", pensei, com amargura. "Só se for sobre o meu cadáver." Esperando que isso não fosse uma premonição, levantei a cabeça, cruzei os dedos para ter sorte, rezei para não estar cometendo um erro e entrei na linha de ley.

Meus joelhos fraquejaram quando o poder que inchava em mim desapareceu com uma dor súbita. Sumiu. O influxo desconfortável do todo-sempre sumiu. Sem acreditar, me levantei, percebendo que tinha caído de joelhos. Obriguei meus olhos a continuarem fechados para não perder minha segunda visão, dando um tapa na mão de Edden, que agarrava meu ombro.

A força da linha de ley formou uma espiral em mim, fazendo minha pele formigar e meu cabelo flutuar, mas o equilíbrio estava perfeito. Fiquei trêmula, mas não precisava mais lutar contra a tensão daquele poder. Por que ninguém tinha me falado isso até hoje? Ficar sobre uma linha era muito mais fácil do que manter o vínculo com uma, mesmo que fosse necessário se acostumar com o vento intenso.

Com os olhos ainda fechados, visualizei o todo-sempre, pensando que era mais estranho quando iluminado pelo sol dos demônios. As paredes do escritório de Trent não estavam mais lá, e apenas a conversa sussurrada de Edden com Nick me mantinha aterrada, dizendo à minha mente esgotada que não, eu não tinha passado para o todo-sempre, que eu estava de pé num alçapão, tendo uma visão dele.

Espalhada para todos os lados havia uma paisagem de bosques de árvores e gramados extensos e amplos. Para leste e oeste se estendia uma faixa nebulosa de energia da linha de ley. Eu estava em pé a dois terços de sua considerável extensão, e arriscaria dizer que ela ia direto para o escritório dos fundos de Trent. O céu tinha uma coloração amarela desbotada e o sol estava intenso, descendo como se tentasse esmagar as achatadas e largas árvores. Senti como se estivesse passando através de mim, pulando e aquecendo a parte interna da sola dos meus pés. Mesmo a grama áspera parecia atrofiada, mal chegando à metade da minha panturrilha. Na distância enevoada a oeste, havia um acúmulo de linhas e ângulos agudos se erguendo sobre a paisagem. Assustadora e estranha, a cidade dos demônios estava claramente quebrada.

– Legal – murmurei. Edden fez Nick calar a boca e parar de pedir informações.

Sabendo que Trent estava observando, apesar de não poder vê-lo, me virei de costas para ele. Assim o sujeito não poderia ler meus lábios quando sussurrei a primeira metade do encantamento. Felizmente, me lembrava da tradução, já que não queria abrir os olhos para lê-la na palma da mão.

Conforme as palavras saíam de mim, uma leve instabilidade da energia do todo-sempre agitou meus pés, subindo e se instalando na minha barriga. Senti os joelhos ficarem soltos conforme a grama se curvava na minha frente em todas as direções. A energia da linha de ley fluía para dentro de mim, carregando uma mistura agradável de formigamento. Perguntei-me a que intensidade a sensação chegaria, sem querer admitir que era agradável.

Meu cabelo se levantou numa onda súbita de poder quando comecei a segunda metade. Depois de dizer todas as palavras, menos a de invocação, a energia se elevou, enviando uma onda de formigamento, e ficou presa dentro de mim por um instante. Depois saiu numa pulsação horizontal amarela, disparando ondulações sobre os contornos da terra.

– Caramba – eu disse, depois cobri a boca, esperando não ter estragado o feitiço. Ainda não havia terminado. Chocada, observei com a segunda visão enquanto a folha horizontal de energia do todo-sempre se afastava rapidamente. A pulsação era da cor da minha aura. Eu me senti desconfortável, mas lembrei que o feitiço tinha levado apenas a coloração da minha aura, e não a aura em si.

A onda continuou a se expandir até ficar fraca, ao longe. Não sabia se devia me sentir feliz ou alarmada porque ela parecia ter ido direto até a cidade vista pela metade. A ondulação expandida alterava a paisagem do todo-sempre, e de assombrada passei para alerta quando me dei conta de que, na trilha, havia manchas verdes cintilantes.

Corpos. Estavam por toda parte. Ao meu lado via os pequenos, alguns do tamanho da unha do meu dedinho. Ao longe, apenas os maiores podiam ser vistos. Minha primeira reação foi um nó no estômago, mas ele diminuiu quando notei que o feitiço estava percebendo tudo que estava morto: roedores, pássaros, insetos, tudo. Um número enorme dos maiores estava a oeste, em fileiras e colunas organizadas. Tive um momento de pânico até compreender que lá ficavam os estábulos de Trent no mundo real e, provavelmente, aqueles eram os corpos de seus antigos vencedores de corridas.

Meu coração desacelerou, e tentei me lembrar da última palavra, a que sintonizaria o feitiço para mostrar apenas restos humanos. Com a sobrancelha franzida, fiquei parada no escritório de Trent, meus pés firmes no portal para o todo-sempre, tentando lembrar qual era a bendita palavra.

– Ah, que gracinha – ouvi uma voz intelectualizada atrás de mim.

Esperei alguém avisar quem tinha acabado de entrar no escritório de Trent, mas ninguém disse uma palavra. O pelo da minha nuca se arrepiou. Prevendo o pior, mantive os olhos fechados e a segunda visão aberta e me virei. Tapei a boca com a mão e congelei. Era um demônio usando robe e chinelos.

– Rachel Mariana Morgan? – ele disse, depois sorriu com maldade. Engoli em seco. Tudo bem... era meu demônio. – O que está fazendo na linha de ley de Trenton Aloysius Kalamack? – perguntou.

Minha respiração acelerou, e balancei a mão atrás de mim, tentando encontrar a borda da linha de ley.

– Estou trabalhando – respondi, com a mão latejando ao encontrá-la. – O que está fazendo aqui?

Ele deu de ombros e sua postura se alongou ao se moldar à figura já conhecida de um vamp esbelto vestido de couro com cabelo louro e orelha rasgada. Mudando para um bad boy arrogante, lambeu os lábios carnudos, e a corrente que ia do bolso traseiro até o cinto fez barulho. Minha respiração tornou-se instável. Ele estava ficando cada vez melhor em capturar a imagem de Kisten na minha mente; estava perfeito.

Óculos fumês com armação redonda surgiram na sua mão, e ele soltou suas hastes da orelha com uma virada rápida no pulso.

– Eu te senti, amor – respondeu. Seus dentes aumentaram até chegarem ao tamanho de dentes de vampiro enquanto ele colocava os óculos para esconder os olhos vermelhos de bode. – Eu não podia perder a oportunidade. Precisava conferir se você tinha aparecido para uma visita. Não se importa de eu ser este aqui, não é? Ele tem as bolas de um touro.

"Meu Deus, me ajude." Estremeci, tirando a mão da linha apesar da dor lancinante da instabilidade do todo-sempre.

– Não estava tentando chamar sua atenção – sussurrei. – Vá embora.

Alguém tocou na minha mão e dei um pulo. Em seguida senti cheiro de café queimado e desejei que Edden parasse de fazer isso.

– Com quem diabos ela está falando? – o capitão do FIB perguntou baixinho.

– Não sei – Jenks respondeu. – Mas não vou entrar nessa linha para descobrir.

– Embora? – o demônio disse, com o sorriso aumentando. – Não, não, não. Não seja tola. Quero ver o quanto você consegue manipular o todo-sempre. Vá em frente, amor. Termine seu feiticinho – estimulou.

Ao fundo, ouvia Trent e Quen numa discussão intensa. Não queria abrir os olhos e arriscar perder o demônio de vista, mas parecia que Trent estava vencendo. Nervosa, passei a língua pelos lábios, me odiando quando a visão de Kisten fez a mesma coisa com uma lentidão insolente.

– Esqueci a última palavra – admiti, depois enrijeci ao me lembrar. – "*Favilla*" – soltei, aliviada, e o demônio bateu palmas de alegria.

Pulei ao ser atingida por uma segunda onda do todo-sempre. Envolvendo-me com meus próprios braços, como se quisesse manter minha aura intacta, observei o pulso amarelo disparar para longe, seguindo o caminho do primeiro. Algaliarept gemeu, cambaleando como se sentisse prazer quando o pulso passou através dele. Assisti à sua reação quase horrorizada. O demônio obviamente gostava disso, mas se pudesse levar minha aura já teria feito isso. Acho.

– Gostoso como um bombom – ele disse, fechando os olhos. – Me esfola e me mata. É um bombom com licor.

"Ótimo." Eu tinha que sair dali.

Enquanto Algaliarept passava a mão sobre a grama e lambia dos dedos a mancha amarela do poder da linha de ley que meu feitiço tinha deixado ali, vasculhei o terreno ao redor. Meus ombros ficaram tensos de preocupação. Todas as manchas cintilantes que marcavam a morte tinham sumido. Algaliarept parecia feliz procurando na grama pelos restos do feitiço, então arrisquei uma olhada rápida atrás de mim, e parei de repente.

Um dos túmulos de cavalos brilhou com um vermelho forte. Não era um cavalo; era uma pessoa.

"Trent a matou", pensei, e minha atenção disparou para uma nova forma se materializando na linha de ley.

Era Trent, entrando para ver o que eu estava vendo. Seus olhos foram até o brilho vermelho e se arregalaram, mas seu choque não foi nada comparado a quando o demônio mudou para uma figura espelhada de mim, elegante e perigosa num vestido de seda preto.

– Trenton Aloysius Kalamack – ele disse, fazendo minha voz mais sexy do que eu jamais conseguiria. Ele lambeu sugestivamente do seu dedo o final do meu feitiço, e me perguntei se o demônio estava me fazendo parecer melhor do que eu realmente era. – Que direção perigosa seus pensamentos assumiram – o demônio disse. – Você deveria ser mais cuidadoso com quem você convida para brincar na sua linha de ley. – Ele hesitou, com o quadril inclinado enquanto estreitava os olhos por sobre os óculos e comparava nossas auras. – Que par bonito vocês fazem, como um par de cavalos no meu estábulo.

E então o demônio desapareceu em formigamentos, me deixando com a tarefa de encarar Trent através da paisagem do todo-sempre.

Vinte e um

Meus saltos batiam com mais autoridade do que eu sentia enquanto descia a longa varanda de madeira do estábulo de Trent à frente dele e de Quen. A fileira vazia de baias dava para o sul e o sol da tarde. Acima delas ficavam os quartos dos veterinários. Não havia ninguém ali, já que estávamos no outono. Apesar de os cavalos poderem dar cria em qualquer época do ano, a maioria dos estábulos seguia um programa de criação rígido, por isso as éguas pariam todas ao mesmo tempo, passando juntas pelo perigoso período.

Achei que as construções temporariamente abandonadas eram um local perfeito para esconder um corpo.

"Que Deus me ajude", pensei, tendo uma onda súbita de sensações ruins. Como eu podia ser tão egoísta? A doutora Anders estava morta.

O latido fraco de um beagle se fez ouvir na tarde nebulosa. Voltei a cabeça para cima e senti uma pancada no coração. Descendo o caminho de terra havia um canil do tamanho de um pequeno complexo de apartamentos. Os cachorros estavam de frente para as telas de metal, observando.

Trent passou correndo por mim; a brisa de sua passagem exalava um cheiro de folhas caídas.

– Eles nunca se esquecem de suas presas – ele murmurou. Fiquei tensa.

Trent e Quen tinham nos acompanhado até o lado de fora, deixando Jonathan para trás para supervisionar os oficiais do FIB que ainda voltavam dos jardins. Os dois homens seguiram direto para uma área isolada num nicho entre a fileira de baias. O cômodo com paredes de madeira era completamente aberto para o vento e o sol de um lado. Pelos móveis rústicos, imaginei que era uma baia convertida em local de reunião ao ar livre para os veterinários relaxarem durante os partos ou algo do tipo. Não gostava do fato de os dois estarem desacompanhados de agentes, mas não me juntaria aos dois. Diminuindo o passo, me recostei numa coluna de apoio, decidindo que poderia ficar de olho neles dali.

Três oficiais do FIB com cachorros treinados para encontrar cadáveres estavam parados ao lado da van dos cães estacionada à sombra de um enorme carvalho. As portas estavam abertas, e a voz autoritária de Glenn apareceu sobre os pastos aquecidos pelo sol. Edden estava com eles, parecendo deslocado à margem. Era óbvio que Glenn estava no comando, pelo modo como Edden mantinha as mãos nos bolsos e a boca fechada.

Flutuando sobre eles estava Jenks, com as asas vermelhas de empolgação enquanto atrapalhava e oferecia um fluxo contínuo de conselhos que não tinham sido solicitados e que eram ignorados. O resto dos oficiais do FIB se encontrava sob o antigo carvalho que fazia sombra no estacionamento. Conforme eu observava, um carro da perícia criminal surgiu numa lentidão exagerada. O capitão Edden a tinha chamado depois de eu ter encontrado um corpo.

Dei uma olhada de relance para Trent, percebendo que o homem de negócios parecia um pouco incomodado, com as mãos nas costas num espaço informal. No seu lugar, eu estaria visivelmente irritada se alguém estivesse prestes a descobrir um corpo inexplicado na minha propriedade. Tinha certeza de que lá era onde o túmulo sem identificação estava brilhando.

Gelada, saí do caminho coberto e fui para o sol. Com as mãos segurando os cotovelos, parei no estacionamento de serragem, sub-repticiamente observando Trent por trás de uma mecha de cabelo fora da trança. O homem tinha colocado um chapéu bege de verão para se proteger do sol e trocado os sapatos por botas, em consideração à ida aos estábulos. De alguma forma, a combinação parecia adequada. Não era justo que Trent parecesse tão calmo e relaxado. Mas então ele deu um pulo ao ouvir a porta de um carro batendo. O sujeito estava tão tenso quanto eu, só que disfarçava melhor.

Glenn disse algumas palavras em voz alta, e o grupo se dispersou. Com rabos abanando, os cães começaram uma busca metódica: dois nos pastos mais próximos, um no prédio em si. Notei que o treinador designado para os estábulos também estava usando suas habilidades, em vez de confiar apenas no nariz do cão, procurando dentro de vigas e abrindo painéis trancados.

O capitão Edden tocou no ombro do filho e veio na minha direção, com os braços curtos balançando.

– Rachel – ele disse antes mesmo de ficar perto. Levantei o olhar, surpresa por ele usar meu primeiro nome. – Já checamos esse prédio.

– Se não for nesse prédio, é perto daqui. Seus homens podem não ter usado meus talismãs corretamente. – "Ou nem tê-los usado, corretamente ou não", completei em silêncio, ciente de que o preconceito que os humanos sentiam muitas vezes era disfarçado com sorrisos, mentiras e hipocrisia. Mas eu sabia que não deveria tirar conclusões apressadas. Tinha quase certeza de que Trent usara um feitiço de linhas de ley para esconder o paradeiro da doutora, de modo que meus feitiços não teriam sido úteis. Minha atenção deixou os cães e se concentrou em Trent enquanto Quen se inclinava para falar em seu ouvido.

– Ele não deveria estar preso, detido ou qualquer coisa assim? – perguntei.

Edden apertou os olhos com o sol baixo.

– Calminha aí. Casos de assassinato são ganhos e perdidos na coleta de provas, Morgan. Você deveria saber disso.

– Sou uma caça-recompensas, não uma detetive – respondi, azeda. – A maioria das pessoas que prendi já tinha sido condenada antes de eu fazer meu serviço.

Edden grunhiu ao ouvir isso. Achei que a aderência do capitão às "regras" poderia fazer Trent desaparecer na fumaça e nunca mais ser visto. Ao me notar agitada, ele apontou para mim e depois para o chão, me mandando ficar onde estava. Depois, seguiu até Quen e Trent. As mãos do humano atarracado estavam nos bolsos, mas não muito longe de sua arma. Quen não portava uma arma, mas, olhando para o sujeito trocando o peso do corpo de um pé para o outro com leveza, não achei que precisava.

Eu me senti melhor quando Edden separou sutilmente os dois homens, agarrando um oficial que estava passando e lhe dizendo para pedir que Quen detalhasse os procedimentos de segurança enquanto ele conversava com Trent sobre o próximo jantar beneficente do FIB. Legal.

Virei-me para outro lado, observando o sol brilhar sobre a roupa amarela e azul do cachorro. O calor me inundou, e o cheiro dos estábulos era repleto de memórias. Eu tinha curtido meus três verões no acampamento. O cheiro de cavalo suado e feno misturado com um toque de esterco velho era como um bálsamo.

Minhas aulas de equitação haviam tido o propósito de aumentar meu equilíbrio, melhorar meu tônus muscular e fazer subir minha contagem de glóbulos vermelhos. Mas acho que seu maior benefício foi a confiança que conquistei por estar no controle de um animal grande e bonito que faria qualquer coisa que eu mandasse. Para uma menina de onze anos, essa sensação de poder era viciante.

Um sorriso se abriu em meu rosto, e fechei os olhos, sentindo o sol do outono me inundar ainda mais. Certa manhã, minha amiga e eu escapamos do dormitório no acampamento para dormir nos estábulos com os cavalos. O som suave da respiração dos animais fora indescritivelmente reconfortante. Nossa monitora de cabana ficou furiosa, mas foi minha melhor noite de sono.

Tornei a abrir os olhos. É provável que tenha sido a única noite que eu dormi sem interrupções. Jasmim também tinha dormido bem nos estábulos. E a menina pálida precisava desesperadamente de sono. "Jasmim!", pensei, lembrando o nome. Era esse o nome da menina de cabelo escuro. Jasmim.

O som da conversa pelo rádio atraiu meu olhar do campo, me deixando mais melancólica do que jamais esperaria. Ela sofria com um tumor cerebral inoperável. Eu não achava que as atividades ilegais do pai de Trent poderiam tê-la curado.

Dirigi a atenção a Trent. Seus olhos verdes estavam firmes sobre mim mesmo enquanto conversava com Edden. Ajeitei o cabelo e coloquei uma mecha atrás da orelha. Recusando-me a deixá-lo me apavorar, o encarei de volta. Ele olhou para trás de mim e, ao me virar, avistei o carro vermelho de Sara Jane parando e levantando poeira ao lado dos veículos do FIB.

A mulher baixinha disparou de seu carro, batendo a porta do veículo. Aproximou-se, parecendo uma pessoa diferente vestida com calças jeans e blusa casual.

– Você! – ela acusou, parando na minha frente. Dei um passo para trás, surpresa. – Isso é coisa sua, não é? – gritou para mim.

Meu rosto ficou pálido.

– Hum.

Ela se aproximou do meu rosto, e dei outro passo para trás.

– Eu te pedi ajuda para encontrar meu namorado – ela disse com a voz aguda e os olhos brilhando. – Não para acusar meu chefe de assassinato! Você é uma bruxa *má,* tão má que poderia... *poderia demitir Deus!*

– Hum... – balbuciei, buscando ajuda em Edden, que se aproximava com Trent. Dei mais um passo para trás, segurando a bolsa com força contra meu corpo. Eu não esperava por isso.

– Sara Jane – Trent a acalmou antes mesmo de chegar perto. – Está tudo bem.

Ela se virou para ele, com o cabelo louro captando os raios de sol.

– Senhor Kalamack – ela disse, com o rosto mudando abruptamente para medo e preocupação. Com os olhos semicerrados, apertou as próprias mãos. – Sinto muito. Vim assim que soube. Não pedi para ela vir aqui. Eu... eu... – Seus olhos se encheram de lágrimas e, fazendo um barulhinho, ela colocou a cabeça entre as mãos e começou a chorar.

Meus lábios se abriram de surpresa. Ela estava preocupada com seu emprego, seu namorado ou seu chefe?

Trent me deu um olhar sombrio, como se fosse culpa minha ela estar chateada, e se derreteu numa simpatia genuína ao colocar uma das mãos nos ombros trêmulos da mulher baixinha.

– Sara Jane – ele a acalmou, abaixando a cabeça para tentar encontrar seus olhos. – Não pense nem por um instante que eu te culpo por isso. As acusações da senhorita Morgan não têm nada a ver com você ir ao FIB para encontrar Dan. – Sua voz maravilhosa aumentava e diminuía de volume como os movimentos da seda.

– M-m-mas ela acha que você assassinou aquelas pessoas – Sara gaguejou, fungando enquanto tirava as mãos do rosto e transformava o rímel numa mancha marrom sob os olhos.

Edden se remexia desconfortavelmente de um pé para o outro. A conversa no rádio vinda dos veículos do FIB cobria o barulho dos grilos. Eu não iria me arrepender por ter feito Sara Jane chorar. Seu chefe era um lixo e, quanto mais cedo percebesse isso, melhor ela ficaria. Trent não tinha matado aquelas pessoas com as próprias mãos, mas fora o mandante, o que o tornava tão culpado quanto se ele mesmo as tivesse retalhado. Lembrei da mulher morta, cuja foto eu vira, e me enrijeci.

Trent atraiu o olhar de Sara Jane com um incentivo delicado. Fiquei surpresa com sua compaixão e me perguntei como seria ter sua bela voz me acalmando, me dizendo que tudo estava bem. Depois refleti se havia uma chance de Sara Jane se afastar dele com a vida intacta.

– Não tire conclusões precipitadas – Trent disse, dando a ela um lenço bordado com as iniciais dele. – Ninguém foi acusado de nada. E você não precisa ficar aqui. Por que não volta para casa? Essa confusão desagradável vai terminar assim que encontrarmos o vira-lata morto em que o feitiço da senhorita Morgan se fixou.

Sara Jane me lançou um olhar venenoso.

– Sim, senhor – ela respondeu, com a voz rouca.

"Vira-lata morto?", pensei, dividida entre minha vontade de levar Sara Jane para almoçar e ter uma conversa franca e minha necessidade de dar um cachoalhão na mulher para ela ter bom senso.

Edden pigarreou.

– Eu pediria que a senhorita Gradenko e o senhor ficassem aqui até sabermos mais coisas.

O sorriso profissional de Trent fraquejou.

– Estamos sendo detidos?

– Não, senhor – ele disse com respeito. – É apenas um pedido.

– Capitão! – um treinador de cães gritou do segundo andar. Meu coração bateu forte com a empolgação na voz do homem. – O Soquete não apontou para nada, mas temos uma porta trancada.

A adrenalina disparou pelo meu corpo. Olhei para Trent. Seu rosto não demonstrava nada.

Quen e um homem baixinho foram em frente, acompanhados por um oficial do FIB. O homem baixinho obviamente tinha sido um jóquei, mas agora era gerente. Seu rosto era desgastado e enrugado, e ele segurava um molho de chaves, que tiniram quando ele pegou uma e a entregou a Quen. Com o corpo tenso por causa da ameaça, Quen a deu para Edden.

– Obrigado – disse o capitão do FIB. – Agora vá ficar com os oficiais. – Ele hesitou, sorrindo. – Se possível, por favor. – Ele apontou para dois oficiais do FIB que tinham acabado de chegar e depois para Quen. Eles se aproximaram.

Glenn saiu da carro da perícia criminal com o rádio e veio na nossa direção. Jenks o acompanhava e o circundou três vezes antes de voar em disparada para a frente.

– Me dê a chave – o pixie disse enquanto parava, soltando pó de pixie entre mim e Edden. – Eu levo para cima.

Glenn olhou para o pixie, incomodado ao se unir a nós.

– Você não é do FIB. – E depois, para Edden: – A chave, por favor.

Um suspiro inaudível passou pelo capitão. Percebi que queria ver o que havia naquele cômodo e que estava se esforçando para deixar o filho cuidar da situação. Na teoria, Edden não tinha nada que estar ali, mas imagino que acusar um membro do conselho municipal de assassinato era um motivo forte o bastante para sua presença.

As asas de Jenks bateram fazendo barulho enquanto Edden entregava a chave para o filho. Dava para sentir o cheiro do suor de Glenn sobrepondo-se ao da colônia, sua ânsia. Um grupo de pessoas tinha se unido ao cão e ao treinador perto da porta, e, agarrando minha bolsa com força, comecei a subir as escadas.

– Rachel – Glenn disse, pegando meu cotovelo. – Você fica aqui.

– Não! – exclamei, me libertando. Olhei para o capitão Edden em busca de apoio, e o homem atarracado deu de ombros, parecendo irritado por também não ter sido convidado.

Glenn endureceu o rosto ao perceber a direção do meu olhar. Então, me soltou e disse:

– Não saia daqui. Quero que fique de olho no Kalamack. Desvende as emoções dele para mim.

– Isso é besteira – eu disse, pensando que, sendo besteira ou não, era uma boa ideia. – Seu p... – mordi a língua. – Seu capitão pode fazer isso – corrigi.

Um incômodo fez sua sobrancelha franzir.

– Tudo bem. É besteira. Mas você ficará aqui. Se encontrarmos a doutora Anders, quero que essa perícia seja mais firme do que...

– A bunda de um homem hétero na prisão? – Jenks ofereceu, e sua forma minúscula começou a brilhar.

O pixie pousou no meu ombro, e o deixei ficar ali.

– Vamos lá, Glenn – tentei persuadi-lo. – Não vou tocar em nada. E você vai precisar de mim para dizer se há algum feitiço letal.

– Jenks pode fazer isso – ele disse. – E o pixie nem precisa pisar no chão para isso.

Frustrada, inclinei o quadril, furiosa. Percebi que, por baixo do verniz oficial, Glenn estava ao mesmo tempo preocupado e empolgado. Ele tinha virado detetive havia pouco tempo, e aquele deveria ser o maior caso em que ele trabalhara. Policiais muitas vezes passavam a vida toda sem nunca receber um caso com tanto potencial político. Mais um motivo para eu estar lá.

– Mas sou sua consultora impercebida – apelei.

Ele colocou a mão sombria no meu ombro, e eu a afastei.

– Olha – ele disse. A borda de suas orelhas estava ficando vermelha. – Existem procedimentos a seguir. Perdi meu primeiro caso no tribunal por causa de uma cena do crime contaminada, e não vou me arriscar a perder Kalamack porque você estava impaciente demais para esperar sua vez. A cena precisa ser aspirada, fotografada, espanada, analisada e qualquer outra coisa em que eu consiga pensar. Você pode entrar logo atrás do vidente. Entendeu?

– Vidente? – questionei, e ele franziu a testa.

– Tudo bem, estou brincando quanto ao vidente, mas, se colocar uma unha pintada naquela porta antes de eu mandar, vou te tirar daqui mais rápido do que se colhe maduro na oficina do diabo.

"Mais rápido do que se colhe maduro na oficina do diabo?" Ele devia estar falando sério, já que estava até confundindo os ditados.

– Você quer uma roupa AF? – perguntou, com os olhos disparando de mim para a van dos cães.

Respirei devagar por causa da ameaça sutil. Roupa antifeitiço. Na última vez que eu tentei derrubar Trent, ele matou a testemunha bem na minha cara.

– Não – respondi.

Meu tom desanimado pareceu satisfazê-lo.

– Ótimo – ele disse, virando e se afastando a passos largos.

Jenks flutuou na minha frente, esperando. Suas asas de libélula estavam vermelhas de empolgação, e o sol captou o brilho do pó de pixie.

– Me conte o que descobrir, Jenks – eu disse, feliz porque pelo menos um representante de nossa triste empresa estaria lá.

– Pode apostar, Rachel – ele respondeu, depois saiu voando rapidamente atrás de Glenn.

Edden se uniu a mim em silêncio, e senti como se fôssemos as únicas duas pessoas da escola que não tinham sido convidadas para a festança na piscina, parados do outro lado da rua e observando. Esperamos com um Trent tenso, uma Sara Jane indignada e um Quen com lábios cerrados enquanto Glenn batia na porta para anunciar a presença do FIB – como se não fosse óbvia – e a destrancava.

Jenks foi o primeiro a entrar, mas ele disparou para fora quase imediatamente, e seu voo estava meio irregular quando pousou no corrimão. Glenn se inclinou para dentro, depois para fora da abertura retangular escura.

– Me dê uma máscara – ouvi-o murmurar claramente acima do silêncio.

Minha respiração acelerou. Ele tinha encontrado alguma coisa. E não era um cachorro.

Com a mão sobre a boca, uma oficial do FIB estendeu uma máscara cirúrgica para Glenn. Um fedor nojento saiu do cômodo, sobrepondo-se ao aroma reconfortante de feno e esterco. Tapei o nariz, e olhei para Trent. Seu rosto estava sem expressão. O estacionamento ficou em silêncio. Um inseto zumbiu e outro respondeu. Perto da porta no andar de cima, Soquete gemeu e colocou a patinha na perna da treinadora em busca de apoio. Fiquei enjoada. Como não tinham notado o cheiro antes? Eu estava certa. Fizeram um feitiço para mantê-lo contido no cômodo.

Glenn deu um passo para dentro. Por um instante, suas costas estavam reluzentes sob o sol, depois ele desapareceu, deixando o batente escuro da porta vazio. Uma oficial do FIB uniformizada lhe deu uma lanterna do lado de fora, com a mão sobre a boca. Jenks não olhava para mim. Suas costas estavam viradas para a porta enquanto ele continuava pousado no corrimão, com as asas imóveis e arqueadas.

Senti meu coração martelar e prendi a respiração quando a mulher perto da porta recuou e Glenn saiu.

– É um corpo – informou para outra oficial. Sua voz fraca chegava nitidamente até nós. – Detenha o senhor Kalamack para interrogatório. – Respirou. – A senhorita Gradenko também.

Obediente, a oficial desceu as escadas até Trent. Olhei triunfante para o conselheiro, depois me contive ao imaginar a doutora Anders morta no chão. Sobrepus a lembrança de Trent matando seu principal pesquisador de um jeito ágil e limpo com um álibi pronto, só esperando para ser utilizado. Desta vez consegui pegá-lo, pois me movimentei rápido demais para ele se proteger.

Sara Jane se agarrou a Trent. Um medo real e total fez seus olhos se arregalarem e suas bochechas pálidas ficarem vermelhas. Trent não pareceu perceber o aperto dela, pois seu rosto estava seriamente inexpressivo ao olhar para Quen. Com os joelhos fracos, observei Trent respirar devagar, como se quisesse se acalmar.

– Senhor Kalamack – a jovem oficial disse, fazendo um sinal para Trent acompanhá-la.

Um brilho de emoção passou por Trent quando a oficial do FIB pronunciou seu nome. Eu diria que a emoção era medo, se achasse que o homem pudesser ser abalado por alguma coisa neste mundo.

– Senhorita Morgan – Trent cumprimentou ao se afastar de mim enquanto ajudava Sara Jane a se mexer. Edden e Quen os acompanharam; o rosto redondo do capitão estava relaxado de alívio. Ele devia ter colocado a própria reputação mais na reta do que eu imaginava.

Sara Jane se afastou de Trent e se virou para mim.

– Sua vaca – ela disse, com medo e ódio na voz infantil e aguda. – Você não tem ideia do que fez.

Chocada, não disse nada ao ver que Trent agarrava seu cotovelo com o que achei ser uma força exagerada. Minhas mãos começaram a tremer, e meu estômago se retorceu.

Glenn estava na escada. Em suas mãos havia um lenço descartável, que ele estava passando pelos dedos enquanto descia na minha direção. Ele apontou para o carro de perícia criminal e depois para o retângulo preto formado pela porta. Dois homens se movimentaram e, com calma, arrastaram uma mala preta adiante.

"Conseguirei fazer com que Trent Kalamack seja preso", pensei. "Consigo sobreviver a isso?"

– É um corpo – Glenn disse parando na minha frente e limpando as mãos com outro lenço. – Você estava certa. – Ele encarou meu rosto, e percebi que devia estar parecendo ansiosa quando ele seguiu meu olhar até Trent, ao lado de Quen e Edden. – Ele é só um homem.

Trent estava confiante e calmo, a imagem da cooperação, um contraste claro com a raiva e a histeria de Sara Jane.

– Será? – sussurrei.

– Vai levar um tempo até você poder entrar – ele disse, pegando um terceiro lenço e secando a nuca. O sujeito parecia meio cinza. – Talvez só amanhã. Quer uma carona para casa?

– Vou ficar. – Meu estômago estava leve. Pensei que talvez devesse ligar para Ivy e avisar o que estava acontecendo. Se ela quisesse falar comigo. – Está muito ruim? – perguntei. Perto da porta, os dois homens conversavam com um terceiro enquanto desempacotavam um aspirador da mala surrada e encapavam os sapatos com protetores de papel.

Glenn não respondeu, seus olhos disparando para todos os lados menos para mim e para a porta preta.

– Se for ficar, vai precisar disto – ele disse enquanto me dava um crachá do FIB com a palavra TEMPORÁRIO. Alguns funcionários do FIB estavam esticando a fita amarela de cena do crime e se organizando. O rádio estava cheio de solicitações curtas e concisas e todos, menos os cães e eu, pareciam felizes. Eu precisava subir. Precisava ver o que Trent tinha feito com a doutora Anders.

– Obrigada – sussurrei, passando o cordão do crachá pela cabeça.

– Vá tomar um café – ele disse, olhando na direção de uma das vans que tinham chegado com a gente. Os oficiais do FIB que não tinham nada para fazer já se acumulavam ao redor. Fiz que sim com a cabeça, e Glenn voltou para a escada, suas pernas compridas subindo dois degraus por vez.

Olhei apenas uma vez para Trent, no espaço aberto entre as baias. Ele estava falando com um oficial, aparentemente exigindo seu direito de ter um advogado. "Para construir uma imagem de inocência?", me perguntei. Ou será que ele era esperto demais para precisar disso?

Entorpecida, me juntei ao pessoal do FIB ao redor da van. Alguém me deu um refrigerante, e, depois de eu evitar o olhar de todo mundo, as pessoas começaram a me ignorar gentilmente. Não queria fazer amizades e estava desconfortável com a banalidade das conversas. Jenks, no entanto, conquistou vários pedacinhos de açúcar e muita cafeína, fazendo imitações do capitão Edden que provocaram risadas em todos.

Acabei indo para longe e ouvindo algumas conversas enquanto o sol se movia, abrindo espaço para uma friagem. O aspirador era fraco, e o som contínuo de liga e desliga me deixou irrequieta. Ele finalmente parou e não recomeçou. Ninguém pareceu ter notado. Meus olhos se ergueram até os quartos de cima, e apertei o casaco no corpo. Glenn tinha descido apenas momentos antes e desapareceu dentro do carro da perícia criminal. Minha respiração entrava e saía deslizando, fácil como no dia em que nasci. Dei um impulso e fui em direção à escada.

Jenks imediatamente apareceu no meu ombro. Ele com certeza estivera de olho em mim.

– Rachel – alertou. – Não entre lá.

– Preciso ver. – Eu me senti fora do ar, com o corrimão áspero sob a mão ainda quente por causa do sol.

– Não vá – protestou, com as asas batendo. – Glenn está certo. Espere sua vez.

Sacudi a cabeça, e o balanço da trança o fez sair do meu ombro. Precisava ver a cena antes que a atrocidade fosse minimizada com saquinhos, cartões brancos com palavras escritas impecavelmente e a cuidadosa coleta de dados feita para dar estrutura à loucura, para ela ser entendida.

– Saia da minha frente – eu disse sem expressar emoção, mexendo as mãos enquanto o pixie flutuava com hostilidade na minha frente. Ele disparou para trás, e eu parei ao sentir a ponta do meu dedo bater numa de suas asas. "Eu atingi Jenks?"

– Ei! – ele gritou. Surpresa, alarme e, finalmente, raiva perpassaram o pixie. – Ótimo! Vá ver a cena. Não sou seu pai. – Ainda xingando, Jenks voou para longe na altura do meu rosto. Cabeças viravam em sua direção à medida que ele cuspia palavrões sem parar.

Minhas pernas pareciam pesadas conforme eu me forçava a subir os degraus. Um barulho agudo de passos atraía minha atenção para cima, e abri caminho quando o primeiro dos caras do aspirador passou rapidamente por mim. Um cheiro nojento de carne decomposta o seguiu, e senti meu sangue subir. Forcei-o para baixo e continuei meu caminho, sorrindo, enjoada, para o oficial do FIB em pé ao lado da porta.

O cheiro era pior lá em cima. Meus pensamentos voaram até as imagens que eu tinha visto no escritório de Glenn, e quase perdi o controle. A doutora Anders estava morta havia poucas horas. Como o corpo podia ter ficado tão ruim em tão pouco tempo?

– Nome? – o homem perguntou, com o rosto tenso enquanto tentava fingir que não estava afetado pelo fedor nauseante.

Encarei-o por um instante, depois vi o bloco de anotações em sua mão. Havia vários nomes ali, o último seguido da palavra "fotografia". O outro homem na passarela externa fechou sua maleta e a arrastou descendo a escada. Perto da porta havia uma câmera de vídeo. Não chegava a ser uma câmera sofisticada como a de uma equipe de televisão, mas era melhor que a usada pelo meu pai para registrar eventos familiares.

– Ah, hum, Rachel Morgan – eu disse com a voz fraca. – Consultora especial impercebida.

– Você é a bruxa, certo? – ele perguntou, escrevendo meu nome com o horário e o número do crachá temporário. – Quer uma máscara junto com os protetores e luvas?

– Sim, por favor.

Meus dedos pareciam fracos quando coloquei a máscara. Tinha cheiro de gualtéria, bloqueando o fedor de carne decomposta. Agradecida, olhei para o piso de madeira lá dentro, brilhando, polido e amarelo sob o resto da luz do sol. Do canto, fora de visão, veio o *tic tic tic* do disparo da câmera.

– Não vou atrapalhar o trabalho do fotógrafo, vou? – perguntei, as palavras abafadas.

O homem balançou a cabeça.

– É *a* fotógrafa – ele disse. – E, não, você não vai incomodar a Gwen. Mas tome cuidado ou ela acaba te obrigando a ajudar.

– Obrigada – respondi, decidindo não fazer nada disso. Olhei para o estacionamento abaixo de mim e envolvi os sapatos com os protetores de papel. Quanto mais tempo eu ficasse ali, maior a possibilidade de Glenn perceber que eu não estava onde ele havia me deixado. Aproximando-me, ajustei o prendedor da máscara, dando um pulo quando o aroma pungente atingiu minhas narinas. O cheiro era tão forte que comecei a lacrimejar, mas não a tiraria por nada no mundo. Coloquei as mãos enluvadas nos bolsos, como se estivesse numa loja de talismãs negros, e entrei.

– Quem é você? – uma voz feminina forte me desafiou quando minha sombra eclipsou o sol.

Minha atenção se voltou para uma mulher esbelta com cabelo escuro preso num prático rabo de cavalo. Segurava uma câmera e carregava um rolo de filme numa sacola preta presa aos quadris.

– Rachel Morgan – me apresentei. – Edden me trouxe como... – Minhas palavras foram interrompidas quando olhei para o tronco amarrado a uma cadeira parcialmente escondida atrás da fotógrafa. Levei a mão à boca, e minha garganta se fechou.

"É um manequim", pensei. Tinha que ser um manequim. Não podia ser a doutora Anders. Mas eu sabia que era. Cordas de náilon amarelo a prendiam à cadeira, e a oscilante parte superior de seu tronco envergara, levando a cabeça para a frente e ocultando seu rosto. O cabelo fino empastado com alguma coisa preta estava pendurado, escondendo sua expressão, e agradeci a Deus por isso. Suas pernas estavam cortadas abaixo dos joelhos, os cotocos se destacando como o pé de uma criança pequena no fim da cadeira. As pontas estavam esfoladas e feias, inchadas pela decomposição. Seus braços estavam cortados na altura dos cotovelos. Sangue preto envelhecido cobria as roupas num padrão de filetes tão grosso que era impossível adivinhar a cor original.

Meus olhos dispararam para Gwen, chocados com sua expressão *blasé*.

– Não toque em nada. Ainda não terminei, está bem? – ela murmurou enquanto voltava a fotografar. – Meu Deus. Não posso nem ter cinco minutos antes de todo mundo entrar aqui?

– Me desculpe – sussurrei, surpresa por ainda conseguir falar. O corpo encurvado da doutora Anders estava coberto de sangue, mas para meu espanto havia pouco debaixo da cadeira. Eu estava tonta, mas não conseguia afastar o olhar. Sua cavidade inferior tinha sido aberta pelo umbigo, um pedaço de pele perfeitamente redondo, do tamanho do meu punho, aberto com uma faca de prata, demonstrando uma dissecação perfeita de suas entranhas. Havia buracos suspeitos, e a incisão estava limpa, como se tivesse sido lavada – ou lambida. Nos lugares onde a pele não estava coberta de sangue, estava branca como cera. Olhei para as paredes e o chão limpíssimos. O corpo não combinava com o ambiente. Tinha sido mutilado em outro lugar e trazido para cá.

– Essa pessoa é doente mesmo – Gwen comentou, com a câmera disparando repetidas vezes. – Olhe a janela.

Ela apontou com o queixo, e me virei. Parecia que uma pequena vista da cidade tinha sido colocada sobre o amplo peitoril sombreado. Prédios baixos foram arrumados em fileiras perfeitas sem nenhuma ordem de tamanho aparente. Pedaços pequenos de cimento cinza os prendiam, fazendo as vezes de cola. Estavam arrumados ao redor de um anel de formatura, colocado como um monumento entre as ruas da cidade. Olhei mais perto, o pavor apertando meu estômago, me girei para o corpo sem membros e voltei.

– É – Gwen disse enquanto fotografava. – Ele os colocou ali à vista. As partes maiores jogou no armário.

Meu olhar disparou para o armário minúsculo, depois para o peitoril sombreado. Não eram prédios; eram dedos das mãos e dos pés. Ele tinha cortado os dedos dela nó a nó, arrumando-os como brinquedos de montar. O cimento era feito com pedaços de suas entranhas, e as vísceras mantinham tudo colado.

Senti calor, depois frio. Meu estômago ficou leve, e achei que ia desmaiar. Prendi a respiração quando percebi que estava hiperventilando. Podia apostar que ela estava viva durante o procedimento.

– Saia – Gwen disse, batendo casualmente outra foto. – Se você vomitar aqui dentro, Edden terá um ataque.

– Morgan! – um fraco e irado grito veio do estacionamento. – A bruxa está aí dentro?

A resposta do oficial do lado de fora foi abafada. Eu não conseguia tirar os olhos do corpo destruído na cadeira. As moscas se acumulavam entre as ruas da cidade formadas pelos dedos mutilados, escalando os prédios como monstros num filme B. Os cliques de Gwen eram como minhas batidas do coração, rápidas e furiosas. Alguém agarrou meu braço, e eu ofeguei.

– Rachel – Glenn disse, me virando. – Tire a sua bunda de bruxa daqui.

– D-d-detetive Glenn – o oficial na porta gaguejou. – Ela se inscreveu.

– Tire-a da lista – ele rosnou. – E não a deixe entrar de novo.

– Você está me machucando – sussurrei, me sentindo leve e irreal.

Ele me arrastou até a porta.

– Te falei para ficar fora daqui – murmurou com violência.

– Você está me machucando – repeti, empurrando os dedos que envolviam meu braço enquanto ele me puxava para fora. Atingi o sol. Ele já estava se pondo e me golpeou como uma agulha. Respirei fundo, saindo do torpor. Não era a doutora Anders. O corpo estava decomposto demais; o anel era masculino e parecia ter o logo da universidade inscrito. Achei que tinha acabado de encontrar o namorado de Sara Jane.

Glenn me arrastou escada abaixo.

– Glenn – eu disse ao tropeçar no primeiro degrau. Eu teria caído, se não fosse seu aperto no meu braço. Outro veículo do FIB estava parando no estacionamento. Um necrotério móvel, desta vez. Sem querer arriscar, Glenn estava levando tudo para lá.

Aos poucos, minhas pernas perderam a sensação de fraqueza enquanto me distanciava do que tinha visto no andar de cima. Observei os oficiais do FIB brincando entre si, sem entender. Eu definitivamente não era feita para trabalhar em cenas de crime. Eu era uma caça-recompensas, não uma investigadora. Meu pai tinha trabalhado na divisão arcana, na qual a maioria dos corpos aparecia. Agora eu sabia por que ele nunca falava muito sobre seu dia à mesa do jantar.

– Glenn – tentei de novo no momento em que ele me puxava para um espaço aberto entre as baias. Trent estava num canto com Sara Jane e Quen, respondendo baixinho a perguntas. Glenn parou de repente quando os viu e olhou para o pai, que deu de ombros. O capitão do FIB estava sentado à frente de um notebook sobre uma pilha de feno levantada na ponta. Uma extensão saía do carro de perícia criminal, e os dedos gordinhos de Edden passeavam pelo teclado enquanto ele fazia papel de subordinado para poder ficar no local.

A irritação fez o rosto de Glenn se retorcer, e ele fez um sinal para o jovem oficial do FIB que estava com Trent.

– Glenn – eu disse conforme o oficial vinha em nossa direção. – Não é a doutora Anders lá em cima.

O rosto redondo de Edden tomou um ar questionador por trás dos óculos. Glenn me deu uma olhada de relance.

– Eu sei – ele disse. – O corpo está velho demais. Sente aí e cale a boca.

O oficial do FIB parou ao nosso lado, e meus olhos se arregalaram quando Glenn colocou um braço agressivo sobre seus ombros.

– Eu te mandei detê-los – ele disse baixinho. – O que ainda estão fazendo aqui?

O homem ficou branco.

– Quer dizer em um dos carros? Achei que o senhor Kalamack ficaria mais confortável aqui.

Os lábios de Glenn se contraíram, e os músculos do pescoço ficaram tensos.

– Deter para interrogatório significa levar para os escritórios do FIB. Você não deve interrogar as pessoas na cena do crime quando a situação é tão importante quanto esta. Tire eles daqui.

– Mas você não disse... – O jovem engoliu em seco. – Sim, senhor. – Dando uma olhada para Edden, ele seguiu na direção de Trent e Sara Jane, parecendo envergonhado e assustado. Eu não tinha tempo para ter pena dele.

Ainda com raiva, Glenn foi parar ao lado do ombro do pai, que digitava sua própria senha devagar. Meu estômago deu uma cambalhota e se acalmou. Empurrei a tela do notebook para baixo e Glenn travou o maxilar enquanto os dois olhavam para mim. Virei-me para Trent e Sara Jane no momento em que os dois saíam, esperando até Edden e Glenn seguirem meu olhar antes de dizer:

– Não posso afirmar com certeza, mas acho que aquele é o Dan.

O rosto de Sara Jane ficou pálido por um instante perceptível. Com os olhos arregalados, agarrou o braço de Trent. Sua boca se abria e fechava e, enterrando o rosto no seu ombro, ela começou a soluçar. Trent deu um tapinha delicado no ombro dela, mas seus olhos, fixos em mim, estavam estreitados de raiva.

Edden tensionou os lábios, pensativo, o que fez seu bigode grisalho se destacar enquanto trocávamos olhares perspicazes. Sara Jane não conhecia Dan tão bem quanto ela queria que todo mundo pensasse. Por que Trent a faria ir até o FIB com uma reclamação falsa de um namorado desaparecido quando ele sabia que eu encontraria o corpo na sua propriedade? A menos que ele não soubesse do caso. Mas como ele poderia não saber?

Glenn, aparentemente, perdeu toda a cena enquanto agarrava a parte superior do meu braço e me arrastava, passando por uma Sara Jane histérica e indo em direção à sombra do carvalho.

– Droga, Rachel – ele sibilou quando Sara Jane foi levada soluçando para um carro. – Eu te falei para calar a boca! Você vai embora. Agora! Essa sua proeza pode ser suficiente para Kalamack escapar.

Mesmo quando eu estava usando saltos, Glenn continuava mais alto, e isso me irritava.

– Ah, é? – disparei de volta. – Você me pediu para interpretar as emoções de Trent. Bom, eu fiz isso. Sara Jane não sabe distinguir Dan Smather do carteiro. Trent mandou que alguém o matasse. E aquele corpo foi movimentado.

Glenn estendeu a mão na minha direção, e saí de seu alcance. Seu rosto ficou tenso, e ele deu um passo para trás, expirando devagar.

– Sei disso. Agora vá para casa – ele disse, esticando a mão para o crachá temporário do FIB. – Agradeço a ajuda para encontrar o corpo, mas, como você mesma disse, você não é detetive. Todas as vezes que abre a boca, você torna a situação mais fácil para o advogado de Trent manipular o júri. Apenas... vá para casa. Eu te ligo amanhã.

A raiva me incendiou, e os últimos resquícios de adrenalina fizeram eu me sentir fraca, e não forte.

– Eu encontrei o corpo dele. Não pode me obrigar a ir embora.

– Acabei de fazer isso. Me dê o crachá.

– Glenn – eu disse enquanto tirava o cordão do crachá antes que ele o arrancasse do meu pescoço –, tenho certeza de que Trent matou aquela bruxa.

O oficial segurou meu crachá com força, e sua raiva diminuiu o suficiente para demonstrar a frustração que sentia.

– Posso falar com o senhor Kalamack, até mesmo detê-lo para interrogatório, mas não posso prendê-lo.

– Mas foi ele! – protestei. – Você tem um corpo, uma arma e um motivo. Do que mais precisa?

– Tenho um corpo que foi movimentado – ele disse, com a voz monótona pelo peso das emoções reprimidas. – Minha causa provável é uma conjectura. Tenho uma arma que seiscentos empregados poderiam ter plantado. Ainda não há nada que o conecte ao assassinato. Se eu prendê-lo agora, Trent vai escapar até mesmo se confessar depois. Já vi isso acontecer. Ele pode ter feito isso de propósito, plantado o corpo e garantido que não houvesse nada para ligá-lo ao crime. Se isso não colar, será duas vezes mais difícil conectar outro corpo a ele, ainda que o sujeito cometa um erro depois.

– Você tem medo de prendê-lo – acusei, tentando incitá-lo a prender Trent.

– Me ouça com muita atenção, Rachel – Glenn disse, me fazendo dar um pulo para trás. – Não dou a mínima se você *acha* que Kalamack fez isso. Eu preciso *provar* que ele fez, e essa é a única chance que vou ter. – Virando de lado, ele vasculhou o estacionamento. – Alguém leve a senhorita Morgan para casa! – disse bem alto e, sem olhar para trás, saiu batendo os pés em direção aos estábulos, seus passos pesados silenciosos no caminho de terra.

Eu fiquei parada, sem saber o que fazer. Dirigi minha atenção a Trent entrando num carro do FIB, seu terno caro fazendo a situação parecer um engano. Ele me deu um olhar indecifrável antes de a porta se fechar com um barulho metálico. Devagar e com a sirene ligada, os dois carros saíram.

Meu sangue zumbia, e minha cabeça latejava. Trent não sairia dessa incólume. Em algum momento eu conseguiria ligar cada um dos assassinatos a ele. Encontrar o corpo de Dan na propriedade dele daria ao capitão Edden poder para conseguir qualquer mandado que eu quisesse. Trent seria esmagado. Eu podia ir com mais calma. Afinal, eu era uma caça-recompensas, sabia como seguir uma presa.

Virei-me para o outro lado, enojada. Odiava as leis apesar de segui-las. Preferia lutar contra um conventículo de bruxos negros do que enfrentar um tribunal. Entendia melhor os costumes dos bruxos do que os dos advogados. Pelo menos os bruxos usavam os seus.

– Jenks! – gritei quando o capitão Edden saiu dos estábulos, com as chaves balançando nas mãos. Ótimo. Agora eu teria de ouvir uma lição do sábio pixie até chegar em casa. Era bom gritar, e respirei mais uma vez para chamar Jenks de novo quando o pixie parou de repente na minha frente. Ele estava literalmente brilhando de empolgação, e o pó que saía dele caía direto em mim.

– Sim, Rachel? Ei, ouvi dizer que Glenn te mandou embora. Eu te falei para não subir lá. Mas você me ouviu? Nããão. Ninguém me ouve. Tenho uns trinta e poucos filhos, e a única coisa que me escuta é minha libélula.

Minha raiva hesitou por um instante enquanto me perguntava se ele realmente tinha uma libélula como animal de estimação. Depois me sacudi, voltando a pensar em como salvar alguma coisa dali.

– Jenks, você consegue voltar para casa daqui sem problemas?

– Claro. Vou pegar carona com Glenn ou com os cães. Sem problemas.

– Ótimo. – Olhei de relance para o capitão Edden, que se aproximava. – Me conte o que acontecer a partir de agora, está bem?

– Pode deixar. Ei, se vale para alguma coisa, sinto muito. Você precisa aprender a manter a boca fechada e os dedos parados. Te vejo mais tarde.

"Isso vindo de um pixie?"

– Não toquei em nada – eu disse, irritada, mas ele já tinha voltado para o escritório temporário de Glenn, deixando uma trilha de pó de pixie que se dissipava lentamente.

Edden me deu uma única olhada quando passou por mim. Franzindo a testa, o segui, abrindo a porta do carro. Ele deu partida no carro, e eu entrei e bati a porta com força. Com o cinto preso, coloquei o braço na janela aberta e encarei o pasto vazio.

– O que aconteceu? – eu disse, malcriada. – Glenn também te expulsou?

– Não. – Edden deu marcha a ré no carro. – Preciso falar com você.

– Claro – eu disse, por falta de coisa melhor. Deixei escapar um suspiro frustrado, parando ao avistar Quen. Ele estava imóvel à sombra do velho carvalho. Não havia expressão em seu rosto. O sujeito devia ter ouvido toda minha conversa com Glenn sobre Trent. Um calafrio percorreu meu corpo, e me perguntei se tinha acabado de me colocar na lista de "pessoas especiais" de Quen.

Com os olhos verdes fixos em mim e com uma intensidade chocante, Quen levantou o braço até um galho baixo e se ergueu com a facilidade com que pegaria uma flor, desaparecendo no velho carvalho como se nunca tivesse existido.

Vinte e dois

Edden entrou com o carro no minúsculo estacionamento da igreja, coberto de ervas. O capitão não tinha falado muito no caminho de volta, mas os nós em seus dedos brancos e seu pescoço vermelho me diziam o que pensava do fluxo livre de consciência que eu vinha cuspindo desde que ele confessara por que estava servindo de chofer para mim.

Pouco depois de encontrar o corpo, veio pelo rádio a informação de que eu deveria ser "removida da folha de pagamento do FIB". Parece que a notícia de que uma bruxa os estava ajudando se espalhou, e a SI os dedurou. Eu poderia ter conseguido escapar se Glenn tivesse tido o cuidado de explicar que eu era apenas uma consultora, mas ele não disse uma palavra, ainda irritado porque eu tinha contaminado sua preciosa cena do crime. O fato de que nem *haveria* uma cena do crime se não fosse por mim parecia não significar nada.

Colocando raivosamente o carro na marcha para estacionar, Edden encarou pela janela da frente e esperou eu sair. O cara merecia respeito. Não é fácil ficar quieto enquanto alguém compara seu filho a ventosas de lula e cocô de morcego na mesma fala.

Deixei os ombros caírem e não me movi. Se eu saísse, isso significava que tudo estava acabado, e não queria que acabasse. Além do mais, manter uma falação por vinte minutos é cansativo, e provavelmente eu devia um pedido de desculpas a ele, no mínimo. Meu braço ficou pendurado para fora da janela do carro, e ouvi um som de piano. Era alguma dessas obras complicadas que os músicos compõem para mostrar sua destreza, e não como uma expressão artística. Inspirei.

– Se eu pudesse simplesmente falar com Trent...

– Não.

– Posso, pelo menos, ouvir a gravação do interrogatório dele?

– Não.

Esfreguei as têmporas, e um cacho fugitivo fez cócegas no meu rosto.

– Como é que as pessoas esperam que eu faça meu trabalho se ninguém me deixa fazê-lo?

– Não é mais seu trabalho – Edden disse. O indício de raiva fez minha cabeça levantar. Segui seu olhar em direção às crianças pixies deslizando no campanário sobre minúsculos pedacinhos de papel vegetal que eu tinha cortado para eles ontem. Com o pescoço travado, Edden se mexeu no banco para tirar a carteira do bolso de trás, a abriu e me deu algumas notas. – Me mandaram te pagar em dinheiro vivo. Não declare isso no seu imposto – ele disse, sem emoção.

Meus lábios se apertaram, e peguei o dinheiro, contando as notas. "Me pagar em dinheiro vivo? Do bolso do capitão?" Alguém tinha entrado profundamente no modo "salvar o próprio rabo". Meu estômago se contraiu quando percebi que era muito menos do que tínhamos combinado. Eu estava naquela missão havia quase uma semana.

– E você vai me dar o resto depois, certo? – perguntei enquanto guardava o dinheiro na bolsa.

– A administração não pagará pelas aulas canceladas da doutora Anders – ele disse, sem me olhar.

"Enganada de novo." Nem um pouco ansiosa para contar para Ivy que eu não tinha o dinheiro do aluguel, abri a porta e saí. Se eu não soubesse das coisas, diria que o som de piano vinha da igreja.

– Vou te falar uma coisa, Edden. – Bati a porta com força. – Não me ligue mais.

– Vê se cresce, Rachel – ele disse, provocando em mim um sacolejo. Seu rosto estava rígido quando ele se inclinou para o outro banco para falar comigo pela janela. – Se fosse eu, teria mandado te prender e te levado para a SI, para o pessoal de lá brincar com você. Glenn te falou para esperar, e você saiu pisando na autoridade dele.

Firmei a alça da minha bolsa mais para cima no ombro, e minha testa, que estava contraída, se desanuviou. Eu não tinha pensado por aquele ângulo.

– Olha – ele disse, percebendo que eu tinha entendido de repente. – Não quero romper nosso relacionamento de trabalho. Talvez, quando as coisas se acalmarem, a gente possa tentar de novo. Vou conseguir o resto do dinheiro de algum jeito.

– É. Claro. – Eu me empertiguei, com minhas crenças nas reações idiotas e imbecis da alta administração reforçadas, mas talvez eu devesse um pedido de desculpas a Glenn.

– Rachel?

É. Eu devia um pedido de desculpas a Glenn. Virei-me para Edden, soltando um suspiro frustrado e deprimido.

– Peça desculpas a Glenn por mim – murmurei. Antes que o capitão pudesse responder, bati meus saltos na calçada rachada e subi os amplos degraus de pedra. Por um instante houve silêncio. Depois a correia do ventilador do carro gemeu quando Edden deu ré e foi embora. A música vinha de dentro da igreja. Ainda chateada com a falta do dinheiro do aluguel, abri a porta pesada e entrei.

Ivy devia estar em casa. Minha frustração com Edden morreu diante da oportunidade de finalmente falar com ela. Eu queria dizer que nada tinha mudado e que ela ainda era minha amiga – se ela ainda me considerasse como tal. Recusar a oferta para ser uma herdeira é um insulto incalculável no mundo vamp. Mas eu não pensava assim. O pouco que tinha visto dela mostrava culpa, e não raiva.

– Ivy? – chamei com cuidado.

O piano parou no meio de um acorde.

– Rachel? – Ivy respondeu do santuário. Havia um tom alarmado em sua voz. "Droga, ela vai fugir." Minhas sobrancelhas se ergueram. Aquilo não era uma gravação. A gente tinha um piano?

Tirei o terninho, o pendurei e segui para o santuário, piscando por causa da súbita luminosidade. Nós tínhamos um piano. Tínhamos um piano de meia cauda lindo e preto, colocado sob o raio de sol âmbar e verde que entrava pelos vitrais. Seu tampo estava aberto e mostrava o interior, suas cordas brilhando.

– Quando foi que você comprou o piano? – perguntei, vendo-a pronta para correr. "Duas vezes droga. Se ela simplesmente parasse por tempo suficiente para ouvir."

Meus ombros relaxaram quando Ivy pegou um pano de camurça e começou a esfregar a madeira cintilante. Ela estava usando calças jeans e uma blusa casual, e eu me senti terrivelmente bem-vestida no conjunto de terninho e saia.

– Hoje – ela respondeu enquanto limpava a madeira que não precisava de limpeza. Talvez, se eu não falasse nada sobre o que tinha acontecido, pudéssemos fazer as coisas voltarem a ser como eram antes. Ignorar um problema era um modo perfeitamente aceitável de lidar com ele, desde que as duas pessoas concordassem em nunca mais tocar no assunto.

– Você não precisava parar por minha causa – soltei, me esforçando para falar alguma coisa antes que ela encontrasse um motivo para ir embora.

Ivy contornou o piano para polir a parte de trás enquanto eu apertava o dó médio. Então se empertigou, seus olhos se fecharam e o pano de limpeza parou.

– Dó médio – ela disse. A paz relaxava seu rosto oval pálido.

Escolhi outra nota, mantendo a tecla abaixada para ouvi-la ecoar nas vigas. O som era maravilhoso no espaço aberto. Especialmente porque os tatames tinham sumido.

– Fá sustenido – sussurrou, e toquei duas ao mesmo tempo. – Dó e ré sustenidos – afirmou, abrindo os olhos. – Essa é uma combinação horrorosa.

Sorri, aliviada quando ela encontrou meu olhar.

– Não sabia que você tocava – eu disse, ajeitando a bolsa no ombro.

– Minha mãe me obrigou a ter aulas.

Fiz que sim com a cabeça de um jeito ausente e tirei o dinheiro da bolsa. Pensei na discrepância entre a gente conforme me inclinava sobre o piano e lhe entregava o dinheiro. Enquanto Ivy comprava um piano de meia cauda, minha cômoda era feita de compensado.

Com a cabeça inclinada sobre o dinheiro, ela o contou.

– Faltam duzentos – notou.

Inspirando, fui até a cozinha. Fui tomada por culpa quando coloquei a bolsa sobre a mesa antiga e peguei um suco na geladeira.

– Edden me pagou a menos – gritei na direção do santuário, achando que ela provavelmente não iria embora se estivéssemos falando de dinheiro. – Vou conseguir o resto. Vou falar com o time de beisebol de novo.

– Rachel... – Ivy chamou do corredor, e eu me virei, com o coração latejando. Eu não tinha ouvido passos. Ela absorveu minha surpresa, e um fluxo de dor interna passou por seu rosto. A tentativa ridícula de pagamento de Edden estava na sua mão, e eu odiava tudo. Simplesmente tudo. – Esqueça – ela disse, fazendo eu me sentir ainda melhor. – Posso pagar por você este mês.

"De novo", completei em silêncio por ela. Maldição! Eu devia ser capaz de pagar minhas próprias contas.

Deprimida, tirei o chapéu e o pendurei na cadeira. Em seguida, descalcei os sapatos, chutando-os e fazendo-os voar pelo arco e cair em algum lugar da sala de estar. Com meias nos pés, me larguei na mesa e curti meu suco como se fosse a última cerveja do bar. Havia um pacote de bolachas aberto sobre a mesa, e o puxei para perto. Recheio cremoso de chocolate faria tudo ficar melhor se eu comesse o suficiente.

Ivy se esticou para colocar o dinheiro no pote em cima da geladeira. Não era o lugar mais seguro para manter o dinheiro que economizávamos para pagar as contas, mas quem roubaria uma vampira Tamwood? Sem dizer nada, ela sentou na cadeira em frente a mim, deixando o comprimento da mesa entre nós, e mexeu no mouse do computador, fazendo a ventoinha acelerar. Meu mau humor se acalmou. Ela não tinha ido embora. Estava trabalhando no computador. Estávamos juntas no mesmo ambiente. Talvez ela se sentisse segura o bastante para, pelo menos, ouvir.

– Ivy... – comecei.

– Não – ela interrompeu, me dando um olhar assustado.

– Só quero pedir desculpas – me apressei em dizer. – Não vá embora. Eu paro. – Como alguém tão forte e poderosa podia ter tanto medo de si mesma? A mulher era uma massa conflitante de força e vulnerabilidade que eu não entendia.

Seus olhos iam para todo lado, menos para os meus. Devagar, sua postura tensa relaxou.

– Mas não foi culpa sua – ela sussurrou.

"Então, por que eu me sinto um lixo?"

– Me desculpe, Ivy – eu disse, atraindo seus olhos para os meus por um breve instante. Estavam marrons como chocolate, sem nenhum traço de preto ao redor. – É só que...

– Pare – Ivy disse, olhando para sua própria mão, que agarrava a mesa. Suas unhas ainda brilhavam com o esmalte claro que ela tinha usado para ir à Piscary's. Ela visivelmente se forçou a relaxar os dedos. – Eu... não vou te pedir para ser minha herdeira de novo se você não disser mais nada... – O fim foi hesitante, perturbador de tanta vulnerabilidade.

Era quase como se ela soubesse o que eu iria dizer e não pudesse aguentar ouvir. Eu não seria sua herdeira. Não podia. O vínculo que nos uniria seria forte demais e acabaria com minha independência. Apesar de eu saber que, na cultura vampiresca, o dar e receber sangue não correspondia necessariamente a sexo, para mim era a mesma coisa. E não queria dizer "podemos ser apenas amigas?" Era um clichê degradante, mesmo que, de fato, eu só quisesse ser sua amiga. Ela entenderia as palavras com a rejeição que a maioria das pessoas intencionava quando as diziam. Eu gostava demais dela para fazê-la sofrer daquele jeito. E percebi que não era amargura que permeava sua promessa. Ela não me pediria para ser sua herdeira porque não queria sentir a dor de ser rejeitada de novo.

Eu não entendia os vampiros. Mas era nesse ponto que Ivy e eu estávamos.

Ela encontrou meus olhos com uma certeza hesitante que se fortaleceu quando viu minha concordância silenciosa em ignorar o que tinha acontecido. Seus ombros relaxaram, e ela recuperou um pouco de sua confiança de sempre. Mas, sentada na cozinha, fiquei gelada ao perceber o quanto eu a estava usando. Ivy me dava proteção contra os muitos vampiros que se aproveitariam da minha cicatriz – em essência, ela garantia meu livre-arbítrio –, e estava disposta a ignorar o fato de que eu não pagava por isso do modo vampiresco usual. Deus do céu, isso era suficiente para fazer eu mesma me odiar. Ela queria algo que eu não poderia lhe dar, e mesmo assim estava contente em aceitar minha amizade na esperança de que um dia eu lhe desse mais.

Respirei devagar, observando-a fingir que não percebia meus olhos sobre ela enquanto eu deixava as peças se encaixarem. Eu não podia ir embora. Era mais do que não querer perder a única amizade verdadeira que eu tinha em oito anos ou meu desejo de ajudá-la a vencer a guerra contra si mesma. Era o medo de ser transformada em um brinquedinho pelo primeiro vampiro que eu encontrasse num momento de fraqueza. Eu estava presa pela conveniência, e parte de mim queria deitar no seu colo, apostando que ela encontraria um jeito de mudar meu pensamento. "Ótimo. Não terei problemas para dormir hoje à noite."

Os olhos de Ivy encontraram os meus e sua respiração hesitou por um segundo quando ela percebeu que eu finalmente tinha entendido tudo.

– Onde está Jenks? – perguntou, virando para o monitor como se nada tivesse acontecido.

Expirei devagar, aceitando minha nova percepção. Eu podia ir embora e lutar contra todos os vampiros lascivos que encontrasse ou podia ficar sob a proteção de Ivy, confiando que nunca precisaria lutar contra ela. Como meu pai gostava de dizer, um perigo conhecido era bem melhor que um desconhecido.

– Na casa de Trent, ajudando Glenn – respondi, com os dedos tremendo ao pegar outra bolacha. Eu ia ficar. Tínhamos um acordo. Ou será que Nick estava certo ao dizer que eu realmente queria que ela me mordesse, mas não conseguia aceitar que minhas "preferências" tinham mudado um pouco? Decerto a primeira opção. – Estou fora do caso. Descobri um corpo, e a notícia de que uma bruxa estava ajudando o FIB se espalhou.

Seus olhos encontraram os meus sobre o monitor entre nós, suas sobrancelhas finas erguidas.

– Você achou um corpo? Na propriedade de Trent? Está brincando!

Assenti com a cabeça, soltando os cotovelos sobre a mesa, sem querer mergulhar mais fundo na minha psique naquele momento. Eu estava cansada demais.

– Tenho quase certeza de que é de Dan Smather, mas não importa. Glenn está mais tenso do que um pixie numa sala cheia de sapos, mas Trent vai escapar. – Parei de pensar na minha situação com Ivy e lembrei do corpo mutilado de Dan amarrado na cadeira. – Trent é esperto demais para deixar qualquer rastro que possa ligá-lo ao corpo. Mas não entendo por que estava na propriedade dele, para começar.

Ela concordou com a cabeça, sua atenção voltando para o monitor.

– Talvez ele o tenha colocado lá.

Fiz uma cara irônica.

– É isso que Glenn acha. Que Trent é o assassino, mas queria que nós descobríssemos, sabendo que não conseguiríamos ligar o corpo a ele e, portanto, tornando duas vezes mais difícil pegá-lo se ele errar mais tarde. Isso se encaixa na reação de Sara Jane. Ela conhece Dan Smather tanto quanto conhece o carteiro, mas alguma coisa... – hesitei, tentando colocar minha sensação em palavras. – Alguma coisa não está certa. – Pensei de novo na foto que ela me deu. Era a mesma foto que estava sobre a TV dele. Eu devia ter percebido que o relacionamento dos dois era artificial.

Eu estava começando a duvidar da minha crença de que Trent era responsável pelos assassinatos, o que era perturbador. Ele era capaz de matar – eu tinha visto isso ao vivo –, mas o corpo sem sangue, torturado, mutilado e amarrado àquela cadeira estava bem distante da morte limpa e rápida que ele tinha imposto ao geneticista na última primavera. Peguei mais uma bolacha enquanto pensava. Mordi a ponta e me levantei para vasculhar a geladeira e decidir o que faria para o jantar, deixando meu subconsciente trabalhar no problema. Talvez eu cozinhasse alguma coisa especial. Fazia um tempo que eu só abria embalagens e misturava coisas no fogão.

Olhei de relance para Ivy, me sentindo ao mesmo tempo culpada e aliviada. Era compreensível que ela achasse que eu queria ser mais do que apenas sua colega de quarto. Parte disso era culpa minha, muito provavelmente.

– Então, o que Trent fez quando você encontrou o corpo? – Ivy perguntou, clicando o mouse para verificar as salas de bate-papo. – Alguma culpa?

– Não – respondi, afastando aqueles sentimentos desconfortáveis enquanto tirava duzentos gramas de hambúrguer do congelador e os colocava na pia, fazendo barulho. – E a surpresa que ele deixou escapar não era porque eu tinha encontrado um corpo, mas por ser o corpo de Dan. É por isso que não concordo com a ideia de Trent ter colocado o corpo lá para se encobrir. Mas o sujeito sabe mais do que está dizendo.

Pela janela olhei para o jardim iluminado pelo sol e para os vislumbres de asas de pixies no momento em que os filhos de Jenks espantavam um beija-flor migratório da última das lobélias. Tinha que ser migratório. Jenks o teria matado antes de deixar a concorrência colocar um pezinho no seu jardim.

Enquanto as crianças gritavam e berravam, trabalhando juntas para afastar o pássaro desafortunado, voltei a pensar na preocupação que Trent deixou escapar quando descobri aquela linha de ley atravessando o escritório. Ele tinha ficado mais perturbado por eu descobrir a linha do que por encontrar o corpo de Dan.

A linha de ley. É aí que estava a verdadeira questão. Meus dedos formigaram quando me virei, tirando o gelo do hambúrguer com um pano, e não com minha roupa. Perguntei-me se eu chamaria mais atenção fechando a janela ou se deveria abusar da sorte e esperar que os filhos de Jenks estivessem ocupados demais para me ouvir. Ivy se afastou do computador quando percebeu meu silêncio súbito. Jenks tinha uma boca grande, e eu não queria que ele soubesse das minhas suspeitas sobre a origem de Trent. O pixie ia espalhar a notícia, e Trent contrataria um avião para "acidentalmente" soltar agente laranja no quarteirão inteiro para impedir os boatos.

Pesando as diferenças, fechei as cortinas e fiquei parada perto da janela, de onde eu poderia ver a sombra dos pixies se algum deles se aproximasse o suficiente para ouvir.

– Trent tem uma linha de ley no escritório – eu disse, num cochicho.

Ivy me encarou sob o sol pintado de azul.

– Não brinca! Quais são as chances disso?

"Ela não entendeu."

– Isso significa que ele deve usá-las – expliquei.

– E... – Suas sobrancelhas se ergueram de maneira interrogativa.

– Quem sabe usar linhas de ley? – devolvi.

Seu queixo caiu ao entender de repente.

– Ele é humano ou bruxo – sussurrou. Ela se levantou tão rápido que me assustou. Então foi até a pia, afastou a cortina e fechou a janela fazendo barulho. – Trent sabe que você a viu? – ela perguntou, com os olhos pretos na luz mais fraca.

– Ah, diria que sim. – Fui pegar outra bolacha para sutilmente abrir um espaço entre a gente. – Visto que eu tive que usar a linha para encontrar o corpo.

Seus lábios se pressionaram, e sua postura esbelta ficou tensa.

– Você colocou sua cabeça a prêmio de novo. Você, eu, Jenks e a família dele toda. Trent vai fazer qualquer coisa para isso não se espalhar.

– Se ele estivesse tão preocupado com isso, não teria se arriscado colocando o escritório na linha – protestei, esperando estar certa. – Qualquer um que procure consegue encontrá-la. Ele ainda pode ser impercebido ou humano. Estamos seguros, especialmente se eu não falar nada sobre a linha de ley.

– Jenks pode perceber – ela insistiu. – Você sabe que o pixie vai tagarelar sobre isso. Ele adoraria ter o prestígio de descobrir o que Trent é.

Peguei uma bolacha.

– E o que eu devia fazer? Se mandá-lo ficar calado sobre a linha, ele só vai tentar descobrir por quê.

Ivy batucou no balcão enquanto eu comia a bolacha e, numa demonstração intimidadora de força, usou uma das mãos para se erguer e sentar sobre os armários. Seu rosto estava vivo; e suas sobrancelhas, arqueadas com a possibilidade de solucionar o antigo mistério.

– Então, o que acha que ele é? Humano ou bruxo?

Voltando à pia, deixei a água quente escorrer sobre a carne congelada.

– Nenhum dos dois. – Foi uma admissão direta. Ivy permaneceu em silêncio, e fechei a torneira. – Ele não é nenhum dos dois, Ivy. Poderia apostar minha vida que ele não é um bruxo, e Jenks jura que ele é mais do que humano.

"Foi por isso que eu fiquei?", me perguntei, vendo seus olhos se iluminarem e sua mente raciocinar junto com a minha. Sua lógica e minha intuição. Apesar dos problemas, nós trabalhávamos bem juntas. Sempre trabalhamos.

Ivy balançou a cabeça, suas feições borradas no crepúsculo provocado pela cortina azul, mas senti sua tensão aumentando.

– É a única possibilidade. Eliminarmos tudo o que pudermos e o que sobrar, por mais improvável que seja, é a resposta.

Não me surpreendeu o fato de ela citar Sherlock Holmes. A lógica inflexível e a natureza brusca do detetive fictício se encaixavam bem na personalidade de Ivy.

– Bom, se você quer nutrir o improvável – murmurei –, podemos incluir demônios nas possibilidades.

– Demônios? – Os dedos tamborilantes de Ivy pararam.

Balancei a cabeça, incomodada.

– Trent não é um demônio. Só falei isso porque os demônios vêm do todo-sempre e, por isso, também conseguem manipular linhas de ley.

– Eu tinha me esquecido disso – ela sussurrou. O som suave de sua voz provocou um arrepio nas minhas costas, mas ela estava mergulhada em pensamentos e não tinha ideia de que estava ficando assustadora. – Que vocês são relacionados, quero dizer. Bruxos e demônios. – Soltei uma bufada ofendida, e ela deu de ombros, se desculpando. – Desculpe. Não sabia que isso era uma questão delicada.

– Não é – respondi, tensa, apesar de ser. Tinha havido um turbilhão de controvérsias cerca de uma década atrás, quando uma humana enxerida no campo da genealogia dos impercebidos conseguiu alguns mapas genéticos que sobreviveram à Virada, teorizando que, como bruxos conseguiam manipular as linhas de ley, nós tínhamos nos originado no todo-sempre, junto com demônios. Bruxos não são relacionados aos demônios. Mas, para nossa vergonha, a ciência nos obrigou a reconhecer publicamente que tínhamos evoluído com eles no todo-sempre.

Após obter financiamento com essa informação repugnante, a mulher foi além de sua teoria original, usando as taxas de mutação do RNA para localizar de maneira adequada o momento da nossa migração em massa para este lado das linhas de ley cerca de cinco mil anos atrás. A mitologia dos bruxos dizia que uma revolta dos demônios tinha acelerado a mudança, deixando os elfos lutando uma batalha perdida, pois não queriam permitir que seus amados campos e florestas tivessem seus recursos naturais arrancados e poluídos. Parecia uma teoria viável, e os elfos perderam toda sua história quando desistiram e nos imitaram há cerca de dois mil anos.

O fato de os humanos terem desenvolvido habilidades com a magia de linhas de ley naquela época foi creditado à prática dos elfos de usar sua magia para se misturar com a humanidade e impedir a extinção que os demônios iniciaram e a Virada terminou. Meus pensamentos se voltaram para Nick, e afundei. Os bruxos eram tão distantes da humanidade que nem a magia poderia preencher essa lacuna. Quem sabe o que um híbrido de bruxo e humano desinformado e com habilidades em linhas de ley poderia fazer? O fato de os elfos terem trazido os humanos para o grupo de espécies que usam linhas de ley já era ruim o suficiente. A destreza dos elfos com a magia das linhas tinha deslizado para o genoma humano como se pertencesse a ele. Era o bastante para fazer a gente pensar.

"Elfos?", ponderei, ficando gelada. A resposta estava na minha cara o tempo todo.

– Ai... meu... Deus – murmurei.

Ivy levantou o olhar e suas pernas, que estavam balançando, pararam quando ela absorveu minha expressão.

– Ele é um elfo – sussurrei, e a alegria da descoberta fez meu coração acelerar. – Eles não se extinguiram na Virada. Ele é um elfo. Trent é um maldito elfo!

– Opa, espere um minuto – Ivy alertou. – Elfos desapareceram. Se houvesse algum vivo, Jenks saberia. Ele conseguiria sentir o cheiro.

Balancei a cabeça, andando até o corredor em busca de ouvintes alados escondidos.

– Não se os elfos tivessem ficado no subsolo durante uma geração de pixies e fadas. A Virada praticamente os extinguiu, e não seria difícil esconder o que sobreviveu até o último pixie que conhecia o cheiro deles morrer. Eles só vivem uns vinte anos, mais ou menos; os pixies, eu quero dizer. – Minhas palavras tropeçavam em si mesmas conforme se apressavam para sair. – E você já viu como Trent não gosta deles nem de fadas. É quase uma fobia. Tudo se encaixa! Não estou acreditando! Nós descobrimos!

– Rachel – Ivy cantarolou enquanto se remexia sobre o balcão. – Não seja idiota. Ele não é um elfo.

Com os braços cruzados, pressionei os lábios, frustrada.

– Ele dorme ao meio-dia e à meia-noite – eu disse – e é mais ativo ao amanhecer e no entardecer, exatamente como eram os elfos. Ele tem reflexos quase parecidos com os dos vamps. Gosta da solidão, mas é muito bom em manipular as pessoas. Meu Deus, o homem tentou me fazer cavalgar como uma presa sob a lua cheia! – Joguei os braços para o alto ao falar. – Você já viu os seus jardins e aquela floresta artificial. Ele é um elfo! E Quen e Jonathan também são.

Ivy balançou a cabeça.

– Eles morreram. Todos eles. E o que teriam a ganhar deixando até mesmo os impercebidos pensarem que eles tinham desaparecido se não tivessem? Você sabe como a gente doa muito dinheiro para espécies em risco de extinção. Especialmente as inteligentes.

– Não sei – respondi, irritada com sua descrença. – A humanidade nunca gostou daquela história de os elfos roubarem bebês humanos e os substituírem com seus próprios filhos defeituosos. Isso seria suficiente para alguém manter a boca fechada e a cabeça abaixada até todo mundo achar que a espécie estava extinta.

Ivy fez um som de dúvida com o fundo da garganta, mas eu percebi que sua opinião estava mudando.

– Ele manipula linhas de ley – insisti. – Você mesma disse. Eliminar o impossível e o que sobrar, por mais improvável que seja, é a verdade. O homem não é humano nem bruxo. – Meus olhos se fecharam quando me lembrei de morder Jonathan e Trent quando era uma marta lutando para fugir. – Ele não pode ser. Seu sangue tem gosto de canela e vinho.

– Ele é um elfo – Ivy disse, com a voz chocantemente estável. Abri os olhos. Seu rosto estava vivo e iluminado. – Por que não me disse que ele tinha gosto de canela? – perguntou enquanto saía do balcão, com as botas pretas de cano baixo atingindo o linóleo sem fazer barulho.

A autopreservação me fez dar um passo para trás antes de eu perceber que tinha me movido.

– Achei que podia ser das drogas que ele usava para me nocautear – eu respondi, não gostando que a menção ao sangue a tivesse feito começar a se mexer. O marrom de suas íris estava encolhendo atrás das pupilas que aumentavam.

Eu tinha certeza de que se devia à descoberta da ancestralidade de Trent, e não ao fato de eu estar com o sangue bombeando depressa e a palma das mãos suando. Mas, mesmo assim... não gostava daquilo.

Com a mente rodopiando, dei um olhar de alerta para ela e deixei o balcão entre nós. "Está bem, agora sei a história de Trent." Dizer isso a ele certamente me garantiria uma conversa com o sujeito, mas como se fala para um *serial killer* que você sabe seu segredo sem ser morta?

– Você não vai falar para ele que sabe – Ivy disse, me dando um olhar tímido antes de se recostar no balcão, numa demonstração clara de que estava mantendo a distância.

– Tenho que falar com Trent. Ele vai querer conversar comigo depois que eu jogar isso nele, com certeza. Vou ficar bem. Tenho aquela chantagem contra o cara.

– Edden vai te jogar um processo por assédio se você ligar para ele – Ivy advertiu.

Meus olhos se iluminaram ao ver o pacote de bolachas recheadas, que tinha uma pequena marca de um carvalho e uma placa de madeira. Movendo-me lentamente, deslizei o pacote mais para perto, pegando uma bolacha intacta. Os olhos de Ivy foram até o pacote, depois subiram até mim. Eu quase podia ver seus pensamentos se alinhando aos meus. Ela me deu um de seus poucos sorrisos sinceros, deixando escapar apenas um brilho mínimo dos dentes enquanto uma expressão malvada e quase tímida a fez voltar à vida.

Um arrepio me tomou, fazendo minhas entranhas se contraírem.

– Acho que sei como chamar a atenção dele – eu disse, dando uma mordida na bolacha de chocolate e limpando as migalhas dos lábios. Mas, no fundo da minha mente, uma nova pergunta me incomodava, incitada pela preocupação constante de Nick. Será que a expectativa que eu sentia aumentando em mim vinha da futura conversa com Trent... ou daquela minúscula sugestão de dentes brancos de Ivy?

Vinte e três

O clamor do motor a diesel do ônibus era detestável enquanto ele se sacudia para se mover e se esforçava para conseguir impulso ao subir a rua. Fiquei parada na calçada delimitada por folhas e o esperei passar antes de atravessar. Os sopros suaves dos carros formavam um fundo reconfortante para os pássaros, insetos e um ou outro pato grasnando. Virei-me, sentindo os olhos de alguém sobre mim.

Era um lóbis, com cabelo preto até os ombros e um corpo esguio que significava que ele corria tanto sobre duas pernas quanto sobre quatro. Ele parou de prestar atenção em mim, voltou-se para o parque e se afundou junto à árvore em que estava encostado, ajeitando o casaco de couro. Hesitei quando o reconheci como um dos alunos da universidade, mas ele desviou o olhar e puxou o chapéu sobre os olhos, me dispensando. O sujeito queria alguma coisa, mas, era óbvio, sabia que eu estava ocupada e estava disposto a esperar.

Os solitários eram assim, e, pelo olhar confiante e distante, imaginei que ele era um. Ele provavelmente tinha uma missão para mim e não queria bater na minha porta, se sentindo mais confortável em esperar para me alcançar quando eu não estivesse ocupada. Já tinha acontecido antes. Os lóbis tendiam a ver qualquer pessoa que vivia em terreno sagrado como misteriosa e esotérica.

Apreciando seu profissionalismo, desci a calçada na direção oposta do ônibus, com o sol do meio-dia quente sobre meus ombros. Eu gostava do Parque Éden, especialmente daquela área menos frequentada. Nick trabalhava no museu de arte ali perto, limpando artefatos, e às vezes comíamos o meu almoço e o jantar dele ao ar livre no pequeno mirante sobre Cincinnati. Mas meu local favorito era a ponta que ficava para o outro lado, sobre o rio e de frente para Hollows.

Meu pai me levava lá nas manhãs de domingo, quando comíamos roscas e dávamos as migalhas para os patos. Senti meu humor ficar sombrio ao me lembrar da ocasião em que fomos para lá depois de uma de suas poucas discussões com a minha mãe. Era noite, e nós observamos as luzes de Hollows piscando do outro lado do rio. O mundo parecia continuar ao nosso redor enquanto estávamos presos numa gota de tempo pendurada no lábio do presente, relutante em cair e dar lugar para a próxima. Suspirando, apertei minha jaqueta de couro no corpo e tomei cuidado com os meus passos.

No dia anterior eu tinha mandado um pacote de bolacha para Trent por um mensageiro especial, com um cartão que dizia simplesmente "Eu sei". A embalagem de celofane e as guloseimas recheadas eram repletas de uma insultante mistura de propaganda de elfos e magia que nem mesmo a época iluminada depois da Virada tinha sido capaz de reprimir. Claro que, naquela manhã, fui acordada pelo toque do telefone, que depois tocou de novo quando caiu na secretária eletrônica. E tocou de novo. E de novo. E de novo.

Oito da manhã é um horário imoral para bruxos – eu só estava dormindo havia quatro horas –, mas Jenks não conseguia atender ao telefone, e acordar Ivy não era uma boa ideia. Resumindo, Trent tinha me convidado para ir a seu jardim e tomar um chá. De jeito nenhum. Eu disse a Jonathan que me encontraria com Trent no Parque Éden às quatro, na ponte Dois Lagos, logo depois do cochilo do seu chefe.

"Ponte Dois Lagos" era um nome grandioso para uma ponte de concreto para pedestres, mas eu conhecia o trasgo que morava sob ela e sentia que podia confiar um pouco nele. A água batendo sobre a corrente artificial distorcia qualquer feitiço de audição. Melhor ainda, domingo era dia de futebol americano, e o parque estaria quase deserto, nos dando privacidade para conversar. Ainda assim, teria gente suficiente para deter qualquer ideia idiota que Trent estivesse tentado a inventar, como me matar a sangue-frio.

Obriguei meu olhar a sair da calçada quando passei pelo carro à paisana de Glenn, estacionado ilegalmente no meio-fio. Ele provavelmente tinha sido designado para ficar de olho em Trent. Ótimo. Isso significava que eu não precisaria amarrar nenhum oficial do FIB que Edden tivesse mandado para seguir o homem, de modo que Trent e eu poderíamos conversar sem interrupção.

Eu tinha decidido não levar nenhum feitiço além do anel do dedinho. Nenhuma bolsa incômoda também. Apenas a carteira de motorista, usada raramente, e o passe de ônibus. Os motivos para não levar coisas pessoais eram dois. Eu não apenas poderia correr mais rápido se Trent tentasse alguma coisa, como também não lhe daria a oportunidade de alegar que eu tinha usado um talismã nele.

O ritmo rápido em que eu andava fez minhas panturrilhas doerem. Vasculhei o enorme parque, notando que havia poucas pessoas, como eu esperava. Eu tinha passado do primeiro ponto de ônibus porque queria dar uma boa olhada antes de saltar. Sem falar que era impossível fazer uma entrada grandiosa saltando de um ônibus. Nem um look arrasador de camiseta vermelha, calças de couro e jaqueta combinando ajudaria.

Diminuí o passo, observando a água do lago, verde por causa do sulfato de cobre, e o gramado exuberante. As árvores estavam coloridas, ainda livres do gelo. A manta vermelha de Trent formava uma marca clara no chão. Ele estava sozinho, fingindo ler. Perguntei-me onde Glenn estaria, pensando que, a menos que estivesse nas poucas árvores grandes ou nos minúsculos apartamentos do outro lado da rua, ele provavelmente espreitava dos banheiros.

Com os braços balançando, acenei para Jonathan da extremidade oposta do parque, de pé e mal-humorado ao lado da limusine Fantasma Cinza ao sol. Claramente irritado, ele levantou o punho e indicou o relógio. Meu estômago se revirou quando imaginei Quen me observando das árvores. Esforcei-me a assumir um passo calmo e tranquilo enquanto me dirigia aos banheiros públicos; minhas botas feitas por vamps andavam silenciosas sobre a calçada.

Considerando que eram públicos, os banheiros eram elegantes e lembravam uma época mais graciosa, com a pedra coberta por trepadeiras e placas de cedro. As persianas e as portas de metal proporcionavam a permanência da estrutura tanto quanto as plantas perenes que a cercavam. Evidentemente, encontrei Glenn no banheiro masculino, de costas para mim e em pé sobre o vaso com um binóculo, observando Trent pela janela quebrada. A ponte estava dentro de seu campo de visão, e me senti melhor sabendo que ele estaria me observando.

– Glenn – eu disse, e o oficial virou-se, quase escorregando de cima do vaso.

– Deus do céu! – ele exclamou, me dando um olhar sombrio antes de voltar a atenção para fora da janela. – O que está fazendo aqui?

– Bom dia para você também – respondi educadamente, querendo dar um soco nele e perguntar por que raios não tinha me defendido no dia anterior e me mantido na missão. O ambiente estava fedendo a água sanitária e não possuía divisórias. O banheiro feminino pelo menos contava com cabines reservadas.

Seu pescoço ficou tenso, e lhe dei crédito por não tirar os olhos de Trent nem por um instante.

– Rachel – ele alertou. – Vá para casa. Não sei como você descobriu que o senhor Kalamack estava aqui, mas se você chegar perto dele eu mesmo te levo para a SI.

– Olha, me desculpe – eu disse. – Eu errei. Devia ter ficado quieta até você dizer que eu podia entrar na cena do crime, mas Trent me pediu para encontrá-lo aqui, então você pode se Virar.

Glenn abaixou o binóculo, com o rosto pasmo ao olhar para mim.

– Palavra de escoteira – eu disse, lhe dando um cumprimento sarcástico.

Seus olhos ficaram distantes, perdidos em pensamentos.

– Essa não é mais sua missão. Saia daqui antes que eu te prenda.

– Você pelo menos poderia ter me levado ao interrogatório de Trent ontem – eu disse, dando um passo agressivo à frente. – Por que deixou eles me expulsarem do caso? Essa missão era *minha*!

A mão dele pousou no rádio preso ao quadril, bem ao lado da arma. Seus olhos castanhos estavam irritados com um incidente passado que não me incluía.

– Você estava trabalhando no caso que *eu* vinha construindo contra ele. Eu te mandei ficar longe, e você não ficou.

– Eu já pedi desculpas. E nem haveria um caso se não fosse por mim! – exclamei. Frustrada, coloquei uma das mãos no quadril e levantei a outra num gesto irritado, dando um pulo quando alguém entrou. Era um homem com aparência desleixada usando um casaco desleixado. Ele ficou em choque por três segundos, passando os olhos por Glenn, em pé sobre o vaso num terno preto caro, e depois por mim, vestida com calças e jaqueta de couro.

– Hum, volto depois – ele disse e saiu rapidamente.

Virei de volta para Glenn, sendo obrigada a inclinar minha cabeça num ângulo esquisito para olhar para cima.

– Não posso mais trabalhar para o FIB, graças a você. Estou te informando do meu encontro com Trent como cortesia de um profissional para outro. Então se afaste e não interfira.

– Rachel...

Meus olhos se estreitaram.

– Não me irrite, Glenn. Trent pediu esse encontro.

As rugas fracas de preocupação ao redor dos olhos de Glenn se aprofundaram. Eu via que seus pensamentos estavam em conflito. Eu não teria me dado ao trabalho de contar a ele, mas se eu não o tivesse feito o sujeito teria chamado todo mundo, desde o pai até o esquadrão antibombas, quando me visse com Trent.

– Estamos claros? – perguntei de um jeito agressivo, e ele desceu do vaso.

– Se eu descobrir que você mentiu para mim...

– Tá, tá, tá. – E me virei para sair.

Ele estendeu a mão para mim. Senti-a se aproximando e me afastei, girando. Balancei a cabeça em alerta, mas seus olhos estavam arregalados pela rapidez com que me movimentei.

– Você simplesmente não entende, não é? – perguntei. – Não sou humana. Isso é assunto de impercebidos, e você está lidando com coisas muito complicadas. – E, depois de deixá-lo com essa ideia, que o manteria acordado à noite, voltei a passos largos para a luz do sol, confiando que ele ficaria de olho em mim e não me atrapalharia.

Comecei a balançar os braços para dissipar o resto de adrenalina, e minha pele pareceu formigar quando os olhos de Jonathan caíram sobre mim. Ignorando-o, tentei descobrir o esconderijo de Quen enquanto seguia para a ponte de concreto. Do outro lado dos lagos, Trent estava sobre sua manta. Ele ainda tinha o livro na mão, mas sabia que eu estava lá. Ele me faria esperar, mas não me importava com isso. Eu ainda não estava pronta para ele.

No fundo das sombras da ponte passava uma faixa larga de água corrente conectando os dois lagos. Meu pé atingiu a ponte, e a poça roxa no meio da corrente estremeceu.

– Ô de casa! – eu disse, parando quase no meio da ponte. Apesar de ser meio idiota, esse era o cumprimento tradicional entre os trasgos. Se eu tivesse sorte, Sharps ainda seria o dono daquela ponte.

– Olá! – disse a poça escura de água, se levantando numa série de ondas até que um rosto escabroso apareceu pingando. Algas cresciam na sua pele azulada, e suas unhas eram brancas por causa do cimento que ele raspava da parte inferior da ponte para complementar sua dieta.

– Sharps – eu disse, muito feliz por tê-lo reconhecido pelo único olho branco, cego por causa de uma luta antiga. – Como está o fluxo da água?

– Oficial Morgan – ele disse, parecendo cansado. – Pode esperar até o pôr do sol? Prometo que vou embora hoje à noite. O sol está claro demais agora.

Sorri.

– Sou só Rachel, agora. Pedi demissão da SI. E não se mude por minha causa.

– Você saiu de lá? – A poça de água afundou de volta até mostrar apenas a boca e o olho bom. – Tudo bem. Você é uma garota legal. Não é como o feiticeiro que eles têm agora, que aparece ao meio-dia com agulhas elétricas e sinos estridentes.

Franzi a testa num gesto de simpatia. A pele dos trasgos era extremamente sensível, por isso deviam ficar longe da luz direta a maior parte do tempo. Eles costumavam destruir todas as pontes sob as quais moravam, e era por isso que a SI os perseguia o tempo todo. Mas era uma batalha perdida. Assim que um saía, outro assumia o lugar, e então havia uma briga quando o trasgo original queria sua casa de volta.

– Ei, Sharps. Talvez você possa me ajudar.

– Pode pedir qualquer coisa que estiver ao meu alcance. – Um braço esquelético roxo se estendeu para pegar um grão de cimento da parte inferior da ponte.

Olhei de relance para Trent e vi que ele estava se movimentando com a intenção de vir na minha direção.

– Alguém passou pela sua ponte hoje de manhã? Talvez para deixar um feitiço ou talismã?

A poça de água oleosa foi até o lado oposto da ponte e entrou num pedaço de sombra colorida, onde a perdi de vista.

– Seis crianças chutaram pedras de cima da ponte, um cachorro fez xixi na base, três humanos adultos, dois carrinhos de bebê, um lóbis e cinco bruxos. Antes do amanhecer, dois vamps. Alguém foi mordido. Senti o cheiro do sangue que atingiu o canto sudoeste.

Olhei de cima e não vi nada.

– Mas ninguém deixou nada?

– Só sangue – sussurrou, parecendo bolhas sobre rochas.

Trent tinha se levantado e estava limpando as calças. Meu coração acelerou e puxei a alça da minha blusa por baixo da jaqueta.

– Obrigada, Sharps. Fico de olho na sua ponte se quiser nadar um pouco.

– Sério? – Sua voz assumiu um tom esperançoso e incrédulo. – Você faria isso por mim, oficial Morgan? Você é uma mulher e tanto. – A mancha de água roxa hesitou. – Não vai deixar ninguém pegar minha ponte?

– Não. Posso precisar ir embora de repente, mas vou ficar pelo tempo que puder.

– Uma mulher e tanto – ele repetiu.

Recostei-me para observar uma faixa roxa surpreendentemente comprida sair de baixo da ponte e flutuar ao redor das rochas até a parte mais funda na bacia inferior do lago. Trent e eu teríamos privacidade, mas o impulso territorial de um trasgo era tão forte que Sharps ficaria de olho em mim. Eu me senti injustificavelmente segura com Glenn de um lado, no banheiro masculino, e Sharps do outro, na água.

Fiquei de costas para o sol e para o olhar de Glenn, e me recostei no corrimão da ponte para observar Trent caminhando sobre a grama na minha direção. Atrás dele, na manta, havia ficado um conjunto de duas taças de vinho elegantemente arrumadas, uma garrafa no gelo e uma tigela de morangos, embora não estivéssemos na estação da fruta. Na aparência, era comedido e seguro, mas percebi que no fundo estava tomado de nervosismo, entregando sua pouca idade.

Ele tinha coberto o cabelo claro com um leve chapéu de sol para fazer sombra no rosto. Era a primeira vez que o via vestindo algo diferente de um terno, e seria fácil esquecer que o sujeito era um assassino e um chefão das drogas. A confiança de conselheiro municipal ainda estava ali, mas a cintura fina, os ombros largos e o rosto suave o faziam parecer um pai em forma que acompanhava o filho em jogos de futebol.

As roupas casuais acentuavam a juventude em vez de escondê-la, como faziam os ternos Armani. Um tufo de pelos louros escapava dos punhos de sua camisa elegante, e imaginei que provavelmente era tão macio e claro quanto o cabelo pálido sobre suas orelhas. Seus olhos verdes estavam comprimidos quando ele se aproximou, por causa do sol ou de preocupação. Eu apostava no último, já que ele estava com as mãos para trás, tentando evitar me cumprimentar com um aperto de mão.

Trent diminuiu o passo quando pisou na ponte. Suas sobrancelhas expressivas estavam contraídas, e me lembrei de seu medo quando Algaliarept se transformou em mim. Só havia um motivo para o demônio ter feito isso: Trent me temia, ou por ainda pensar erroneamente que eu tinha jogado Algaliarept sobre ele ou por eu ter entrado no escritório dele três vezes ou por eu saber o que ele era.

– Nenhuma das alternativas – ele disse, e seus sapatos casuais se arrastaram quando ele parou de repente.

Um fluxo de frio me chocou.

– C-c-como é? – gaguejei, me afastando do corrimão.

– Não tenho medo de você.

Eu o encarei. Sua voz fluida se fundia no barulho da água ao nosso redor.

– E não consigo ler sua mente também. Só seu rosto.

Minha respiração saiu com um barulho suave, e fechei a boca. "Como perdi o controle tão rápido?"

– Estou vendo que você cuidou do trasgo – ele disse.

– Do detetive Glenn também – eu disse enquanto conferia se cachos de cabelo não tinham escapado da minha trança. – Ele não vai nos incomodar, a menos que você faça alguma coisa idiota.

Seus olhos se estreitaram com o insulto, mas ele não se mexeu, mantendo o mesmo metro e meio de distância entre nós.

– Onde está seu pixie? – ele perguntou.

A irritação fez com que eu me empertigasse.

– Seu nome é Jenks, e ele está em outro lugar. O pixie não sabe de nada, e prefiro manter assim, já que ele tem uma boca grande.

Trent relaxou visivelmente. Ele parou na minha frente, com a largura estreita da ponte entre nós. Tinha sido difícil escapar de Jenks naquela tarde, e Ivy por fim me ajudou, levando-o para uma missão inexistente. Acho que na verdade ela queria comprar rosquinhas.

Sharps estava brincando com os patos, puxando-os para baixo e deixando-os surgir na superfície e voar grasnando. Desviando o olhar, Trent se recostou no corrimão e cruzou um tornozelo sobre o outro, sua posição espelhando exatamente a minha. Éramos duas pessoas que se encontravam por acaso, compartilhando algumas palavras e o sol. Ceeeerto.

– Se ele sair – ele disse, com os olhos no banheiro distante atrás de mim –, eu torno públicos os registros do acampamento do meu pai. Você e todos aqueles arrogantes miseráveis serão procurados e tratados como leprosos. Isso se eles simplesmente não cremarem vocês por medo de alguma coisa passar por uma mutação e dar início a outra Virada.

Meus joelhos fraquejaram e ficaram frouxos. Eu estava certa. O pai de Trent tinha feito alguma coisa comigo, consertado o que estava errado. E a ameaça de Trent não era vazia. O melhor que podia acontecer naquele cenário envolveria uma passagem só de ida para a Antártida. Remexi a língua dentro da boca, tentando encontrar saliva suficiente para engolir.

– Como soube? – perguntei, achando que meu segredo era mais mortal do que o dele.

Com os olhos fixos nos meus, ele levantou a manga da camisa para mostrar um braço bem musculoso. Seus pelos estavam claros por causa do sol, e a pele era bronzeada. Uma cicatriz irregular arruinava a maciez uniforme. Meus olhos foram até os dele, percebendo uma antiga raiva.

– Era você? – balbuciei. – Foi você que eu joguei numa árvore?

Com movimentos curtos e abruptos, ele baixou a manga de volta, escondendo a cicatriz.

– Nunca te perdoei por me fazer chorar na frente do meu pai.

Uma raiva infantil acendeu chamas que eu achava que estavam extintas havia muito tempo.

– É culpa sua. Eu te falei para parar de provocá-la! – eu disse, sem me importar com o fato de a minha voz estar mais alta do que o som da água ao redor. – Jasmim estava doente. Ela chorou antes de dormir durante três semanas por sua causa.

Trent se empertigou.

– Você sabe o nome dela? – exclamou. – Escreva. Rápido!

Eu o encarei sem acreditar.

– Por que você se importa com o nome dela? Ela teve problemas demais sem você incomodá-la.

– O nome dela! – Trent disse, procurando uma caneta nos bolsos. – Qual é o nome dela?

Franzi a testa e ajeitei um cacho atrás da orelha.

– Não vou te dizer – soltei, com vergonha por ter esquecido de novo.

Trent pressionou os lábios e guardou a caneta.

– Você já esqueceu, não foi?

– Por que você se importa, afinal? Tudo que você fazia era incomodá-la.

Ele pareceu zangado ao baixar mais o chapéu, cobrindo os olhos.

– Eu tinha catorze anos. Era um adolescente muito esquisito, senhorita Morgan. Eu a provocava porque gostava dela. Na próxima vez que você se lembrar do nome dela, gostaria que você o escrevesse e me mandasse. A água do acampamento tinha bloqueadores de memória de longo prazo, e eu gostaria de saber se...

Sua voz se interrompeu, e eu observei a emoção por trás de seus olhos. Eu estava ficando boa em interpretá-las.

– Você quer saber se ela sobreviveu – concluí por ele, sabendo que eu tinha acertado no palpite quando seu olhar se afastou. – Por que você estava lá? – perguntei, quase com medo de ele me contar.

– Meu pai era dono do acampamento. Onde mais eu passaria meus verões?

A cadência de sua voz e o leve franzido na sobrancelha me disseram que era mais do que isso. Um tremor de satisfação me aqueceu; eu tinha descoberto os sinais de quando ele estava mentindo. Agora, tudo que eu precisava era saber os sinais de quando ele dizia a verdade, e Trent nunca mais me enganaria com suas mentiras.

– Você é tão nojento quanto seu pai – eu disse, indignada –, chantageando as pessoas ao mostrar uma cura ao alcance delas e transformá-las em suas marionetes. A fortuna da sua família foi construída sobre a miséria de centenas, talvez milhares, senhor Kalamack. E você não é diferente deles.

O queixo de Trent tremeu quase imperceptivelmente, e achei ter visto faíscas ao redor dele, a lembrança de sua aura me enganando.

– Não pretendo justificar minhas ações para você – ele disse. – E você mesma se tornou muito adepta da arte da chantagem. Não vou desperdiçar meu tempo batendo boca como criança sobre quem magoou quem há mais de uma década. Quero contratar seus serviços.

– Me contratar? – eu disse, incapaz de manter minha voz baixa enquanto colocava as mãos nos quadris, sem acreditar. – Você tentou me matar nas rinhas de ratos e acha que serei sua funcionária? Para ajudar a limpar seu nome? Você matou aqueles bruxos. Vou provar isso.

Trent riu, e o chapéu fez sombra no seu rosto conforme ele abaixava a cabeça e dava um risinho.

– Qual é a graça? – exigi saber, me sentindo boba.

– Você. – Seus olhos estavam iluminados. – Você nunca esteve em perigo naquela arena de ratos. Eu só estava usando aquilo para destruir seu estado sórdido. Mas fiz alguns contatos maravilhosos enquanto estava lá.

– Seu filho da... – Com os lábios firmemente pressionados, fechei a mão, formando um punho.

A alegria de Trent desapareceu, e sua cabeça se inclinou em alerta enquanto ele dava um passo para trás.

– Eu não faria isso se fosse você – ele ameaçou, levantando um dedo. – Eu realmente não faria isso.

Devagar, eu recuei, com os joelhos tremendo ao lembrar da arena. A sensação de impotência que me revirava o estômago, de estar presa e ser obrigada a matar ou morrer passou por mim. Eu tinha sido o brinquedo de Trent. Ele me fazer correr para um lado e para outro montada num cavalo não era nada comparado a isso. Afinal, eu o estava roubando naquele dia.

– Me escute bem, Trent – sussurrei, e a ideia de Quen me obrigando a recuar até o concreto fez minhas costas ficarem geladas. – Não vou trabalhar para você. Vou te destruir. Vou descobrir como ligá-lo a cada um daqueles assassinatos.

– Ah, por favor – ele disse, e me perguntei como passamos tão rapidamente do homem de negócios da *Fortune 20* e de uma caça-recompensas independente para duas pessoas discutindo por causa de injustiças do passado. – Você ainda está nessa? Até mesmo o capitão Edden sabe que o corpo de Dan Smather foi jogado nos meus estábulos, e foi por isso que mandou o filho me vigiar em vez de registrar o crime. E, quanto a ter tido contato com as vítimas, sim, eu falei com todas elas, tentando empregá-las, não matá-las. Você tem habilidades muito boas, senhorita Morgan, mas ser detetive não está entre elas. Você é impaciente demais, impulsiva demais, e só consegue avançar, nunca recuar.

Ofendida, coloquei as mãos nos quadris e fiz um som de descrença. "Quem ele pensa que é para me dar lição?"

Trent enfiou a mão no bolso da camisa, tirando um envelope branco e me dando. Eu me inclinei para a frente e para trás e o peguei, abrindo-o. Minha respiração ficou presa quando percebi que continha vinte notas fresquinhas de cem dólares.

– Isso é um adiantamento de dez por cento, o resto você recebe ao terminar – ele disse, e congelei, tentando parecer indiferente. "Vinte mil dólares?" – Quero que você identifique quem é o responsável pelas mortes. Estou tentando contratar um bruxo de linhas de ley nos últimos três meses, e todos eles acabam mortos. Está ficando cansativo. Tudo que quero é um nome.

– Você pode ir para o inferno, Kalamack – eu disse, largando o envelope no chão quando ele não o pegou de volta. Eu estava com raiva e frustrada. Tinha ido lá com informações tão boas que achei que obteria uma confissão, mas o que consegui foi ser ameaçada, insultada e subornada.

Parecendo imperturbável, ele se abaixou para pegar o envelope, batendo-o na palma da mão várias vezes para tirar o cascalho antes de guardá-lo.

– Você já percebeu que, com aquele showzinho de ontem, você é a próxima da lista do assassino? Você se encaixa perfeitamente no perfil, por se mostrar proficiente em magia de linhas de ley e por causa do nosso encontrinho de hoje.

"Droga." Eu tinha me esquecido disso. Se Trent realmente não era o assassino, eu não tinha nada para impedir o assassino de vir atrás de mim. De repente, o sol não estava mais tão quente. Eu me senti ofegante, enjoada porque ia ter que encontrar o assassino de verdade antes que ele me encontrasse.

– Agora – Trent disse, com a voz mais fluida do que a água. – Pegue o dinheiro para eu poder te contar o que já consegui descobrir.

Com o estômago revirando, encontrei seu olhar zombeteiro. Eu ia fazer exatamente o que ele queria. O sujeito tinha me manipulado para ajudá-lo. "Droga, droga e droga." Atravessando até seu lado da ponte, coloquei os cotovelos sobre o grosso corrimão, de costas para Glenn. Sharps estava fundo debaixo d'água, e apenas o sumiço dos patos o denunciava. Trent estava ao meu lado.

– Você mandou Sara Jane ao FIB com a única intenção de Edden me envolver? – perguntei com amargura.

Trent se moveu, ficando tão perto que eu sentia o frescor de seu pós-barba. Eu não gostava daquela proximidade, mas, se eu me afastasse, ele saberia que isso me incomodava.

– Sim – ele respondeu com suavidade.

Na sua voz havia o som da verdade que eu estava esperando, e uma corrente de empolgação fez minha respiração parar. Lá estava. Agora eu sabia. Ele nunca mais seria capaz de mentir para mim. Olhando para nossas conversas anteriores sob uma nova luz, percebi que, além do motivo que ele me deu para estar no acampamento do pai, ele nunca tinha mentido. Nunca.

– Ela não conhecia Dan, não é? – perguntei.

– Somente de alguns encontros para tirar a foto. Foi uma certeza calculada de que ele seria assassinado depois de concordar em trabalhar para mim, apesar de eu tentar protegê-lo. Quen está muito chateado – ele disse com calma, seu olhar nas ondas provocadas por Sharps. – Aquele senhor Smather aparecer nos meus estábulos significa que o assassino está ficando abusado.

Fechei os olhos brevemente de frustração enquanto me esforçava para realinhar os pensamentos. Trent não tinha matado aqueles bruxos. Outra pessoa fez isso. Ou eu pegava o dinheiro e ajudava Trent a resolver seu probleminha de emprego ou não pegava o dinheiro e ele conseguia tudo de graça. Eu ia pegar o dinheiro.

– Você é um canalha, sabia?

Percebendo minha linha de raciocínio, Trent sorriu. Era tudo que eu podia fazer para não cuspir na cara dele. Suas mãos compridas estavam penduradas por sobre o corrimão. O sol deu ao seu bronzeado uma cor dourada quente que quase brilhava em contraste com a camisa branca, e seu rosto estava na sombra. Fios de seu cabelo se moviam na brisa, quase tocando os meus próprios fios soltos.

Com um movimento casual, ele colocou a mão no bolso da camisa e, com nossos corpos bloqueando a visão de Glenn, estendeu o envelope. Sentindo-me suja, o peguei, escondendo-o na cintura da calça, por dentro da jaqueta.

– Excelente – ele disse, amigável e sincero. – Estou feliz por podermos trabalhar juntos.

– Vá se Virar, Kalamack.

– Estou razoavelmente confiante de que é um vampiro mestre – ele disse, se afastando de mim.

– Qual deles? – perguntei, com nojo de mim mesma. "Por que eu estou fazendo isso?"

– Não sei – ele admitiu, jogando um pedacinho de cimento do corrimão na água. – Se soubesse, já teria resolvido tudo.

– Aposto que sim – respondi, azeda. – Por que não eliminar todos eles? Acabar com essa história de uma vez?

– Não posso sair por aí eliminando vampiros aleatoriamente, senhorita Morgan – ele disse. Fiquei preocupada por ele ter recebido minha pergunta com seriedade, e não sarcasmo. – Isso é ilegal, sem falar que começaria uma guerra vamp. Cincinnati poderia não sobreviver. E eu sei que meus interesses comerciais sofreriam nesse meio-tempo.

Abafei um riso.

– Ah, não podemos deixar isso acontecer, não é mesmo?

Trent suspirou.

– Usar sarcasmo para disfarçar seu medo faz você parecer muito jovem.

– E girar o lápis nos dedos faz você parecer nervoso – disparei de volta. Era gostoso argumentar com alguém que não me morderia se as coisas saíssem de controle.

Houve um breve tremor em seu olho. Com os lábios lívidos, ele se virou para o lago grande diante de nós.

– Gostaria que deixasse o FIB fora disso. É um assunto de impercebidos, não de humanos, e também não tenho certeza se a SI é confiável.

Achei interessante a rapidez com que entrou na conversa de "eles" e "nós". Aparentemente, eu não era a única que conhecia o histórico de Trent, e não gostei do alto grau de intimidade em que isso nos colocava.

– Estou pensando que pode ser um conventículo de vamps em crescimento, tentando conquistar uma posição segura ao me excluir – ele disse. – Seria bem menos arriscado do que derrubar uma das casas menores.

Ele não estava se vangloriando – apenas comentando um fato de mau gosto –, e meus lábios se curvaram em desaprovação com a ideia de que eu estava aceitando dinheiro de um homem que brincava com o submundo como um tabuleiro de xadrez. Pela primeira vez na vida, eu estava feliz porque meu pai estava morto e não podia questionar meus motivos. A imagem dos nossos pais em pé na frente do ônibus do acampamento surgiu, e lembrei a mim mesma que não podia confiar em Trent. Meu pai confiou, e isso o matou.

Trent suspirou, e o som foi ao mesmo tempo arrependido e cansado.

– O submundo de Cincinnati está sempre em movimento. Todas as minhas conexões usuais se calaram ou morreram. Estou perdendo contato com o que está acontecendo. – Ele me deu um olhar de relance. – Alguém está tentando me impedir de expandir meu alcance. E, sem um bruxo de linhas de ley à minha disposição, cheguei a um impasse.

– Pobrezinho – zombei. – Por que você mesmo não faz a magia? Sua linhagem é poluída demais com genes humanos asquerosos para lidar com a magia pesada?

Os nós de seus dedos ficaram brancos quando ele agarrou o corrimão, depois relaxaram.

– Vou ter um bruxo de linhas de ley. Preferia contratar algum voluntário do que capturá-lo, mas, se todos os bruxos com quem falo terminarem mortos, precisarei sequestrar alguém.

– Certo – falei bem devagar e causticamente. – Vocês, elfos, são conhecidos por isso, não é?

Seu maxilar travou.

– Tenha cuidado.

– Sempre tenho cuidado – respondi, sabendo que não era uma bruxa boa o suficiente para ter que me preocupar com a possibilidade de ele me "sequestrar". Observei as bordas de suas orelhas empalidecerem lentamente. Estremeci, me perguntando se elas eram meio pontudas ou se era minha imaginação. Era difícil dizer, com o chapéu que ele estava usando. – Você pode estreitar o campo de busca para mim? – perguntei. "Vinte mil dólares para vasculhar o submundo de Cincinnati e encontrar quem queria acabar com o dia do senhor Kalamack e fazia isso matando seus futuros funcionários. É. Essa missão parece fácil."

– Tenho muitas ideias, senhorita Morgan. Muitos inimigos, muitos empregados.

– E nenhum amigo – acrescentei com falsidade, observando Sharps fazer montinhos como uma serpente, parecendo um monstro do Lago Ness em miniatura. Deixei a respiração escapar com um som lento ao imaginar o que Ivy diria quando eu voltasse para casa e dissesse que estava trabalhando para Trent. – Se eu descobrir que está mentindo, vou atrás de você por minha conta, Kalamack. E dessa vez o demônio não vai errar.

Ele soltou um latido zombeteiro na forma de risada, e me virei em sua direção.

– Pode deixar o blefe de lado. Você não mandou aquele demônio atrás de mim na última primavera.

A brisa leve estava fria, e apertei a jaqueta no corpo quando me virei.

– Como você...

Trent olhou para longe, por sobre a bacia inferior do lago.

– Depois de ouvir a conversa que você teve com seu namorado no meu escritório e ver sua reação àquele demônio, sabia que tinha que ter sido outra pessoa. Mas admito que ver você confusa depois de eu libertar aquele demônio para voltar e matar seu invocador quase me convenceu.

Não gostei de ele ter me ouvido falando com Nick. Nem que ele tivesse respondido exatamente do mesmo jeito que eu depois de conseguir controlar Algaliarept. Os sapatos de Trent se arrastaram no chão, e uma pergunta cautelosa apareceu em seus olhos.

– Sua cicatriz do demônio... – Ele hesitou, e o fiapo de emoção assombrada se fortaleceu. – Foi um acidente? – terminou.

Observei as ondas provocadas pelos montinhos de Sharps desaparecendo.

– Ele me sangrou tanto que... – parei, com os lábios pressionados. Por que estava contando isso para ele? – É. Foi.

– Que bom – ele disse, com o olhar ainda sobre o lago. – Fico feliz de ouvir isso.

"Babaca", pensei, imaginando que quem quer que tenha mandado Algaliarept atrás de nós tinha conseguido uma dor dupla naquela noite.

– Alguém certamente não gostou de termos conversado, não é? – eu disse, depois congelei. Meu rosto ficou gelado e prendi a respiração. E se os ataques à nossa vida e a violência recente estivessem conectados? E se eu devesse ter sido a primeira vítima do caçador de bruxos?

Com o coração martelando, fiquei parada, pensando. Cada uma das vítimas tinha morrido em seu inferno pessoal: o nadador afogado, o treinador de ratos despedaçado e comido vivo, duas mulheres estupradas, um homem que trabalhava com cavalos esmagado até morrer. Algaliarept tinha sido mandado para me matar em pânico, se demorando para descobrir qual era meu maior medo. "Droga. É a mesma pessoa."

Trent inclinou a cabeça diante do meu silêncio.

– O que foi? – perguntou.

– Nada. – Pendi o corpo pesadamente sobre o corrimão. Coloquei a cabeça entre as mãos e me esforcei para não desmaiar. Glenn ia chamar alguém, e isso seria o fim de tudo.

Trent se afastou do corrimão.

– Não – ele disse, e levantei a cabeça. – Já vi essa expressão em seu rosto duas vezes. O que foi?

Engoli em seco.

– Nós deveríamos ter sido as primeiras vítimas do caçador de bruxos. Ele tentou matar nós dois, e desistiu depois que mostramos que conseguíamos superar um demônio e de eu ter deixado claro que não trabalharia para você. Só os bruxos que concordaram em trabalhar para você foram mortos, certo?

– Todos eles concordaram em trabalhar para mim – ele sussurrou, e reprimi um arrepio pelo modo como as palavras pareceram fluir pela minha coluna. – Eu nunca tinha conectado as duas coisas.

Não se pode acusar um demônio de assassinato. Como não se podia prendê-los se eles fossem condenados, os tribunais há muito tempo decidiram tratar os demônios como armas, mesmo que a comparação não fosse exata. O livre-arbítrio estava envolvido, mas, desde que o pagamento fosse coerente com a tarefa, um demônio não recusava um assassinato. Mas alguém o tinha invocado.

– O demônio alguma vez falou quem o mandou para te matar? – perguntei. Os vinte mil mais fáceis da minha vida. "Que Deus me ajude."

Uma raiva com um toque de medo passou por Trent.

– Eu estava tentando continuar vivo, não conversar. Mas vocês dois parecem ter um relacionamento mais prático. Por que não pergunta a ele?

Minha respiração saiu com um som irregular de descrença.

– Eu? Eu já devo um favor ao cara. Não há dinheiro no mundo que me faça me afundar ainda mais. Mas vou te falar uma coisa. Vou chamá-lo e você faz a pergunta. Tenho certeza de que vocês dois podem chegar a um acordo em termos de pagamento.

Seu rosto bronzeado ficou pálido.

– Não.

Satisfeita, olhei por sobre o lago pequeno.

– Não me chame de covarde a menos que seja alguma coisa que você faria. Sou imprudente. Não burra. – Mas aí eu hesitei. "Nick faria isso."

Um sorriso fraco, surpreendente e genuíno apareceu no rosto de Trent.

– Você está fazendo aquilo de novo.

– O quê? – perguntei sem rodeios.

– Você teve outra ideia. Você é muito divertida, senhorita Morgan. Observá-la é como observar uma criança de cinco anos de idade.

Insultada, olhei por sobre a água e me perguntei se Nick indagar quem mandou o demônio me matar seria considerado uma pergunta pequena ou grande, necessitando de mais pagamento. Eu me afastei do corrimão e decidi andar até o museu para descobrir.

– E aí? – Trent perguntou.

Balancei a cabeça.

– Terei a informação depois de o sol se pôr – eu disse, e ele piscou.

– Você vai chamá-lo? – Sua surpresa súbita e inesperada me assustou, e mantive o rosto neutro, pensando que conseguir desconcertá-lo era um estímulo ao ego do qual eu precisava demais. A rapidez com que Trent disfarçou o susto fez a sensação ser duas vezes mais satisfatória. – Você acabou de dizer...

– Você está pagando por resultados, não por um passo a passo. Eu aviso quando descobrir alguma coisa.

Sua expressão mudou para algo que parecia respeito.

– Eu te julguei mal, senhorita Morgan.

– É, sou cheia de surpresas – murmurei, tirando o cabelo dos olhos enquanto o vento soprava. O chapéu de Trent ameaçou sair voando para a água, e me estendi para pegá-lo antes de sair da cabeça dele. Meus dedos roçaram no chapéu, depois nada.

Trent deu um pulo para trás. Olhei com espanto para onde ele estava e pisquei. O sujeito havia sumido.

Eu o vi a pouco mais de um metro de distância, já fora da ponte. Tinha visto apenas gatos se moverem com aquela rapidez. Ele parecia assustado quando se empertigou, depois com raiva por eu ter notado essa emoção nele. O sol cintilava em seu cabelo fino; o chapéu estava na água, ficando com um tom doentio de verde.

Enrijeci quando Quen desceu da árvore próxima e pousou suavemente na sua frente. O homem estava em pé e tinha os braços soltos, parecendo um samurai moderno em suas calças jeans e camiseta. Não me mexi quando um sopro de água veio de trás de mim. Reconheci o cheiro de sulfato de cobre e lixo. E senti, mais do que vi, Sharps se agigantar atrás de mim, frio, molhado e quase tão grande quanto a ponte sob a qual morava, tendo ingerido uma quantidade enorme de água para ter mais massa. Um barulhinho vindo do banheiro ali perto me disse que Glenn estava a caminho.

Meu coração martelou ao ver que ninguém se mexeu. "Eu não devia ter tocado nele. Não devia ter tocado nele." Lambendo os lábios, ajeitei a jaqueta, feliz porque Quen teve o bom senso de perceber que eu não estava tentando machucar Trent.

– Eu te ligo quando tiver um nome – eu disse, e minha voz parecia fraca. Dei um olhar de desculpas para Quen, me virei e fui rapidamente para a rua, com os saltos fazendo um baque surdo e reverberando na minha coluna.

"E você tem medo de mim", pensei em silêncio. "Por quê?"

Vinte e quatro

– Pela terceira vez, Rachel. Você quer mais um pedaço de pão?

Afastei o olhar da luz cintilante na superfície do vinho e encontrei Nick esperando com uma expressão curiosa e divertida. Ele segurava o prato com o pão. Pela sua expressão, imaginei que ele estivesse naquela posição havia algum tempo.

– Hum, não. Não, obrigada – respondi, olhando para baixo e vendo o jantar que Nick fez para mim quase intocado. Dei um sorriso de desculpas para ele e peguei mais uma garfada de macarrão ao molho branco. Era o jantar dele e o meu almoço, e os dois estavam deliciosos, ainda mais porque eu não havia preparado nada além da salada. Provavelmente seria a última coisa que eu ia comer naquela noite, porque Ivy tinha um encontro com Kist. Isso significava que eu jantaria sorvete na frente da TV. Achei incomum ela sair com o vamp vivo, já que ele era pior do que um macaco quando se tratava de sexo e sangue, mas definitivamente isso *não* era da minha conta.

O prato de Nick estava vazio e, depois de colocar o pão na mesa, ele se recostou e brincou com a ponta da faca, fazendo-a ficar parada pouco acima do guardanapo.

– Sei que não é a minha comida – ele disse. – Mas o que está acontecendo? Você mal disse uma palavra desde que... hum... apareceu no museu.

Cobri meu sorriso falso com um guardanapo e limpei o canto da boca. Eu o peguei cochilando, com as pernas magrelas para cima, os pés apoiados na mesa de trabalho, com o pano de chá do século XVIII que ele deveria estar restaurando sobre os olhos. Se o objeto a ser restaurado não era um livro, ele realmente não se importava.

– É tão óbvio assim? – perguntei, dando uma garfada.

Um sorriso torto familiar apareceu em seu rosto.

– Você não costuma ser tão quieta. É sobre o senhor Kalamack não ter sido preso depois de você encontrar, hum, aquele... corpo?

Empurrei o prato para longe, num acesso de culpa. Eu ainda não tinha contado a Nick que havia trocado de lado na questão "vamos capturar Trent". Não tinha mesmo, e era isso que estava me incomodando. O cara era escorregadio.

– Você encontrou um corpo – ele disse, se inclinando sobre a mesa e pegando minha mão. – O resto vai vir em seguida.

Eu me encolhi, preocupada, porque Nick podia dizer que eu tinha me vendido. Meu estresse deve ter aparecido, pois ele apertou minha mão até eu levantar o olhar.

– O que foi, Ray-Ray?

Seus olhos estavam brandos, encorajadores; as profundezas marrons capturavam o brilho do feio lustre pendurado na minúscula cozinha/sala de jantar de Nick. Minha atenção se voltou para o pequeno aparador que a dividia da sala de estar enquanto eu tentava decidir como abordar o assunto. Eu tinha batido na mesma tecla com ele durante meses sobre deixar os demônios adormecidos de lado, e lá estava eu, querendo pedir a ele para invocar Algaliarept para mim. Eu estava certa de que a resposta do demônio custaria mais do que o "contrato de teste" cobria, e não queria arriscar que ele pagasse por mim de jeito nenhum. O cavalheirismo de Nick era do tamanho do rio Ohio.

– Me conta – ele pediu, abaixando a cabeça para tentar ver meus olhos.

Lambi os lábios e encontrei seu olhar.

– É sobre o Grande Al. – Não queria arriscar que Algaliarept convenientemente assumisse que eu o estava chamando todas as vezes que dissesse seu nome, então comecei a me referir ao demônio por um apelido. Nick achava engraçado – o fato de eu estar preocupada de ele aparecer sem ser invocado, não de eu chamá-lo de Al.

Nick deslizou seus dedos dos meus e se afastou para pegar a taça de vinho.

– Nem começa – ele disse, com as sobrancelhas franzidas, um dos primeiros sinais de raiva. – Sei o que estou fazendo e vou continuar quer você queira ou não.

– Na verdade – soltei –, queria saber se você podia perguntar uma coisa para mim.

O rosto comprido de Nick ficou pasmo.

– Como é?

Estremeci.

– Se não for custar nada. Se for custar alguma coisa, pode esquecer. Encontro outro jeito.

Ele colocou a taça sobre a mesa e se inclinou para a frente.

– Você quer que eu o chame?

– Olha, falei com Trent hoje – eu disse rapidamente, para ele não interromper –, e chegamos à conclusão de que o demônio que nos atacou na última primavera é o mesmo que está cometendo os assassinatos; que eu deveria ser a primeira vítima do caçador de bruxos, mas como recusei a oferta de trabalho de Trent ele me deixou escapar. Se eu conseguir descobrir quem o mandou para nos matar, teremos o assassino.

Com os lábios entreabertos, Nick me encarou. Era quase possível ver seus pensamentos se encaixando: Trent era inocente, e eu estava trabalhando para ele para encontrar o verdadeiro assassino e limpar seu nome das suspeitas. Desconfortável, fiquei mexendo a comida no prato com o garfo.

– Quanto ele está te pagando? – Nick finalmente perguntou, e sua voz não me deu nenhuma pista de seus pensamentos.

– Dois mil adiantados – respondi, sentindo o dinheiro no meu bolso, já que ainda não tinha ido para casa. – Mais dezoito quando eu disser a ele quem é o caçador de bruxos. – "Ei, eu consegui o dinheiro do aluguel. Uhuuu!"

– Vinte mil dólares? – ele disse, seus olhos castanhos arregalados sob a luz fluorescente. – Ele vai te dar vinte mil dólares por um nome? Você não tem que levar a pessoa até ele nem nada?

Fiz que sim com a cabeça, me perguntando se Nick achava que eu estava me vendendo. Eu me sentia assim.

Nick se controlou por uns segundos, depois se levantou, com a cadeira arranhando o linóleo surrado.

– Vamos descobrir quanto isso custa – ele disse, a meio caminho de sair do cômodo.

Fiquei parada, piscando para sua cadeira de plástico. Meu coração batia muito forte.

– Nick? – Levantei-me, levando um instante para pôr nossos pratos na pia. – Não te incomoda o fato de eu estar trabalhando para Trent? Pois isso me incomoda.

– Ele matou todos aqueles bruxos? – Ouvi sua voz vindo pelo corredor que dava no seu quarto; a segui pela sala de estar e o encontrei tirando tudo do armário de roupas de cama e de mesa e colocando sobre a cama com uma rapidez metódica.

– Não. Acho que não. – "Que Deus me ajude se eu tiver entendido mal seus sinais."

Ele me deu uma pilha de toalhas verdes novas.

– Então, qual é o problema?

– O cara é um chefão das biodrogas e administra Enxofre – respondi, equilibrando as toalhas para pegar as botas de jardineiro gigantescas que ele me deu. Eu as reconheci como as que saíram do meu campanário e me perguntei por que ele as estava guardando. – Trent está tentando dominar o submundo de Cincinnati, e estou trabalhando para ele. Esse é o problema.

Nick pegou seus lençóis extras e passou por mim para colocá-los sobre a cama.

– Você não o ajudaria a menos que acreditasse que ele não fez nada disso – ele disse quando voltou. – E por vinte mil dólares? Vinte mil dólares para um bocado de terapia, se você estiver errada.

Fiz uma careta, não gostando da filosofia do Nick de que "o dinheiro corrige tudo". Acho que crescer vendo sua mãe lutar para conseguir cada centavo pode ter muito a ver com isso, mas às vezes eu questionava as prioridades de Nick. De qualquer forma, precisava descobrir como salvar minha própria pele, e nunca inocentaria Trent sem cobrar nada.

Fiquei parada de lado no corredor enquanto Nick entrava no quarto com uma pilha de suéteres. O armário estava vazio – não havia muita coisa ali mesmo – e, depois de largar tudo, ele pegou as toalhas e as botas dos meus braços, acrescentando-os ao monte sobre a cama antes de voltar ao armário. Minhas sobrancelhas se ergueram quando ele levantou um quadrado de carpete e revelou um círculo e um pentagrama desenhados no chão.

– Você invoca Al no armário? – perguntei, sem acreditar.

Nick levantou o olhar de onde ele estava ajoelhado, com o rosto comprido evasivo.

– Encontrei o círculo quando me mudei para cá – respondeu. – Não é bonito? É coberto de prata. Eu verifiquei, e é praticamente o único lugar do apartamento que não tem cabos elétricos e canos de gás. Tem outro na cozinha que dá para ver com luz negra, mas é maior, e não consigo fazer um círculo tão grande e forte o suficiente para segurá-lo.

Observei enquanto ele tirava as prateleiras dos apoios com um baque firme e disfarçado, encostando-as na parede do corredor. Quando terminou, entrou no armário e estendeu a mão para eu me unir a ele. Encarei-o, surpresa.

– Al disse que o demônio deveria estar no círculo, não o invocador – eu disse.

Sua mão desabou.

– É parte do negócio de afiliação experimental. Não vou invocá-lo, só pedir uma audiência. Ele pode dizer não e simplesmente nem aparecer, mas isso não acontece desde que você me deu a ideia de me colocar no círculo em vez dele. Agora ele aparece só para rir. – Nick estendeu a mão de novo. – Vem. Quero ver se nós dois cabemos.

Olhei para o pedaço de sala de estar que conseguia avistar, sem querer entrar num armário com Nick. Bom, não nessas circunstâncias.

– Vamos usar o círculo da cozinha – sugeri. – Não me importo de fechá-lo.

– Quer arriscar que o sujeito pense que você o chamou? – Nick perguntou, com as sobrancelhas levantadas.

– É uma coisa, não uma pessoa. Não chame de "sujeito" – eu disse, mas, ao ver sua expressão irritada, peguei sua mão e entrei no armário. Imediatamente, Nick soltou minha mão e passou o olhar até onde nossos cotovelos alcançavam. O armário era de bom tamanho e fundo. Naquele momento estava tudo bem, mas, se acrescentássemos um demônio tentando entrar ali, ficaria claustrofóbico. – Talvez isso não seja uma boa ideia – complementei.

– Vai dar tudo certo. – Os movimentos de Nick foram rápidos e irregulares quando ele saiu do armário e estendeu a mão para a última prateleira, ainda no lugar, acima de nossas cabeças. Ele pegou uma caixa de sapatos, a abriu e mostrou um saquinho de cinzas prateadas e cerca de uma dúzia de velas verde-leitosas já queimadas. Minha boca se abriu quando as reconheci como as que acendemos numa noite em que, hum, utilizamos a banheira de Ivy em seu potencial máximo. O que elas estavam fazendo numa caixa com cinzas?

– Essas velas são minhas – eu disse, só percebendo naquele instante que elas tinham desaparecido de casa.

Apoiando a caixa sobre a cama, ele pegou o saquinho e a vela mais comprida e foi até a sala de estar. Ouvi um barulho, e ele logo reapareceu, arrastando o banquinho sobre o qual eu tinha colocado uma planta. Ainda em silêncio, pôs a vela onde o lírio da paz estava.

– Ei, da próxima vez compre suas próprias velas para invocar demônios – eu disse, ofendida.

Nick franziu a testa enquanto abria a gaveta sob o escabelo para pegar uma caixa de fósforos.

– Elas precisam ser acesas pela primeira vez em solo sagrado, senão não funcionam.

– Bom, parece que você cuidou de tudo, não é? – Eu me perguntei, amarga, se a noite toda tinha sido uma desculpa para conseguir essas velas. Há quanto tempo ele invocava esse demônio, afinal? Com os lábios tensos, o observei acender a vela e apagar o fósforo, mas só comecei a ficar nervosa quando pegou um punhado de pó cinza do saquinho. – O que é isso? – indaguei, preocupada.

– Acredite, você não quer saber. – Sua voz transmitia uma carga surpreendente de alerta.

Meu rosto ficou quente quando lembrei que costumava levar Nick para me acompanhar nos casos de roubos de túmulos.

– Quero, sim.

Ele levantou o olhar, com as sobrancelhas franzidas de irritação.

– É um objeto focal para Algaliarept se materializar fora do círculo, e não dentro, conosco. E a vela é para garantir que ele não vá se concentrar em nada além das cinzas sobre a mesa. Eu os comprei, está bem?

Murmurando um pedido de desculpas rápido, recuei. De alguma forma, parece que eu tinha encontrado o único ponto sensível de Nick e pisado nele. Eu não estava acostumada a invocar demônios; ele, obviamente, estava.

– Achei que tudo que a gente precisava era fazer um círculo e chamá-lo – eu disse, me sentindo enjoada. Alguém tinha vendido as cinzas da própria avó para Nick poder invocar um demônio com seus restos.

Nick limpou as mãos e fechou o saquinho.

– Você pode conseguir escapar com isso, mas eu não. O cara da loja ficou tentando me vender um amuleto absurdamente caro para fazer um círculo de ligação adequado, sem acreditar que um humano conseguia fechar um círculo sozinho. Ele me deu um desconto de dez por cento em tudo depois de eu colocá-lo num círculo que ele não conseguiu quebrar. Deve ter pensado que eu sabia o suficiente para sobreviver e voltar para comprar mais.

Sua irritação tinha desaparecido no instante em que eu parei de gritar com ele. Percebi que essa era a primeira vez – na verdade, a segunda – que Nick tinha a oportunidade de me mostrar suas habilidades, algo de que obviamente se orgulhava. Os humanos tinham que se esforçar muito para manipular linhas de ley tão bem quanto os bruxos, e era por isso que eram conhecidos por se alinharem a demônios para conseguir dar conta. Evidentemente não duravam muito depois disso, pois acabavam cometendo um erro e sendo puxados para o todo-sempre. "Isso é muito perigoso. E eu estou aqui encorajando Nick."

Vendo meu rosto, ele veio até mim e colocou as mãos sobre meus ombros. Eu sentia as cinzas, ásperas entre suas mãos e minha pele.

– Está tudo bem – me acalmou, e seu rosto fino se abriu num sorriso. – Já fiz isso antes.

– É disso que eu tenho medo – respondi, dando um passo atrás para abrir espaço.

Quando Nick jogou o saquinho de cinzas ao lado da caixa de sapatos, tentei limpar as cinzas que tinham ficado nos meus ombros. Nick entrou no armário comigo e, em seguida, com um grunhido ao se lembrar de algo, colocou um pedaço de madeira na fenda das dobradiças.

– Ele fechou a porta na minha cara, uma vez – ele disse, dando de ombros.

"Isso não é bom", pensei de novo, enquanto minha lombar começava a suar.

– Pronta?

Olhei para a vela acesa e o montinho de cinzas.

– Não.

A ponta dos meus dedos formigaram enquanto Nick fechava os olhos e abria a segunda visão. Uma sensação assustadora de entranhas sendo remexidas começou na minha barriga, subindo em espiral até a garganta. Arregalei os olhos.

– Ei, ei, ei! – gritei quando a sensação se transformou num impulso desconfortável. – O que é isso?

Nick abriu os olhos. Estavam vidrados, e percebi que ele estava vendo tudo naquela mistura confusa de realidade e visão do todo-sempre.

– Era sobre isso que eu estava te falando – ele disse, com a voz inexpressiva. – É do feitiço de ligação. Legal, não é?

Eu me remexi de um pé para o outro, me certificando de que continuava no círculo.

– É horrível – admiti. – Sinto muito. Por que não me disse que era tão ruim?

Ele deu de ombros, fechando os olhos.

O impulso em mim se intensificou, e me esforcei para encontrar um jeito de lidar com isso. Eu sentia a energia do todo-sempre aumentando lentamente nele, semelhante ao que eu vivenciei quando entrei numa linha de ley. A energia cresceu e, apesar de ser uma fração do que canalizara no escritório de Trent, me forçou a reagir.

Com uma lentidão excruciante, os níveis chegaram a um patamar aproveitável. A palma das minhas mãos começou a suar, e meu estômago se contraiu. Queria que ele se apressasse e fechasse logo o círculo. Os turbilhões de energia entravam fundo em mim, e a necessidade de fazer alguma coisa crescia.

– Posso ajudar? – perguntei finalmente, agarrando as próprias mãos para não ter espasmos.

– Não.

O formigamento na palma da mão aumentou até virar uma coceira.

– Sinto muito – eu disse. – Não sabia que você sentia tudo isso. É por isso que não tem dormido? Eu tenho te acordado?

– Não. Não se preocupe com isso.

Meu sapato começou a bater no chão, e os sacolejos subiam pelas minhas panturrilhas como fogo.

– Temos que quebrar o feitiço – eu disse, agitada. – Como você consegue suportar isso?

– Cale a boca, Rachel. Estou tentando me concentrar.

– Desculpe.

A respiração escapou de Nick com um som lento, e não fiquei surpresa quando ele pulou, espelhando o súbito corte da energia do todo-sempre que eu sentia correndo por ele. Por nós.

– O círculo está pronto – anunciou, sem fôlego, e resisti à vontade de olhar para o círculo. Não queria insultar Nick e, tendo sentido sua construção, sabia que estava bom. – Não tenho certeza, mas acho que, como estou carregando uma parte de sua aura, você também pode quebrá-lo.

– Terei cuidado – eu disse, de repente ficando muito mais nervosa. – O que acontece agora? – perguntei, olhando para a vela no escabelo.

– Agora eu o convido.

Reprimi um tremor enquanto Nick falava em latim, e meus lábios se curvaram para baixo diante da estranheza da coisa. Conforme falava, Nick parecia assumir uma forma diferente, com as olheiras aumentando e lhe dando uma aparência de doente. Até mesmo sua voz mudou, ficando mais ressonante e, de algum modo, ecoando na minha cabeça. Mais uma vez, houve um aumento lento de energia do todo-sempre, crescendo até ficar quase insuportável. Eu estava inquieta e nervosa, quase aliviada quando Nick disse o nome de Algaliarept com uma precisão esmerada e morosa.

Nick parou, inspirando o ar. Senti o cheiro de seu suor sobre o desodorante no confinamento apertado. Seus dedos deslizaram para minha mão, dando um aperto rápido antes de soltá-la. O relógio fez tique-taque na sala de estar, e o som do tráfego passando pela janela era abafado. Nada aconteceu.

– Devia acontecer alguma coisa? – perguntei, começando a me sentir boba por estar em pé dentro do armário de Nick.

– Pode demorar um pouco. Como disse, é uma afiliação de teste, não a coisa de verdade.

Respirei devagar três vezes, com os ouvidos atentos.

– Quanto tempo?

– Desde que comecei a me colocar no círculo em vez dele? Cinco, dez minutos.

O humor de Nick estava se acalmando, e eu sentia o calor dos nossos ombros quase se tocando. Uma ambulância soou fraca ao longe, desaparecendo.

Olhei para a vela acesa.

– E se ele não aparecer? – perguntei. – Quanto tempo temos que esperar até podermos sair do armário?

Nick me deu um sorriso descompromissado como se fôssemos estranhos em um elevador.

– Hum, nesse caso eu não sairia do círculo até que o sol nascesse. Até sermos capazes de bani-lo de volta para o todo-sempre de um jeito adequado, ele pode aparecer a qualquer momento entre agora e o nascer do sol.

– Quer dizer que, se ele não aparecer, ficaremos presos neste armário até de manhã?

Ele fez que sim com a cabeça, virando os olhos para outro lado enquanto o cheiro de âmbar queimado chegava até mim.

– Ah, ótimo. Ele está aqui – Nick sussurrou, se empertigando.

"Ah, ótimo. Ele está aqui", repeti sarcasticamente na minha cabeça. "Que Deus me ajude." Minha vida estava muito ferrada.

A pilha de cinzas no fim do corredor exibia uma mancha do todo-sempre. Ela cresceu com a velocidade de água corrente, para cima e para os lados, assumindo a forma bruta de um animal. Obriguei-me a respirar quando olhos apareceram; eram uma mistura de vermelho com laranja e partidos como os de um bode. Meu estômago se contraiu no momento em que um focinho selvagem se formou, babando no tapete antes mesmo de terminar de formar um cão do tamanho de um pônei, o qual me lembrava de ter visto no cofre do porão da biblioteca: o medo que Nick tinha de cães tomava vida.

Ouvi uma respiração hostil e ofegante, e o som puxou das profundezas da minha alma um medo que eu nem sabia que tinha. Patas com garras e um traseiro forte apareceram quando ele se sacudiu, e a última coisa a se formar foi uma juba grossa de pelo amarelo. Ao meu lado, Nick estremeceu.

– Você está bem? – perguntei. Ele fez que sim com a cabeça, o rosto pálido.

– Nicholas Gregory Sparagmos – o cão rosnou, sentado sobre o traseiro e nos dando um sorriso selvagem. – De novo, pequeno mago? Faz pouco tempo que estive aqui.

"Gregory?", pensei enquanto Nick fazia uma careta impenitente para mim. O nome do meio de Nick era Gregory? E o que ele recebeu em troca de contá-lo?

– Ou você me chamou só para impressionar Rachel Mariana Morgan? – concluiu, uma língua vermelha comprida se estendendo conforme voltava o sorriso de cão para mim.

– Tenho algumas perguntas – Nick disse, com a voz mais ousada do que sua linguagem corporal.

Nick prendeu a respiração quando o cão se levantou e andou até o corredor, seu ombro quase roçando nas paredes. Eu encarei, horrorizada, enquanto ele lambia o chão ao lado do círculo, testando-o. A película da realidade do todo-sempre sibilou quando ele passou a língua sobre a barreira invisível. Uma fumaça com cheiro de âmbar queimado se elevou, e observei como se através de um painel de vidro quando a língua de Algaliarept começou a carbonizar e queimar. Nick se enrijeceu, e achei tê-lo ouvido sussurrar um juramento ou uma reza. Soltando um rosnado nervoso, a forma do demônio ficou nebulosa.

Meu coração martelou quando o cão se alongou e ficou de pé na forma usual de cavaleiro britânico.

– Rachel Mariana Morgan – ele disse, pronunciando cada sílaba de um jeito elegante. – Devo parabenizá-la, amor, por encontrar aquele corpo. Foi a magia de linhas de ley mais distinta que vi em anos. – Ele se inclinou para perto, e senti cheiro de lavanda. – Você fez uma bela confusão, sabe – sussurrou. – Fui convidado para todas as festas. O feitiço da minha bruxa foi até a praça da cidade e fez soar os sinos. Todo mundo aproveitou, apesar de não tanto quanto eu. – Com os olhos fechados, o demônio estremeceu, seus contornos oscilando quando sua concentração falhava.

Engoli em seco.

– Não sou sua bruxa – esclareci.

Os dedos de Nick apertaram meu cotovelo.

– Fique nessa forma – Nick disse, com a voz firme. – E pare de incomodar Rachel. Tenho perguntas e quero saber o custo delas antes de fazê-las.

– Se sua insolência não o fizer, sua desconfiança te matará. – Algaliarept se virou num movimento rápido, a cauda de seu casaco se movendo, e voltou para a sala de estar. De onde estava, vi que ele abriu o armário com portas de vidro que guardava os livros de Nick. Seus dedos em luvas brancas se estenderam e pegaram um livro. – Ah, eu estava me perguntando onde este aqui tinha ido parar – ele disse, de costas para nós. – Que esplêndido você tê-lo. Vamos ler na próxima vez.

Nick olhou para mim.

– É isso que fazemos normalmente – sussurrou. – Ele decifra o latim para mim, deixando escapar várias coisas.

– E você confia no demônio? – franzi a testa, nervosa. – Pergunte a ele.

Algaliarept tinha guardado o volume e pegado outro, e seu humor melhorou enquanto arrulhava e fazia barulhos como se tivesse encontrado um velho amigo.

– Algaliarept – Nick disse, falando a palavra devagar, e o demônio se virou, com outro livro na mão. – Gostaria de saber se você foi o demônio que atacou Trent Kalamack na última primavera.

Ele não tirou os olhos do livro aninhado em suas mãos. Eu me senti enjoada quando percebi que o demônio havia esticado os dedos para apoiá-lo melhor.

– Isso está incluído no nosso acordo – ele disse, com a voz preocupada. – Afinal, Rachel Mariana Morgan já adivinhou a resposta. – Levantou o olhar, com os olhos vermelhos e alaranjados atrás dos óculos fumês. – Sim, saboreei Trenton Aloysius Kalamack naquela noite tanto quanto fiz com você. Poderia tê-lo matado logo, mas a novidade era tão boa que demorei e ele conseguiu me pôr num círculo.

– Foi por isso que sobrevivi? – perguntei. – Você cometeu um erro?

– Isso é uma pergunta vinda de você?

Lambi os lábios.

– Não.

Algaliarept fechou o livro.

– Seu sangue é comum, Rachel Mariana Morgan. Gostoso, com sabores sutis que não entendo, mas comum. Não brinquei com você. Tentei te matar. Se soubesse que você era capaz de tocar os sinos da torre, poderia ter lidado com as coisas de um jeito diferente. – Um sorriso apareceu em seu rosto, e senti aquele olhar se derramar sobre mim como óleo. – Talvez não. Devia saber que você era como seu pai. Ele também tocou os sinos. Uma vez. Antes de morrer. Espero que isso não seja uma premonição para você.

Meu estômago se contraiu, e Nick agarrou meu braço antes que eu pudesse tocar no círculo.

– Você falou que não o conhecia – respondi, e a raiva deixou minha voz rouca.

Ele sorriu para mim de um jeito afetado.

– Outra pergunta?

Com o coração disparado, balancei a cabeça, esperando que ele me dissesse mais coisas.

Ele levou um dedo até o nariz.

– Então é melhor Nicholas Gregory Sparagmos fazer outra pergunta antes que eu seja chamado por alguém disposto a pagar pelos meus serviços.

– Você não é nada além de um delator, sabia? – eu o acusei, tremendo.

O olhar de Algaliarept pousando no meu pescoço me fez lembrar de quando eu estava no chão do porão com a vida escapando de mim.

– Só nos dias ruins.

Nick se empertigou.

– Quero saber quem te invocou para matar Rachel, e se ele ou ela anda te invocando para matar os bruxos de linhas de ley.

Quase saindo do meu campo de visão, Algaliarept murmurou:

– Esse é um conjunto de perguntas bastante caro e muito além do nosso acordo. – Então voltou a atenção para o livro em suas mãos e virou uma página.

A preocupação me atingiu quando Nick respirou.

– Não – eu disse. – Não vale a pena.

– O que deseja pelas respostas? – Nick perguntou, me ignorando.

– Sua alma? – ele disse suavemente.

Nick balançou a cabeça.

– Invente alguma coisa razoável ou te mando de volta agora mesmo, e você não poderá mais falar com Rachel.

O demônio ficou radiante.

– Está ficando abusado, pequeno mago. Você é metade meu. – Ele fechou o livro na mão com uma batida forte. – Me dê permissão para levar meu livro de volta para o outro lado da linha e te digo quem me mandou matar Rachel Mariana Morgan. Se é a mesma pessoa que está me invocando para matar os bruxos de Trenton Aloysius Kalamack? Isso fica comigo. Sua alma não é suficiente para essa informação. A de Rachel Mariana Morgan talvez seja. É uma pena quando os gostos de um jovem são caros demais para seus recursos, não é?

Franzi a testa ao perceber que ele havia admitido que estava matando os bruxos. Deve ter sido a sorte que manteve Trent e eu vivos enquanto todos aqueles bruxos tinham morrido. Não, não foi sorte. Foram Quen e Nick.

– E qual é seu interesse no livro? – perguntei.

– Eu o escrevi – ele respondeu, com uma voz rígida que parecia enfiar as palavras nas frestas da minha mente.

"Isso não é bom. Não é bom, não é bom, não é bom."

– Não dê para ele, Nick.

Ele se virou na circunferência apertada, esbarrando em mim.

– É só um livro.

– É seu livro – concordei –, e minha pergunta. Eu descubro de outro jeito.

Algaliarept riu. Com um dedo enluvado abria a cortina para ver a rua.

– Antes que me mandem te matar de novo? Você tem sido o assunto das conversas, nos dois lados das linhas de ley. Recomendo que você pergunte rápido. Se eu for chamado de repente, é melhor que você tenha suas coisas ajeitadas.

Os olhos de Nick se arregalaram.

– Rachel! Você é a próxima?

– Não – protestei, querendo bater em Algaliarept. – Ele só está dizendo isso para você entregar o livro.

– Você usou linhas de ley para encontrar o corpo de Dan – Nick disse imediatamente. – E agora está trabalhando para Trent! Você está na lista, Rachel. Leve o livro, Al. Quem te mandou para matar Rachel?

– Al? – O demônio se iluminou. – Ah, gostei disso. Al. É, podem me chamar de Al.

– Quem te mandou para matar Rachel? – Nick exigiu saber.

Algaliarept ficou radiante.

– Ptah Ammon Fineas Horton Madison Parker Piscary.

Meus joelhos ameaçaram ceder, e agarrei o braço de Nick.

– Piscary? – sussurrei. "O tio de Ivy é o caçador de bruxos? E o homem tem sete nomes? Quantos anos ele tem?"

– Algaliarept, vá embora e não nos perturbe de novo hoje à noite – Nick disse de repente.

O sorriso do demônio me provocou arrepios.

– Não posso prometer nada – ele olhou de soslaio e depois desapareceu. O livro em sua mão atingiu o carpete, seguido de um baque deslizante e invisível nas prateleiras. Trêmula, pude ouvir as batidas do meu coração. O que eu diria à Ivy? Como poderia me proteger de Piscary? Eu já havia me escondido numa igreja, e não tinha gostado disso.

– Espere – Nick disse, me puxando antes que eu pudesse tocar no círculo. Segui seu olhar até a pilha de cinzas. – Ele ainda não foi embora.

Ouvi Algaliarept xingar, depois as cinzas desapareceram.

Nick suspirou, depois deslizou o dedão do pé até a borda do círculo para quebrá-lo.

– Agora você pode sair.

Talvez ele fosse melhor nisso do que eu imaginava.

Encolhido e parecendo preocupado, Nick foi apagar a vela e sentar na ponta do sofá com os cotovelos nos joelhos e a cabeça entre as mãos.

– Piscary – ele disse para o carpete. – Por que não posso ter uma namorada normal que só precisa se esconder do ex-namorado?

– É você quem chama demônios – eu disse, com os joelhos tremendo. A noite de repente ficou muito mais ameaçadora. O armário parecia maior, agora que Nick não estava ali dentro, e eu não queria sair. – Eu devia voltar para a igreja – continuei, pensando em colocar minha velha cama portátil no santuário e dormir no altar abandonado. Logo depois de ligar para Trent. Ele disse que cuidaria da situação. "Cuidar da situação." Espero que isso signifique cuidar de Piscary. Piscary não se importava com as leis; por que eu deveria? Fui pôr a mão na consciência, mas não a encontrei.

Peguei minha jaqueta e andei em direção à porta. Eu queria estar na minha igreja. Queria me enrolar na coberta antifeitiço que eu tinha roubado de Edden e sentar no meio da minha igreja abençoada por Deus.

– Preciso fazer uma ligação – eu disse, entorpecida, parando no meio de sua sala de estar.

– Trent? – ele perguntou desnecessariamente, me entregando o telefone sem fio.

Formei um punho para disfarçar meus dedos trêmulos depois de digitar o número. Quem atendeu foi Jonathan, parecendo irado e ríspido. Insisti até ele concordar em me deixar falar diretamente com Trent. Por fim ouvi o clique de uma extensão, e, fluida como um rio, a voz de Trent surgiu e disse, num tom profissional:

– Boa noite, senhorita Morgan.

– Piscary – eu disse como cumprimento. Fez-se silêncio durante alguns instantes, e me perguntei se ele tinha desligado.

– Ele falou que está sendo enviado pelo Piscary para matar meus bruxos? – Trent perguntou, e o som de seus dedos estalando se intrometeu na conversa. Seguiu-se um barulho distinto de alguém escrevendo, e aventei a possibilidade de Quen estar com ele. Trent falava com uma voz cansada, para disfarçar sua preocupação, mas o truque não funcionou.

– Perguntei se ele foi enviado para te matar na última primavera e quem o invocou para a tarefa – expliquei, meu estômago se revirando enquanto eu andava de um lado para o outro. – Sugiro que você fique em solo sagrado depois de o sol se pôr. Você pode andar em solo sagrado, não pode? – perguntei, sem saber como os elfos lidavam com esse tipo de coisa.

– Não seja tapada – ele disse. – Tenho uma alma tanto quanto você. E obrigado. Assim que você confirmar a informação, mando um mensageiro com o resto do seu pagamento.

Dei um pulo e meus olhos encontraram os de Nick.

– Confirmar? – eu disse. – Como assim, confirmar? – Não consegui impedir minhas mãos de tremerem.

– O que você me deu foi um conselho – Trent disse. – Por conselhos eu só pago ao meu corretor de valores. Consiga provas, e Jonathan te faz um cheque.

– Mas acabei de fornecê-las! – Levantei-me, com o coração batendo forte. – Acabei de falar com aquele maldito demônio, e ele disse que está matando seus bruxos. Que outras provas você quer?

– Mais de uma pessoa consegue invocar um demônio, senhorita Morgan. Se você não perguntou se Piscary o invocou para assassinar aqueles bruxos, sua certeza é apenas especulação.

Com a respiração presa, virei de costas para Nick.

– Isso era caro demais – eu disse, abaixando a voz e passando uma das mãos pela trança. – Mas ele atacou nós dois sob a invocação de Piscary e admitiu matar os bruxos.

– Não é suficiente. Preciso de provas antes de sair atacando um vampiro mestre. Sugiro que as consiga rapidamente.

– Você vai me dar um calote! – gritei, virando para a janela quando meu medo se transformou em frustração. – Por que não? – gritei sarcasticamente. – Os Uivadores estão fazendo isso. O FIB também. Por que com você seria diferente?

– Não vou te dar um calote – ele replicou, e a raiva fez o cinza de sua voz se transformar de seda em ferro frio. – Mas não vou pagar por um trabalho malfeito. Como você mesma disse, estou te pagando por resultados, não por um passo a passo... nem por especulações.

– Pois parece que você não vai me pagar nada! Estou te dizendo que foi Piscary. Vinte mil dólares não são suficientes para me fazer entrar na cova de um vampiro de quatrocentos anos e perguntar se ele mandou um demônio matar cidadãos de Cincinnati.

– Se não quer o trabalho, espero que você devolva meu adiantamento.

Desliguei na cara dele.

O telefone estava quente de tanto eu apertá-lo, e o coloquei delicadamente sobre o aparador entre a cozinha e a sala de estar antes que o jogasse contra a parede.

– Me leve para casa, por favor? – pedi, tensa.

Nick estava encarando sua prateleira de livros, passando os dedos sobre os títulos.

– Nick – disse mais alto, com raiva e frustrada. – Eu realmente quero ir para casa.

– Só um minuto – resmungou, concentrado nos livros.

– Nick! – exclamei, agarrando meus cotovelos. – Você pode escolher mais tarde que livro vai ler antes de dormir. Eu realmente quero ir para casa!

Ele se virou, com um olhar doentio no rosto comprido.

– O demônio o levou.

– Levou o quê?

– Achei que estava falando do livro na mão dele. Mas ele levou o livro que você usou para me transformar em seu familiar.

Meus lábios ficaram tensos.

– Al escreveu o livro sobre como transformar um humano em familiar? Que seja, ele pode ficar com o livro...

– Não – Nick disse, com o rosto tenso e pálido. – Se o demônio o levou, como vamos quebrar o feitiço?

Fiquei pasma.

– Ah. – "Não tinha pensado nisso."

Vinte e cinco

O barulho de uma motocicleta me obrigou a levantar os olhos do livro. Reconhecendo a cadência da moto de Kist, puxei os joelhos até o queixo, ajeitei as cobertas mais para cima e desliguei o abajur. A fenda preta além da minha janela de vitral aberta mostrou um cinza mais claro. Ivy estava em casa. Se Kist entrasse, eu fingiria que estava dormindo até que fosse embora. Mas sua moto mal parou antes de voltar à ação. Olhei para os números verdes iluminados do meu relógio. Quatro da manhã. Ela tinha chegado cedo.

Fechando o livro no meu dedo para marcar a página, ouvi seus passos na calçada. O ar frio de setembro antes do amanhecer tinha invadido meu quarto. Se eu fosse inteligente, me levantaria e encostaria a janela; Ivy provavelmente ligaria o aquecedor quando entrasse.

Agradeci a tudo que era sagrado por meu quarto ser parte da construção original da igreja e, consequentemente, estar em solo sagrado: garantia de manter vamps mortos-vivos, demônios e sogras afastados. Eu estaria segura na minha cama até o sol nascer. Ainda precisava me preocupar com Kist, mas ele não tocaria em mim enquanto Ivy respirasse. Bem, ele também não tocaria em mim se Ivy estivesse morta.

Um turbilhão de ansiedade tirou meu dedo do livro, que coloquei sobre a caixa coberta com um pano que me servia como mesa. Ivy ainda não havia entrado. *Era* a moto de Kist que eu tinha ouvido se afastando.

Escutei meus batimentos cardíacos, esperando os passos suaves de Ivy ou o barulho da porta da igreja se fechando. Mas o que ouvi foi alguém com ânsia de vômito, um som fraco através da noite silenciada pelo frio.

– Ivy – sussurrei, afastando as cobertas. Com frio, saí da cama, peguei meu robe, enfiei os pés nos chinelos macios cor-de-rosa e fui até o corredor, mas parei de repente e voltei. Em frente à cômoda de compensado, passei os dedos sobre meus perfumes.

Escolhi o novo, que eu tinha descoberto no dia anterior, espirrei um pouco em mim impacientemente. Fresco e forte, um cheiro cítrico floriu, e tornei a pôr o frasco sobre a cômoda, mas no processo derrubei metade do que sobrou, fazendo barulho. Sentindo-me irreal e desorientada, quase corri pela igreja vazia, ajeitando o robe no caminho. Esperava que esse perfume funcionasse melhor que o último.

Um batido de asas distinto foi meu único alerta quando Jenks caiu do teto. Parei enquanto ele flutuava diante de mim. O pixie estava brilhando preto. Pisquei, chocada. Ele estava brilhando preto, caramba.

– Não vá lá fora – ele disse, com o medo engrossando sua voz. – Saia pelos fundos. Entre num ônibus. Vá para a casa de Nick.

Olhei para a porta atrás dele quando ouvi Ivy vomitando de novo, o som horrível se misturando a soluços pesados.

– O que aconteceu? – perguntei, assustada.

– Ivy quebrou a promessa.

Fiquei parada, sem entender.

– O quê?

– Ela quebrou a promessa – repetiu. – Ela está bebendo o suco S. Está experimentando o vinho, entendeu? Ela está praticando de novo, Rachel. E está maluca. Vá! Minha família está te esperando perto do muro mais distante. Leve-os para a casa de Nick. Vou ficar aqui de olho em Ivy para garantir que ela... – Ele olhou para a porta. – Vou garantir que ela não vá atrás de você.

O som de Ivy vomitando parou. Eu estava parada, vestida com camisola e robe no meio do santuário, ouvindo. O medo me tomou junto com o silêncio, se instalando nas minhas entranhas. Ouvi um barulhinho que aumentou e virou um choro constante e suave.

– Com licença – sussurrei, contornando Jenks. Meu coração batia a mil por hora, e meus joelhos estavam fracos quando abri um dos lados da porta pesada.

O brilho do poste de luz foi suficiente para que eu pudesse ver. No fundo das sombras formadas pelos carvalhos, Ivy estava esparramada com sua roupa de couro, deitada sobre os dois degraus inferiores da igreja, deixada sob sua própria conta e risco. Um vômito escuro e gelatinoso se espalhava nos degraus, escorrendo para a calçada em pedaços molhados horrorosos. O cheiro nauseante de sangue era forte, sobrepondo-se ao aroma cítrico do meu perfume.

Agarrando a barra do meu robe, desci os degraus com uma calma nascida do medo.

– Rachel! – Jenks gritou, suas asas batendo com força. – Você não pode ajudá-la. Vá embora!

Fraquejei quando parei junto de Ivy, as pernas compridas tortas e o cabelo grudado no vômito preto. Os soluços tinham ficado silenciosos, sacudindo seus ombros. "Meu Deus, me ajude."

Com a respiração presa, me aproximei por trás, pegando debaixo de seus braços para tentar fazê-la ficar de pé. Ivy recuou ao meu toque e começou a recobrar a consciência. Com o foco oscilando, ela inclinou o pé para ajudar.

– Eu disse não para ele – Ivy soltou, com a voz falhando. – Disse não.

Meu estômago se contraiu ao som de sua voz, desnorteada e confusa. O cheiro ácido de vômito ficou preso na minha garganta. Por baixo dele havia um aroma rico de terra remexida, misturado com seu cheiro de cinzas queimadas.

Jenks flutuava ao nosso redor quando consegui colocá-la de pé. Ele liberava pó de pixie, formando uma nuvem brilhante.

– Cuidado – ele sussurrou, primeiro no meu lado esquerdo, depois no direito. – Tenha cuidado. Não posso impedi-la se ela te atacar.

– Ela não vai me atacar – respondi, a raiva se juntando ao medo e formando uma mistura nauseante. – Ivy não quebrou a promessa. Ouça o que ela está dizendo. Alguém a quebrou por ela.

Quando chegamos ao último degrau Ivy estremeceu. Tentou se apoiar na porta, mas deu um pulo como se tivesse se queimado. Como um animal, se afastou de mim. Ofeguei e recuei, com os olhos arregalados. Seu crucifixo havia desaparecido.

Ivy ficou parada na minha frente na entrada da igreja. A tensão a fazia parecer mais alta. Ela me analisou com o olhar, me fazendo gelar. Não havia nada em seus olhos negros. Depois eles piscaram numa fome voraz, e ela deu um bote.

Eu não tinha a menor chance.

Ivy me agarrou pelo pescoço, me prendendo à porta da igreja. A adrenalina correu por mim num ataque doloroso. Sua mão era como uma pedra quente sob meu queixo. Minha última respiração fez um barulho horrível. Fiquei pendurada, com os dedos dos pés roçando no chão de pedra. Apavorada, tentei chutar e escapar, mas ela fez pressão, e o calor atravessou meu robe. Com os olhos esbugalhados, tentei tirar seus dedos da minha garganta.

Lutando para respirar, observei seus olhos. Estavam absurdamente negros sob o poste de luz. Medo, desespero, fome: tudo misturado. Nada ali era de Ivy. Nada mesmo.

– Ele me falou para fazer isso – ela disse. Leve como uma pluma, sua voz contrastava com o rosto retorcido, apavorante em sua fome absoluta. – Eu respondi que não faria.

– Ivy – chamei, conseguindo respirar. – Me solte. – Mais uma vez, fiz aquele barulho horrível quando seu aperto ficou mais forte.

– Não desse jeito! – Jenks deu um grito agudo. – Ivy! Não é isso que você quer!

Seus dedos apertaram meu pescoço. Sentia meus pulmões lutando; um fogo os queimava enquanto tentavam se encher de ar. O negro dos olhos de Ivy aumentaram quando meu corpo começou a desfalecer. Em pânico, busquei minha linha de ley. A desorientação da conexão piscou quase despercebida em meio ao caos. Perturbada pela falta de oxigênio, deixei a onda de poder explodir a partir de mim, descontrolada.

Ivy foi jogada para trás. Caí de joelhos, empurrada para a frente mesmo quando o aperto no pescoço afrouxou. O ar entrou de um jeito áspero, e a dor foi direto para o meu cérebro quando meus joelhos atingiram o chão de pedra. Tossi, sentindo a garganta. Respirei uma vez, depois outra. Jenks era um borrão verde e preto. Os pontos pretos que dançavam na minha frente diminuíram e sumiram.

Levantei o olhar e vi Ivy em posição fetal, com os braços sobre a cabeça como se tivesse levado uma surra, se balançando.

– Eu disse não. Eu disse não. Eu disse não.

– Jenks – chamei, observando-a através dos fios do meu cabelo. – Chame Nick.

O pixie flutuou na minha frente enquanto eu me esforçava para me levantar.

– Não vou sair daqui.

Senti o pescoço ao engolir saliva.

– Chame Nick, se ele já não estiver vindo. Ele deve ter me sentido forçar aquela linha.

O rosto de Jenks estava imóvel.

– Você devia fugir. Correr enquanto pode.

Balançando a cabeça, observei Ivy, sua autoconfiança presunçosa esmorecida e transformada em nada enquanto ela se balançava e chorava. Eu não podia ir embora. Não podia me afastar só porque era mais seguro. Ivy precisava de ajuda, e eu era a única que tinha chances de sobreviver a ela.

– Que vá tudo para o inferno! – Jenks gritou. – Ela vai te matar!

– A gente vai ficar bem – eu disse, cambaleando na direção dela. – Vá chamar Nick. Por favor. Eu preciso dele para passar por isso.

O barulho de suas asas aumentou e diminuiu junto com sua visível indecisão. Por fim, ele fez que sim com a cabeça e saiu. O silêncio que sua ausência deixou me lembrou do silêncio que tomou conta de um quartinho de hospital quando dois viraram um. Engolindo em seco, apertei o laço do meu robe.

– Ivy – sussurrei. – Vamos, Ivy. Vou te levar para dentro. – Eu me aproximei e coloquei a mão trêmula em seu ombro, dando um pulo para trás quando ela tremeu.

– Fuja – ela sussurrou quando parou de se balançar, caindo numa imobilidade tensa.

Meu coração palpitou quando ela olhou para mim, com os olhos vazios e o cabelo bagunçado.

– Fuja – repetiu. – Se você fugir, vou saber o que fazer.

Tremendo, me obriguei a continuar parada, sem querer disparar seus instintos.

Seu rosto ficou pasmo e, com um súbito franzir da sobrancelha, um anel marrom apareceu em seus olhos.

– Meu Deus. Me ajude, Rachel – choramingou.

Isso me apavorou.

Minhas pernas tremiam. Eu queria correr. Queria deixá-la nos degraus da igreja e ir embora. Ninguém desaprovaria minha atitude. Mas, em vez disso, estendi a mão e coloquei-a sob seus ombros, levantando-a.

– Venha – sussurrei enquanto a punha de pé. Meus instintos gritaram para largá-la quando sua pele quente tocou na minha. – Vou te levar para dentro.

Ivy estava sem forças.

– Eu disse não – ela repetiu, as palavras começando a se embolar. – Disse não.

Ivy era mais alta do que eu, mas meu ombro se encaixava muito bem sob o dela, e, suportando quase todo o seu peso, abri a porta.

– Ele não ouviu – Ivy disse, totalmente incoerente enquanto eu a arrastava para dentro e fechava a porta atrás de nós, deixando o vômito e o sangue nos degraus de fora.

A escuridão do saguão era asfixiante. Segui cambaleando, e a luz ficou mais forte quando entramos no santuário. Ivy se dobrou ao meio, ofegando e gemendo. Havia uma mancha escura de sangue fresco no meu robe, e olhei mais de perto.

– Ivy – eu disse. – Você está sangrando.

Fiquei gelada quando seu novo mantra de "ele disse que estava tudo bem" se transformou num risinho. Era um riso profundo, daqueles que sobem pela pele. Minha boca ficou seca.

– É. – A palavra deslizou dela com um calor sufocante. – Estou sangrando. Quer provar? – Um pavor se instalou em mim quando o risinho virou um gemido soluçado. – Todo mundo devia provar um pouco – choramingou. – Não importa mais.

Meu maxilar travou, e apertei seus ombros com mais força. Raiva misturada com medo. Alguém a tinha usado. Alguém a obrigou a beber sangue contra sua vontade. Ela estava fora de si, uma viciada saindo de um barato.

– Rachel? – ela falou tremendo, com os passos ficando mais lentos. – Acho que vou vomitar...

– Estamos quase lá – respondi, com raiva. – Segure mais um pouco.

Mal conseguimos chegar a tempo. Segurei o cabelo cheio de vômito de Ivy para ela vomitar mais no vaso de porcelana preta. Olhei para a cena uma vez à luz noturna, depois fechei os olhos enquanto ela vomitava um sangue preto e espesso várias vezes. Soluços sacudiam seus ombros. Dei descarga quando ela terminou, querendo me livrar daquelas imagens.

Estiquei-me para acender a luz, e um brilho rosado encheu o banheiro. Ivy estava sentada no chão com a testa no vaso, chorando. As calças de couro brilhavam de sangue até os joelhos. Sob a jaqueta, a blusa de seda estava rasgada e grudou nela com o sangue que escorria do pescoço. Ignorando o alerta do meu corpo, levantei seu cabelo com cuidado para ver.

Meu estômago se contorceu. O rosto perfeito de Ivy tinha sido destruído, um rasgão baixo e comprido marcando a brancura austera de sua pele. Ainda estava sangrando, e tentei não respirar ali perto para a saliva vamp que restava não entrar em ação.

Assustada, soltei seu cabelo e me afastei. Em termos vampirescos, ela tinha sido estuprada.

– Eu disse não a ele – ela retomou. Os soluços diminuíram quando percebeu que eu não estava mais em pé ao seu lado. – Disse não.

Minha imagem no espelho parecia branca e assustada. Inspirei, tentando me acalmar. Queria que aquilo desaparecesse. Queria que tudo simplesmente desaparecesse. Mas eu tinha que limpar o sangue do seu corpo. Tinha que colocá-la na cama com um travesseiro em cima do qual chorar. Tinha que fazer uma xícara de chocolate quente para ela e conseguir um bom psicólogo. "Será que existem psicólogos para vampiros que foram abusados?", me perguntei enquanto punha a mão no seu ombro.

– Ivy – chamei com calma. – É hora de se limpar. – Olhei para sua banheira, onde aquele peixe idiota ainda estava nadando. Ela precisava de uma chuveirada, e não de um banho de banheira, onde ficaria sentada na nojeira que precisava ser lavada. – Vamos, Ivy – incentivei. – Uma ducha rápida no meu banheiro. Vou pegar sua camisola. Venha...

– Não – ela protestou, com os olhos desfocados e incapaz de me ajudar a levantá-la. – Não consegui parar. Eu disse não a ele. Por que ele não parou?

– Não sei – murmurei, e minha raiva foi aumentando. Firmando-se em mim, ela atravessou o corredor e entrou no meu banheiro. Atingi o interruptor da luz com o cotovelo e a deixei apoiada na máquina de lavar enquanto ligava o chuveiro.

O som da água pareceu revivê-la.

– Estou fedendo – sussurrou de um jeito vago, observando a si mesma.

Ivy não me encarava.

– Você consegue tomar banho sozinha? – perguntei, esperando desencadear algum movimento.

Com o rosto vazio e pasmo, ela olhou para si mesma, vendo que estava coberta de sangue coagulado vomitado. Meu estômago se revirou quando ela tocou no sangue brilhante com um dedo cuidadoso e o lambeu. A tensão enrijeceu meus ombros até provocar dor.

Ivy começou a chorar.

– Três anos – ela deixou escapar suavemente. Lágrimas escorriam por seu rosto oval. Ela passou a mão sob o queixo, deixando uma mancha de sangue. – Três anos...

Com a cabeça abaixada, ela abriu o zíper lateral da calça, e caminhei em direção à porta.

– Vou te fazer uma xícara de chocolate – eu disse, me sentindo totalmente inadequada. Hesitei. – Você ficará bem sozinha por alguns minutos?

– Sim – sussurrou. Fechei a porta devagar atrás de mim.

Sentindo-me tonta e irreal, fui até a cozinha. Acendi a luz, me envolvendo com meus braços, ouvindo o vazio do ambiente. Sua mesa cheia de apetrechos tecnológicos prateados e com um leve cheiro de ozônio parecia estranhamente adequada ao lado das minhas panelas cintilantes de cobre, colheres de cerâmica e ervas penduradas numa prateleira de secagem. A cozinha era cheia de nós duas, cuidadosamente separada por espaços, mas contida nas mesmas paredes. Eu queria chamar alguém, ter um acesso de fúria, reclamar, pedir ajuda. Mas todo mundo me mandaria deixá-la e sair dali.

Meus dedos tremiam quando peguei metodicamente o leite e o chocolate e comecei a preparar uma bebida para Ivy. "Chocolate quente!", pensei com amargura. "Alguém estuprou Ivy, e tudo que posso fazer é uma xícara de chocolate quente."

Devia ter sido Piscary. Só Piscary era forte ou ousado o suficiente para estuprá-la. E tinha sido um estupro. Ela o mandou parar. Ele a tomou contra sua vontade. Tinha sido um estupro.

O cronômetro do micro-ondas apitou, e apertei o laço do meu robe. Meu rosto ficou gelado quando vi que ele e meus chinelos estavam sujos de sangue. Uma parte preta e coagulada, outra parte vermelha e fresca de seu pescoço. O primeiro queimava. Era sangue de vampiro morto-vivo. Não era de surpreender que Ivy estivesse vomitando. Devia estar queimando dentro dela.

Ignorando o fedor de sangue cauterizado, terminei de preparar a bebida de Ivy com determinação e levei-a para seu quarto, já que o chuveiro ainda estava ligado.

A luz na mesa de cabeceira enchia com um brilho suave o quarto cor-de-rosa e branco. O quarto de Ivy era tão diferente da cova de um vampiro quanto seu banheiro. As cortinas de couro para afastar a luz da manhã ficavam escondidas atrás de cortinas brancas. Porta-retratos com fotos dela, da mãe, do pai, da irmã e de suas vidas ocupavam uma parede inteira, parecendo um altar.

Havia fotos granuladas tiradas em frente a árvores de Natal com robes, sorrisos e cabelos despenteados. Férias em frente a montanhas-russas, com narizes bronzeados e chapéus de aba larga. Um sol nascendo na praia, os braços do pai de Ivy em volta dela e da irmã, protegendo-as do frio. As fotos mais novas apresentavam foco e cores vibrantes, mas eu as achava menos bonitas. Os sorrisos tinham se tornado mecânicos. Seu pai parecia cansado. Existia uma distância entre Ivy e a mãe, que nem aparecia nas fotos mais recentes.

Virando, puxei a colcha macia de Ivy para expor o cetim preto com cheiro de cinzas de madeira. O livro na mesa de cabeceira era sobre meditação profunda e a prática de atingir estados alterados de consciência. Minha raiva aumentou. Ela se esforçara tanto, e agora estava de volta ao início. Por quê? Qual tinha sido o motivo de tudo isso?

Repousei a bebida ao lado do livro e atravessei o corredor para me livrar do robe ensanguentado. Com movimentos rápidos por causa da adrenalina, escovei o cabelo e vesti calças jeans e minha blusa preta de alça, a roupa limpa mais quente que eu tinha, porque ainda não havia tirado as peças de inverno do depósito. Deixando o robe e os chinelos manchados numa pilha horrível no chão, andei descalça pela igreja, pegando a camisola de Ivy atrás da porta do seu banheiro.

– Ivy? – chamei, batendo hesitantemente na porta do meu banheiro. Ouvia apenas a água escorrendo. Não houve resposta. Bati de novo e empurrei a porta. Uma névoa pesada borrava tudo, enchendo meus pulmões e deixando-os pesados. – Ivy? – chamei de novo, preocupada. – Ivy, você está bem?

Encontrei-a no chão do boxe do chuveiro, encolhida num bolo de pernas e braços compridos. A água escorria sobre sua cabeça abaixada, e o sangue formava um fio estreito saindo de seu pescoço e indo para o ralo. Um fraco brilho vermelho tingia o fundo do boxe, saindo de suas pernas. Encarei, sem conseguir desviar o olhar. A parte interna de suas coxas estava marcada com arranhões profundos. Talvez tivesse sido um estupro no sentido tradicional também.

Achei que ia vomitar. O cabelo de Ivy estava grudado nela. A pele estava branca; e os braços e pernas, tortos. O preto das duas tornozeleiras contrastava com a alvura da sua pele, parecendo algemas. Ela tremia, apesar de a água estar escaldante. Tinha os olhos fechados e o rosto retorcido com uma lembrança que a assombraria pelo resto da vida e da morte. Quem disse que o vampirismo era glamoroso? Era uma mentira, uma ilusão para encobrir a horrível realidade.

Inspirei.

– Ivy?

Seus olhos se abriram de repente, e dei um pulo para trás.

– Não quero mais pensar – ela disse suavemente, piscando enquanto a água escorria pelo rosto. – Se te matar, não terei que pensar.

Tentei engolir saliva.

– Devo ir embora? – sussurrei, mas sabia que ela estava me ouvindo.

Ela fechou os olhos e contorceu o rosto. Levando os joelhos até o queixo para se cobrir, envolveu as pernas com os braços e começou a chorar de novo.

– Sim.

Tremendo por dentro, estendi a mão por cima dela e desliguei a água. A toalha de algodão estava áspera nos meus dedos quando a peguei. Hesitei.

– Ivy? – eu disse, assustada. – Não quero tocar em você. Por favor, levante-se.

Com as lágrimas se misturando silenciosamente à água, ela se levantou, pegou a toalha e prometeu que se secaria e se vestiria. Levei suas roupas ensopadas de sangue junto com meus chinelos e robe para a varanda dos fundos. O cheiro de sangue queimado revirou meu estômago como um incenso ruim. Eu enterraria tudo no cemitério mais tarde.

Encontrei-a encolhida na cama quando voltei, o cabelo molhado encharcando o travesseiro e o chocolate intocado na mesa de cabeceira. Ela estava imóvel, com o rosto virado para a parede. Puxei a manta de lã no pé da cama e coloquei sobre ela, que tremia.

– Ivy? – Hesitei, sem saber o que fazer.

– Eu disse não para ele – ela sussurrou, como uma seda cinza rasgada caindo sobre a neve.

Sentei no baú encostado na parede. *Piscary*. Eu não diria o nome dele por medo de dar início a alguma coisa.

– Kist me levou para vê-lo – Ivy contou, as palavras com a cadência de uma lembrança recorrente. Ela tinha cruzado os braços sobre o peito, e só os dedos apareciam, apertando os ombros. Fiquei branca quando vi o que devia ser carne sob suas unhas e ajeitei a manta de lã para escondê-las. – Kisten me levou para vê-lo – ela repetiu, as palavras lentas e deliberadas. – Ele estava com raiva. Disse que você estava causando problemas. Eu garanti que você não o machucaria, mas ele estava com raiva. Estava com muita raiva de mim.

Inclinei-me para perto, sem gostar disso.

– Ele disse que, se eu não te controlasse, ele faria isso – Ivy sussurrou, com a voz quase inaudível. – Contei que ia te transformar em herdeira, que você se comportaria e ele não teria que te matar, mas que não tinha conseguido fazer isso. – O volume de sua voz aumentou e o tom ficou quase frenético. – Você não queria, e isso deve ser um presente. Me desculpe. Sinto muito. Eu tentei te avisar – ela disse, voltada para a parede. – Tentei te manter viva, mas agora ele quer vê-la. Quer falar com você. A menos... – Seu tremor parou. – Rachel? Ontem... quando você me pediu desculpas, foi porque me forçou demais ou porque disse não?

Inspirei, me preparando para responder, chocada quando minhas palavras ficaram presas na garganta.

– Quer ser minha herdeira? – sussurrou, mais suave do que uma reza culpada.

– Não – murmurei, assustada até a alma.

Ela começou a tremer, e percebi que estava chorando de novo.

– Eu também disse não – explicou, enquanto ofegava em busca de ar. – Disse não, mas ele fez de qualquer maneira. Acho que estou morta, Rachel. Estou morta? – questionou, com as lágrimas parando pelo medo súbito.

Minha boca estava seca, e me envolvi com os braços.

– O que aconteceu?

Sua respiração escapou num som rápido, e ela a prendeu por um instante.

– Ele estava com raiva. Disse que eu o desapontara, mas que estava tudo bem. Que eu era sua filha de coração e que me amava, me perdoava. Ele disse que entendia sobre bichinhos de estimação. Que também os teve, mas que os bichinhos de estimação sempre se voltavam contra ele, obrigando-o a matá-los. Isso o magoava, quando eles o traíam de vez em quando. Então disse que se eu não conseguisse te deixar em segurança ele o faria por mim. Eu falei que ia fazer, mas ele sabia que eu estava mentindo. – Um gemido assustador escapou dela. – Sabia que eu estava mentindo.

"Sou um bichinho de estimação. Um bichinho perigoso a ser domado. É isso o que Piscary acha que sou."

– Ele disse que entendia meu desejo de ter uma amiga em vez de um bichinho, mas que não é seguro deixá-la continuar assim. Disse que eu tinha perdido o controle e que as pessoas estavam comentando. Comecei a chorar nessa hora, porque ele foi tão gentil e eu o desapontei. – As palavras de Ivy saíam em explosões curtas conforme ela se esforçava para falar. – Ele me fez sentar ao seu lado e me abraçou enquanto sussurrava como sentia orgulho de mim e como amava minha bisavó quase tanto quanto me amava. Isso era tudo que eu sempre quis. Que ele sentisse orgulho de mim.

Ivy soltou uma risada dolorosa.

– Ele disse que entendia a questão de querer uma amiga – falou para a parede, com o rosto escondido atrás do cabelo. – Contou que há séculos está procurando alguém forte o suficiente para sobreviver com ele, pois minha mãe, minha avó e minha bisavó eram fracas demais, e que eu tinha força de vontade para sobreviver. Respondi que não queria viver para sempre e ele mandou eu me calar, dizendo que eu era sua escolhida e que ficaria com ele para sempre.

Seus ombros sacudiram debaixo da colcha.

– Ele me abraçou, acalmando meu medo em relação ao futuro. Disse que me amava e que tinha orgulho de mim. Aí pegou meu dedo e tirou sangue de si mesmo.

O ácido do meu estômago subiu borbulhando, e o engoli.

Sua voz tinha ficado frágil; sua fome e sua necessidade, uma faixa de aço oculta.

– Meu Deus, Rachel. Ele é tão velho. Seu sangue parece eletricidade líquida. Tentei ir embora. Eu queria e tentei ir embora, mas ele não me deixou. Eu disse não e depois corri, mas ele me pegou. Tentei lutar, mas não importava. Depois implorei para que não fizesse aquilo, mas ele me segurou e me obrigou a beber dele.

Sua voz estava rouca, e seu corpo tremia. Sentei na beira da cama, horrorizada. Ivy ficou parada. Esperei. Não conseguia ver seu rosto e tinha medo de fazê-lo.

– E aí não precisei mais pensar – ela disse. O som monótono de sua voz era chocante. – Acho que desmaiei por um instante. Eu queria aquilo. O poder, a paixão. Ele é tão velho. Joguei-o no chão e o arregacei. Peguei tudo que ele tinha enquanto ele me agarrava, me forçando a ir mais fundo, a pegar mais. E peguei, Rachel. Peguei mais do que devia. Ele devia ter me parado, mas me deixou pegar tudo.

Não consegui me mexer, imóvel com o pavor de tudo aquilo.

– Kist tentou nos impedir. Ele tentou se colocar no meio, impedir Piscary de me deixar pegar demais, mas a cada gole eu perdia mais de mim mesma. Acho que... machuquei Kist. Acho que o quebrei. Tudo que eu sei é que ele foi embora, e Piscary... – Um som suave e cheio de prazer escapou de sua boca quando ela disse seu nome. – ... Piscary me deixou em desvantagem. – Ivy se moveu languidamente sob os lençóis pretos, de um jeito sugestivo. – Ele aninhou minha cabeça e me apertou com mais força, até eu ter certeza de que me queria e descobrir que tinha mais para dar.

Uma respiração áspera a sacudiu, e ela se encolheu num nó aconchegado. A amante saciada virava uma criança que tinha apanhado.

– Peguei tudo. Ele me deixou pegar tudo. Eu sabia por que ele estava deixando e fiz aquilo mesmo assim.

Ela ficou calada, mas ainda não tinha terminado. Eu não queria ouvir mais nada, mas ela precisava falar ou enlouqueceria lentamente.

– A cada impulso eu sentia a fome de Piscary aumentando – ela disse, aos sussurros. – Cada vez que eu engolia, sua necessidade aumentava. Eu sabia o que ia acontecer se não parasse, mas ele disse que estava tudo bem, e fazia tanto tempo... – Ela quase gemeu. – Não queria parar. Sabia o que ia acontecer e não queria parar. Foi minha culpa. Minha culpa.

Reconheci a frase das vítimas de estupro.

– Não foi culpa sua – respondi, apoiando a mão sobre seu ombro coberto.

– Foi, sim – ela disse, e me afastei quando sua voz ficou baixa e sufocante. – Sabia o que ia acontecer. Quando terminei de pegar tudo que ele era, Piscary pediu o sangue de volta... como eu sabia que faria. E o dei a ele. Queria fazer isso e fiz. E foi fantástico.

Eu me obriguei a respirar.

– Deus do céu – ela sussurrou. – Eu estava viva. Não me sentia viva há três anos. Eu era uma deusa. Podia dar vida e tomá-la. Eu o vi pelo que era, e queria ser igual a ele. E, com seu sangue queimando em mim como se fosse meu, sua força totalmente minha e seu poder totalmente meu, queimando em mim a verdade horrível e bela de sua existência, ele me pediu para ser sua herdeira. Pediu para eu assumir o lugar de Kisten. Disse que vinha esperando pois queria que eu entendesse o significado disso antes de fazer a oferta. E que, quando eu morresse, seria igual a ele.

Mantive a mão sobre sua cabeça num movimento calmante, conforme seus olhos fechavam e seu tremor parava. Ela estava ficando tonta, com o rosto relaxado, enquanto a mente desvendava seu pesadelo, encontrando um jeito de lidar com ele. Perguntei-me se isso tinha a ver com o céu clareando através das cortinas com a alvorada que se aproximava.

– Fui até ele, Rachel – ela murmurou, e a cor começou a voltar aos seus lábios. – Fui até ele, que entrou em mim, me rasgando como uma fera. Gostei da dor. Seus dentes eram a verdade de Deus, cortando direto até minha alma. Ele me atacou, sem controle, pela felicidade de recuperar seu poder depois de me dá-lo tão livremente. E eu me glorifiquei mesmo enquanto ele deixava marcas nos meus braços e rasgava meu pescoço.

Obriguei minha mão a continuar se movendo.

– Doeu – ela sussurrou, parecendo uma criança com as pálpebras batendo. – Ninguém tem saliva vamp suficiente em si para transmutar tanta dor, e ele absorveu meu desespero e minha angústia junto com o sangue. Eu queria dar mais, provar minha lealdade, provar que, apesar de eu ter fracassado ao não te domar, seria herdeira dele. O gosto do sangue é melhor durante o sexo – ela disse, fraca. – Os hormônios o deixam doce, então me abri. Apesar de eu gemer pedindo, ele disse que não, porque poderia me matar sem querer. Mas o provoquei até ele não conseguir se controlar. Eu queria aquilo, mesmo enquanto ele me machucava. Piscary pegou tudo, nos levando ao clímax e ao mesmo tempo me matando. – Ela estremeceu, com os olhos fechados. – Meu Deus, Rachel. Acho que ele me matou.

– Você não está morta – eu disse baixinho, assustada por não ter certeza. Ela não poderia estar numa igreja se estivesse morta, certo? A menos que ainda estivesse em transição. O período de tempo em que a química mudava não tinha regras rígidas. Que diabos eu estava fazendo?

– Acho que ele me matou – Ivy repetiu, com a voz começando a se embolar conforme caía no sono. – Acho que me matei. – Sua voz ficou infantil. Suas pálpebras se agitaram. – Estou morta, Rachel? Você vai cuidar de mim? Vai garantir que o sol não me queime enquanto durmo? Vai me manter em segurança?

– Chhh – eu fiz, apavorada. – Durma, Ivy.

– Não quero estar morta – ela balbuciou. – Eu errei. Não quero ser herdeira do Piscary. Quero ficar aqui com você. Posso ficar aqui com você? Você vai cuidar de mim?

– Quietinha – murmurei, passando a mão em seu cabelo. – Durma.

– Você está com um cheiro gostoso... parece laranja – ela sussurrou, fazendo minha pulsação disparar. Pelo menos eu não estava com o mesmo cheiro que ela. Continuei a acariciando até sua respiração ficar mais lenta e profunda. Eu me perguntei se tudo pararia quando Ivy dormisse. Não tinha mais certeza de que ela estava viva.

Olhei para a janela de vitral; o início do amanhecer escapava pelas bordas. O sol se levantaria em breve, e eu não sabia nada sobre vampiros atravessando de um lado para o outro, exceto que eles deveriam estar a sete palmos da terra ou num ambiente sem luz nenhuma. Isso e que eles acordavam famintos no próximo pôr do sol. "Meu Deus. E se Ivy estiver morta?"

Olhei para a caixa de joias sobre a cômoda de mogno, que continha sua pulseira "em caso de morte", que ela se recusava a usar. Ivy tinha um bom seguro. Se eu ligasse para o número gravado na faixa de prata, uma ambulância chegaria em cinco minutos, levando-a para um buraco preto no chão para, quando a escuridão caísse, sair na forma de uma linda morta-viva renascida.

Meu estômago se revirou, e me levantei para ir até o meu quarto, em busca da minha cruz minúscula. Se Ivy estivesse morta, haveria alguma reação, mesmo que estivesse em transição. Desmaiar numa igreja é uma coisa; ter uma cruz consagrada na sua pele é outra.

Enjoada, voltei. Com os talismãs fazendo barulho, prendi a respiração e balancei a pulseira sobre Ivy. Não houve reação. Levei a cruz perto de seu pescoço, atrás da orelha, respirando com mais facilidade quando, de novo, não houve reação. Pedindo desculpas a ela em silêncio se eu estivesse errada, toquei sua pele com a cruz. Ela não se mexeu, e a pulsação no pescoço continuou lenta e sedada. Quando tirei a cruz, sua pele estava branca e sem manchas.

Empertiguei-me, rezando em silêncio. Ela não devia estava morta.

Devagar, me esgueirei para fora do quarto de Ivy, fechando a porta atrás de mim. Piscary havia estuprado Ivy por um motivo. Ele sabia que eu tinha descoberto tudo. Ivy disse que ele queria falar comigo. Se eu ficasse na igreja, ele iria atrás da minha mãe e de Nick – e provavelmente rastrearia o meu irmão.

Meus pensamentos se voltaram para Ivy, encolhida sob as cobertas num sono induzido pelo choque. Minha mãe seria a próxima. E morreria sem nem saber por que estava sendo torturada.

Tremendo por dentro, fui até a sala de estar em busca do telefone. Meus dedos tremiam tanto que precisei digitar duas vezes. Levei preciosos três minutos discutindo com Rose.

– Sinto muito, senhorita Morgan – a mulher disse, com a voz tão fria que podia muito bem estar vindo da geladeira. – O capitão Edden não está disponível, e o detetive Glenn pediu para não ser incomodado.

– Não s-s-ser... – gaguejei. – Escute. Sei quem matou os bruxos. Temos que pegá-lo agora, antes que mande alguém pegar a minha mãe!

– Sinto muito, senhorita Morgan – a mulher disse com educação. – Você não é mais consultora. Se tiver uma reclamação ou ameaça de morte, por favor, aguarde na linha e a transfiro para a mesa da recepção.

– Não! Espere! – implorei. – Você não entende. Me deixe falar com Glenn!

– Não, Morgan – a voz calma e razoável de Rose de repente ficou grossa, com uma raiva inesperada. – *Você* não entende. Ninguém aqui quer falar com você.

– Mas sei quem é o caçador de bruxos! – exclamei, e a ligação caiu. – Seus idiotas! – gritei, jogando o telefone no outro lado da sala. Ele atingiu a parede, a parte de trás soltou e as pilhas rolaram pelo chão. Frustrada, fui batendo pé até a cozinha, derrubando as canetas de Ivy sobre a mesa enquanto procurava uma. Com o coração disparado, rabisquei um bilhete para grudar na porta da igreja.

Nick estava vindo. Glenn falaria com ele, que os convenceria de que eu estava certa e os informaria do meu paradeiro. O FIB viria atrás de mim, no mínimo para me prender por interferir na investigação. Eu teria dito para ele chamar a SI, mas Piscary provavelmente os controlava. E, apesar de os humanos terem tanta chance de superar um vampiro quanto eu tenho, talvez a interrupção fosse suficiente para me salvar.

Girando a chave, abri o armário, peguei amuletos nos ganchos e os enfiei na bolsa. Abri uma gaveta inferior com força e agarrei três estacas de madeira. Acrescentei o cutelo de açougueiro grande que estava no porta-facas. Minha arma de *paintball* veio em seguida, carregada com o feitiço mais poderoso que uma bruxa branca deve ter: talismãs de sono. Do balcão da ilha, peguei um frasco de água benta. Pensando por um instante, abri a tampa, dei um gole e fechei de novo, depois o guardei com o resto. Água benta não é muito útil a menos que você a beba durante três dias, mas tinha reunido todos os impedimentos que consegui.

Sem diminuir o ritmo, fui até o corredor a passos largos para pegar minhas botas. Calcei-as e caminhei em direção à porta da frente, com os cadarços desamarrados. Parando no corredor, me virei e voltei à cozinha. Peguei dinheiro para o ônibus e saí.

Piscary queria falar comigo? Ótimo. Eu também queria falar com ele.

Vinte e seis

O ônibus estava lotado às cinco da manhã. Vamps vivos, principalmente, e vamps aprendizes no caminho de casa para avaliar sua triste existência. Eles me deram uma olhada. Talvez porque eu fedia a água benta. Talvez porque eu estava pavorosa com um casaco de inverno feio e pesado com pele artificial no colarinho, que eu usei para o motorista não me reconhecer e me pegar. Mas eu podia apostar que eram as estacas.

Com o rosto tenso, saltei do ônibus no restaurante de Piscary. Fiquei parada no ponto em que meus pés atingiram o chão e esperei a porta se fechar e o ônibus ir embora. Devagar, o ruído fraquejou até se dissolver no zumbido de fundo do tráfego matinal que aumentava. Meus olhos se estreitaram quando olhei direto para o céu, que se iluminava. A névoa da minha respiração obscureceu o azul pálido e de aparência frágil. Eu me perguntei se seria o último céu que eu veria. Logo ia amanhecer. Se eu fosse esperta, esperaria até o sol se levantar antes de entrar.

Obriguei-me a andar. A Piscary's tinha dois andares, e todas as janelas estavam escuras. Um iate ainda permanecia amarrado ao cais, e a água batia suavemente. Só havia alguns carros no estacionamento. Pertenciam a empregados, decerto. Conforme eu andava, balançava a bolsa. Peguei as estacas e as joguei longe. A batida forte no asfalto chocou meus ouvidos. Trazê-las tinha sido burrice. Como se eu pudesse enfiar uma estaca num vampiro morto-vivo. A arma de *paintball* nas minhas costas provavelmente também era inútil, já que eu tinha certeza de que seria revistada antes de me levarem até Piscary. O vampiro mestre disse que queria conversar, mas eu seria uma tola se achasse que se tratava apenas disso. Se eu quisesse chegar a Piscary com todos os meus feitiços e talismãs, teria que brigar por isso. Se permitisse que me tirassem tudo que eu tinha, chegaria até ele ilesa, mas muito impotente.

Abri o frasco de água benta e o sacudi, derramando as últimas gotas nas minhas mãos e no pescoço. O frasco vazio bateu no chão depois das estacas. Segui a passos largos com minhas botas silenciosas, o medo pela minha mãe e a raiva pelo que ele fez com Ivy mantendo meus pés em movimento. Se eu tivesse que passar por muitos vamps, entraria sem talismãs. Nick e o FIB seriam minhas cartas na manga.

Meu estômago deu um nó quando abri a porta pesada. A fraca esperança de que a pizzaria estaria vazia morreu quando uma dezena de vamps vivos levantou os olhos de seus trabalhos. Os funcionários humanos tinham ido embora. Eu poderia apostar que os humanos bonitos, adoráveis e assustados haviam ido para casa com os clientes VIPs.

As luzes permaneciam acesas enquanto os funcionários limpavam. O amplo salão, que antes tinha um ar misterioso e empolgante, parecia, naquele instante, sujo e desgastado. Meio como eu. A divisória de vitrais estava quebrada. Uma mulher baixinha, com cabelo até a cintura, varria os cacos verdes e dourados em direção à parede. Em seguida, parou e se apoiou na vassoura quando entrei. Senti um gosto estranho, forte e nauseante no fundo da garganta. Meus pés fraquejaram quando percebi que os feromônios vamps eram tão densos que eu conseguia sentir o gosto deles.

"Pelo menos Ivy lutou", pensei, percebendo que a maioria dos vamps tinha uma atadura ou mancha roxa no corpo. Com exceção do vamp sentado ao bar, todos eles mostravam-se de mau humor. Um tinha sido mordido – seu pescoço estava cortado e o uniforme, rasgado no colarinho. À luz da manhã, o glamour e a tensão sexual que eles costumavam exalar tinham desaparecido, deixando apenas uma feiura cansada. Curvei os lábios de aversão. Vendo-os daquele jeito, eram repulsivos. E, mesmo assim, a cicatriz no meu pescoço começou a formigar.

– Olha só quem apareceu – o vamp sentado ao bar falou devagar. Seu uniforme era mais elaborado que o dos outros, e ele tirou o crachá quando viu meus olhos nele. Dizia SAMUEL; era o vampiro que levara Tarra para o andar de cima na noite em que estivemos lá. Samuel se levantara, se inclinando para alcançar um interruptor atrás do balcão. O sinal de "aberto" na janela atrás de mim se apagou. – Você é a Rachel Morgan? – perguntou com a voz confiante, lenta e condescendente típica de um vamp.

Agarrei minha bolsa e passei ousadamente pelo cartaz de ESPERE O HOST AQUI. É, eu era uma garota má.

– Sim, sou eu – respondi, desejando que houvesse menos mesas. Diminuí o passo quando a cautela finalmente se sobrepôs à minha raiva. Eu tinha quebrado a regra número um: entrar com raiva. Teria ficado bem se também não tivesse quebrado a regra número dois: confrontar um vamp morto-vivo em seu próprio território.

Os garçons estavam observando, e meu coração acelerou quando Samuel se dirigiu à porta e a trancou. Em seguida, virou-se e jogou casualmente o molho de chaves para o outro lado do salão. Uma silhueta ao lado da lareira apagada levantou o braço, e reconheci Kisten, que até então estava invisível nas sombras. As chaves atingiram a palma da mão de Kist com um barulhinho e desapareceram. Não sabia se devia ficar com raiva dele ou não. O sujeito tinha largado Ivy e ido embora, mas também tinha tentado deter a vamp e Piscary.

– É com isso que Piscary está preocupado? – Samuel disse. Seu bonito rosto estava cheio de desprezo. – Que coisinha magrela. Não tem muita coisa em cima. – Ele me olhou com malícia. – Nem embaixo. Achei que você fosse mais alta.

Samuel veio na minha direção. Dei um pulo e me movi, prendendo seu braço. Senti meu punho bater na palma aberta de sua mão e o girei, agarrando o dele. Joguei o cara para a frente, por cima do meu pé levantado. Sua respiração saiu com um sopro quando o atingi no estômago, atirando-o para trás. Eu o segui até o chão, desferindo um soco na virilha antes de me levantar.

– E eu achei que você fosse mais esperto – desafiei, me afastando enquanto ele se contorcia no chão, ofegando.

Provavelmente não foi a coisa mais inteligente a fazer.

Soltando os panos e as vassouras, os garçons convergiram até mim com um passo lento e enervante. Minha respiração estava rápida. Tirei o casaco e chutei uma mesa para o lado, abrindo espaço para me movimentar. Havia sete poções na minha arma e nove vamps. Eu nunca pegaria todos eles. Fiquei gelada e tremi sob a corrente de ar que bateu nos meus ombros.

– Não – Kist disse de seu canto, e eles hesitaram. – Eu disse *não*! – gritou enquanto se levantava e caminhava na minha direção. Seu passo rápido diminuiu de velocidade; ele tentava disfarçar que estava mancando.

O rosto dos vamps se retorceu numa promessa terrível, e eles pararam, formando um círculo a cerca de dois metros e meio ao meu redor. "Dois metros e meio", pensei, me lembrando dos treinos com Ivy. Esse era o alcance de um vamp vivo.

O moço da virilha se levantou, com os ombros encolhidos e o rosto cheio de dor. Kist abriu o círculo, posicionando-se em frente a ele, com as mãos nos quadris e os pés separados. A camisa de seda escura e as calças sociais que usava lhe davam mais sofisticação do que o couro de sempre. Uma mancha roxa se estendia para cima cruzando seu rosto com barba levemente cerrada e quase atingindo o olho. Pelo modo como Kist se apoiava, imagino que suas costelas deviam estar doendo, mas achei que o dano real fora em seu orgulho. Ele tinha perdido o status de herdeiro para Ivy.

– Ele disse para levá-la a seu encontro, não para destruí-la – Kist alertou. Seus lábios se embranqueciam conforme meu olhar se detinha no sulco atrás de sua franja. O machucado havia sido feito por unhas.

Apesar de Samuel ser maior, Kist estava exigindo obediência; isso era inconfundível. Um intenso mau humor havia substituído sua usual aparência de flerte, lhe dando um toque de brutalidade que eu sempre achei atraente nos homens. Como qualquer gerente, Kist tinha problemas com os funcionários, e, de alguma forma, o fato de que ele precisava lidar com tais aborrecimentos como todo mundo o tornava mais atraente. Olhei para ele e meus pensamentos divagaram. "Malditos feromônios vamp."

Ainda ofegando, o vamp maior disparou os olhos para mim e para Kist.

– Falta ela ser revistada. – Então lambeu os lábios e olhou para mim, fazendo minha pulsação acelerar. – Eu cuido disso.

Enrijeci. Lembrei da arma de *paintball.* Havia muitos vamps.

– *Eu* cuido disso – Kist disse, seus olhos azuis começando a desaparecer atrás de um círculo preto crescente.

"Que ótimo."

Mal-humorado, Samuel recuou, e Kist estendeu a mão para a minha bolsa. Hesitei de primeira, mas depois vi que ele tinha arqueado a sobrancelha como se dissesse "me dê um motivo para acabar com você" e ofereci a bolsa. Ele a pegou, colocando-a sobre uma mesa próxima.

– Me dê o que tiver com você – Kist disse suavemente.

Com os olhos nos dele, estendi lentamente a mão para trás e entreguei minha arma. Os vampiros ao redor permaneceram em silêncio. Talvez por respeito à minha arma vermelha? Eles não sabiam com o que ela estava carregada. No instante em que a colocara na cintura, soube que não a usaria, e franzi a testa com as chances perdidas, que nunca tinham existido de fato.

– A cruz? – pediu. Abri o fecho da pulseira de talismãs, soltando-a em sua mão estendida. Sem dizer nada, Kist repousou a cruz e a arma sobre a mesa atrás de si e, dando um passo à frente, abriu os braços. Eu o imitei obedientemente, e ele se aproximou para me apalpar.

Com o maxilar travado, senti suas mãos passarem por mim. No lugar em que ele me tocava, um formigamento quente começava, indo até o meio do meu corpo. "Não na cicatriz, não na cicatriz", pensei, desesperada, sabendo o que aconteceria se ele a tocasse. Os feromônios vamp estavam quase densos o suficiente para serem vistos, e a brisa do ventilador provocava uma sensação agradável que ia do meu pescoço até a virilha.

Sacudi de alívio quando suas mãos se afastaram.

– O talismã no seu dedinho – exigiu. Tirei-o, jogando-o na palma de sua mão. Ele o colocou ao lado da arma. Um olhar firme apareceu em seus olhos enquanto ficava parado na minha frente. – Se você se mexer, morre – ele disse.

Encarei-o, sem entender.

Kist se aproximou, e minha respiração saiu num assobio. Senti o cheiro de sua tensão. Suas reações rígidas se equilibravam com a possibilidade do meu próximo movimento. O vamp respirou na minha clavícula, e lembrei de seus lábios roçando minha orelha quatro dias atrás. Com a cabeça inclinada, ele olhou para mim, hesitando. Seus olhos azuis estavam vazios, uma fome bem disfarçada.

Levantando a mão, ele arrastou um dedo da minha orelha ao pescoço, pousando nas marcas da cicatriz do demônio.

Meus joelhos fraquejaram. Sugando o ar, me empertiguei e, com uma necessidade pedindo para ser atendida, o empurrei. Kist pegou meu punho antes de atingi-lo, me puxando para si. Girando, levantei o pé. Ele o pegou.

Kist me puxou pelo pé e soltou.

Eu caí e me machuquei no chão de madeira. Encarei-o enquanto os vamps riam. O rosto de Kist, no entanto, estava inexpressivo. Nenhuma raiva, nenhuma especulação. Nada.

– Você está com o cheiro de Ivy – ele disse quando me levantei, com o coração explodindo. – Mas não está ligada a ela. – Um toque de satisfação estragou sua expressão estoica. – Ivy não conseguiu.

– Do que está falando? – soltei, envergonhada e com raiva enquanto me limpava.

Seus olhos se estreitaram.

– Foi bom, não foi? Quando toquei sua cicatriz? Depois que um vamp se une a você pelo sangue, só ele pode provocar esse tipo de reação. Quem te mordeu e não se importou em te reivindicar? – Seu rosto ficou pensativo, e achei ter visto um brilho de desejo. – Ou você matou seu agressor depois, para evitar ser ligada a ele? Você é uma garota muito má.

Eu não disse nada, deixando Kist acreditar no que quisesse, e ele deu de ombros.

– Já que não está ligada a ninguém, qualquer vamp pode provocar esse tipo de reação. – Suas sobrancelhas se ergueram. – Qualquer vamp – repetiu, e um calafrio passou por mim ao pensar que Piscary estava me esperando. – Você vai ter uma manhã interessante – acrescentou.

Com a visão clareando, ele estendeu a mão para trás e pegou minha bolsa da mesa. Os vamps tinham começado a conversar entre si, fazendo especulações casuais e intimidantes sobre quanto tempo eu duraria. Kist pegou o cutelo de açougueiro primeiro, e uma risada assobiada reverberou entre eles. Meu olhar passou pela destruição da Piscary's quando Kist colocou um punhado de talismãs sobre a mesa, fazendo barulho.

– Ivy fez isso? – perguntei, tentando encontrar uma pontinha da minha confiança. Quanto mais eu os mantivesse falando, maiores eram as chances de Nick conseguir levar o FIB até a pizzaria a tempo.

O vamp que atingi na virilha abafou um risinho.

– De certa maneira. – Ele olhou para Kist, e achei ter visto o maxilar do vamp louro travar. – Sua colega é boa de cama – Samuel disse, de um jeito presunçoso, enquanto a respiração de Kist acelerava e seus dedos vasculhando minha bolsa ficavam rígidos. – É – continuou, babando. – Ela e Piscary deixaram o restaurante todo tenso com feromônios vamps. Terminou com três brigas e algumas mordidas. – Ele se encostou numa mesa, cruzou os braços e abafou um riso. – Alguém morreu e foi levado para os jazigos temporários da cidade. Está vendo? Ele conseguiu colocar a própria foto na parede e recebeu um cupom de jantar grátis. Tivemos muita sorte de perceber o que estava acontecendo e tiramos todos os não vamps daqui antes que o inferno viesse abaixo. Deus nos livre de Piscary perder sua LPM e ter que pedir uma nova. – Samuel apanhou um amendoim de uma tigela e o jogou no ar, pegando-o com a boca e sorrindo enquanto mastigava.

O rosto de Kist ficou vermelho de raiva.

– Cale a boca – ele disse, fechando minha bolsa.

– Que foi? – Samuel zombou. – O fato de você nunca ter conseguido deixar Piscary tão excitado não quer dizer que ele vai transformá-la em sua herdeira.

Kist enrijeceu. Ele não tinha contado a ninguém que Piscary já fizera isso. Meus olhos dispararam para ele, e sua raiva manteve minha boca fechada.

– Eu mandei calar a boca – Kist alertou, o calor que ele exalava quase visível.

Os vamps ao redor recuaram casualmente. Samuel riu, querendo forçar a barra com Kist o quanto pudesse.

– Kist está com ciúme – ele disse para mim com a intenção de irritá-lo. – O máximo que aconteceu quando ele e Piscary estavam na atividade foi uma briga no bar. – Seus lábios carnudos se separaram num sorriso maldoso, e, cheio de si, ele olhou para os vamps ao redor. – Não se preocupe, cara – se voltou para Kist. – Piscary vai se cansar assim que ela morrer, e você vai voltar para cima, ou para baixo, ou para algum lugar aí no meio, se tiver sorte. Talvez eles deixem você ficar lá, para Ivy te ensinar uma coisinha ou outra.

Os dedos de Kist tremiam. Num milésimo de segundo ele se moveu. Rápido demais para ser seguido, atravessou o círculo, agarrou Samuel pela camisa e o jogou contra uma pilastra grossa. A madeira gemeu, e ouvi alguma coisa estalar no peito de Samuel. Seu rosto mostrava choque. Tinha os olhos arregalados e a boca aberta com a dor que não teve tempo de sentir.

– Cale a boca – Kist disse suavemente. Seu maxilar travou, e seu olho tremeu. Então o soltou com um empurrão, girando seu braço num ângulo anormal quando o grandalhão caiu de joelhos. Minha respiração ficou presa com o barulho alto de seu ombro se deslocando.

Os olhos de Samuel se arregalaram. Com a boca aberta num grito silencioso, ele se ajoelhou, o braço ainda dobrado para trás, já que Kist não largava seu pulso. Finalmente Kist o soltou, e Samuel ofegou em busca de ar.

Eu estava imóvel, incapaz de me mexer, assustada com a rapidez de tudo.

Kist de repente estava na minha frente, e dei um pulo.

– Aqui está sua bolsa – ele disse, estendendo-a para mim. Eu a peguei, e Kist fez um gesto para eu passar na sua frente. O círculo se partiu. Os vamps ao redor pareciam adequadamente intimidados. Ninguém foi ajudar Samuel, e sua busca irregular por ar enquanto permanecia deitado e imóvel me atingiu.

– Não toque em mim – declarei quando passei por Kist. – E é bom nenhum de vocês mexer nas minhas coisas na minha ausência – acrescentei, tremendo por dentro. Meu ritmo fraquejou quando dei uma última olhada para os talismãs e percebi que apenas cerca de metade dos que eu tinha trazido estava sobre a mesa.

Kist pegou meu cotovelo e me obrigou a andar.

– Me solte – pedi. A lembrança dele deslocando o braço de Samuel me impediu de puxar o braço.

– Cale a boca – ele disse, e a tensão em sua voz me fez parar.

Com a mente rodopiando, segui sua orientação pouco sutil, contornando as mesas para passar por um conjunto de portas vaivém e entrar na cozinha. Atrás de nós, os garçons voltaram ao trabalho, as especulações desaparecendo enquanto ignoravam Samuel.

Não pude deixar de notar que, apesar de ser menor, minha cozinha era mais legal que a de Piscary. Kist me conduziu até uma porta corta-fogo com aparência institucional, então a abriu e acendeu a luz, mostrando uma salinha branca com piso de carvalho. As portas prateadas de um elevador estavam escondidas. Uma escada larga em espiral, que ia para o andar de baixo, ocupava praticamente uma parede inteira. A escada era elegante e o candelabro modesto sobre ela tinia sob a corrente de ar. Um relógio de madeira do tamanho de uma mesa estava pendurado na parede em frente à escada, fazendo um tique-taque alto.

– Para baixo? – perguntei, tentando disfarçar meu medo. Se Nick não encontrasse meu bilhete, não havia chance de eu voltar a subir aqueles degraus.

A porta corta-fogo se fechou atrás dele, e senti a pressão do ambiente mudar. A corrente de ar não tinha cheiro nenhum; era quase um vácuo.

– Vamos pegar o elevador – Kist disse, com a voz inesperadamente suave. Sua postura mudou quando ele se concentrou num pensamento desconhecido. "Ele me deixou com alguns talismãs..."

As portas do elevador se abriram assim que ele apertou o botão, e eu entrei. Kist estava logo atrás de mim, e ficamos de frente para as portas quando elas se fecharam. O elevador começou a descer, provocando uma tração suave no meu estômago. Imediatamente peguei a bolsa e a abri.

– Idiota! – Kist sibilou.

Um gritinho escapou de mim quando ele deslizou, me prendendo num canto. O ambiente se mexeu sob meus pés, e congelei, pronta para agir. Seus dentes estavam a centímetros de mim. Minha cicatriz do demônio pulsava, e prendi a respiração. Os feromônios eram mais fracos dentro daquele ambiente, mas isso não parecia importar. Se houvesse música no elevador, eu iria gritar.

– Não seja burra. Acha que ele não colocou câmeras aqui?

Minha respiração saiu ofegando suavemente.

– Se afaste de mim.

– Acho que não, amor – sussurrou, com os dentes enviando solavancos para o meu pescoço e fazendo meu sangue bombear. – Vou ver até que ponto essa cicatriz no seu pescoço pode te levar... e, quando eu terminar, você vai encontrar um frasco na sua bolsa.

Enrijeci quando Kist se aproximou ainda mais. O cheiro de couro misturado à seda era um ataque agradável. Não conseguia respirar quando ele tirou meu cabelo do caminho.

– É fluido egípcio de embalsamamento – ele disse. Fiquei tensa quando seus lábios se mexeram no meu pescoço junto com o fluxo de palavras. Não ousei me mexer e, para ser sincera, não queria fazer isso, pois promessas saíam formigando pela minha cicatriz. – Jogue nos olhos dele. Vai deixá-lo inconsciente.

Não consegui evitar. Meu corpo exigia alguma ação. Com os ombros relaxando, fechei os olhos e passei as mãos por suas costas macias. Ele parou, surpreso, depois suas mãos deslizaram pelas minhas laterais, agarrando minha cintura. Os músculos debaixo da camisa de seda ficaram tensos sob meus dedos. Levantando a mão, minhas unhas brincaram com o cabelo em sua nuca. Macios, os fios tinham uma cor uniforme que só se encontra numa caixa de tintura, e percebi que ele pintava o cabelo.

– Por que está me ajudando? – sussurrei, mexendo na corrente preta do seu pescoço. Os elos aquecidos pelo corpo eram do mesmo padrão que os das tornozeleiras de Ivy.

Senti seus músculos mudarem, enrijecendo pela dor, e não pelo desejo.

– Piscary disse que eu era seu herdeiro – explicou enquanto colocava o rosto no meu cabelo para esconder da câmera invisível o movimento dos lábios; pelo menos, foi o que assimilei. – Disse que eu ficaria com ele para sempre, e me traiu com Ivy. Ela não o merece. – A dor marcava sua voz. – Ela nem o ama.

Meus olhos se fecharam. Eu nunca entenderia os vampiros. Sem saber por quê, passei os dedos delicadamente pelos seus cabelos, acalmando-o enquanto sua respiração acariciava minha cicatriz do demônio, provocando ondas de desejos que exigiam ser satisfeitos. O bom senso me avisou para parar, mas ele estava machucado, e eu também tinha sido traída daquele jeito.

A respiração de Kist falhou quando passei a pontinha das unhas sob sua orelha. Fazendo um barulho gutural baixo, ele me pressionou mais. Seu calor era evidente através do tecido fino da minha blusa. Sua tensão ficou mais profunda, mais perigosa.

– Meu Deus – ele sussurrou, com a voz rouca. – Ivy estava certa. Deixar você solta e livre da compulsão seria como foder um tigre.

– Olhe a boca suja – eu disse baixinho, seu cabelo fazendo cócegas no meu rosto. – Não gosto de palavrões. – “Eu já estava morta. Por que não aproveitar meus últimos instantes?”

– Sim, senhora – ele disse, todo obediente, com uma voz chocantemente submissa mesmo quando forçou os lábios contra os meus. Minha cabeça atingiu a parede do elevador com a força do beijo. Eu empurrei de volta, sem medo.

– Não me chame assim – murmurei na boca de Kist, me lembrando do que Ivy tinha dito sobre ele brincar de ser subjugado. Talvez eu conseguisse sobreviver a um vampiro submisso.

Com o peso de seu corpo pressionando com mais força o meu, ele afastou os lábios. Encontrei seu olhar. Estudei seus olhos azuis perfeitos com a compreensão sem fôlego de que eu não sabia o que aconteceria em seguida, mas rezando para acontecer, o que quer que fosse.

– Deixe eu fazer isso – ele disse, sua voz estrondosa parecendo pouco mais do que um rosnado. Suas mãos estavam livres, e Kist pegou meu queixo e segurou minha cabeça para me imobilizar. Vi um brilho branco de dentes, depois ele ficou perto demais para que eu pudesse ver alguma coisa. Nem um tremor de medo me atingiu quando ele me beijou de novo, impulsionado por uma compreensão súbita.

Ele não estava atrás do meu sangue. Ivy queria sangue; Kist queria sexo. E o risco de que seu desejo pudesse se transformar em sangue me fez superar minha cautela e me entregar a uma ousadia impulsiva.

Seus lábios eram macios, com um calor úmido. Sua barba cerrada e loura fazia um contraste distinto, aumentando meu fervor. Com o coração martelando, coloquei um pé atrás de sua perna e o puxei para perto. Sentindo isso, sua respiração ficou ofegante. Um som suave de êxtase escapou de mim. Minha língua encontrou a maciez de seus dentes, e seus músculos ficaram tensos sob as minhas mãos. Afastei minha língua, provocando.

Nossas bocas se separaram. Havia calor em seus olhos, negros e cheios de um desejo ardente e despudorado. E, ainda assim, não havia medo.

– Me dê isso... – sussurrou. – Não vou rasgar sua pele se... – Ele respirou. – ... você me der isso.

– Cale a boca, Kisten – murmurei, fechando os olhos para bloquear o que conseguisse do rodamoinho confuso de tensões crescentes.

– Sim, senhorita Morgan.

Foi um sussurro muito suave. Eu nem estava certa de que tinha ouvido. O desejo em mim aumentou, avançando além da sanidade. Sabia que não devia, mas, com o coração acelerando, passei as unhas pelo seu pescoço, deixando rastros vermelhos em sua pele arranhada. Kisten estremeceu, suas mãos firmes e exploradoras descendo para encontrar minha lombar. Um fogo líquido correu pelo meu pescoço quando ele inclinou a cabeça e encontrou a cicatriz. Sua respiração vinha num fluxo forte, provocando ondas deliciosas em mim apenas com os lábios.

– Não vou... não vou – Kist ofegou. Percebi que ele estava se equilibrando em mais alguma coisa. Um tremor passou por mim quando o vamp traçou um caminho no meu pescoço com os dentes delicados. Um sussurro de palavras não identificadas passou pelos meus pensamentos, me atingindo. – Diz que sim... – pediu, um toque de promessa urgente naquela voz baixa e rouca. – Me diz, amor. Por favor... me dê isso também.

Meus joelhos tremeram quando a frieza de seus dentes roçou na minha pele de novo, testando, provocando. Suas mãos me prendiam com firmeza. "Será que eu quero isso?" Com os olhos quentes com lágrimas reprimidas, admiti que não sabia mais. Nos pontos em que Ivy não conseguia me tocar, Kisten conseguia. Rezei para que ele não descobrisse isso através do toque dos meus dedos, que agarravam seus braços como se ele fosse a única coisa me impedindo de enlouquecer naquele momento.

– Você precisa me ouvir dizendo sim? – respirei, reconhecendo a paixão na minha voz. Preferia morrer lá com Kisten do que de medo com Piscary.

A campainha do elevador tocou, e as portas se abriram.

Um fluxo de ar frio passou pelos meus tornozelos. A realidade voltou numa onda dolorosa. Era tarde demais. Eu tinha demorado muito.

– O frasco está comigo? – perguntei, sem fôlego, enquanto meus dedos se entrelaçavam nos fios curtos de cabelo em sua nuca. Seu corpo estava pesado contra mim, e a mescla dos cheiros de couro e de seda sempre representaria Kisten para mim. Eu não queria me mexer. Não queria sair daquele elevador.

Senti o batimento cardíaco de Kist e o ouvi engolir saliva.

– Está na sua bolsa – sussurrou.

– Ótimo. – Meu maxilar travou, e apertei mais forte seu cabelo. Puxando sua cabeça para trás, levantei o joelho.

Kist se afastou de mim. O elevador sacudiu, fazendo-o bater na parede oposta. Eu tinha desperdiçado o momento. Droga.

Sem fôlego e desgrenhado, ele se empertigou e sentiu as costelas.

– Você tem que se mover mais rápido do que isso, bruxa. – Tirando o cabelo dos olhos, fez sinal para eu sair primeiro.

Com os joelhos completamente frouxos, me recompus e saí do elevador.

Vinte e sete

Os aposentos diurnos de Piscary não eram o que eu esperava. Quando saí do elevador, comecei a virar a cabeça de um lado para o outro, absorvendo tudo. O pé-direito era alto – acho que uns três metros –, e o teto era pintado de branco e decorado com faixas drapeadas de tecido em cores quentes. Arcos largos sugeriam a existência de cômodos igualmente espaçosos mais para dentro. O lugar tinha o conforto suave da mansão de um playboy e o ar de um museu. Levei um instante para tentar encontrar uma linha de ley, sem me surpreender ao descobrir que eu estava fundo demais no subsolo.

Minhas botas pisaram num carpete branco macio. Os móveis eram elegantes, e havia algumas obras de artes sob refletores. Cortinas do teto ao chão em intervalos regulares davam a ilusão de estarem cobrindo janelas. Entre as cortinas, havia prateleiras de livros protegidas por portas de vidro. Lá dentro, volumes que pareciam mais antigos do que a Virada. Nick teria adorado isso, e durante um instante desejei desesperadamente que ele tivesse encontrado meu bilhete. As primeiras pistas de possível sucesso me fizeram andar com mais confiança do que a situação merecia. Com o frasco de Kisten e o bilhete para Nick, talvez eu conseguisse escapar viva.

As portas do elevador se fecharam. Virei-me, percebendo que não havia botão para apertar e fazê-las abrir de novo. A escada também tinha desaparecido. Devia sair em outro lugar. Meu coração deu um pulo e se acalmou. Escapar viva? Talvez.

– Tire as botas – Kist disse.

Inclinei a cabeça, sem acreditar.

– Como é?

– Estão sujas. – Sua atenção estava nos meus pés. Ele ainda estava corado. – Tire-as.

Olhei para a extensão de carpete branco. "Ele quer que eu mate Piscary e está preocupado com minhas botas no carpete?" Fazendo uma careta, obedeci e as deixei perto do elevador. Eu não estava acreditando naquilo. Eu ia morrer descalça.

Mas o carpete provocava uma sensação gostosa nos meus pés enquanto eu seguia Kisten e me obrigava a não procurar na bolsa o frasco que ele tinha prometido que estaria ali. O vamp estava tenso de novo, com o maxilar travado e um jeito mal-humorado, bem diferente do vampiro dominante que tinha me levado à beira da entrega fazia alguns minutos. Ele parecia estar com ciúme e ofendido. Exatamente o que eu esperava de um amante traído.

"Me dê isso...", ecoava na minha memória, provocando um tremor irreversível em mim. Eu me perguntei se ele implorava desse jeito a Piscary, sabendo que ele estava pedindo sangue, e se, para Kisten, tomar sangue era um compromisso casual ou algo mais.

O som do tráfego abafado atraiu minha atenção para longe da foto que parecia retratar Piscary e Lindburgh dividindo uma cerveja num pub britânico. Com passos lentos para disfarçar que estava mancando, Kisten me conduziu para uma sala de estar abaixo do piso. Ao fundo havia um nicho azulejado para tomar café da manhã diante do que parecia uma janela sobre o rio no segundo andar. Piscary relaxava a uma mesa pequena no centro do espaço circular, cercado por carpete. Eu sabia que estava no subsolo e que aquilo era apenas um vídeo em tempo real, mas parecia muito uma janela.

O céu clareava com o amanhecer que se aproximava, dando ao rio cinza um resplendor suave. Os prédios mais altos de Cincinnati eram silhuetas escuras contra o céu claro. Fumaça saía dos barcos a vapor enquanto se alimentavam as caldeiras, no preparo para os primeiros turistas. O tráfego dominical era leve, e o barulho dos carros se perdia atrás dos milhares de ruídos de vozes, metal e gritos invisíveis que compõem o pano de fundo de uma cidade. Observei a água formar ondas sob a brisa, e meu cabelo se levantou com uma rajada suave de vento. Surpresa pelo detalhe, vasculhei o teto e o chão até encontrar uma ventilação. Uma buzina soou ao longe.

– Está gostando, Kist? – Piscary perguntou, desviando minha atenção do homem correndo com o cachorro na trilha de pedestres ao lado do rio.

Kist ficou com o pescoço vermelho e abaixou a cabeça.

– Eu queria saber do que Ivy tanto falava – ele murmurou, parecendo uma criança que fora pega beijando uma vizinha.

Piscary sorriu.

– Excitante, não é? Deixá-la assim sem se prender a ninguém é muito divertido até ela tentar te matar. Mas, por outro lado, é daí que vem o êxtase, não é mesmo?

Voltei a ficar tensa. Piscary parecia relaxado, sentado em uma das cadeiras de metal trançado, usando um robe de seda leve azul-meia-noite. A cor profunda das suas vestes combinava bem com sua pele âmbar. Ele tinha o jornal matinal dobrado nas mãos. Seus pés descalços estavam visíveis através da mesa. Eram compridos e magros, do mesmo tom de mel de sua cabeça careca. Fiquei ainda mais ansiosa com aquela aparência casual de quem tinha acabado de sair da cama. "Ótimo. Isso é tudo de que preciso."

– Bela janela – comentei, pensando que era melhor que a de Trent, o detestável. Ele poderia ter cuidado de tudo isso se tivesse agido quando contei que Piscary era o assassino. Os homens são todos iguais: pegam tudo que podem sem pagar e mentem sobre o resto.

Piscary se mexeu na cadeira, e o robe se abriu, mostrando seu joelho. Afastei rapidamente o olhar.

– Obrigado – ele disse. – Eu detestava o nascer do sol quando estava vivo. Agora é minha parte preferida do dia. – Abafei um riso, e ele apontou para a mesa. – Quer uma xícara de café?

– Café? – perguntei. – Achei que era contra o código dos bandidos tomar café com alguém antes de matá-lo.

Suas sobrancelhas negras e finas se ergueram. Percebi que devia querer alguma coisa de mim, ou então teria mandado Algaliarept me matar no ônibus.

– Preto – respondi. – Sem açúcar.

Piscary fez um sinal com a cabeça a Kisten, que deslizou para longe sem fazer barulho. Puxei a segunda cadeira na frente de Piscary, me largando nela com a bolsa no colo. Olhei para a janela falsa em silêncio.

– Gostei da sua toca – eu disse, sarcástica.

Piscary levantou uma sobrancelha. Eu queria saber fazer isso, mas era tarde demais para aprender.

– Originalmente, fazia parte da ferrovia subterrânea – Piscary disse. – Um buraco nojento no solo sob o deque de alguém. Irônico, não? – Eu não disse nada, e ele acrescentou: – Este costumava ser o portal para o mundo livre. Ainda é, de vez em quando. Não há nada como a morte para libertar uma pessoa.

Deixei escapar um suspiro suave e me virei para a janela, imaginando por quanto tempo seria obrigada a ouvir aquela porcaria-de-velho-sábio antes de ser morta. Piscary pigarreou, e olhei para trás. Um fio de cabelo preto aparecia por trás do V de seu robe, e suas panturrilhas visíveis através da mesa eram musculosas. Eu me lembrei do desejo quente que tinha sentido por Kisten no elevador, e que tinha aumentado rapidamente, sabendo que aquilo se devia, sobretudo, aos feromônios vamps. "Mentiroso." O fato de Piscary conseguir fazer isso e muito mais comigo com apenas um som deixou meu estômago revirando.

Incapaz de parar, levei a mão ao pescoço como se quisesse tirar o cabelo dos olhos. Na verdade, queria esconder a cicatriz do demônio, mas ela provavelmente estava mais visível para Piscary do que o nariz no meu rosto.

– Você não precisava estuprá-la para me fazer vir aqui – eu disse, decidindo sentir raiva em vez de medo. – A cabeça de um cavalo morto na minha cama teria o mesmo efeito.

– Eu queria fazer aquilo – ele disse. Sua voz baixa estava carregada com a força do vento. – Por mais que queira pensar diferente, essa situação não é toda sobre você, Rachel. Uma boa parte, sim, mas não toda.

– Meu nome é senhorita Morgan.

Ele recebeu isso com um silêncio zombador de três segundos.

– Andei mimando Ivy demais. As pessoas estão começando a falar. Era hora de trazê-la de volta ao controle. E foi um prazer... para nós dois. – Um sorriso o tomou, junto com uma lembrança. Notei um vislumbre de seus caninos e um suspiro suave, quase subliminar. – Ela me surpreendeu, indo bem além do meu objetivo. Eu não perdia o controle daquele jeito há pelo menos trezentos anos.

Meu estômago estremeceu quando uma onda de desejo induzido por vamp passou por mim e desapareceu. Sua potência roubou meu fôlego, e me vi tentando recuperá-lo.

– Canalha – xinguei, com os olhos arregalados enquanto sentia o sangue latejar.

– Que lisonjeiro – ele retribuiu, com as sobrancelhas levantadas.

– Ivy mudou de ideia – eu disse, enquanto o restinho de seu desejo morria em mim. – Ela não quer ser sua herdeira. Deixe-a em paz.

– É tarde demais. E ela quer, sim. Não coloquei nenhuma compulsão quando ela tomou a decisão. Ivy nasceu e foi criada para esse posto, e, quando morrer, vai ser complexa o suficiente para ser uma companheira adequada, com pensamentos variados e sofisticados, de forma que eu não ficarei entediado com ela nem ela comigo. Sabe, Rachel, não é sincero dizer que a falta de sangue é o que leva um vampiro a surtar e a sair no sol. É o tédio que provoca uma falta de apetite, e é essa falta de apetite que leva à insanidade. Desenvolver o potencial de Ivy me ajudou a impedir isso. E, agora que está envenenada com seu potencial, ela vai me impedir de enlouquecer. – Ele inclinou a cabeça com graciosidade. – E eu vou fazer o mesmo por ela.

Sua atenção passou por cima do meu ombro, e o pelo na minha nuca se arrepiou. Era Kisten. O sussurro de sua passagem roçou em mim, e reprimi um tremor. O vamp surrado e batido silenciosamente colocou uma xícara de café e um pires na minha frente e saiu. Ele não encontrou meu olhar, seus modos escondendo uma dor subjugada. O vapor do líquido quente subiu uns sete centímetros antes de o vento artificial soprá-lo. Não peguei a xícara. Estava tomada pelo cansaço, e a adrenalina fazia eu me sentir doente. Pensei nos talismãs que trazia na bolsa. O que Piscary estava esperando?

– Kist? – o vampiro morto-vivo disse suavemente, e o ex-herdeiro se virou. – Me dê.

O mestre estendeu a mão, e Kisten colocou um papel amassado na palma de sua mão. Meu rosto ficou pasmo de pânico. Era meu bilhete para Nick.

– A Rachel ligou para alguém? – Piscary perguntou a Kist, e o jovem vampiro abaixou a cabeça.

– Para o FIB. Eles desligaram na cara dela.

Chocada, olhei para Kisten. O sujeito tinha visto tudo. Tinha se escondido nas sombras quando eu segurei o cabelo de Ivy para ela vomitar, observado eu fazer chocolate quente e ouvido Ivy me contar, e reviver, seu pesadelo. Enquanto eu demorava uma eternidade no ônibus, o vamp estava tirando minha salvação da porta. Ninguém apareceria. Ninguém mesmo.

Sem encontrar meus olhos, ele se afastou. Houve um som distante de uma porta se fechando. Olhei para Piscary e minha respiração congelou. Seus olhos estavam totalmente pretos. "Merda."

As órbitas de obsidiana não piscavam, fazendo minhas palmas suarem. Com a tensão reprimida de um predador, ele se inclinou na minha frente com aquele vento falso agitando os pelos em seus braços nus e bronzeados. A barra do robe se mexeu com os movimentos sutis. Seu peito oscilava conforme ele inspirava, num esforço para acalmar meu subconsciente. E, enquanto eu continuava sentada na sua frente, a enormidade do que ia acontecer me tomou.

Minha respiração veio e foi, e a prendi. Vendo que eu reconhecia minha morte, Piscary piscou devagar e sorriu com um brilho de compreensão. "Ainda não, mas em breve. Quando ele não puder mais esperar."

– É divertido ver que você gosta tanto dela – o vamp mestre disse, o poder escapando de sua voz para envolver meu coração. – Ivy te traiu tão profundamente. Minha linda e perigosa *filiola custos*. Eu a mandei te observar quatro anos atrás, e ela entrou para a SI. Comprei uma igreja e a mandei se mudar para lá; ela fez isso. Pedi para ela instalar uma cozinha de bruxa e abastecê-la com livros adequados; ela foi além e criou um jardim irresistível.

Meu rosto ficou gelado, e minhas pernas tremiam. "A amizade dela é uma mentira? Um fingimento para me vigiar?" Não podia ser verdade. Lembrando do som perdido de sua voz ao pedir para não deixar o sol matá-la, não acreditei que sua amizade fosse uma mentira.

– Eu disse para ela te seguir quando você pediu demissão – Piscary continuou, e o preto de seus olhos assumiu a tensão de uma paixão relembrada. – Foi nossa primeira discussão, e achei que tinha encontrado o ponto em que poderia transformá-la em minha herdeira, em que ela mostraria sua força e provaria que conseguia me enfrentar. Mas Ivy se rendeu. Por um tempo, achei que eu tinha cometido um erro. Que ela não possuía força de vontade para sobreviver na eternidade comigo e eu teria que esperar mais uma geração e tentar com uma filha dela com Kisten. Fiquei tão desapontado. Imagine meu delírio quando percebi que ela guardava suas próprias intenções e estava me usando.

Piscary sorriu; o dente, maior, se mostrava um pouco mais.

– Ivy se agarrou a você para escapar do futuro que eu tinha planejado. Ela achava que você encontraria um jeito de impedir que ela perdesse a alma quando morresse. – Piscary balançou a cabeça num movimento controlado, a luz brilhando em sua cabeça calva. – Isso é impossível, mas Ivy não queria acreditar.

Engoli em seco, cerrando os punhos ao deixar de me sentir tão traída assim. Ela estava usando o sujeito, não seguindo suas instruções.

– Ivy sabe que você matou aqueles bruxos? – sussurrei, com o coração triste com a possibilidade de ela saber e não ter me contado.

– Não – Piscary disse. – Tenho certeza de que suspeita, mas meu interesse em você é por um motivo mais antigo, e não tem nada a ver com o atual Santo Graal do Kalamack em busca de um bruxo de linhas de ley.

Mantive os olhos longe das minhas mãos, que apertavam com força a abertura da minha bolsa, repousada no colo. Não conseguia pegar o frasco. "Se não é por causa do Kalamack, por que Piscary quer que eu morra?"

– Ivy precisou deixar o orgulho de lado quando veio até mim, implorando por clemência, depois que você sobreviveu ao ataque do demônio. Ela estava tão chateada. É difícil ser jovem. Eu entendia o que era desejar alguém mais do que ela imaginava. E estava inclinado a mimá-la outra vez, quando percebi que Ivy tinha me usado sem eu saber. Por isso deixei você viver, em troca que ela quebrasse o jejum e tomasse você completamente. O fato de você ser a sombra dela tinha um toque irônico que eu gostava. Ivy prometeu que faria isso, mas estava mentindo, eu sabia. Mesmo assim, não me importava, desde que ela mantivesse você e Kalamack separados.

– Mas não sou uma bruxa de linhas de ley – eu disse, conservando a voz suave para não oscilar. Eu poderia ter sussurrado as palavras, e ainda assim ele teria ouvido. – Por quê?

Piscary não tinha tomado fôlego desde que parou de falar. As almofadas embaixo de seus pés estavam pressionadas contra o chão. Suas panturrilhas mostravam-se tensas. "Quase", pensei, movendo os dedos para a abertura da bolsa. "Ele está quase pronto. O que está esperando?"

– Você é filha do seu pai – respondeu, com a pele ao redor de seus olhos se contraindo. – Trent é filho do pai dele. Separados, vocês são desagradáveis. Juntos... têm potencial para ser um problema.

Meu olhar ficou distante, depois se concentrou quando encontrei seus olhos. Eu tinha uma expressão horrorizada no rosto. A foto do meu pai e do pai de Trent do lado de fora de um ônibus amarelo. Piscary havia matado os dois. Tinha sido ele.

Com firmeza, meu sangue latejou nas têmporas. Meu corpo exigiu alguma ação, mas fiquei sentada, sabendo que, se eu me mexesse, ele também se mexeria.

O vamp mestre deu de ombros, um movimento calculado que levou meus olhos até um pedaço da pele âmbar sob o robe.

– Eles estavam chegando perto demais de solucionar o mistério dos elfos – Piscary disse, observando minha reação.

Mantive o rosto indiferente enquanto ele revelava o segredo mais precioso de Trent, demonstrando que eu também sabia. Aparentemente, foi a coisa certa a fazer.

– Não vou deixar vocês dois começarem de onde eles pararam – acrescentou, provocando.

Eu não disse nada, com o estômago revirando. Piscary tinha matado os dois. O pai de Trent e o meu pai eram amigos. Trabalhavam juntos. Trabalhavam juntos contra Piscary.

O vamp ficou estático.

– Ele já te mandou para o todo-sempre?

Sentindo medo em minhas entranhas, meu olhar disparou para o dele. Lá estava. A pergunta cuja resposta Piscary desejava, aquela que ele escondeu entre as outras para eu não perceber. Assim que eu a respondesse, estaria morta.

– Não tenho o hábito de quebrar a confidencialidade dos meus clientes – respondi, com a boca seca.

Sua racionalidade calma se abalou quando ele respirou. Foi sutil, mas estava ali.

– Ele mandou. Você encontrou um? – perguntou, se controlando antes de se inclinar para a frente sobre a mesa. – Era sólido o suficiente para ler?

"Ahn? Ler o quê?" Não falei nada, querendo desesperadamente esconder minha pulsação latejante no pescoço. Mas, apesar de seus olhos estarem negros, Piscary não estava interessado no meu sangue. Isso era quase assustador demais para acreditar. Eu não sabia como responder. Será que um "sim" salvaria minha vida ou a destruiria?

Franzindo a testa, ele me analisou por um longo instante enquanto eu ouvia meu coração aos pulos e sentia o suor em meus braços.

– Não consigo interpretar seu silêncio – Piscary disse, parecendo irritado.

Respirei.

Ele se moveu.

A adrenalina doía. Afastei-me da mesa num pânico cego. Minha cadeira virou de costas, comigo ainda sentada.

Piscary jogou a mesa para longe, tirando-a do caminho. Ela caiu de lado, e meu café formou um padrão fantástico no carpete branco.

Arrastei-me para trás, e meus pés descalços gemeram no círculo de azulejos. Meus dedos encontraram o carpete, e o agarrei, rolando de lado e me levantando.

Deixei um gritinho escapar quando Piscary me puxou pelo pulso. Eu o arranhei em pânico e ele entendeu tudo. Com o rosto desprovido de emoções, o vamp passou uma unha no meu braço direito, seguindo o azul de uma veia. O fogo rastreou sua unha enquanto ele abria minha pele, depois veio o êxtase. Em silêncio, com selvageria, lutei para me libertar enquanto ele me segurava pelo pulso, imóvel como uma árvore. Meu sangue apareceu, e senti a bolha de insanidade aumentar dentro de mim. "De novo não. Não posso ser atacada por um vampiro de novo!"

Ele olhou para o meu sangue, depois para os meus olhos. Usando a mão livre, o espalhou pelo meu braço.

– Não! – gritei.

Piscary soltou meu pulso, e eu caí no carpete. Com a respiração ofegante e difícil, tropecei para trás. Encontrei meus pés, a adrenalina pulsando em mim conforme me dirigia ao elevador.

Piscary me puxou para trás.

– Seu filho da puta! – gritei. – Me deixe em paz!

Ele deu um soco na minha cabeça e me fez ver estrelas.

Eu me dobrei. Sem ar, fiquei deitada a seus pés enquanto Piscary se assomava sobre mim, com um talismã na mão. Ele esfregou meu sangue no talismã, que ficou vermelho. Sua mão estava coberta com uma névoa vermelha e ele empurrava minha cadeira derrubada para mais longe. Levantei a cabeça, vendo através do meu cabelo que o padrão no chão azulejado diante de nós formava um círculo perfeito. O círculo de azulejos azuis ao redor da pedra branca era uma peça de mármore. Era um círculo de invocação.

– Que Deus me ajude – sussurrei, sabendo o que ia acontecer quando Piscary jogasse o amuleto no centro do círculo. Observei a esfera de energia do todo-sempre se expandir e formar uma bolha protetora. Minha pele zumbiu com o poder de outro bruxo, trazido à vida com meu sangue, enquanto Piscary se preparava para chamar seu demônio.

Vinte e oito

Piscary levou a mão à boca para lamber meu sangue restante, se encolhendo.

– Água benta? – ele disse, o rosto impassível mostrando um brilho de aversão. Pegando a barra do robe, ele limpou o sangue de si, deixando a palma apenas com uma vermelhidão leve. – Você precisa de mais do que isso para me incomodar. E não fique cheia de si. Eu não ia te morder. Nem gosto de você. Mas é claro que você ia gostar. Em vez disso, vai ter uma morte lenta e dolorosa.

– Manda ver... – ofeguei, caída aos pés dele enquanto tentava me lembrar de como focalizar a visão.

O vamp se afastou aqueles odiados dois metros e meio de distância, ficando entre mim e o elevador. Um latim cuidadosamente pronunciado saía de sua boca. Reconheci algumas palavras da invocação de Nick. Senti o coração acelerar e, frenética, olhei para a espaçosa sala branca e macia em busca de alguma coisa. Eu estava fundo demais no subsolo para entrar numa linha de ley. Algaliarept estava a caminho. Piscary me daria a ele.

Fiquei paralisada quando Piscary falou seu nome. O gosto de âmbar queimado cobriu minha língua, e uma névoa vermelha do todo-sempre surgiu no círculo de invocação.

– Ah, olha só. Um demônio – sussurrei, me arrastando até a mesa caída e me puxando para cima. – Isso aqui está ficando cada vez melhor.

Balançando, observei-o crescer até virar uma silhueta de um metro e oitenta de altura. O demônio absorveu o vermelho do todo-sempre, tomando a forma de um corpo atlético com pele âmbar. Ele trazia um tecido nos quadris, decorado com pedras e fitas coloridas. Algaliarept tinha pernas musculosas nuas, uma cintura impossivelmente fina e um peito magnificamente esculpido que faria

Schwarzenegger chorar. Acima dele, uma cabeça de chacal, com orelhas pontudas e um focinho selvagem comprido.

Minha boca se escancarou, e vi o deus egípcio da morte; era a visão do demônio de Piscary. As feições do vampiro para mim tinham um novo significado. Piscary era egípcio?

O vamp mestre enrijeceu.

– Já falei para não aparecer na minha frente desse jeito – ele disse com rigidez.

A máscara da morte sorriu, fascinante porque estava viva e era parte dele.

– Eu esqueci – respondeu devagar numa voz incrivelmente profunda que pareceu ecoar nas minhas entranhas. Uma língua vermelha e fina passou pelos dentes do chacal e lambeu o focinho. Houve um som agudo e oco de dentes e lábios.

Meu coração latejava, e, como se pudesse ouvir, Algaliarept se virou lentamente para mim.

– Rachel Mariana Morgan – ele disse, com as orelhas levantadas. – Você é a pequena errante.

– Cale a boca – Piscary ordenou, e os olhos de Algaliarept viraram fendas. – O que deseja para fazê-la me dizer o que sabe sobre os progressos de Kalamack?

– Seis segundos com você fora do círculo. – O simples desejo de matar Piscary em sua voz foi como gelo escorrendo pelas minhas costas.

Piscary balançou a cabeça, sua compaixão inabalável.

– Eu te dou a bruxa. Não me importa o que fará com ela, desde que a bruxa nunca mais retorne para este lado das linhas de ley. Em troca, você vai fazê-la me dizer em que ponto Trent Kalamack está em sua pesquisa. Antes de levá-la. Combinado?

"Não o todo-sempre. Não com Algaliarept."

O sorriso canino de Algaliarept estava satisfeito.

– Rachel Mariana Morgan como pagamento? Hummm. Concordo. – O deus egípcio entrelaçou as mãos e deu um passo à frente, parando na borda do círculo. As orelhas de chacal se levantaram, e as sobrancelhas caninas se ergueram.

– Você não pode fazer isso! – protestei, com o coração batendo forte. Olhei para Piscary. – Não pode fazer isso. Eu não concordo. – Então me virei para Algaliarept. – Ele não é dono da minha alma. Não pode oferecê-la a você!

O demônio me deu uma olhada.

– Ele tem seu corpo. Quem controla o corpo controla a alma.

– Isso não é justo! – gritei, sendo ignorada.

Piscary se aproximou do círculo e colocou as mãos nos quadris, assumindo uma postura agressiva.

– Você não vai tentar matá-la nem me tocar de jeito nenhum – entoou. – E, quando eu mandar, vai voltar direto para o todo-sempre.

– Concordo – a cabeça de chacal disse. Uma gota de saliva caiu de um canino, sibilando enquanto fluía para o todo-sempre entre seus dentes.

Sem deixar o olhar do demônio escapar, Piscary esfregou o dedão do pé no círculo para quebrá-lo.

Algaliarept saiu do círculo.

Ofegando, andei de costas. Uma mão poderosa se estendeu e agarrou minha garganta.

– Pare! – Piscary gritou.

Senti que estava sufocando e olhei para os dedos dourados do demônio. Tinham três anéis com pedras azuis, todas espetando minha pele. Eu me balancei para chutá-lo, e Algaliarept me levantou mais alto para evitar meu golpe. Um som molhado escapou de mim.

– Solte-a! – Piscary exigiu. – Você não pode levá-la enquanto eu não receber o que quero!

– Vou conseguir sua informação de outro jeito – o chacal disse. O estrondo de suas palavras se juntava ao som do meu sangue fluindo depressa. Minha cabeça parecia prestes a explodir.

– Eu te chamei para conseguir uma informação *dela* – Piscary contestou. – Se a matar agora, vai violar sua invocação. Eu quero isso agora, não na próxima semana nem no próximo ano.

Os dedos ao redor da minha garganta se dissolveram. Caí no carpete, ofegando. As sandálias do demônio eram feitas de couro e fitas grossas. Lentamente, levantei a cabeça, sentindo minha garganta.

– Apenas um adiamento, Rachel Mariana Morgan – a cabeça de chacal disse, com a língua se movendo em padrões fantásticos enquanto falava. – Você vai aquecer minha cama hoje à noite.

Ajoelhei-me diante dele, buscando ar e tentando descobrir como eu ia aquecer a cama dele se estivesse morta.

– Sabe – respirei com dificuldade –, estou ficando cansada disso. – Com o coração disparado, me levantei. Ele tinha concordado com uma tarefa e estava suscetível a ser invocado de novo. – Algaliarept – eu disse claramente. – Estou te chamando, seu filho da puta assassino com cara de cachorro.

O rosto de Piscary ficou pasmo de surpresa, e posso jurar que Algaliarept piscou para mim.

– Ah, deixa eu ser aquele cara que veste couro? – a cabeça de chacal disse. – Você tem medo dele. Eu gosto de ser ele.

– Tá bom, que seja – respondi, com os joelhos tremendo.

Luvas de couro preto se solidificaram sobre as mãos com pele âmbar, e a postura do deus egípcio com cabeça de chacal se derreteu de uma firmeza rígida para um jeito confiante e cheio de ginga. E então o demônio estava transformado em Kisten, vestindo couro dos pés à cabeça e calçando coturno. Fez até um barulho de corrente e cheirava a gasolina.

– Isso é legal – o demônio disse, mostrando o brilho de um canino enquanto ajeitava o cabelo louro, a mão deixando-o molhado e com cheiro de xampu.

Também achei que ele estava bonito. Infelizmente.

Expirando devagar, a imagem de Kist mordeu o lábio inferior para fazê-lo ficar mais vermelho, e a língua escapou, deixando-o com um brilho molhado. Um tremor passou por mim quando me lembrei como os lábios de Kist eram macios. Como se lesse minha mente, o demônio suspirou, os dedos fortes descendo até as calças de couro para atrair meus olhos para lá. Um arranhão apareceu sob seu olho, espelhando o novo ferimento de Kist.

– Malditos feromônios vamps – sussurrei, afastando a lembrança do elevador.

– Não desta vez – Algaliarept disse, sorrindo de um jeito afetado.

Piscary estava assistindo à cena, confuso.

– Eu te invoquei. Faça o que estou mandando!

A imagem de Kisten se virou para Piscary, repreendendo-o com nervosismo.

– E Rachel Mariana Morgan também me invocou. A bruxa e eu temos uma dívida preexistente para quitar. E, se ela tem malícia suficiente para ganhar uma invocação sem círculo, vou me prender a isso.

Os dentes de Piscary travaram. Ele se aproximou de nós.

Ofeguei, indo para trás. Houve uma sensação de arrebatamento, e encarei quando Piscary bateu numa parede do todo-sempre, caindo num emaranhado de braços e pernas. Gelei ao perceber que Algaliarept tinha nos colocado num círculo construído por ele.

Densa, a névoa vermelha pulsava e zumbia, pressionando minha pele apesar de eu estar a meio metro de distância dela. Piscary se levantou e ajeitou o robe, então estendi um dedo e toquei na barreira. A superfície se ondulou e uma lasca de gelo passou por mim. Era a placa do todo-sempre mais densa que eu já tinha visto. Sentindo os olhos de Algaliarept em mim, puxei a mão de volta e a limpei nas calças jeans.

– Não sabia que você podia fazer isso – eu disse, e ele deu um risinho. Pensando bem, fazia sentido. Ele era um demônio. Ele existia no todo-sempre. É claro que ele podia fazer aquilo.

– E estou disposto a te ensinar a sobreviver manipulando o todo-sempre também, Rachel Mariana Morgan – ele disse, como se lesse minha mente. – Por um preço.

Balancei a cabeça.

– Mais tarde, talvez?

Com um berro irado, Piscary pegou uma cadeira trançada e a jogou contra a barreira. Dei um pulo, e minha boca ficou seca.

Algaliarept dirigiu ao vampiro um olhar de relance quando ele arrancou a perna da cadeira e tentou furar a barreira como se tivesse em mãos uma espada. O demônio assumiu uma postura beligerante à beira do círculo, me mostrando sua bunda firme em calças de couro.

– Sai fora, seu velho – ele zombou com o sotaque falso de Kist, enfurecendo Piscary ainda mais. – O sol nascerá em breve. Você terá outra chance com ela daqui a uns três minutos.

Minha cabeça se levantou. "Três minutos? Falta tão pouco tempo para o sol nascer?"

Furioso, Piscary jogou a perna da cadeira, que reverberou e rolou por sobre o carpete. Seus olhos eram poços negros, e ele começou a andar lentamente em círculo ao nosso redor, esperando.

Mas, por enquanto, eu estava em segurança no círculo de Algaliarept. "Deus do céu, isso é muito estranho."

Obrigando meus braços a soltarem meu corpo, olhei para a janela falsa de Piscary, vendo o brilho do sol nos prédios mais altos. Três minutos. Levei os dedos à testa.

– Se te pedir para matar Piscary, você quita nossa dívida? – perguntei olhando para cima.

Ele fez uma pose de lado.

– Não. Embora matar Ptah Ammon Fineas Horton Madison Parker Piscary esteja na minha lista de tarefas, ainda é uma solicitação e te custaria mais, em vez de liquidar sua dívida. Além disso, se você me mandar atrás do vamp, ele provavelmente vai me invocar de novo, como você fez, e aí você estará de volta à estaca zero. O único motivo para Piscary não poder me invocar agora é que não concordamos com nada e estamos no limbo da invocação, por assim dizer.

O demônio sorriu, e eu desviei o olhar. Piscary se levantou, ouvindo e claramente refletindo.

– Você consegue me tirar daqui? – perguntei, pensando em escapar.

– Através de uma linha de ley, sim. Mas, desta vez, vai te custar sua alma. – Ele passou a língua nos lábios. – E então você será minha.

"Quantas opções incríveis..."

– Você pode me dar alguma coisa para me proteger dele? – implorei, ficando desesperada.

– O mesmo preço... – Ele ajeitou as luvas nos dedos. – E você já tem tudo que precisa. Tique-taque, Rachel Mariana Morgan. Qualquer coisa que puder salvar sua vida vai custar sua alma.

Piscary estava sorrindo, e meu estômago se revirou quando ele ficou parado a dois metros de distância. Meus olhos dispararam para a bolsa com o frasco que Kist tinha me dado. Estava fora de alcance e do lado errado da barreira.

– O que devo pedir? – gritei, desesperada.

– Se eu responder a isso, você não vai ter o suficiente para o pagamento, amor – sussurrou, se inclinando para perto e fazendo meus cachos voarem. Recuei quando senti cheiro de Enxofre. – E você é uma bruxa cheia de recursos – acrescentou. – Qualquer pessoa que consiga tocar os sinos da cidade consegue sobreviver a um vampiro. Mesmo que o vamp seja tão antigo quanto Ptah Ammon Fineas Horton Madison Parker Piscary.

– Mas estou a três andares sob o solo! – protestei. – Não consigo alcançar uma linha de ley daqui.

O couro estalou quando ele me rodeou, com as mãos entrelaçadas nas costas.

– O que você *vai* fazer?

Xinguei entre os dentes. Fora do círculo, Piscary esperava. Mesmo que eu conseguisse fugir, o vamp escaparia da prisão. Eu não podia pedir a Algaliarept para testemunhar.

Com os olhos arregalados, levantei o olhar.

– Tempo? – perguntei.

A imagem de Kist olhou para o pulso e apareceu um relógio igual ao de Nick, que eu tinha esmagado com o martelo de carne.

– Um minuto e meio.

Meu rosto ficou gelado.

– O que você quer para testemunhar num tribunal da SI ou do FIB que Piscary é o *serial killer* de bruxos?

Algaliarept sorriu.

– Gosto do jeito como você pensa, Rachel Mariana Morgan.

– Quanto? – gritei, olhando para o sol se esgueirando na lateral dos prédios.

– Meu preço não mudou. Preciso de um novo familiar, e está demorando demais para eu conseguir a alma de Nicholas Gregory Sparagmos.

Minha alma. Eu não podia fazer isso, mesmo que fosse satisfazer Algaliarept e, em última instância, salvar Nick de perder sua alma e ser puxado para o todo-sempre para ser familiar do demônio. Meu rosto ficou pasmo, e encarei Algaliarept com tanta intensidade que ele piscou de surpresa. Eu tive uma ideia. Era boba e arriscada, mas talvez fosse louca o suficiente para funcionar.

– Serei sua familiar voluntariamente – sussurrei, sem saber se conseguiria sobreviver à energia que ele poderia passar por mim ou me obrigar a segurar. – Serei sua familiar por vontade própria, mas manterei minha alma. – Talvez, se eu mantivesse minha alma, ele não pudesse me puxar para o todo-sempre. Eu ficaria deste lado das linhas de ley e ele só me usaria quando o sol não estivesse aparecendo. Talvez. A questão era: será que Algaliarept teria tempo para pensar bem nisso? – E quero que você testemunhe antes que o fim do meu acordo se torne executável – acrescentei, caso eu conseguisse sobreviver.

– Voluntariamente? – ele indagou, sua forma ficando borrada no contorno. Até Piscary parecia chocado. – Não é assim que funciona. Ninguém jamais foi um familiar por vontade própria. Não sei o que isso quer dizer.

– Quer dizer que sou sua maldita familiar! – gritei, sabendo que, se o demônio pensasse no assunto, perceberia que só estava conseguindo metade de mim.

– Diga que sim agora ou, daqui a trinta segundos, eu ou Piscary estaremos mortos, e você vai ficar sem nada. Nada! Temos um acordo ou não?

A imagem de Kist se inclinou para a frente, e me esquivei. Ele olhou para o relógio de pulso.

– Voluntariamente? – Seus olhos estavam arregalados de espanto e cobiça.

Em pânico, fiz que sim com a cabeça. Eu me preocuparia com isso mais tarde. Se eu tivesse um "mais tarde".

– Feito – ele disse, tão rápido que me deu a certeza de que eu tinha cometido um erro. Fui tomada por um alívio, depois a realidade me atingiu com um tapa de sacudir a alma. "Que Deus me ajude. Serei familiar de um demônio."

Dei um pulo para trás quando ele estendeu a mão para o meu pulso.

– Estamos de acordo – Algaliarept disse, agarrando meu braço com uma rapidez de vamp.

Eu o chutei bem no estômago. Ele não fez nada. Balançou para trás com a transferência do impulso, mas fora isso não se mexeu. Um soluço escapou de mim quando ele traçou uma linha sobre minha marca do demônio. O sangue escorreu. Dei um pulo para trás e, sussurrando, Algaliarept inclinou a cabeça sobre meu pulso e soprou nele.

Tentei puxar a mão, mas ele era mais forte do que eu. Fiquei enjoada com o sangue, com tudo. Ele me soltou e eu caí para trás, deslizando pelo arco de sua barreira, sentindo as costas formigando. Olhei imediatamente para o meu pulso. Havia duas linhas onde antes havia uma. A nova parecia tão antiga quanto a primeira.

– Dessa vez não doeu – eu disse, abalada demais para ter qualquer outra reação.

– Não teria doído da primeira vez se você não tivesse tentado costurar. O que você sentiu foi a fibra queimando. Sou um demônio, não um sádico.

– Algaliarept! – Piscary gritou quando nosso acordo foi selado.

– Tarde demais – o demônio sorridente disse e desapareceu.

Caí de costas quando sua barreira sumiu atrás de mim, soltando um grito agudo assim que Piscary se aproximou. Prendendo-me ao chão, levantei minhas pernas até ele, jogando-o por cima de mim. Cambaleei até a bolsa e o frasco. Vasculhei a bolsa, e Piscary me atirou para trás.

– Bruxa – sibilou, agarrando meu ombro. – Vou conseguir o que quero. E aí você vai morrer.

– Vá para o inferno, Piscary – soltei, abrindo o frasco com um barulho suave e jogando-o em seu rosto.

Aos gritos, Piscary se afastou violentamente de mim. Do chão, eu o vi recuar, limpando o rosto com movimentos frenéticos.

Com o coração na garganta, esperei ele cair e desmaiar. Nada disso aconteceu. Minhas entranhas se contraíram de medo enquanto Piscary limpava o rosto, levando os dedos até o nariz.

– Kisten – ele disse, sua repulsa se transformando em desapontamento. – Ah, Kisten. Você não!

Engoli em seco.

– É inofensivo, não é?

Ele encontrou meus olhos.

– Você não acha que sobrevivi por tanto tempo dizendo aos meus filhos o que realmente pode me matar, acha?

Eu não tinha mais nada. Durante alguns segundos o encarei. Seus lábios se curvaram num sorriso ávido.

Dei um pulo para me movimentar. Piscary estendeu a mão casualmente e agarrou meu tornozelo enquanto eu tentava me levantar. Eu caí, chutando, tentando atingir seu rosto duas vezes antes de ele me puxar para si e me imobilizar sob seu peso.

A cicatriz no meu pescoço latejou, e o medo subiu por ela, formando uma mistura nauseante.

– Não – Piscary disse suavemente, me prendendo ao carpete. – Você vai sentir dor por isso.

Seus caninos estavam de fora e sua saliva pingava.

Lutei para respirar, tentando sair de baixo dele. O vamp se moveu, segurando meu braço esquerdo sobre minha cabeça. O braço direito estava livre. Com os dentes cerrados, soquei seu olho.

Piscary deu um pulo para trás e, com uma força de vamp, agarrou meu braço direito e o quebrou.

Meu grito ecoou no pé-direito alto. Arqueei as costas e lutei para respirar.

Os olhos de Piscary ficaram pretos.

– Diga se Kalamack tem uma amostra viável – ele exigiu saber.

Com os pulmões oscilando, tentei respirar. A onda de desespero percorreu meu braço e ecoou na minha cabeça.

– Vá para o inferno... – respondi com a voz rouca.

Ainda me prendendo ao carpete, ele apertou meu braço quebrado.

Eu me contorci quando a agonia me tomou. Cada terminação nervosa pulsou, queimando. Um som gutural escapou de mim, com dor e persistência. Eu não contaria a ele. Nem mesmo sabia o que contar.

Piscary soltou o peso sobre meu braço, e gritei de novo para não enlouquecer. O medo fez minha cabeça doer quando os olhos dele piscaram de fome. Seu desejo instintivo tinha crescido muito, impulsionado pela luta. O preto de seus olhos aumentou. Ouvi meus gemidos de dor como se estivesse fora da minha própria cabeça. Centelhas prateadas de choque surgiram entre mim e os olhos de Piscary, e meus gritos viraram um alívio. Eu ia desmaiar. "Graças a Deus."

Piscary também percebeu.

– Não – sussurrou, com a língua passando rapidamente nos dentes para capturar a saliva antes que ela caísse. – Sou melhor do que isso. – Então, tirou o peso de cima do meu braço. Um gemido escapou de mim quando a agonia virou pulsação.

O vamp se inclinou para deixar o rosto a centímetros do meu, observando minhas pupilas com tranquilidade enquanto as centelhas desapareciam e meu foco retornava. Sob sua impassividade havia uma excitação crescente. Se não tivesse saciado sua fome com Ivy, ele não teria sido capaz de se conter em me drenar. Piscary levantou no instante em que minha força de vontade voltou, sorrindo por antecipação.

Respirando, cuspi no rosto dele, as lágrimas se misturando com a minha saliva.

Piscary fechou os olhos. Sua expressão mostrava uma irritação cansada. Ele soltou meu pulso para limpar o rosto.

Balancei a mão, procurando esmagar seu nariz.

Ele pegou meu pulso antes de ser atingido e, com os caninos brilhando, segurou meu braço. Meus olhos passaram pelo arranhão que ele tinha feito em mim para invocar o amuleto. Senti o coração bater com força. Um fio de sangue escorreu lentamente até meu cotovelo. Uma gota vermelha aumentou, se agitou e caiu sobre meu peito, quente e macia.

Minha respiração estava trêmula. Encarei-o, esperando. Sua tensão aumentou e seus músculos enrijeceram quando se deitou sobre mim. Seu olhar estava fixo no meu pulso. Outra gota caiu, parecendo pesada.

– Não! – soltei um grito agudo quando um rosnado carnal escapou dele.

– Estou vendo agora – ele disse, com a voz apavorantemente suave, enquanto um desejo canalizado pulsava no fundo. – Não é de surpreender que Algaliarept tenha demorado tanto para descobrir o que te assusta. – Prendendo meu braço no chão, ele se inclinou até nossos narizes ficarem lado a lado. Eu não conseguia me mexer. Não conseguia respirar. – Você tem medo do desejo – sussurrou. – Bruxinha, me conte o que quero saber ou vou te fatiar, enchendo suas veias de mim, te transformando no meu brinquedinho. Mas vou deixar você se lembrar da sua liberdade... que será minha para sempre.

– Vá para o inferno... – retruquei, apavorada.

Ele se afastou para ver meu rosto. Estava quente nos pontos em que seu robe tinha escapado e sua pele tocava na minha.

– Vou começar por aqui – ele disse, puxando meu braço que pingava e trazendo-o para o meu campo de visão.

– Não... – protestei. Minha voz estava suave e assustada. Não conseguia evitar. Tentei aproximar meu braço, mas Piscary o prendeu com força e o puxou num movimento lento e controlado enquanto eu lutava para mantê-lo parado. Meu braço quebrado enviou ondas de náusea pelo meu corpo quando tentei usá-lo, empurrando-o com a força de um inseto.

– Meu Deus, não! Meu Deus, não! – gritei, redobrando os esforços ao passo que ele inclinava sua cabeça e passava a língua no meu cotovelo. Piscary gemia ao limpá-lo, sua língua se movendo com lentidão até onde o sangue fluía livremente. Se sua saliva atingisse minhas veias, eu seria dele. Para sempre.

Eu me sacudi, agitada. A umidade quente de sua língua foi substituída por dentes afiados e frios, que roçavam sem furar.

– Me conte – ele sussurrou, inclinando a cabeça para ver meus olhos –, e eu te mato agora em vez de daqui a cem anos.

A náusea subiu borbulhando, se misturando com as trevas da insanidade. Dei pinotes e os dedos do meu braço quebrado encontraram sua orelha. Eu a rasguei, procurando seus olhos. Lutei como um animal, os instintos formando uma névoa indistinta entre mim e a loucura.

A respiração de Piscary entrou com dificuldade enquanto minha luta e minha dor o colocavam num frenesi que eu tinha visto demais em Ivy.

– Ah, que vá tudo para o inferno – ele disse, sua voz me cortando. – Vou te drenar. Posso encontrar outro jeito. Posso estar morto, mas ainda sou um homem.

– Não! – soltei um grito agudo.

Mas era tarde demais.

Os lábios de Piscary recuaram. Forçando meu braço sangrento para o chão, inclinou a cabeça de forma a alcançar meu pescoço. A névoa de dor que sentia virou êxtase quando ele enfiou os dedos no meu braço quebrado. Gritei com seu gemido de expectativa.

Um estrondo distante me atingiu, e o chão tremeu. Senti um espasmo, e o êxtase quente se chocou com uma dor ofegante. O som de homens gritando se infiltrou na névoa de náusea.

– Eles não vão chegar aqui a tempo – Piscary murmurou. – Eles chegaram tarde demais para você.

"Não vai ser assim", pensei, amedrontada e fora de mim, xingando a estupidez de tudo aquilo. Não queria morrer desse jeito. Piscary se inclinou na minha direção, com o rosto selvagem de fome. Respirei pela última vez.

Algo explodiu como uma bola verde do todo-sempre esmagada em Piscary.

Eu me sacudi na leve mudança de peso. Ainda sobre mim, Piscary resmungou e olhou para cima.

Meu braço estava livre, e coloquei os joelhos entre nós. Lágrimas borravam minha visão enquanto eu lutava com um desespero renovado. Alguém estava ali. Alguém estava ali para me ajudar.

Outro jato verde atingiu Piscary, que balançou para trás. Consegui colocar uma perna embaixo do meu corpo e nos puxar para cima, fazendo Piscary voar para longe.

Cambaleate, me levantei, agarrei uma cadeira e a balancei. Ela o atingiu, e o choque ecoou no meu braço.

Piscary se virou, com o rosto selvagem. Estava tenso, se recuperando para pular em cima de mim.

Andei para trás, com o braço quebrado junto ao corpo.

Um terceiro jato verde de todo-sempre sibilou por mim, atingindo Piscary e fazendo-o voar para trás e bater numa parede.

Eu me virei na direção do elevador distante.

Quen.

O homem estava parado ao lado de um buraco enorme na parede ao lado do elevador. Rodeado por uma nuvem de poeira, trazia uma bola crescente do todo-sempre na mão, ainda vermelha – mas captando as cores de sua aura. Ele deve ter armazenado a energia no seu *chi*, já que estávamos fundo demais no subsolo para alcançar uma linha. Ao lado de seus pés, uma mochila preta recheada com estacas de madeira, que pareciam espadas saindo pelo zíper aberto. Além do buraco estava a escada.

– Já era hora de você chegar – ofeguei, cambaleando.

– Fiquei preso atrás de um trem – ele disse, com as mãos se movendo numa magia de linhas de ley. – Trazer o FIB para isso foi um erro.

– Eu não teria feito isso se o seu chefe não fosse tão babaca! – gritei, depois dei uma respirada superficial, tentando não tossir com a poeira. Kisten tinha pegado meu bilhete. "Como foi que o FIB chegou aqui se o Quen não os trouxe?"

Piscary tinha conseguido se levantar. Ele nos avaliou, mostrando os caninos num sorriso amplo.

– E agora sangue de elfo? Não me alimento disso desde a Virada.

Com uma velocidade de vamp, ele correu pela sala espaçosa até Quen, me empurrando ao passar. Fui jogada para trás e atingi a parede, caindo no chão. Tonta e à beira da inconsciência, observei Quen se esquivar de Piscary, parecendo uma sombra em sua roupa justa e preta. Ele tinha uma estaca de madeira do tamanho do meu braço em uma das mãos e uma bola crescente do todo-sempre na outra. Latim saía de sua boca, as palavras do feitiço negro queimando na minha mente.

Minha nuca latejava. Fui inundada pela náusea quando toquei num ponto de dor, mas não encontrei sangue. Os pontos pretos na minha frente clarearam quando me levantei. Tonta, procurei minha bolsa de talismãs através da névoa de poeira de parede.

Um grito masculino de agonia chamou minha atenção para Quen. Meu coração pareceu parar.

Piscary o pegara. Segurando-o como um amante, Piscary estava preso ao seu pescoço, segurando o peso dos dois. Quen ficou fraco, e a espada de madeira caiu no chão. Seu grito agudo de dor virou um gemido de êxtase.

Usando a parede como apoio, me levantei.

– Piscary! – gritei. Ele se virou, com a boca vermelha do sangue de Quen.

– Espere sua vez – rosnou, me mostrando seus dentes manchados de vermelho.

– Mas eu cheguei aqui *primeiro* – revidei.

Com raiva, ele soltou Quen. Se estivesse com fome, nada o teria afastado de uma presa dominada. Fraco, Quen ergueu o braço, mas não se levantou. Eu sabia por quê. A sensação era boa demais.

– Você não sabe quando parar – Piscary disse, vindo na minha direção.

O latim escapou pela minha boca, gravado na minha mente com o ataque de Quen. Movi as mãos, liberando uma magia negra. Minha língua inchou com o sabor de papel-alumínio. Procurei uma linha de ley, mas não a encontrei.

Piscary me atingiu. Ofeguei, sem conseguir respirar. Ele estava em cima de mim de novo.

No medo, alguma coisa quebrou. Um fluxo do todo-sempre me atingiu. Ouvi meu grito diante do choque causado pelo influxo inesperado de poder. Uma cor dourada envolvida em preto e vermelho saía das minhas mãos. Piscary se levantou de cima de mim e foi jogado numa parede, fazendo as luzes tremerem.

Eu me levantei quando o vamp caiu no chão, percebendo de onde tinha vindo a energia.

– Nick! – gritei de medo. – Meu Deus. Nick! Me desculpe!

Eu tinha puxado uma linha através dele, como se ele fosse um familiar. Ela tinha corrido através de Nick como fizera através de mim. Eu tinha puxado mais do que ele aguentava. "O que foi que eu fiz?"

Piscary estava largado no chão. Seu pé se moveu, e ele levantou a cabeça. Seus olhos não estavam focados, mas sim pretos de ódio. Eu não podia deixar que ele se levantasse.

Cheia de dor, agarrei a perna da cadeira que Piscary tinha arrancado e atravessei a sala cambaleando.

O vamp mestre se levantou, se apoiando com uma das mãos na parede. Seu robe estava quase todo solto. Seus olhos focaram de repente.

Agarrei a vara de metal com uma das mãos, como se fosse um taco, puxando-a para trás enquanto corria.

– Isso é por tentar me matar – eu disse, golpeando-o.

A barra de metal o atingiu atrás da orelha com um barulho molhado. Piscary cambaleou, mas não caiu.

Minha respiração entrou com um som irritado.

– Isso é por estuprar Ivy! – gritei. Minha raiva por ele ter machucado alguém tão forte e tão vulnerável me dava forças. Balancei, rosnando com o esforço.

A vara de metal encontrou a parte de trás de seu crânio. Pelo som parecia que eu tinha atingido um melão.

Tropecei, recuperando o equilíbrio logo depois. Piscary caiu de joelhos. Sangue escorria de sua cabeça.

– E isso – eu disse, sentindo meus olhos ficarem quentes e minha visão, borrada com as lágrimas – é por matar meu pai – eu sussurrei.

Com um grito de angústia, golpeei Piscary pela terceira vez. A vara atingiu sua cabeça. Girando com o impulso, caí de joelhos. Minhas mãos doíam, e a vara deslizou da minha mão desmaiada. Os olhos de Piscary reviraram, e ele caiu.

Com a respiração soluçante, olhei para ele e limpei as costas da mão no rosto. Piscary estava imóvel. Olhei, através do cabelo, para a janela falsa. O sol tinha nascido, refletindo nos prédios. Ele provavelmente ficaria desmaiado até a noite cair. Provavelmente.

– Mate-o – Quen resmungou.

Levantei a cabeça. Eu tinha me esquecido de que ele estava ali.

Quen tinha se levantado, com a mão no pescoço. O sangue que escorria por seus dedos formava um padrão horrível no carpete branco. Ele jogou uma espada de madeira para mim.

– Mate-o agora.

Eu peguei a espada como se fizesse isso a vida toda. Tremendo, virei a ponta para o carpete e me apoiei nela para levantar. Gritos e chamados vinham do buraco na parede. O FIB tinha chegado. Atrasado como sempre.

– Sou uma caça-recompensas – eu disse, com a garganta ardendo e as palavras saindo roucas. – Não mato meus alvos. Eu os levo vivos.

– Então você é uma tola.

Joguei-me numa cadeira muito macia antes de cair. Soltando a espada, coloquei a cabeça entre os joelhos e encarei o carpete.

– Então mate-o você – sussurrei, sabendo que ele podia me ouvir.

Quen andou de um jeito instável até a mochila perto do buraco na parede.

– Não posso. Não estou aqui.

O sopro de ar que escapou de mim doeu. Olhei para cima quando ele atravessou a sala na minha direção, seus passos lentos e cuidadosos. Então pegou a espada do chão, enfiando-a na mochila com a mão ensanguentada. Achei que tinha visto explosivos ali dentro também, o que revelaria como ele tinha feito o buraco na parede.

Quen parecia cansado, encolhido de dor. O pescoço dele não estava feio, mas eu preferia ficar de cama por seis meses do que ter recebido uma mordida com saliva do Piscary. Quen era um impercebido, portanto, não podia ser transformado em vampiro, mas, pelo olhar de medo rondando seu verniz de confiança, sabia que podia ser ligado ao vamp mestre. Com um vampiro tão velho, a ligação poderia durar a vida toda. Só o tempo diria quanta saliva de ligação Piscary tinha colocado na mordida, se é que colocara alguma.

– Sa'han está errado a seu respeito – ele disse, cansado. – Se não consegue sobreviver a um vampiro sem ajuda, seu valor é questionável. Sua imprevisibilidade faz com que você não seja confiável e, portanto, perigosa. – Quen fez um sinal com a cabeça antes de se virar e seguir em direção à escada. Eu o observei se afastar, com a boca escancarada.

"Sa'han está errado a meu respeito", pensei com sarcasmo. "Que bom para Trent."

Minhas mãos doíam. As palmas estavam vermelhas com o que pareciam queimaduras de primeiro grau. A voz de Edden na escada era alta. O FIB cuidaria de Piscary. E eu poderia ir para casa...

"Para casa encontrar Ivy", pensei, fechando os olhos brevemente. "Como foi que minha vida ficou tão horrível?"

Cansada além do que poderia imaginar, me levantei quando Edden e uma fileira de oficiais do FIB surgiram pelo buraco que Quen tinha feito.

– Sou eu! – resmunguei, levantando minha mão boa, já que estava ouvindo uma série assustadora de travas de segurança sendo desativadas. – Não atirem em mim!

– Morgan! – Edden espiou através da poeira e abaixou a arma. Apenas metade dos oficiais do FIB fez a mesma coisa. Era melhor do que a média. – Você está viva?

Ele pareceu surpreso. Contraída por causa da dor, olhei para mim mesma, o braço quebrado encolhido.

– É, acho que sim. – Comecei a tremer de frio.

Alguém abafou um riso, e as armas restantes foram abaixadas. Edden fez um movimento, e os oficiais se espalharam.

– Piscary está ali – eu disse, olhando naquela direção. – Ele ficará apagado até o pôr do sol, acho.

Edden se aproximou e viu Piscary. O robe caído mostrava boa parte da coxa musculosa.

– O que ele estava tentando fazer, te seduzir?

– Não – sussurrei, para minha garganta não doer tanto. – Ele estava tentando me matar. – Encontrei seu olhar e acrescentei: – Tem um vamp vivo chamado Kisten em algum lugar. Ele é louro e irritado. Por favor, não atirem nele. Além dele e de Quen, só vi oito vamps vivos no andar de cima. Podem atirar neles, se quiserem.

– O oficial de segurança do senhor Kalamack? – O olhar de Edden passou sobre mim, catalogando meus ferimentos. – Quen veio com você? – Ele colocou uma das mãos no meu ombro para me estabilizar. – Parece que seu braço está quebrado.

– Está – respondi, me afastando enquanto ele estendia a mão. "Por que as pessoas fazem isso?" – E, sim, ele veio até aqui. Por que você não veio? – Sentindo uma raiva súbita, o cutuquei no peito. – Se você se recusar a atender meu telefonema de novo, juro que vou pedir para Jenks jogar pó de pixie em você todas as noites durante um mês.

A arrogância atravessou o rosto de Edden, e ele deu uma olhada para os oficiais do FIB que rodeavam Piscary com cautela. Alguém chamou uma ambulância da SI.

– Não recusei sua ligação. Estava dormindo. Ser acordado por um pixie frenético e um namorado em pânico me dizendo que você saiu para atacar um dos vampiros mestres de Cincinnati não é meu jeito preferido de acordar. E quem te deu meu telefone secreto?

"Meu Deus! Nick." Lembrar do jato de energia de linha de ley que eu puxei através dele fez meu rosto ficar gelado.

– N-n-nick – gaguejei. – Preciso ligar para o Nick. – Mas hesitei ao procurar minha bolsa e meu telefone. O sangue de Quen tinha desaparecido. Todo ele. Acho que Quen estava falando sério quando disse que não queria nenhuma prova de que ele tinha estado lá. "Como ele fez isso? Uma magia élfica, talvez?"

– O senhor Sparagmos está no estacionamento – Edden disse. Então, olhando para mim e para meu rosto frio, agarrou um oficial que estava passando. – Traga um cobertor. Ela está entrando em choque.

Entorpecida, deixei ele me ajudar a atravessar a sala e o buraco na parede.

– O pobre rapaz desmaiou, estava muito preocupado com você. Não deixei nem ele nem Jenks saírem do carro. – Com os olhos iluminados por um pensamento súbito, Edden pegou o rádio no cinto. – Avise o senhor Sparagmos e a Jenks que encontramos Rachel, e ela está bem – ordenou, recebendo uma resposta distorcida. Pegando meu cotovelo, murmurou: – Por favor, me diga que não deixou um bilhete na sua porta dizendo que atacaria Piscary?

Eu tinha os olhos fixados na minha bolsa, que guardava um amuleto de dor do outro lado da sala, mas virei a cabeça de repente com suas palavras.

– Não! – protestei quando minha visão oscilou com o movimento rápido. – Eu disse que falaria com Piscary e que ele era o caçador de bruxos. Kisten deve ter feito isso, porque meu bilhete está aqui em algum lugar. Eu vi! – "Kisten substituiu meu bilhete?"

Cambaleei, confusa, enquanto Edden me impulsionava para a frente. Kisten tinha substituído meu bilhete, dando a Nick a única coisa que traria o FIB até aqui. Por quê? Para me ajudar ou simplesmente para encobrir sua traição a Piscary?

– Kisten? – Edden questionou. – Esse é o vamp vivo que você não quer que eu mate, certo? – Ele pegou o cobertor azul do FIB que alguém lhe dera e o colocou sobre meus ombros. – Venha. Quero te levar para cima. Cuidamos disso depois.

Eu me apoiei pesadamente sobre ele e apertei o cobertor, estremecendo quando a lã áspera machucou minhas mãos. Não olhei para elas, achando que não era nada em comparação com a mancha na minha alma por ter invocado aquele feitiço negro que Quen me ensinara. Respirei devagar. "Que diferença faz o fato de eu saber feitiços negros? Eu serei familiar de um demônio."

– Meu Deus, Morgan – Edden disse quando colocou o rádio de volta no cinto. – Você precisava explodir um buraco na parede?

– Não fui eu – eu disse, me concentrando no carpete a um metro na minha frente. – Foi Quen.

Mais oficiais desceram as escadas e entraram na sala; uma horda de presenças oficiais de repente fez eu me sentir uma alienígena.

– Rachel, Quen não está aqui.

– Sim – eu disse, tremendo violentamente enquanto olhava para o carpete intocado por sobre o ombro. – Devo ter imaginado tudo. – A adrenalina tinha sumido, e o cansaço e a náusea tomaram conta de mim. As pessoas se movimentavam rapidamente ao nosso redor, me deixando tonta. Meu braço era pura dor. Queria minha bolsa e o amuleto, mas estávamos indo na direção errada, e parecia que alguém a tinha classificado como evidência. "Ótimo."

Meu humor piorou ainda mais quando uma mulher usando uniforme do FIB nos parou, balançando minha arma de *paintball* na frente do Edden. Estava num saquinho de evidências, e não consegui impedir minha mão de tentar pegá-lo.

– Ei, minha arma – eu disse. Edden suspirou, nem um pouco feliz.

– Pode classificar – ele disse, com a voz entrelaçada de culpa. – Coloque a senhorita Morgan como identificação positiva.

A mulher pareceu quase assustada quando fez um sinal de positivo com a cabeça e se afastou.

– Ei – protestei de novo, e Edden me impediu de segui-la.

– Sinto muito, Rachel. É evidência. – Ele deu uma olhada rápida para os oficiais ao redor antes de sussurrar: – Mas obrigado por deixá-la onde pudéssemos encontrá-la. Glenn não teria conseguido derrotar aqueles vamps vivos sem ela.

– Mas... – gaguejei, vendo a mulher desaparecer no andar de cima com minha arma. A poeira estava pior ali, e engoli em seco para não tossir e desmaiar.

– Vamos – Edden disse, parecendo cansado enquanto tentava me impulsionar para a frente. – Odeio fazer isso, mas preciso pegar um depoimento seu antes que Piscary acorde e faça a queixa.

– Fazer queixa? Pelo quê? – Escapei de seu aperto, me recusando a me mexer. Que diabos estava acontecendo? Tinha acabado de identificar o caçador de bruxos, e eu é que seria presa?

Os oficiais ao nosso redor estavam ouvindo cuidadosamente, e o rosto redondo de Edden ficou ainda mais culpado.

– Por agressão e lesão corporal, ofensa à honra, violação de propriedade, invasão, danos à propriedade privada e o que mais seu advogado pré-Virada inventar. O que achou que estava fazendo, vindo até aqui para tentar matá-lo?

Ofendida, me esforcei para falar.

– Eu não o matei, apesar de ele merecer. O sujeito estuprou Ivy para me fazer vir aqui e me matar porque eu descobri que ele era o caçador de bruxos! – Levantei a mão boa como se, pelo lado externo, pudesse aliviar a dor na minha garganta inflamada. – E tenho uma testemunha disposta a contar que Piscary a contratou para matar as vítimas. Isso é suficiente para você?

A sobrancelha de Edden se ergueu.

– Uma testemunha? – Edden se virou para olhar para Piscary, que estava cercado por nervosos oficiais do FIB enquanto a ambulância da SI não chegava. – Quem seria?

– Você não quer saber. – Fechei os olhos. Eu seria familiar de um demônio. Mas estava viva. Não tinha perdido minha alma. Era preciso olhar pelo lado positivo.

– Posso ir? – perguntei quando vi o primeiro degrau do outro lado do buraco na parede. Não tinha ideia de como eu ia subir a escada toda. Talvez, se eu deixasse Edden me prender, eles me carregassem para cima. Sem esperar sua permissão, me afastei e segurei o braço perto do corpo enquanto mancava até o buraco na parede. Eu tinha acabado de identificar o vampiro mais poderoso de Cincinnati como *serial killer*, e tudo que eu queria era vomitar.

Edden deu um passo para me acompanhar, ainda sem me responder.

– Posso, pelo menos, pegar minhas botas? – perguntei quando vi Gwen tirando fotos dela, andando cuidadosamente pela sala, a câmera de vídeo registrando tudo.

O capitão do FIB veio atrás, olhando para os meus pés.

– Você sempre ataca vampiros mestres descalça?

– Só quando eles estão de pijama. – Apertei o cobertor ao redor de mim. – Quero manter as coisas equilibradas, sabe?

O rosto redondo de Edden explodiu num sorriso.

– Ei, Gwen! Pare com isso – ele disse alto enquanto pegava meu cotovelo e me ajudava a cambalear até a escada. – Isso não é uma cena de crime. É uma prisão!

Vinte e nove

– Ei! Aqui! – gritei, me ajeitando no banco duro do estádio de beisebol e acenando para chamar atenção do vendedor ambulante. Faltavam uns bons quarenta minutos para o jogo começar e, apesar de as arquibancadas estarem enchendo, os vendedores não estavam muito atentos.

Apertei os olhos e levantei quatro dedos quando o vendedor se virou. Ele levantou oito de volta. Estremeci. "Oito pratas por quatro cachorros-quentes?", pensei, mandando meu dinheiro até ele. Bom, pelo menos eu não tinha comprado os ingressos.

– Obrigado, Rachel – Glenn disse ao meu lado quando o pacote envolvido em papel chegou às suas mãos, jogado pelo vendedor. Ele o colocou no colo e pegou o resto, já que meu braço ainda estava na tipoia e, obviamente, tinha restrições de movimento. Glenn deu um cachorro-quente ao pai e a Jenks à esquerda. O outro ele me entregou, e o passei para Nick, que estava do meu outro lado. Nick me deu um sorriso estreito, imediatamente olhando para baixo, em direção ao aquecimento dos Uivadores.

Meus ombros caíram, e Glenn se aproximou com a desculpa de abrir meu cachorro-quente antes de me entregá-lo.

– Dê um tempo a ele.

Não respondi nada, e meu olhar disparou para o estádio de beisebol bem cuidado. Apesar de Nick não admitir, uma nova faixa de medo tinha se instalado entre nós. Tivéramos uma discussão dolorosa na semana anterior, na qual eu pedi desculpas várias vezes por ter puxado uma quantidade absurda de energia de linhas de ley através dele e disse que fora um acidente. Ele insistiu que estava tudo bem, que entendia e que estava feliz por eu tê-lo feito, já que isso salvara a minha vida. Suas palavras foram sinceras, e eu sabia nas profundezas da minha alma que Nick acreditava nelas. Mas depois disso ele raramente me olhava nos olhos, e se esforçava muito para evitar me tocar.

Como se quisesse provar que nada tinha mudado, ele insistiu que dormíssemos juntos no dia anterior ao jogo, como todo fim de semana. Foi um erro. A conversa do jantar foi, no mínimo, artificial: "Como foi seu dia, amor?", "Ótimo, obrigada; e o seu?" Depois disso, foram várias horas de TV, nas quais eu fiquei sentada no sofá e ele sentou na cadeira do outro lado da sala. Eu esperava algum progresso depois de ir dormir absurdamente cedo, à uma da manhã, mas Nick fingiu dormir imediatamente, e eu quase chorei quando se afastou do toque do meu pé.

A noite foi brilhantemente interrompida às quatro da manhã, quando ele acordou de um sono profundo por causa de um pesadelo e ficou em pânico ao me ver na cama.

Pedi desculpas baixinho e peguei o ônibus para casa, dizendo que, já que eu tinha acordado, ia ver se Ivy tinha chegado bem em casa e que o veria mais tarde. Nick não me impediu. Ficou sentado na beira da cama com a cabeça entre as mãos e não me impediu.

Estreitei os olhos sob o sol forte da tarde, fungando para afastar as lágrimas. Era o sol. Só isso. Dei uma mordida no cachorro-quente. Parecia um grande esforço mastigar, e a comida caiu pesada no meu estômago quando finalmente engoli. Lá embaixo, os Uivadores gritavam e jogavam bola.

Colocando o cachorro-quente no papel sobre meu colo, peguei uma bola de beisebol com a mão machucada. Meus lábios se moveram com um latim não pronunciado enquanto desenhava uma figura complexa com a mão saudável. Os dedos ao redor da bola formigaram ao ser dita a última palavra do feitiço. Senti uma satisfação melancólica quando a jogada do lançador saiu torta. O receptor se levantou para pegá-la, hesitando antes de voltar para a posição agachada.

Jenks esfregou as asas para chamar minha atenção, me dando um sinal de positivo animado com o dedão por causa da minha magia de linhas de ley. Retribuí seu risinho com um sorriso fraco. O pixie estava sentado no ombro do capitão Edden para ver melhor. Os dois tinham feito as pazes com uma conversa sobre cantoras de música country e uma noite no karaokê. Eu não queria saber detalhes. Sério.

Edden seguiu a atenção de Jenks até mim, seus olhos por trás dos óculos com armação redonda de repente suspeitos. Jenks o distraiu exaltando em voz alta as qualidades de um trio de mulheres que subiam os degraus do estádio. O rosto do homem atarracado ficou vermelho, mas o sorriso permaneceu.

Agradecida, me virei para Glenn, descobrindo que ele já tinha terminado o cachorro-quente. Eu devia ter comprado dois para ele.

– Como está o andamento do caso de Piscary? – perguntei.

O homem alto se remexeu no assento com uma empolgação evidente enquanto limpava os dedos nas calças jeans. Ele parecia outra pessoa sem o terno e a gravata. Além disso, o suéter bordado com o logo dos Uivadores o fazia parecer confortável e seguro.

– Com o testemunho do seu demônio, acho que o caso está razoavelmente garantido – ele respondeu. – Esperei um aumento na violência urbana, mas ela diminuiu. – Então olhou para o pai. – Acho que estão esperando até Piscary estar oficialmente preso para começarem a brigar pelo seu território.

– Eles não vão fazer isso. – Com meus dedos e minhas palavras, enviei outra bola para o estádio com um jato de energia do todo-sempre. Foi mais difícil reunir o poder da linha próxima. Os seguranças do estádio estavam entrando em operação. – Kisten está cuidando dos assuntos de Piscary – eu disse com amargura. – Os negócios continuam.

– Kisten? – Ele se inclinou para perto. – Ele não é um vamp mestre. Isso não vai causar problemas?

Balancei afirmativamente a cabeça e fiz um lance dar errado. Os jogadores ficaram lentos de tensão quando a bola atingiu o muro e rolou numa direção estranha. Glenn não tinha ideia de quanto seria difícil. Ivy era herdeira de Piscary. Pela lei dos vamps, ela estava no controle, quisesse ou não. E isso colocava a caça-recompensas aposentada da SI num enorme dilema moral, presa entre suas responsabilidades de vamp e sua necessidade de ser fiel a si mesma. Ela estava ignorando as invocações de Piscary para sua cela de prisão, junto com várias outras coisas que estavam crescendo em silêncio.

Escondida atrás da desculpa de que todos ainda pensavam que Kisten era herdeiro de Piscary, ela não fez nada, alegando que Kisten tinha o poder, se não a presença física, de manter tudo unido. Não era um cenário bom, mas eu não ia aconselhá-la a lidar com os assuntos de Piscary. Ivy havia dedicado a vida a prender aqueles que desrespeitavam a lei; ela surtaria se precisasse controlar o aumento da vontade de sangue e da dominação subsequentes à sua posição.

Vendo que eu não faria outros comentários, Glenn amassou seu papel e o guardou num bolso do casaco.

– Então, Rachel – ele disse, olhando para o assento vazio ao lado de Nick. – Como está sua colega de quarto? Melhor?

Dei outra mordida.

– Ela está superando – respondi com a boca cheia. – Até teria vindo hoje, mas o sol a tem incomodado ultimamente.

Muitas coisas a incomodavam desde que ela se fartara do sangue de Piscary: o sol, barulho demais, barulho de menos, a lentidão do computador, a polpa no suco de laranja, o peixe em sua banheira. Aliás, Jenks deu um jeito na situação e fez uma fritada de peixe para melhorar os níveis de proteína dos filhos antes da hibernação de outono. Ivy ficou violentamente doente depois de voltar da missa à meia-noite naquela manhã, mas ela não deixava de ir. Disse que isso ajudaria a manter um espaço entre ela e Piscary. Um espaço mental, aparentemente. Tempo e distância eram suficientes para quebrar a ligação que um vamp menor poderia impor a outro com uma mordida, mas Piscary era um vampiro mestre. A ligação duraria até que Piscary quisesse interrompê-la.

Lentamente, Ivy e eu estávamos encontrando um novo equilíbrio. Quando o sol estava alto e claro, ela era Ivy, minha amiga e sócia. Demonstrava um humor seco e sarcástico enquanto pensávamos em peças para pregar em Jenks ou discutíamos possíveis reformas na igreja para torná-la mais habitável. Depois do pôr do sol, ia embora, para eu não ver o que a noite fazia com ela. Ivy era forte sob a luz do sol e uma deusa cruel depois que ele se punha, à beira do desamparo na batalha que travava contra si mesma.

Desconfortável com meus pensamentos, puxei a linha de ley e fiz uma bola lançada enlouquecer, batendo no muro atrás do receptor.

– Rachel? – o capitão Edden chamou, os olhos por trás dos óculos assumindo um olhar firme quando se inclinou sobre o filho para me ver. – Me avise se ela quiser falar com Piscary. Ficaria feliz se ela decidisse dar uma surra nele, e fingiria que não vi nada.

Ele voltou a se recostar quando eu lhe dei um sorriso pálido. Piscary tinha sido extraditado para custódia da SI, seguro numa cela de prisão vamp. A audiência preliminar tinha corrido bem, o sensacionalismo da situação provocando uma abertura inesperada na pauta do tribunal. Algaliarept apareceu para provar que era uma testemunha confiável. O demônio cumpriu todos os papéis, se modificando em todo tipo de imagem para apavorar o tribunal inteiro. O que me perturbou mais foi que o juiz tinha medo de uma garotinha loura com língua presa e manca. Acho que o demônio se divertiu com isso.

Ajeitei meu boné dos Uivadores contra o sol quando um batedor subiu na base para acertar algumas bolas. Com o cachorro-quente no colo, remexi os dedos e pronunciei um encantamento. Os seguranças do estádio tinham subido, e precisei fazer um buraco através deles para alcançar a linha. Um influxo súbito de todo-sempre passou por mim, e Nick ficou tenso. Pedindo licença, ele deslizou por mim, murmurando algo sobre o banheiro. Sua forma esguia se apressou descendo os degraus e desapareceu.

Infeliz, enviei a energia do todo-sempre para a jogada do lançador. O taco quebrou, estalando alto. O batedor soltou as cinzas espalhadas, xingando tão alto que consegui ouvi-lo, e se virou para as arquibancadas com olhar acusador. O lançador colocou a luva no quadril. O receptor se levantou. Meus olhos se estreitaram de satisfação quando o treinador assobiou, chamando todo mundo.

– Boa, Rachel – Jenks disse, e o capitão Edden se assustou, lançando um olhar questionador.

– Foi você? – perguntou. Dei de ombros. – Você será expulsa.

– Talvez eles devessem ter me pagado por isso. – Eu estava sendo cuidadosa. Ninguém estava se machucando. Eu poderia fazer os corredores torcerem o tornozelo e se envolverem em colisões feias, se quisesse. Mas não ia fazer isso. Eu só estava atrapalhando o aquecimento. Vasculhei o guardanapo em que o cachorro--quente estava embalado. "Cadê o sachê de *ketchup*? Esse cachorro-quente está muito sem gosto."

O capitão do FIB se remexeu desconfortavelmente.

– Ah, sobre seu pagamento, Morgan...

– Esquece – eu disse rapidamente. – Acho que ainda te devo por pagar meu contrato da SI.

– Não – ele disse. – Tínhamos um acordo. Não é culpa sua que a faculdade tenha cancelado as aulas da sua turma...

– Glenn, posso pegar seu *ketchup*? – perguntei bruscamente, interrompendo Edden. – Não entendo como as pessoas conseguem comer cachorro-quente sem *ketchup*. Por que Virada aquele cara não me deu *ketchup*?

Edden se recostou na cadeira, soltando um suspiro pesado. O filho procurou obedientemente nos papéis amassados até encontrar um sachê de plástico branco. Com o rosto tenso, olhou para meu braço quebrado e hesitou.

– Eu... hum... abro para você – ofereceu.

– Obrigada – murmurei, sem gostar de estar impotente. Tentando disfarçar o mau humor, observei o detetive rasgar cuidadosamente o sachê e me entregá-lo. Com o cachorro-quente equilibrado no colo, apertei o sachê. Estava tão concentrada em colocá-lo no ponto certo que quase perdi Glenn levantando a mão e lambendo disfarçadamente uma mancha vermelha dos dedos.

"Glenn?", pensei. Fiquei pasma ao me lembrar do nosso *ketchup* desaparecido na igreja, e as peças se encaixaram.

– Você... – falei, nervosa. "Glenn roubou nosso *ketchup*?"

O rosto do homem ficou em pânico, e ele estendeu a mão, quase cobrindo minha boca antes de recuar.

– Não – ele implorou, se inclinando para perto. – Não fale nada.

– Você pegou nosso *ketchup*... – sussurrei, chocada. Notei que Jenks se balançava alegremente no ombro de Edden. Estava, ao mesmo tempo, ouvindo nossos sussurros e distraindo o capitão do FIB com uma conversa.

Glenn lançou um olhar culpado para o pai.

– Eu te pago – implorou. – Qualquer coisa que você quiser. Só não conta para o meu pai. Meu Deus, Rachel. Ele morreria.

Por um instante, só consegui encará-lo. "Ele pegou nosso *ketchup*. Bem da nossa mesa."

– Quero suas algemas – eu disse de repente. – Não consigo encontrar nenhuma que não tenha enfeites de sex shop.

Seu olhar de pânico pareceu aliviado, e ele se recostou.

– Segunda-feira.

– Está bem. – Minhas palavras eram calmas, mas por dentro eu estava cantando. "Vou conseguir algemas de novo!" Segunda-feira seria um bom dia.

Ele lançou um olhar culpado para o pai.

– Você... consegue um frasco de *ketchup* picante para mim? – Meus olhos dispararam para os dele. – Talvez um pouco de molho de churrasco?

Fechei a boca antes que um inseto entrasse.

– Claro. – Não acreditava naquilo. Eu ia contrabandear *ketchup* para o filho do capitão do FIB.

Levantei o olhar e vi um oficial do estádio usando uma camiseta de poliéster vermelha. Ele galopava os degraus acima, vindo na nossa direção e analisando nossos rostos. Um sorriso curvou meus lábios quando ele encontrou meu olhar. O oficial foi até a fileira relativamente vazia na nossa frente no momento em que eu guardava o resto do cachorro-quente e o colocava sobre o assento de Nick, depois guardava a bola de beisebol na minha bolsa, longe dos olhares alheios. Foi divertido enquanto durou. Eu não ia interferir no jogo, mas eles não sabiam disso.

Jenks voou do capitão Edden até mim. Ele estava vestido de vermelho e branco em homenagem ao time, e seu brilho agredia meus olhos.

– Ah, agora você está encrencada – zombou. Edden me deu um último olhar de alerta antes de voltar a atenção para o campo, claramente tentando se separar de mim para não ser expulso também.

– Senhorita Rachel Morgan? – o jovem de camiseta vermelha perguntou quando chegou a nós.

Eu me levantei com a bolsa.

– Sim.

– Sou Matt Ingle, segurança de linhas de ley do estádio. Pode me acompanhar, por favor?

Glenn se levantou, ficando em pé com as pernas separadas e as mãos nos quadris.

– Algum problema? – perguntou, ligando a postura autoritária e irritadiça no máximo. Eu estava empolgada demais com o fato de ele gostar de *ketchup* para ficar com raiva por me proteger.

Matt balançou a cabeça, nem um pouco intimidado.

– Não, senhor. A proprietária dos Uivadores ouviu falar dos esforços da senhorita Morgan para recuperar seu mascote e gostaria de conversar com ela.

– Ficaria feliz de falar com ela – respondi enquanto Jenks gargalhava, suas asas ficando vermelhas. Apesar de o capitão Edden manter meu nome longe dos jornais, toda a Cincinnati, inclusive Hollows, sabia quem tinha resolvido os assassinatos do caçador de bruxos, identificado o criminoso e invocado o demônio no tribunal. Meu telefone não parava de tocar com pedidos de ajuda. Da noite para o dia, eu tinha passado de autônoma batalhadora à caça-recompensas durona. Por que eu deveria temer a proprietária dos Uivadores?

– Vou com você – Glenn disse.

– Posso lidar com isso – respondi, meio ofendida.

– Eu sei, mas quero conversar com você, e acho que eles vão te expulsar do estádio.

Edden deu um risinho, afundando o corpo atarracado no assento duro. Pegando um chaveiro no bolso da frente, ele o deu para Glenn.

– Você acha? – perguntei, acenando um tchau para Jenks e, com um movimento do dedo e um sinal da cabeça, dizendo ao pixie que o veria na igreja. Ele fez que sim com a cabeça, voltando para o ombro do capitão Edden, assobiando e se divertindo demais para ir embora.

Glenn e eu seguimos o segurança de linhas de ley até um carrinho de golfe que nos esperava, e ele nos levou para a parte interna no fundo do estádio. O ambiente ficou frio e silencioso; o barulho das milhares de pessoas invisíveis ao redor parecia um trovão baixo, quase subliminar. No fundo da área restrita a pessoal autorizado, e entre ternos e champanhe, Matt parou o carrinho. Glenn me ajudou a sair, e tirei o boné, entregando-o a ele enquanto afofava o cabelo. Eu estava bem-vestida, com calças jeans e um suéter branco, mas todo mundo que eu tinha visto nos últimos dois minutos estava usando gravata ou brincos de diamante. Alguns usavam os dois.

Matt parecia nervoso enquanto nos conduzia para cima no elevador. Ele nos deixou numa sala comprida e elegante que dava para o campo. O ambiente estava confortavelmente cheio de conversas e de pessoas bem-vestidas. O cheiro fraco de almíscar fez cócegas no meu nariz. Glenn tentou me devolver o boné, e fiz sinal para que continuasse segurando.

– Senhorita Morgan – uma mulher baixinha disse, pedindo licença a um grupo de homens. – Estou muito feliz em conhecê-la. Sou a senhora Sarong – ela disse ao se aproximar, com as mãos estendidas.

Ela era mais baixa do que eu e claramente uma lóbis. Seu cabelo preto estava ficando grisalho em algumas mechas, o que caía bem nela, e suas mãos eram pequenas e poderosas. Ela se movia com uma graciosidade predatória que chamava atenção; seus olhos viam tudo. Os homens lóbis tinham que se esforçar para esconder os contornos brutos. As mulheres lóbis tinham uma aparência mais perigosa.

– Estou encantada em conhecê-la – eu disse quando ela tocou brevemente meu ombro num cumprimento, já que meu braço direito estava na tipoia. – Este é o detetive Glenn, do FIB.

– Senhora – ele disse rapidamente. A mulher sorriu, mostrando dentes lisos e perfeitos.

– Encantada – ela respondeu com prazer. – Pode nos dar licença, detetive? A senhorita Morgan e eu precisamos conversar antes do começo do jogo.

Glenn inclinou a cabeça.

– Sim, senhora. Posso pegar uma bebida para as duas, se me permitir.

– Seria muita gentileza.

Revirei os olhos com as afabilidades políticas, aliviada quando a senhora Sarong colocou levemente a mão sobre meu ombro e me conduziu para longe. Ela tinha cheiro de samambaias e musgo. Todos os homens nos observavam enquanto nos movimentávamos juntas até pararmos ao lado de uma janela com uma excelente vista do campo. O lugar era muito alto, o que me fez sentir meio enjoada.

– Senhorita Morgan – ela começou, com os olhos nem um pouco apologéticos –, ouvi dizer que você foi contratada para recuperar nosso mascote. Um mascote que nunca desapareceu.

– Sim, senhora – confirmei, surpresa pela forma como o título de respeito pareceu fluir de meus lábios. – Quando me avisaram sobre a confusão, o tempo e a energia que tinha gasto foram completamente desprezados.

Ela exalou devagar.

– Detesto investigar. Você andou jogando magia no campo?

Feliz com sua franqueza, decidi fazer a mesma coisa.

– Passei três dias planejando como invadir o escritório do senhor Ray quando poderia estar trabalhando em outros casos – eu disse. – E, embora eu admita que não foi culpa da senhora, alguém deveria ter me ligado.

– Talvez, mas, de qualquer maneira, o peixe não estava desaparecido. Não tenho o hábito de pagar chantagistas. Você vai parar.

– E eu não tenho o hábito de chantagear – retruquei, facilmente mantendo meu temperamento sob controle enquanto sua matilha me cercava. – Mas eu seria negligente se não lhe transmitisse meus sentimentos sobre esse assunto. Dou minha palavra de que não interferirei no jogo. Não preciso. Até eu receber meu pagamento, todas as vezes que uma bola for perdida ou um taco quebrar, seus jogadores vão se perguntar se fui eu. – Sorri sem mostrar os dentes. – Quinhentos dólares é um preço baixo pela paz de espírito dos seus jogadores. – "Malditos quinhentos dólares. Deveria ser dez vezes isso." O motivo para os capangas de Ray desperdiçarem balas em mim devido a um peixe fedorento ainda era algo fora do meu alcance.

Seus lábios se entreabriram, e juro que ouvi um pequeno rosnado em seu suspiro. Os atletas eram conhecidos por serem supersticiosos. Ela pagaria.

– Não é o dinheiro, senhora Sarong – concluí, apesar de inicialmente ser. – Mas, se deixar uma matilha me tratar como covarde, é isso que serei. E eu não sou covarde.

Ela levantou o olhar do campo.

– Não é covarde – concordou. – Você é uma loba solitária. – Com um movimento gracioso, fez um sinal para um lóbis próximo, que, na verdade, parecia extremamente familiar. Ele se aproximou a passos rápidos com uma carteira de couro de talão de cheques do tamanho de uma Bíblia, que precisava de duas mãos para segurar. – Lobos solitários são os mais perigosos – ela disse enquanto escrevia. – E também têm vidas curtíssimas. Arrume uma matilha, senhorita Morgan.

O ruído do cheque sendo destacado foi alto. Eu não tinha certeza se ela estava me dando um conselho ou fazendo uma ameaça.

– Obrigada, já tenho uma – respondi, sem olhar para o valor enquanto guardava o cheque na bolsa. A forma macia da bola de beisebol tocou nos nós dos meus dedos. Peguei-a e a coloquei em sua mão estendida. – Vou embora antes de o jogo começar – disse, sabendo que de jeito nenhum eles me deixariam voltar para as arquibancadas. – Por quanto tempo estou banida?

– Pela vida toda – ela respondeu, sorrindo como o próprio diabo. – Eu também não sou covarde.

Sorri de volta. Tinha gostado mesmo daquela mulher. Glenn se aproximou. Peguei o champanhe que ele me deu e o coloquei no peitoril.

– Adeus, senhora Sarong.

Ela inclinou a cabeça em despedida, segurando levemente a segunda taça de champanhe que Glenn trouxera. Três jovens se aproximaram por trás dela, mal-humorados e bem-vestidos. Fiquei feliz de não ter o emprego dela, apesar de parecer que os benefícios eram ótimos.

Os sapatos de Glenn faziam um barulho alto no concreto enquanto caminhávamos até o portão da frente sem a ajuda de Matt e seu carrinho de golfe.

– Você pode se despedir de todo mundo por mim? – perguntei, pensando em Nick.

– Claro. – Ele estava olhando para os enormes cartazes com letras e setas apontando para as saídas. O sol estava quente quando encontramos a saída, e eu relaxei ao chegar no ponto de ônibus. Glenn parou ao meu lado e me deu o boné. – Sobre seu pagamento... – começou.

– Glenn – eu disse enquanto colocava o boné –, como falei ao seu pai, não se preocupe com isso. Estou feliz por eles terem pagado meu contrato da SI e, com os dois mil que Trent me deu, tenho o suficiente para me virar até meu braço ficar bom.

– Quer calar a boca? – ele disse, enfiando a mão no bolso. – Conseguimos alguma coisa.

Eu me virei. Meu olhar caiu na chave em suas mãos e depois subiu para seus olhos.

– Não conseguimos aprovação para te reembolsar pela aula cancelada, mas havia um carro apreendido. A agência de seguros recuperou o título, então não podemos levá-lo a leilão.

"Um carro? Edden estava me dando um carro?"

Os olhos castanhos de Glenn estavam iluminados.

– Consertamos a embreagem e a transmissão. Tinha alguma coisa errada no sistema elétrico também, mas os caras da oficina mecânica do FIB consertaram sem cobrar. Podíamos ter te dado o carro antes, mas o escritório do Departamento de Veículos não entendia o que eu estava tentando fazer, então precisei de três viagens até lá para conseguir transferi-lo para seu nome.

– Vocês compraram um carro para mim? – perguntei, a empolgação borbulhando na minha voz.

Glenn sorriu e me deu uma chave com listras de zebra num chaveiro de pé de coelho roxo.

– O dinheiro que o FIB gastou nele é quase equivalente ao que te devíamos. Vou te levar para casa. A marcha é manual, e não sei se você consegue trocar marchas ainda, com esse braço.

Com o coração martelando, parei ao lado dele, vasculhando o estacionamento.

– Qual deles?

Glenn apontou, e o som dos meus saltos no asfalto fraquejou quando vi o conversível vermelho, reconhecendo-o.

– É o carro de Francis – eu disse, sem muita certeza do que estava sentindo.

– Tudo bem com isso? – Glenn perguntou, preocupado de repente. – Ele ia para o ferro-velho. Você não é supersticiosa, é?

– Hum... – titubeei, atraída pela pintura vermelha. Eu o toquei, sentindo a superfície macia. A capota estava abaixada, e me virei, sorrindo. O franzido preocupado da testa de Glenn relaxou. – Obrigada – sussurrei, sem acreditar que era meu de verdade. "Meu Deus, isso é meu?"

Com passos leves, andei até a frente, depois até a parte de trás. Tinha uma nova placa: CAÇANDO. Era perfeito.

– É meu? – perguntei, com o coração acelerado.

– Vai, entra logo – Glenn disse, seu rosto transformado pelo entusiasmo e satisfação.

– É maravilhoso – comentei, me recusando a chorar. "Nunca mais ia precisar de troco para o ônibus. Nunca mais ia ficar parada no frio. Nunca mais ia usar talismãs de disfarce para que os motoristas parassem para eu subir."

Abri a porta. O banco de couro estava quente com o sol da tarde e era macio como algodão-doce. O barulhinho alegre da porta sendo aberta era a definição de paraíso. Coloquei a chave na ignição, verifiquei se estava em ponto morto, apertei o pedal da embreagem e dei partida. O barulho do motor era a própria liberdade. Fechei a porta e dei um sorriso iluminado para Glenn.

– Sério? – perguntei, com a voz falhando.

Ele fez que sim com a cabeça, radiante.

Eu estava encantada. Com o braço quebrado, não conseguia mudar as marchas com segurança, mas podia experimentar todos os botões. Liguei o rádio, achando que era um mau agouro quando a voz da Madonna surgiu. Abaixei o som de "Material Girl" e abri o porta-luvas só para ver meu nome no documento. Um envelope amarelo grande e grosso deslizou para fora, e o peguei no chão.

– Ei, não coloquei isso aí – Glenn disse, sua voz num tom de preocupação.

Eu o levei até o nariz, e fiquei surpresa quando reconheci o aroma nítido de pinho.

– É de Trent.

Glenn se empertigou.

– Saia do carro – ele disse, a voz destacada, cada sílaba repleta de autoridade.

– Não seja burro – respondi. – Se ele quisesse me matar, não teria mandado Quen me salvar.

Com o maxilar travado, Glenn abriu a porta. Meu carro começou a apitar.

– Saia. Vou levar para análise e trago de volta amanhã.

– Glenn... – cantarolei enquanto abria o envelope e meus protestos desmoronavam. – Hum. Trent não está tentando me matar... Ele está me pagando.

O oficial se inclinou para ver, e mostrei o envelope a ele, que deixou escapar um xingamento murmurado.

– Quanto você acha que é? – perguntou enquanto eu o fechava e enfiava na bolsa.

– Acho que uns dezoito mil – tentei ser indiferente, estragando tudo com os dedos trêmulos. – Foi o que me ofereceu para limpar o nome dele. – Tirando o cabelo dos olhos, olhei para cima. Minha respiração ficou presa. Visível no espelho retrovisor estava a limusine Fantasma Cinza de Trent, parada na pista dos bombeiros. Não estava ali um instante antes. Pelo menos eu não a tinha visto. Trent e Jonathan estavam em pé ao lado do automóvel. Glenn notou o que estava atraindo minha atenção e se virou.

– Ah – ele disse, depois uma preocupação contraiu os cantos de seus olhos. – Rachel, vou até a bilheteria logo ali... – Ele apontou. – ... falar sobre a possibilidade de comprar um conjunto de assentos para o piquenique do FIB no próximo ano. – Ele hesitou, fechando minha porta com um barulho forte. Seus dedos escuros se destacavam na pintura vermelha. – Você vai ficar bem?

– Vou. – Afastei os olhos de Trent. – Obrigada, Glenn. Se ele me matar, diga ao seu pai que eu adorei o carro.

Um traço de sorriso atravessou seu rosto, e ele se virou.

Meus olhos ficaram grudados no espelho retrovisor enquanto o som de seus passos enfraquecia. Atrás de mim, um rugido foi provocado pelos torcedores quando o jogo começou. Observei Trent tendo uma conversa intensa com Jonathan. Ele deixou o homem irado e caminhou lentamente até mim, com as mãos nos bolsos. Trent estava bonito. Quer dizer, mais do que bonito. Vestia calças casuais, sapatos confortáveis e um suéter de tricô para se proteger do leve frio no ar. O colarinho de uma camisa de seda da cor da meia-noite aparecia por baixo, contrastando maravilhosamente com seu bronzeado. Uma boina de lã fazia sombra em seus olhos verdes e mantinha seu cabelo sob controle.

Ele parou devagar ao meu lado. Seus olhos não deixaram os meus para ver o carro uma vez sequer. Arrastando os pés, ele se virou um pouco para olhar para Jonathan. Eu estava engasgada com a ideia de ter ajudado a limpar seu nome. Ele tinha matado pelo menos duas pessoas em menos de seis meses – uma delas era Francis. E aqui estava eu, sentada no carro de um bruxo morto.

Fiquei quieta, agarrando o volante com a mão boa, o braço quebrado pousado no meu colo, lembrando que Trent tinha medo de mim. Pelo rádio, começou um comercial, e quase o desliguei.

– Encontrei o dinheiro – eu disse como cumprimento.

Ele estreitou os olhos, depois se mexeu para parar perto do espelho lateral e deixar o rosto na sombra.

– De nada.

Olhei para cima.

– Eu não disse "obrigada".

– De nada de qualquer maneira.

Meus lábios se pressionaram. "Babaca."

Os olhos de Trent foram até o meu braço.

– Quanto tempo para curar?

Surpresa, pisquei.

– Não muito. Foi uma fratura limpa. – Toquei no amuleto de dor no meu pescoço. – Mas houve algum dano muscular, e é por isso que ainda não consigo usá-lo bem, mas os médicos dizem que não vou precisar de fisioterapia. Estarei de volta às ruas daqui a seis semanas.

– Bom. Isso é bom.

Foi um comentário rápido, seguido de um longo silêncio. Fiquei sentada no carro, me perguntando o que Trent queria. Ele parecia nervoso, com as sobrancelhas ligeiramente erguidas. Não estava com medo nem preocupado. Eu não conseguia identificar o que o sujeito queria.

– Piscary comentou que nossos pais trabalharam juntos – eu disse. – Ele estava mentindo?

O sol se refletiu no cabelo claro de Trent quando ele sacudiu a cabeça.

– Não.

Uma lasca de gelo desceu pela minha coluna. Passei a língua nos lábios e limpei uma poeirinha do volante.

– O que eles faziam? – perguntei casualmente.

– Venha trabalhar para mim e eu te conto.

Meus olhos dispararam até os dele.

– Você é ladrão, traidor, assassino e, para finalizar, um homem desagradável – eu disse com toda a calma. – Não gosto de você.

Ele deu de ombros, e o movimento o fez parecer totalmente inofensivo.

– Não sou ladrão – ele disse. – E não me importo de te manipular para trabalhar para mim quando preciso. – Ele sorriu, me mostrando dentes perfeitos. – Gosto disso, na verdade.

Senti o rosto esquentar.

– Você é muito arrogante, Trent – eu disse, desejando poder dar marcha a ré no carro e atropelar seu pé.

Seu sorriso se abriu.

– O quê? – exigi saber.

– Você me chamou pelo meu primeiro nome. Gostei disso.

Abri a boca, depois a fechei.

– Então dê uma festa e convide o papa. Meu pai pode ter trabalhado para o seu pai, mas você é um lixo, e os únicos motivos para eu não jogar seu dinheiro na sua cara são: a) eu trabalhei por ele; e b) preciso de algum dinheiro para viver enquanto me recupero dos ferimentos sofridos enquanto impedia que você fosse preso!

Seus olhos estavam reluzindo de diversão, e isso me deixou furiosa.

– Obrigado por limpar meu nome – ele disse. Trent tentou tocar no meu carro, mas parou quando soltei um barulho horrível de alerta. Ele se virou para ver se Jonathan tinha se mexido. Não tinha. Glenn também estava nos observando.

– Deixa isso pra lá, tá? Fui atrás de Piscary para salvar a vida da minha mãe, não a sua.

– Obrigado mesmo assim. Se significa alguma coisa, estou arrependido por ter colocado você naquela arena de ratos.

Inclinei a cabeça para vê-lo, mantendo o cabelo longe do meu rosto enquanto o vento soprava forte.

– E você acha que isso significa alguma coisa para mim? – perguntei com firmeza. Depois estreitei os olhos. Trent estava quase se sacudindo enquanto permanecia em pé. O que estava acontecendo com ele?

– Vá para lá – ele finalmente disse, olhando para o banco vazio que estava ao meu lado.

Eu o encarei.

– O quê?

Trent desviou o olhar de mim para Jonathan, e me olhou de volta.

– Quero dirigir seu carro. Vá para lá. Jon nunca me deixa dirigir. Diz que é um serviço inferior. – Então observou Glenn, que estava de cara amarrada ao lado de uma pilastra. – A menos que você prefira que um detetive do FIB te leve para casa dentro da velocidade permitida.

A surpresa manteve a raiva longe da minha voz.

– Você sabe dirigir com câmbio manual?

– Melhor do que você.

Olhei para Glenn, depois de volta para Trent. Afundei lentamente no banco.

– Vou te falar o seguinte – eu disse, com as sobrancelhas se erguendo. – Você pode me levar para casa se falarmos de um só assunto no caminho.

– Seu pai? – ele adivinhou, e concordei com a cabeça. Estava me acostumando com essa coisa de fazer negócios com o outro lado.

Trent colocou as mãos de novo nos bolsos e se balançou para a frente e para trás nos calcanhares, pensativo. Depois afastou a atenção do céu azul e fez que sim com a cabeça.

– Não acredito que estou fazendo isso – murmurei enquanto jogava a bolsa no banco de trás e trocava de lugar desajeitadamente por cima do câmbio de marchas. Tirando o boné vermelho dos Uivadores, prendi o cabelo num coque e coloquei o boné de volta para me proteger do vento.

Glenn tinha começado a andar na minha direção, diminuindo o passo quando acenei em despedida. Balançando a cabeça como se não acreditasse, ele se virou e tornou a entrar no estádio de beisebol.

Apertei o cinto de segurança enquanto Trent abria a porta e entrava no banco da frente. Ele ajeitou os espelhos, depois virou a chave duas vezes antes de pisar no pedal da embreagem e engatar o carro em primeira. Eu me protegi do tranco, mas ele saiu suavemente, como se vivesse de estacionar carros.

No momento em que Jonathan entrava apressadamente na limusine, dei uma olhada para Trent. Meus olhos se estreitaram quando ele assumiu a tarefa de mexer no rádio enquanto estávamos parados num semáforo, sem sair do lugar quando ficou verde. Eu estava preparada para lhe dar um soco por bagunçar meu rádio até que ele encontrou uma estação tocando Takata e aumentou o volume. Irritada, apertei o botão de configuração.

O semáforo mudou de verde para amarelo, e ele fez o carro saltar para uma interseção, deslizando para o tráfego que se aproximava entre pneus cantando e buzinas tocando. Com os dentes travados, jurei que, se ele destruísse meu carro antes de eu ter essa oportunidade, o processaria.

– Não vou trabalhar para você de novo – eu disse enquanto ele dava aos motoristas irados atrás de si um aceno simpático e se misturava ao tráfego da via expressa. Minha raiva hesitou quando percebi que ele tinha parado intencionalmente no sinal verde para Jonathan ser obrigado a esperar até mudar de novo.

Olhei para Trent sem acreditar. Percebendo que eu tinha entendido o que estava fazendo, ele pisou fundo. Um tremor de animação me percorreu quando ele me deu um sorriso rápido, o vento puxando seu cabelo curto e escondendo o verde de seus olhos.

– Se aplacar sua consciência, senhorita Morgan, por favor, continue acreditando nisso.

O vento me atingiu, e eu fechei os olhos contra o sol, sentindo o asfalto gemer até meus ossos. No dia seguinte eu começaria a pensar em como escapar do meu acordo com Algaliarept, remover a marca do demônio, desconectar Nick de ser meu familiar e viver com uma vampira que estava tentando esconder o fato de que vinha praticando de novo. Naquele momento, eu dirigia a toda velocidade com o solteiro mais poderoso de Cincinnati, levando mais de dezoito mil dólares no bolso. E ninguém nos impediria de acelerar.

Não foi uma semana ruim de trabalho, pensando bem.

Agradecimentos

Quero agradecer ao Will pela ajuda e pela inspiração com as joias de Hollows, e à doutora Caroline White pela ajuda incalculável com boa parte do latim. E quero agradecer especialmente à minha editora, Diana Gill, por me dar a liberdade de forçar minha escrita a chegar a lugares que eu nunca havia imaginado, e ao meu agente, Richard Curtis.